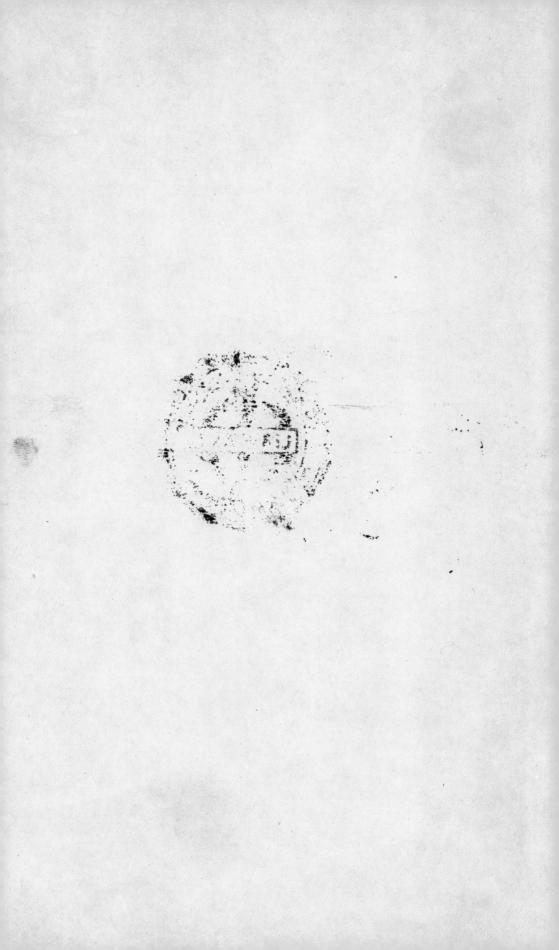

BIBLIOTECA

DE

AUTORES ESPAÑOLES

(CONTINUACION)

(TOMO CENTESIMONONAGESIMONOVENO)

BENEMÉRITO DE LAS LETRAS PATRIAS

DON MANUEL RIVADENEIRA

BIBLIOTECA DE AUTORES ESPAÑOLES
Continuación de la
COLECCIÓN RIVADENEIRA
publicada con autorización de la
REAL ACADEMIA ESPAÑOLA

BIBLIOTECA

DE

UTORES ESPAÑOLES

DESDE LA FORMACION DEL LENGUAJE HASTA NUESTROS DIAS.

(CONTINUACION)

OBRAS DE
DON RAMON DE MESONERO ROMANOS

I

EDICION Y ESTUDIO PRELIMINAR

DE

DON CARLOS SECO SERRANO

MADRID
1967

DERECHOS PRIVADOS

Depósito legal. M. 2.566-1967

MARIBEL, Artes Gráficas.—Tomás Bretón, 51.—MADRID

ESTÚDIO PRELIMINAR

MESONERO ROMANOS
EL ESCRITOR Y SU MEDIO SOCIAL

I

MESONERO EN SU TIEMPO

A modo de introducción

En su Epílogo al «Fígaro» de Carmen de Burgos, Ramón Gómez de la Serna hizo una vivaz evocación de Larra, contrastando nítidamente la personalidad del gran escritor —prototipo romántico por su exaltación idealista, llevada hasta la última prueba— con la de Mesonero Romanos, símbolo de una visión burguesa de la vida:

> «No tiene que ver nada ''Fígaro'' con Mesonero. Mesonero está bien, pero es un hombre con gafas. Mesonero es el señor que no se compromete, y ''Fígaro'' sí. Y en la vida hay que ''comprometerse''» (1).

Y, sin embargo, la proximidad entre las dos figuras, en apariencia contrapuestas, es mucho mayor de lo que «el gran Ramón» podía sospechar. Porque uno y otro constituyen la doble expresión del siglo XIX, las dos facetas de una misma revolución: la revolución liberal, idealista y romántica de una parte, pero impulsada, en sus más profundos resortes, por la promoción política de la burguesía. Con más finura que Gómez de la Serna, *Azorín* intuyó esta coincidencia básica, a despecho de los contrastes formales:

> «Si Larra simboliza la sociedad literaria de su tiempo, exaltada, impulsiva, generosa, romántica, Mesonero representa la sociedad burguesa, práctica, metódica, escrupulosa, bienhallada. Larra y Mesonero se completan; los dos nos dan la síntesis del espíritu castellano... No pongamos a Larra frente a Mesonero, ni Mesonero frente a Larra. Como ellos se querían cordialmente, debemos nosotros quererlos por igual a los dos. Los dos se completan; los dos son aspectos distintos, pero solidarios, de una misma época, de un mismo espíritu» (2).

Porque, de otra parte, el planteamiento de Gómez de la Serna, por excesivamente tajante, resulta unilateral y desconoce muchos matices que lo hacen

---

(1) *El Prado*. Epílogo al *Fígaro de Colombine* (Carmen de Burgos). Madrid, 1919, página 341.

(2) AZORÍN: *Larra y Mesonero*, en «Lecturas Españolas», Austral, 8.ª edición. Madrid, 1957, págs. 90 y 92.

discutible. No fue Mesonero un plácido conformista; si Larra amaba a España porque no le gustaba —permítaseme utilizar una vez más esta conocida expresión, de pura estirpe noventayochista—, Mesonero no se limitó, ni mucho menos, a gozarse en la contemplación beatífica del ámbito nacional en que hubo de moverse: sabía ver sus defectos y no olvidaba señalarlos. Pero lo que en Larra era una continua y angustiosa contraposición entre imagen ideal e imagen real —cuya distancia insalvable le impulsaría en un día aciago al suicidio—, en Mesonero se resuelve en bonachón y paciente esfuerzo por mejorar, en un terreno práctico —que no era exactamente el político—, lo que sabía que no estaba a la altura del tiempo ni de Europa.

Como en el caso de Larra, el campo de observación y de acción de Mesonero es Madrid, la capital de España, «las Batuecas» del *Pobrecito Hablador*; mas si para éste ese campo de observación es sólo como un índice para calar en un planteamiento de la problemática española —de entonces y de después—, en Mesonero toma el carácter de entrañable plataforma en que la propia vida se inserta y adquiere sentido; de modo que su biografía acaba por no ser otra cosa que un trozo de la gran biografía de la ciudad. Hablar de Mesonero, escribir de Mesonero, es hablar y escribir de Madrid: de «aquel Madrid» del *Curioso Parlante*. El personaje, más que en la línea vulgar y sin relieve, de su vida, está en una obra tan enraizada en el pueblo que le vio nacer, que aún tiene validez para nosotros en cuanto documento humano todavía vivo. Insustituible desde el punto de vista de la sociología histórica, como directo trasunto de una estructura social marcada por el decisivo ascenso de la burguesía, y del ámbito urbano en que esa estructura tenía uno de sus más notorios escenarios.

Impresiones infantiles de una España heroica

Lo curioso es que, si bien nacido en Madrid —el 19 de julio de 1803 (3)—, no es nuestro escritor lo que se dice «un madrileño de pura cepa». Su padre, don Matías, procede de Salamanca— aunque lleva ya quince años establecido en la capital cuando Ramón viene al mundo—. Su madre, doña Teresa, ha visto la luz en Moros —obispado de Tarazona—. Nunca dejará el «Curioso Parlante» de amar a Salamanca como su segunda patria.

* * *

(3) La partida de bautismo reza así: «En la Iglesia Parroquial de San Martín de Madrid a veinte de julio de mil ochocientos y tres, yo, Fr. Froylán Quiroga, teniente cura de ella, bauticé a Ramón, Elías, Justo, Pablo, hijo legítimo y de legítimo matrimonio de don Matías Mesonero, natural del lugar de Machacón, obispado de Salamanca, y de doña Teresa Romanos, natural del de Moros, obispado de Tarazona. Abuelos paternos don Joseph y doña Antonia Herrero, naturales de dicho Machacón. Maternos, don Antonio, natural del dicho Moros, y doña Bárbara Elipe, natural de la villa de Ateca, en dicho obispado de Tarazona. Nació en diez y nueve del corriente, calle baja del Olivo, número diez. Fue su padrino don Pablo Francisco Antonio Malla, a quien advertí el parentesco espiritual. Testigos, Manuel García y Manuel Alvaro, y lo firmo - Fr. Froylán Quiroga.» (Parroquia de San Martín de Madrid. Libro 52 de bautismos, fol. 27.)

El hogar de los Mesonero —situado en la calle baja del Olivo, a dos pasos de la Puerta del Sol—, constituye, al despuntar el siglo XIX, un claro ejemplo de felicidad burguesa, bien cimentada en las actividades mercantiles de don Matías, que por estas fechas dispone de una regular fortuna y extiende sus relaciones incluso al otro lado del Atlántico —como agente de Indias—. Mesonero recuerda en sus *Memorias* el bullicio habitual en aquella amplia casa, bien regida por doña Teresa, pero abierta siempre, con generosidad y franqueza de castellanos viejos, a una gama amplísima de la sociedad cortesana: no sólo los amigos y parientes, muy abundantes, sino corresponsales y comitentes, y

> «toda clase de sujetos, desde el consejero de empolvado peluquín hasta el humilde paje de bolsa; desde la bordada casaca del cova-chuelista... hasta el diligente escribano o procurador; desde el opulento cubano o perulero... hasta el anciano labriego que solicitaba la exención de su hijo único del servicio militar; desde el alcalde mayor *capitán* a guerra... hasta el travieso patán que, sin más letras que las del alfabeto ni más gramática que la parda, se atrevía a presentarse a examen de *Escribano Real, Notario de los Reinos*, nada menos que ante la majestad del Supremo Consejo; desde el acaudalado montaraz de la tierra de Salamanca... hasta el modesto cosechero de Zamora o Fuente Saúco; desde el reverendo monje de San Jerónimo... hasta el adinerado droguero de la calle de Postas o mercader de la subida de Santa Cruz y portales de Guadalajara, únicos girantes (*casas* de giro) de aquellos tiempos; padres y abuelos de los que hoy ostentan el título de banqueros, habitan suntuosos palacios, arrastran doradas carrozas y timbran sus cartas con heráldicos blasones, realzados con una corona de conde o marqués...»

Esta abigarrada enumeración nos resume, en pintoresco calidoscopio, una imagen del Madrid de fines del Antiguo Régimen, pero es también una clara información del alcance económico y político —por su influencia en las altas esferas— de don Matías Mesonero.

Los primeros capítulos de las *Memorias de un setentón* nos completan el cuadro doméstico en que se desenvuelve la infancia del escritor: como punto de partida, evocada con plasticidad de intimista holandés, ahí tenemos la imagen patriarcal de la familia reunida al toque de oración para rezar el rosario en la sala con balcones a la calle del Olivo.

Situémonos en el recinto, muellemente barroco: centrando un lienzo de pared, el cuadro de la Purísima; sobre una cómoda, la talla del Niño Jesús, protegida por fanal de cristal, que refleja el gran espejo o *tremor*. Percibimos el silencio de estas últimas horas de la tarde, pautado por la cascada cristalina de las letanías, en la sala que va esfumando sus colores en el tránsito crepuscular.

La evocación tiene sabor de epígono. Y en efecto, como nuncio de una época nueva, de pronto un rumor desusado de canciones y confuso griterío quiebra la paz melancólica de la tarde y moviliza en inquietudes a la familia Mesonero. Ha estallado la revolución de marzo. Es el final de la dictadura de Godoy; el derrumbamiento del trono de Carlos IV. Por primera vez se asoma al siglo XIX, a través de su crisis inicial, este pequeño y vivaracho Ramón de Mesonero Romanos. Sólo cuenta cinco años, pero su retentiva prodigiosa está tomando ya notas para la gran Historia.

Cuando escriba sus *Memorias* fundirá su biografía infantil con la del pueblo que le ha visto nacer, precisamente en los momentos en que ese pueblo alcanza, como tal, categoría de protagonista indiscutible. Y ahí están, evocados con asombrosa precisión de detalle, los acontecimientos de primer plano, que intuimos a través de una sugestiva sucesión de anécdotas: el Dos de Mayo, la reacción posterior a Bailén, Napoleón en Madrid...

Sólo de cuando en cuando, «a zaga de la Historia», como dice el propio Mesonero, vuelve a situarnos en el ambiente íntimo y familiar de la calle del Olivo.

* * *

Ha desaparecido la antigua animación de la casa paterna: don Matías se esfuerza por convertir su hogar en un islote inexpugnable a la desdichada realidad ambiente, en la torva capital ocupada por los franceses:

> «Toda lectura que pudiera recordarles la dominación extranjera —refiere Ramón—, tal como el *Diario* y la *Gaceta de Madrid*, era absolutamente rechazada por mi padre, que llevó la exageración en este punto hasta rayar en el sublime del ridículo, asentando sucesivamente en la *Guía de Forasteros* del año 1808 (que tengo a la vista), unas notas que decían: *Valga para 1809, Valga para 1810*, etcétera, sin tener en cuenta que no había ya un solo nombre colocado en la posición que en ella aparecía...»

Pero la vida no puede detenerse, ni hay torre de marfil capaz de hacernos olvidar la realidad hasta el punto de que la ignoremos. Con el paso del tiempo volverán a iniciarse las tertulias en el hogar de los Mesonero: muy distintas de las de antaño; reuniones semiclandestinas, animadas por el comentario político, sustentadas por el afán de buscar en compañía ánimos para hacer cara a la menguada situación presente; sabrosas veladas que se van leyendo entre líneas en las gacetas y boletines franceses, ahondando en las noticias, ciertas o imaginarias, que pueden representar una esperanza.

Es por entonces —en el otoño de 1809— cuando Ramoncito, cumplidos los seis años de edad, inicia sus estudios de primeras letras en la escuela regida por don Tomás Antonio del Campo y Fernández, casi inmediata al domicilio de los Mesonero —pues estaba en la calle del Carmen, frente por frente del convento—. El breve panorama callejero ofrecido a los ojos del niño a la ida y al regreso de la escuela compendiará sus primeras «experiencias» madrileñas al margen del ámbito hogareño. La más vívida en el recuerdo se presenta, ya a finales de la «francesada», durante la famosa crisis del hambre —año 1812—, última y obligada secuela de la prolongada coyuntura bélica.

Con harto más vigor que el pintor Aparicio en su célebre cuadro, Mesonero nos ha dejado en las *Memorias de un setentón* un lúgubre apunte de aquellos

angustiosos días, grabados indeleblemente en su impresionable cerebro de ocho
años :

> «El espectáculo, en verdad, que presentaba entonces la población
> de Madrid es de aquellos que no se olvidan jamás... Me bastará
> decir, como un simple recuerdo, que en el corto trayecto de unos
> trescientos pasos que mediaba entre mi casa y la escuela de prime-
> ras letras, conté un día hasta siete personas entre cadáveres y mori-
> bundos, y que me volví llorando a mi casa a arrojarme en los
> brazos de mi angustiada madre, que no me permitió en unos meses
> volver a la escuela.»

* * *

Y tras los días tristes, las horas del entusiasmo y de la luz; junto al agua-
fuerte del «hambre en Madrid», la maravillosa cinta en tecnicolor de la liberación por el ejército aliado, tras Arapiles. Con las primeras luces del alba,
bajo el palio violeta del amanecer, la misa de acción de gracias en el Carmen
Calzado; luego, la espera en la amplia vía de Alcalá, inundada de sol; las
primeras guerrillas, abigarradas y pintorescas en su indumento; la policromía
de los grandes uniformes en torno a Wellington: casacas escarlata, faldellines
escoceses, caballos y músicas; banderas, estandartes, guirnaldas y colgaduras
al viento, bajo un cielo azul radiante.

* * *

La vida se normaliza en la capital. La tercera ocupación francesa no será
ya más que un compás de espera hacia la liberación definitiva, y ni siquiera
conseguirá ensombrecer los ánimos o hacer que rebrote la desesperanza. Los
Carnavales de este año alcanzan desusada animación: todo el mundo procura
divertirse, aturdirse, olvidar las desdichas recientes; diríase que han aprendido a conllevarse españoles y franceses, pero es que todavía no ha llegado
la hora del desquite. El propio rey José matiza de frivolidad este precipitado
crepúsculo de su fugaz reinado: Mesonero nos sorprende con la noticia de
su presencia en el baile de los Caños del Peral, en donde se presenta disfrazado de «aguador de París».

Es ahora cuando nuestro escritor hace un deslumbrante descubrimiento: el
del teatro. Su relato nos revela la precaria situación que por entonces atra-
viesan los coliseos madrileños:

> «Hasta mi padre mismo —refiere— aflojó algún tanto su seve-
> ridad intransigente, permitiéndonos asistir y aun asistiendo él mis-
> mo a las representaciones teatrales de la Cruz y del Príncipe; bien
> es verdad que esto lo verificaba haciendo, como suele decirse, de
> tripas corazón, porque un inquilino que no le pagaba su alqui-
> ler, y que en su calidad de director de orquesta de ambos teatros
> sólo recibía en pago de su sueldo boletines de palcos y lunetas con
> que poder saldar sus compromisos, nos favorecía casi diariamente
> con alguno de aquellos, con gran contentamiento de la gente menu-
> da, que veía el cielo abierto cuando penetraba en los solitarios y
> sombríos aposentos de cualquiera de estos dos coliseos.»

Tiene ahora ocasión el pequeño Mesonero de admirar a Isidoro Máiquez, interpretando tragedias como *Los templarios*, o dramas como *Fenelón*. Y datará de entonces su primera vocación literaria : la de autor dramático.

* * *

Otro hecho notable en la vida de nuestro escritor se produce a raíz de la jornada de Arapiles : su primera salida de Madrid, en compañía de su familia, para visitar la tierra salmantina, donde radica el patrimonio de don Matías —en el término de las Torres—. Arriscado viaje a una zona que acaba de ser escenario de importantes acontecimientos militares, a través de aldeas y pueblos desolados, en los que aún están abiertas las feroces cicatrices de la guerra. «Me limitaré... a decir que en las 33 leguas que separan a Madrid de Salamanca —y que hoy se salvan en diez horas de ferrocarril— empleó nuestra galera *cinco días mortales*, a razón de cinco o seis leguas en cada uno, y andando desde antes de amanecer hasta bien cerrada la noche...»

Hay en las páginas de Mesonero dedicadas a rememorar esta visita, aparte una curiosa pintura de Salamanca en ruinas —que es, al mismo tiempo, evocación de la Salamanca «que fue»—, un pasaje impresionante, en el que, quizá sin proponérselo, el autor nos dibuja, como al paso, un vigoroso símbolo del triunfo de la vida que resurge sobre la muerte cristalizada en los campos de batalla ; de la feroz indiferencia de las generaciones nuevas, capaces de utilizar las cenizas de los muertos en la guerra como abono fecundador de la tierra poco antes regada por la sangre, y los proyectiles destructores como simples elementos de juego y diversión :

«Pisamos —escribe Mesonero— aquellas célebres, aunque modestas heredades, hallándolas casi yermas, si bien sembradas de huesos y esqueletos de hombres y caballos, de balería de todos los calibres y de infinitos restos del equipo militar. Era un inmenso cementerio al descubierto, que se extendía por algunas leguas a la redonda, y que ofrecía un horroroso espectáculo, capaz de poner miedo en el ánimo más esforzado. Pero los muchachos lo apreciábamos de otro modo, convirtiéndolo todo en provecho de nuestros juegos y escarceos. Mis hermanitos y yo, unidos con los chicos de los renteros de mi padre, y con la mejor voluntad y patriótica algazara, reuníamos aquellos horribles restos, apilándolos en formas caprichosas y pegándoles fuego con los rastrojos, porque todos aquellos huesos, a nuestro entender, «eran de los pícaros franceses» y porque, según nos aseguraban los labriegos, aquellas cenizas eran muy convenientes para el abono de las tierras ; otras veces, dedicándonos al acopio de proyectiles, los colocábamos en sendas pilas, como suelen verse en los parques y maestranzas, y recogiendo entre ellos aquellos más pequeños que podíamos llevar en los bolsillos, tornábamos a la aldea muy satisfechos de nuestra jornada y ostentando nuestro surtido de municiones.»

Mesonero, estudiante

Al terminar la guerra de la Independencia, Ramón Mesonero Romanos anda por los diez años de edad y ha comenzado a cursar «latinidad» en la escuela de don Blas Sánchez Puertas y don Ramón Establet, situada en la calle de las Hileras. No hay fundamento para afirmar, como lo hace Federico Sainz de Robles, que antes —alternando con las clases de primeras letras en el colegio de la calle del Carmen— asistiese al Instituto Pestalozziano de la calle del Pez; pero es que tampoco resulta exacto que este último hubiera sido organizado por don Pablo Malla, padrino de pila de nuestro escritor (4). Sainz de Robles ha interpretado con ligereza las palabras de Mesonero, que no dice sino que el instituto se alojó en una finca de la que Malla era propietario. Transcribiremos el pasaje de las *Memorias* para que juzgue el lector:

> «Entre las muchas disposiciones benéficas dirigidas a la pública instrucción, que sin injusticia no podrían negarse al Gobierno de Godoy, figuraba airosamente (y él mismo en sus *Memorias* se detiene a gloriarse de ella) la importación en nuestro suelo del sistema de educación moral, intelectual y física establecido en su país (Suiza) por el eminente institutor Enrique Pestalozzi... El Príncipe de la Paz, creando la *Institución Real Pestalozziana...* confió su cuidado al célebre coronel don Francisco Amorós... Pues bien, esta famosa institución se hallaba establecida en Madrid en la calle del Pez, y casa que hoy lleva el número 6... *Este caserón pertenecía por entonces al mayorazgo del hidalgo montañés don Pablo Malla de Salcedo y Palacios, personaje un tanto figurón, que encarnaba, por decirlo así, no pocas de las cualidades de ambos Lucas, el del Cigarral y el Dómine...*»

En cuanto a la supuesta asistencia del pequeño Ramón al colegio de la calle del Pez, se reduce a alguna que otra visita de pura diversión; Mesonero añade, en efecto, que don Pablo solía agasajarle llevándole alguna tarde «a merendar con los colegiales, sus huéspedes», de los cuales «aprendí algunos saltos y gambadas, no pocas jugarretas y aquel coro que entonaban alrededor del Gimnasio...». El coro en cuestión era una alabanza al protector del centro, Godoy. Lo cual prueba, por añadidura, que aquellas visitas al centro pestalozziano datan de los primeros años de Mesonero y no de la época en que parece fijarlas Sainz de Robles (5).

---

(4) «En 1809 empezó Mesonero Romanos a ir a una escuela particular, a dos pasos de su casa. La escuela era de primeras letras, estaba situada en la calle del Carmen, frente a las gradas del convento, y la dirigía un rábula hipocondríaco, ya cincuentón, llamado don Tomás Antonio del Campo... De la asistencia a este colegio nefando se compensaba Mesonero acudiendo cuantas veces se lo permitían sus padres al Instituto y Gimnasio *pestalozzianos* que había organizado en un caserón de la calle del Pez su padrino, don Pablo Malla...» (Federico Carlos Sainz de Robles: *Estudio Preliminar* a la edición de *Escenas Matritenses* de la Casa Aguilar. Madrid, 1956, pág. 20).

(5) En el primer capítulo de las *Memorias*, y cuando relata la algarada del 19 de

El año 1814, como el de 1808, está lleno de acontecimientos nacionales de primera magnitud. Mesonero evoca en sus páginas la instalación de las Cortes en Madrid, el momento final del constitucionalismo, el golpe de Estado de mayo, la entrada del Rey... El, que pretende convencernos en repetidas ocasiones de su total apoliticismo, nos habla aquí de su fervorosa adscripción al sistema liberal, cuando no era más que un adolescente. Las palabras del escritor encierran evidente interés, por cuanto no dejan lugar a dudas sobre la posición ideológica de las nuevas generaciones en el momento de crisis registrado en 1814:

> «Aseguro con sinceridad que todos, absolutamente todos los muchachos, desde los ocho a los quince años de edad, a pesar de que no habíamos podido conocer, por estar en la cuna, el Gobierno absoluto de Carlos IV y de su odiado favorito, éramos decididamente patriotas, antifranceses, antiserviles, liberales hasta la médula de los huesos, y en nuestras escuelas, en nuestros juegos, en nuestros paseos, revelábamos este sentimiento por medio de canciones, vivas y peroratas, que harían estremecer, sin duda, a nuestros padres y abuelos.»

De este entusiasmo liberal da fe el hecho de que se aprendiese de memoria la oda de Francisco Sánchez Barbero *A la Constitución*, escuchada de labios de su autor en la solemne inauguración de la Cátedra de Constitución en los Estudios de San Isidro, a la que asistió nuestro hombre el 25 de febrero en compañía de su hermano —algo mayor que él, pues contaba trece años de edad.

* * *

Aunque Mesonero siga siendo espectador de excepción, dada la precisión y exactitud de los detalles captados por su curiosa mirada, no cabe duda de que las *Memorias* bajan de tono al adentrarse en los años, torvos y opacos, de la restauración fernandina. Los acontecimientos vividos por la Corte no tienen el interés y el brillo de los que les habían precedido, y por añadidura se percibe que en más de una ocasión el cronista no posee sino informes indirectos. No me parece muy verídica alguna anécdota intercalada para mantener en primer plano su persona, en cuanto espectador universal y archivo viviente de todas las fisonomías destacadas por la Historia a lo largo de estos años, empezando por la del mismísimo Fernando VII.

---

marzo, nos dice Mesonero que al oír el nombre del Príncipe de la Paz en la conversación familiar, «sin darme un momento de espera, empecé a cantar:

"Viva, viva, viva
nuestro protector,
de la infancia padre,
de la patria honor
y del Instituto
noble creador".

Y ante la interpelación paterna ––"¿Qué estás ahí cantando?"—, "¡Toma! —repliqué yo—, lo que cantan los colegiales en casa de mi padrino".

Su casual encuentro con el soberano —a quien acompañaba el duque de Alagón— en la calle de las Hileras, entiendo que es una pura y simple travesura de su pluma, porque no resulta verosímil que el rey se llegase a pie desde Palacio a las Descalzas, sin más compañía que la de su jefe de guardias y a hora tan temprana de la mañana, para hacer una visita, más o menos oficial, al célebre convento. En todo caso, la anécdota implica una nueva referencia al colegio de don Ramón Estabiel, en el que Mesonero debió de seguir sus estudios por espacio de unos tres años. Estabiel era «preceptor de Latinidad y Elocuencia por el Real y Supremo Consejo de Castilla, individuo numerario de la Real Academia Latina Matritense», según reza la calificación de estudios de primeras letras extendida al propio Ramoncito en 30 de septiembre de 1816. Por cierto que los términos en que este documento se halla redactado no pueden ser más pintorescos. Estabiel certifica que Mesonero ha sido su discípulo «asistiendo puntualmente a todos los Ejercicios literarios que diariamente se practican en este Estudio público de la calle de las Hileras», que «ha tenido bastante aplicación y en su consecuencia ha logrado traducir perfectamente a los Autores Latinos, así Oradores como Historiadores y Poetas». Y añade: «Ultimamente es de buena vida y costumbres, y se ha portado con docilidad y buen ejemplo» (6). ¡Ya es ponderar, una certificación de «buena vida y costumbres» a un chaval de trece años!

Si Mesonero completó sus estudios en San Isidro, como anotan Cotarelo y Sainz de Robles, ello tendría lugar a partir de 1816, quizá entre el 16 y el 18. En realidad, Mesonero no hace referencia alguna al hecho. Sus *Memorias* nos hablan tan sólo de su asistencia a la inauguración de la Cátedra de Constitución, que ya hemos registrado. Páginas más adelante menciona con elogio la obra de los «jesuitas de san Isidro... que sin duda habían logrado merecer el respeto y simpatía de la juventud», pero sin añadir una palabra acerca de las experiencias propias.

No deja de ser extraño que teniendo toda clase de facilidades para ello —una desahogada situación económica y la posibilidad de elegir cómodamente entre Alcalá y Salamanca—, no siguiese Mesonero estudios universitarios. Piensa Cotarelo, en consecuencia, que quizá su padre proyectaba destinarle a «la facultad que él tan prósperamente ejercía», y no creyó necesario inscribirle en la Universidad (7). Pero cabe sospechar también que el lamentable estado en que se encontraban los centros universitarios en los años de la primera reacción fernandina resultase demasiado poco atractivo para el joven estudiante madrileño. Sabemos que Mesonero realizó una segunda visita a Salamanca en septiembre de 1818: ¿no envolvería el propósito de «tomar el pulso» a aquella Universidad antes de matricularse en una de sus Facultades? El capítulo de las *Memorias* que nos relata el nuevo viaje está casi exclusivamente dedicado a establecer un vivo contraste entre la tradición de gloria

---

(6) Incluida en *Trabajos no coleccionados*, publicados por sus hijos en el centenario del natalicio del autor. T. II. Madrid, 1905, pág. 623.

(7) Emilio Cotarelo: *Elogio biográfico de D. Ramón de Mesonero Romanos*. Boletín de la R. Academia Española. Año XII. 1925., pág. 158.

vinculada a las aulas salmantinas y la vergonzosa situación que él pudo registrar «de visu»:

> «La espléndida pléyade de aquellos ilustres profesores de la Universidad salmantina —nos dice— era todavía, en 1818, representada por los sabios doctores don Toribio Núñez, don José Mintegui, don Juan Justo García, don Diego González Alonso y otros que no recuerdo ahora; pero casi todos ellos se hallaban a la sazón separados de las cátedras a consecuencia de la injusta causa que les suscitó, en 1815, el fanático ministro de Fernando VII, Lozano de Torres, a pretexto de sus ideas políticas y de cierto plan de estudios que habían presentado a las Cortes del año anterior, causa y persecución que me eran muy conocidas por haber sido testigo de las gestiones de mi padre en defensa de dichos doctores, que le tenían confiados sus poderes.»

¿Pudo ser este hecho —el espectáculo de postración y decadencia que ofrecía la Universidad, y la vinculación a su padre de los profesores perseguidos por el Gobierno fernandino— la verdadera causa de que Mesonero renunciase a ampliar sus estudios en una Facultad? El mismo nos refiere, en otro pasaje muy significativo, que la juventud de aquellos años «seguía por fórmula» sus estudios oficiales, pero que, al margen de ellos, «entregábase codiciosamente a otros más acentuados, en la lectura de las obras de historia, de ciencia y de literatura, por desgracia no siempre bien escogidas; amamantaba su mente con los más delirantes ensueños, y en odio a lo existente, adoraba, perseguía un porvenir desconocido, una sombra fantástica de una libertad sin límites, extravío de su febril imaginación». Difícilmente podría pintarse mejor la inquietud típica de la juventud de todos los tiempos, siempre dispuesta a rechazar «lo oficial» en nombre de un idealismo abstracto, escasamente identificable con realidades a ras de tierra. Sino que en épocas de crisis, como la vivida por la generación de Mesonero, la distancia entre esquema ideal y mundo real es mucho más nítida, y mayor la tensión espiritual que provoca; y en aquellos años crepusculares hallaba cauce literario y estético excepcional en la revolución romántica. Nuestro hombre no fue, ni mucho menos, una excepción. «Aquella atmósfera —escribe— estaba impregnada de un espíritu revolucionario; todos, y especialmente la juventud, aspirábamos aquellos vientos y veíamos venir aquella borrasca con entusiasmo hijo del más sincero patriotismo, y sin asomo de interés egoísta —¡y quién sospecha ambición en corazones de quince años!—.»

En el caso de Mesonero, este desprendimiento idealista se nos hace más patente por cuanto la restauración de las antiguas instituciones políticas y administrativas llevada a cabo por Fernando VII favorecía muy directamente al mundo de los negocios en que su padre se hallaba inserto:

> «Seguramente que si yo, a mi tierna edad, hubiera podido apreciar la importancia de esta organización del Gobierno de la Monarquía para los intereses materiales de mi casa, habría, sin duda alguna, celebrado con regocijo una situación que devolvía al despacho de mi padre toda su antigua actividad. Llovían sobre él los poderes,

los litigios, las demandas, las solicitudes de toda especie, en las diversas regiones forense y administrativa, y acrecían, por consecuencia, las utilidades de su bufete, que le constituían en una desahogada posición. Pero en medio de este activo y fructuoso espectáculo que se presentaba a mi vista, mi sinceridad infantil no acertaba a mirarle por el prisma del mezquino interés, y más bien servía a mi natural perspicacia y espíritu de observación para estudiar aquel teatro social, aquellos hombres, aquellas cosas, que se me ofrecían bajo un aspecto tan dramático y animado.»

Espíritu de observación y agudeza crítica: dos cualidades inseparables del futuro escritor de costumbres. Para completarlo, en cuanto tal, el tiempo y los desengaños habían de decantar, en el joven apasionado de 1818, una ironía bonachona, ya de vuelta de idealismos y de actitudes extremas. En la tercera década del siglo, una conmoción doméstica —la muerte de don Matías Mesonero— y una experiencia política —el trienio constitucional—, serían decisivas para el «Curioso Parlante».

La experiencia del trienio liberal

«El día 4 de enero de 1820, hallándose mi padre en casa del marqués de Castelar, adonde le llamaban los negocios forenses como su apoderado general, vióse acometido de un ataque de apoplejía fulminante, y trasladado a casa sin recobrar el conocimiento, falleció a las veinticuatro horas, el siguiente día 5.»

Así, escuetamente, nos relata Mesonero el suceso que venía a trastornar por completo su vida, anonadándole primero por la rudeza de tan repentino golpe, y agobiándole por añadidura con el peso de responsabilidades a las que hasta entonces había sido ajena su floreciente juventud. El hermano mayor había fallecido algunos años antes; junto a Ramón quedaban solamente su madre y su hermana. Súbitamente, casi niño, el futuro escritor se veía convertido en cabeza de familia y en eje de los múltiples negocios abarcados por la agencia mercantil de don Matías. Pero supo reaccionar con viril energía, sobreponiéndose al propio dolor y aceptando la difícil tarea que el destino acababa de asignarle:

«Sólo diré —nos cuenta el escritor— que en aquel momento solemne, y con favor de Dios y de mi excelente madre, parecióme que por un impulso sobrenatural había vivido diez años más, determinándome a emprender y llevar adelante la inmensa y comprometida misión que de repente gravitaba sobre mis débiles hombros.»

Por curiosa coincidencia, este cambio radical en su vida privada tenía lugar simultáneamente con otra crisis de gran envergadura en la vida del país: el pronunciamiento de Riego, que había de abrir paso a la segunda fase de la revolución liberal. El mismo día 5 en que se produjo el fallecimiento de don Matías llegaba a Madrid la noticia de la sublevación militar ocurrida en la Isla de León. Y en las semanas que siguieron, a lo largo de aquel invierno de 1820, en tanto que se afanaba Mesonero para adaptarse a las nuevas circunstancias surgidas en su círculo familiar, iniciábase en el ámbito nacional la transición del absolutismo fernandino hacia el liberalismo gaditano. Una vez más, al referirse a la etapa de extraña provisionalidad atravesada por la capital desde que se tuvo la primera noticia de la sublevación de Riego hasta que —al cabo de dos meses largos— la *Gaceta* se dio por enterada de lo que ocurría (el triunfo general del movimiento) y el Rey proclamó su propósito de marchar «francamente por la senda constitucional», Mesonero nos esboza con claridad el divorcio ideológico entre dos generaciones:

> «Los jóvenes, mis amigos, en general disentían de las apreciaciones de sus padres, y si éstos pronosticaban el cercano fin de la insurrección y se holgaban con noticias de derrotas de los sublevados, de disposiciones enérgicas del Gobierno para apagar el incendio, de triunfos señalados de la parte leal del Ejército y otras demostraciones de satisfacción, aquéllos (los jóvenes) abultaban las noticias que de público corrían, citaban nombres y regimientos insurreccionados, plazas tomadas, triunfos y sucesos engrandecidos por su deseo; y no hay que decir que yo, como muchacho, me adhería con toda mi alma a este modo de ver las cosas y leía con fruición los papeles que ellos traían entre manos...»

De nuevo, en su versión de los acontecimientos que se van sucediendo en el Madrid del trienio, la pluma de Mesonero sirve plenamente a la gran historia. Las noticias que aporta son de gran interés, porque vivió muy de cerca —y con despierta atención— aquellas jornadas. Pero además nos ponen en contacto, de forma muy directa, con la evolución de lo que llamaríamos su propio *talante ideológico*, a través de una experiencia que debió curarle de ingenuos entusiasmos idealistas, haciéndole mucho más cauto en cuanto a sus definiciones en materia política.

Mesonero nos lleva ahora, en pormenorizado relato, desde la jornada inefable del 7 de marzo —jornada de ingenua y limpia alegría ciudadana, no empañada aún por odios ni violencias—, a los excesos vituperables de los exaltados, vistos cada vez con mayor desconfianza y ojeriza por el «Curioso Parlante». Sin excluir las culpas de la Corte fernandina —las perfidias y bajezas del Rey—, algo aparece muy claro, a juicio de nuestro escritor, a la hora de rastrear las causas del nuevo fracaso liberal. Una lectura atenta de estas páginas pone de manifiesto la contraposición entre *revolución burguesa* y *desbordamiento popular*: contraposición en que el criterio del escritor queda bien definido. La pura alegría unánime del 7 de marzo —aquella exaltación ingenua e inofensiva, casi infantil, del primer día— surge en el apretado abrazo de «las clases superiores y medias»:

> «Lanzáronse a la calle con un alborozo, una satisfacción indescriptible, todas las personas que representaban la parte más culta y acomodada de la población: grandes y títulos de Castilla, oficiales generales y subalternos, opulentos propietarios, banqueros y todo el comercio en general, abogados, médicos y hombres de ilustra-

ción y de ciencia; *todas las clases, en fin, superiores y medias* (8) del vecindario confundíanse, en armoniosos grupos, abrazándose y dándose mil parabienes, y sin lanzar gritos ni mucho menos denuestos contra lo pasado, confundíanse en un inmenso y profundo sentimiento de patriótica satisfacción.»

El cuadro, en cuanto a su alcance social, no puede ser más completo. Pero todavía hace más significativa esta descripción lo que a ella se añade, como coletilla:

«... Y si *las clases más humildes de la población, los menestrales y artesanos,* brillaban ahora por su ausencia..., también por otro lado veíase libre, la sensata y patriótica manifestación, de las *turbas aviesas y desbordadas,* que tampoco habían acudido, porque nadie las había llamado a ganar un jornal o echar un trago y *en realidad porque ninguna falta hacían.*»

Ya veremos que a lo largo de toda la obra de Mesonero palpita una clara *tendencia clasista;* su vinculación al elemento medio de la sociedad se manifiesta sobre todo en el desdén, cuando no en la hostilidad expresa, con que se refiere a los estamentos populares, simple «turba despreciable» para él. La revolución liberal —la revolución burguesa— se verá comprometida, en su opinión, a partir del momento en que las «turbas aviesas y desbordadas» se pongan a sueldo de uno de los bandos enfrentados políticamente. Lo cual no deja de ser verdad, pero está subrayando precisamente el profundo fallo social del liberalismo.

Las *Memorias de un setentón* van registrando las fechas fatales que empujan el sistema político nacido en enero de 1820 a una pura demagogia incontrolable: desafío de los guardias reales a los agitadores a sueldo contra el Rey (5 de enero de 1821); brutal asesinato de don Matías Vinuesa; «batalla de las Platerías»... Y al otro extremo de la crisis, la intriga realista atizando el fuego. Por eso puede señalarse como un triunfo sobre la doble amenaza —la de la demagogia y la de la traición realista—, la efemérides del 7 de julio de 1822, que aún cuenta con un modesto y casi ignorado monumento en el trepidante Madrid de nuestros días. El 7 de julio representa el triunfo de la Milicia Nacional —garantía armada del constitucionalismo— sobre la Guardia Real —encarnación del realismo puro—, sin que ese triunfo se haya maculado con un desbordamiento antimonárquico presumible en aquellas circunstancias.

Pocos meses después, muy significativamente, el propio Mesonero sumará su nombre a las listas de los voluntarios ingresados en la Milicia Nacional, adelantándose al instante en que su inscripción, con arreglo al decreto de armamento nacional dictado por el Gobierno, hubiera tenido que plantearse con carácter forzoso. Y como tal, jurará bandera el 1 de enero de 1823, en la última gran fiesta cívica organizada por el liberalismo triunfante.

Ya por entonces, el horizonte político e internacional está cubierto de densos nubarrones. Los embajadores de Austria, Prusia, Rusia y Francia pre-

---

(8) Los subrayados son nuestros.

sentan al Gobierno, el día 2, una nota con visos de ultimátum. La intervención
armada de la Santa Alianza en el avispero español queda decidida; en la
primavera, los Cien Mil Hijos de San Luis estarán en la frontera. Pero entretanto, se propaga, a las mismas puertas de Madrid, la insurrección realista.
De hecho, la capital es ya, en estos momentos, un islote liberal amenazado
por enemigos de dentro y de fuera. La semana final de enero, Madrid vive
bajo la inquietud provocada por la proximidad del caudillo realista Bessières.
La Milicia Nacional ha de establecer retenes permanentes en puntos estratégicos de la capital. Mesonero —un miliciano bisoño, mal avenido con «la carga
en once voces, el tacto de codos y el paso regular o redoblado»— vivaqueará
durante noches enteras, bien en los claustros de San Felipe el Real, bien en
el cuartel de Santa Isabel —custodiando a los prisioneros hechos a la columna
Bessières por el general La Bisbal—, bien en la Casa de los Consejos o, extramuros, en el Polvorín, más allá de la Puerta de los Pozos.

La odisea de un miliciano nacional de 1823

El Gobierno constitucional partió de Madrid, camino de Sevilla, el día 20
de marzo, llevándose a Fernando VII —que había opuesto a sus ministros
cuantas dificultades pudo—. Le escoltaban uno o dos batallones de la Milicia
Nacional. El resto permaneció en Madrid todavía por espacio de un mes; pero
el rápido avance del Ejército de Angulema —que cruzó el Bidasoa el 7 de
abril— obligó a completar la evacuación de la capital.

> «Acordóse formar —refiere Mesonero— un inmenso convoy, con-
> duciendo el personal y el material de las inspecciones y otras ofi-
> cinas, que no bajaría de trescientos vehículos entre coches, galeras,
> carros, etc., bajo el mando del ministro de la Guerra, don Esta-
> nislao Sánchez Salvador, y la custodia de la parte de la Milicia
> Nacional que aún quedaba en Madrid.»

Con ella hubo de partir Mesonero. Antes de la salida, el general La Bisbal,
en una revista que tuvo efecto en el paseo de Recoletos, propuso noblemente
una clara alternativa: o la disolución, entregando las armas, o la marcha a
Sevilla escoltando el convoy. Pero «la contestación no era dudosa, atendido el
entusiasmo de aquella patriótica juventud, compuesta en su mayor parte de
lo más brillante y vital de la población, y que acaso parecerá increíble a la
más escéptica y positiva de estos tiempos».

La partida de las dos columnas en que se dividió la Milicia para emprender
la marcha por caminos diferentes tuvo lugar el 24. Con ternura recuerda Mesonero la despedida de su madre, que le colmó de provisiones, añadiendo un
escapulario de la Virgen de la Vega, Patrona de Calatayud, y (¡oh, pintoresca
guerra de opereta!) «un billete de la diligencia que de allí a dos semanas
saldría de Madrid, por si, como ella suponía, me quedaba cansado en Aranjuez
u Ocaña, pudiese ocuparla, por supuesto con fusil y todo, para hacer con
más comodidad la campaña que emprendía» (¡...!)

Sin llegar al extremo de viajar en diligencia, el grupo de que formaba parte Mesonero, dentro de la columna que había de servir de inmediata custodia al convoy, gozó de ciertas ventajas y autonomía durante el viaje, ya que se trataba del pelotón encargado de preparar los alojamientos. La partida caminaba de noche y podía permitirse el descanso hasta la llegada del batallón a cada punto. El relato que nuestro escritor nos hace de este recorrido, amenizado con anécdotas pintorescas —tal la evasión báquica en Valdepeñas, en las bodegas generosamente abiertas a los milicianos por el rico cosechero Prieto, que hubo de coronar su esplendidez facilitando a la partida un carro para la próxima jornada, imposible de hacer a pie tras el exceso de las libaciones—, trae de nuevo a nuestra imaginación unos «soldaditos de chocolate», con música de Lehar —o por lo menos de Chueca o Chapí— como fondo apropiado. Pero de cuando en cuando el panorama agriaba sus tonalidades. El paso del destacamento por la Mancha no dejó de encerrar sus riesgos, dada la abundancia de facciosos que infestaban la comarca. A uno de ellos, prisionero en Manzanares, le hizo una caritativa visita en el calabozo nuestro flamante miliciano. Se trataba de Francisco Lasso, muy conocido de la familia Mesonero por tratarse de uno de sus inquilinos de Madrid. Y este gesto simpático había de tener su premio, corriendo días...

Pasada Sierra Morena —«desde cuyas alturas, refiere Mesonero, disfrutamos el imponente espectáculo del paso del convoy por aquella tortuosa y pintoresca vía» (9)—, el día 2 estaba el batallón en La Carolina, y el 3 llegaba a Bailén. La ironía de Mesonero al referirse a la conducta del general Castaños, vencedor sobre los franceses en aquel mismo punto quince años antes, y que ahora lo escogía como jornada final de su adscripción al liberalismo, no tiene desperdicio (10). Valle del Guadalquivir abajo, el 14 de abril entraba Mesonero con sus camaradas en Sevilla, ciudad en la que se reunieron los dos batallones de la Milicia Nacional. De la semianarquía que reinaba en las filas de aquella mesocrática tropa da idea el hecho de que nuestro héroe pudiera trasladarse a Cádiz unos días después: precisamente en los momentos en que más necesaria era la concentración militar en torno a la Corte; y que al producirse el paso de Sierra Morena por el ejército realista franco-español, en lugar de reincorporarse a su batallón para escoltar con él al Gobierno y al Rey en su precipitado repliegue hacia Cádiz, optara por aguardarlo en esta ciudad. Según Mesonero, le decidió a tan discutible determinación el capitán López Conesa, íntimo amigo suyo, que le había acompañado en su último viaje

---

(9) Un mes antes, Fernando VII ponderaba este mismo panorama en el curioso *Itinerario* que dictó, a modo de *Memorias*, a un desconocido amanuense: «... Nos volvimos a poner en camino, subiendo al puerto de Despeñaperros, en cuya altura hay las vistas más deliciosas que puede darse...» (*Memorias del tiempo de Fernando VII*, B. A. E., Madrid, 1957, II, p. 448).

(10) «El experto y sesudo General escogió este punto, término medio del camino entre Madrid y Sevilla, y teatro de su gloria, para fijarse, ínterin que veía el giro que tomaban los sucesos y obrar en consecuencia; y como la entrada inmediata del Duque de Angulema con el ejército francés en Madrid, sin resistencia alguna, diérale a conocer lo desesperado de la causa constitucional, deseoso sin duda de serla útil en algún modo, regresó a la capital, donde fue recibido con gran entusiasmo por el Príncipe francés, a quien sin duda empeñaría en favor de la causa que podía considerarse ya vencida.»

a la Isla. Por demás significativas son las razones aducidas por el capitán para convencer a Mesonero, pues ponen muy de relieve el derrumbamiento moral de los leales al constitucionalismo y la verdadera situación de los ánimos en aquellas circunstancias críticas: «Quedémonos en Cádiz... antes que asistir a la catástrofe que amenaza resolverse en Sevilla. Soy sevillano y conozco muy bien a mis paisanos de Triana y Macarena; no dude usted que así que vean de cerca a los franceses salen a recibirlos con palmas, y el Rey a su cabeza, y que se opondrán a que les traigan a Cádiz, adonde de todos modos vendremos a parar.»

Esta *bizarra* decisión priva a las *Memorias* de un posible pasaje que pudo superar en interés a tantos otros «episodios nacionales» referidos por el *Curioso Parlante*. El viaje de la familia real de Sevilla a Cádiz fue como el calvario de la monarquía; la entrada en la Isla, según el propio Mesonero, ofreció un espectáculo semejante al del regreso de Luis XVI después de la huida de Varennes. Si nuestro hombre hubiera formado parte de los turbulentos contingentes de la Milicia que escoltaron el coche regio desde Sevilla, ¡cuánto nos habría podido contar de aquellos ultrajes que Fernando VII no perdonó jamás! Pensamos que, sobre todo, no hubiera dejado de referirse al atentado contra la vida del Rey, frustrado, pero cierto, pese a que se halle recogido tan sólo en dos fuentes rarísimas: el *Examen de la conducta... del coronel don Vicente Minio* (11) y una poesía, inédita hasta hoy, de la Reina Amalia, compañera de Fernando en aquella fatídica jornada (12).

---

(11) Madrid, Imprenta Real, 1824: folleto de 50 páginas, según cita de José Comellas, en *Los realistas en el trienio constitucional*, Pamplona, 1958, pág. 212, nota 46.

(12) La poesía de la Reina, muy mediocre como tal, encierra un indudable valor histórico, y, desde luego, confirma lo aducido por Minio al atribuirse la frustración del proyectado regicidio. Aunque la publicaré íntegra en un artículo que titulo *El diario lírico de una Reina de España*, no quiero dejar de recoger aquí su fragmento más expresivo:

«Anda el coche en silencio en noche oscura,
marcha a su lado la perversa grey;
hasta su luz consoladora y pura
niega la luna al prisionero Rey.
El sueño en nuestros párpados cansados
nos llama al dulce olvido del pesar;
pero sus sombras, para los malvados,
son funesta señal de unirse a obrar...

....

De sangre de Borbones sus deseos
quieren primero aún satisfacer;
quieren que si mueren los filisteos
Sansón con ellos ha de perecer.
Mas si vela la tropa fementida,
vela también el Guarda de Israel;
El, para defender al Rey la vida,
suscita un militar honrado y fiel.
Minio, por los perversos provocado,
escucha sus propuestas con horror,
y dice que hasta el último soldado
defenderá a Fernando con valor...

....

La cobardía del delito es hija:
dispersada la turba criminal,
con poca tropa entramos en Lebrija,
pero ya en situación menos fatal.

No nos compensa de este vacío la visión colorista de los días vividos por
la Corte en el Cádiz cercado por los *Cien mil hijos de San Luis*. Y confieso que
de nuevo se me hace cuesta arriba aceptar íntegramente el efectismo fácil
de un cuadro en que se ha sacrificado, sin duda, la fidelidad histórica al pinto-
resquismo poco serio —me refiero, por ejemplo, a las presuntas «señales
convenidas» intercambiadas por Fernando VII con los franceses desde una
torrecilla de la Casa Aduana, alojamiento de la Corte. No digamos nada de
esa exhibición casi teatral de las interioridades familiares de Palacio, brin-
dada por sus augustos huéspedes para regocijo de los gaditanos, a través de
los balcones abiertos del edificio. Todo eso presta amenidad al relato, pero
no puede aceptarse. Lo que sí tiene interés es lo directamente vivido por
Mesonero: por ejemplo, el bombardeo naval del día 23 de septiembre.

* * *

El 7 de octubre de 1823, el Rey entraba de nuevo en la plenitud de su
soberanía. La aventura militar tocaba a su fin, pero iba a comenzar la aventura del regreso. Disuelta la Milicia Nacional, sus componentes, en grupos
desordenados y expuestos a toda clase de atropellos, emprendieron la vuelta a
sus hogares, más o menos lejanos. Para los verdaderamente pudientes —como
Mesonero—, el viaje ofrecía menos riesgos. En un lanchón, junto con su inseparable López Conesa y un nutrido grupo de emigrantes, trasladóse a Málaga (13), donde la nueva autoridad militar, recelosa, los mantuvo en cuaren-

---

> ¡Eterno Dios, árbitro de la vida!
> ¿Qué gracias bastarán a tu bondad?
> Que en lo humano la nuestra ya perdida
> la conservó tu sola voluntad.
>
> No, Minio y su valor el vil intento
> logró tan felizmente deshacer;
> del prodigio eligiendo este instrumento,
> Tú diste gracia de corresponder...»
>
> (Archivo de Palacio. Madrid. Papeles Reservados.)

(13) Su salida de Cádiz inspiró a Mesonero una *Oda* de corte clásico, donde, al
paso que rendía homenaje a «la ilustre ciudad», a «los hijos felices de tan digna cuna»
y a «las diosas de estos lugares de ventura... bello ornamento del suelo afortunado
que os sostiene», expresaba la zozobra que el futuro incierto provocaba en su ánimo:

> «... La fatal suerte
> torva la faz se me presenta, y quiere
> que de mi grata juventud los días
> entre pesares y zozobras corran.
> Quiere que deje los alegres sitios
> do fui feliz, para llevarme... ¿a dónde?
> Ella lo sabe, y arrogante y fuerte
> me ordena obedecer; y yo, temblando,
> sigo la voz, y ni la débil mía
> oso elevar, ni deshacer mis dudas;
> quizá el mar proceloso entre sus ondas
> me habrá de sepultar, o arrebatarme
> tímido y contristado a otras orillas,
> si más hermosas, nunca tan felices;
> o bien, guiado por las turbias olas
> hacia el Betis iré, y el manso río
> me arrancará del mar a la bravura
> y al seno bullicioso de su amada

tena durante unos días. El pasaporte que, al cabo, obtuvo nuestro héroe, le obligaba a partir a todo escape, presentándose a las autoridades del trayecto hasta Salamanca, de donde, por exceso de prudencia, había declarado ser originario y vecino.

Por lo pronto, encaminóse con López Conesa a Úbeda, para donde el capitán había obtenido pasaporte —pintoresco viaje en mula, conducidos por un arriero «o sea contrabandista, que en aquella tierra viene a ser una cosa misma»—. Separóse allí de su amigo y de los arrieros que les habían acompañado; y desde ese punto y hora decidió convertirse en estudiante que iba a cursar a Alcalá. El relato toma ahora en las *Memorias* de Mesonero el tono y el ritmo de una novela picaresca. Una confusión del mozo de mulas con quien se concertara para realizar el viaje —y que tomó Alcalá de Henares por Alcalá la Real—, obligaría a un replanteamiento del mismo, con un alto en el pueblecito de Génave. Y en Génave...

> «como quiera que mi juventud y mi alegría cautivasen los ánimos de aquella buena gente, entre la cual se contaba el alcalde del pueblo, pariente de mi arriero conductor, asaltóme la idea, propia de un muchacho, de suponerme escapado de casa de mis padres en Málaga, y que por consecuencia no llevaba pasaporte; con lo cual, y mediante unos tragos de Valdepeñas y dejarme ganar por el alcalde tal cual partida de truqui-flor, pude obtener de éste un papelucho a guisa de pasaporte, firmado por Rosendo Nules, *alcalde por el Rey absoluto*, para poder viajar con seguridad por toda España e islas adyacentes. Con esta salvaguardia, y con romper el ominoso de Málaga, me consideré armado con el escudo de Aquiles para continuar mi caminata por villas y señoríos...»

El recorrido de la Mancha —a través de los mismos sitios que acababan de presenciar el arresto y calvario de Riego—, terminó al cabo en Alcalá de Henares, adonde doña Teresa Romanos había acudido, avisada por su hijo. Hacía un mes exactamente de la salida de Cádiz.

* * *

La odisea de Mesonero tuvo un final de color de rosa, propio de un cuento de Fernán Caballero. Al día siguiente de su llegada a Madrid se presentó en el piso de la calle del Olivo el cabecilla realista don Francisco Lasso: el mismo al que nuestro héroe había visitado en su calabozo de Manzanares. Pero Lasso —nuevamente inquilino de los Mesonero— vestía ahora uniforme de general y venía a ofrecer sus valiosos servicios a su joven amigo. El cielo se abría para éste. Lasso, comandante general de la Mancha, pudo facilitarle la carta

———————

> Híspalis llevaráme, y sus riberas
> otra vez pisará mi planta incierta.
> Quizá (mas, ¡ay!, que en el corazón mío
> apenas la esperanza halla cabida)
> el natal suelo, idolatrado y bello,
> a pisar volveré, y las gratas voces
> oiré de los míos, y el aliento
> aspiraré, primero de mi vida.»

de seguridad indispensable en el momento de máximo empuje de la reacción «apostólica».

> «De esta manera —concluye Mesonero—, con ayuda de Dios y de mi buena estrella, pude sortear los sinsabores y peligros que asaltaron a los que, viniendo directamente y agrupados, fueron víctimas de mil atropellos en todos los pueblos del tránsito, y recibidos brutalmente a las puertas de Madrid por los voluntarios realistas y la plebe de los barrios bajos.»

La aventura del teatro

No se mantuvo mucho tiempo Mesonero al frente de la próspera agencia mercantil heredada de su padre. «Con el consentimiento de su madre —refiere Sainz de Robles—, la traspasó. No necesitaban sus rendimientos para sustentarse. Podían lo que se llama vivir de sus rentas. Y Ramón podía dedicarse por entero a las aficiones literarias y a las paseatas por la villa, para opositar a la plaza única —oficial y bien retribuida por la gloria— de secretario general perpetuo de la Academia del Madrileñismo…» (14).

En efecto, desde 1821 había iniciado nuestro hombre sus actividades literarias. Publicó entonces un curiosísimo folleto —que se incluye ahora por primera vez en una edición de sus obras— titulado *Mis ratos perdidos*, notable por ser punto de partida o avanzadilla del género costumbrista que una década más tarde iba a tener como brillantes cultivadores a Larra, Estévanez Calderón y el propio Mesonero, convertido ya en *El Curioso Parlante*. *Mis ratos perdidos*, opúsculo tan raro que su hallazgo había de provocar una imperdonable «plancha» de Foulché-Delbosc, a la que luego haremos referencia, constituyen una ventana abierta a la sociedad madrileña de aquel tiempo, retratada a través de una serie de escenas que prefiguran ya —con cierta desmaña propia de la edad de su autor— las que luego se harían tan famosas en el *Panorama matritense*. El folleto abrió el camino del periodismo a Mesonero: José María Carnerero, que por entonces dirigía una modesta revistilla, *El indicador de las novedades, de los espectáculos y de las artes* (15), le ofreció colaboración en sus columnas. Y en *El Indicador* publicó Mesonero sus primeros artículos, a partir de junio de 1822 (16).

Estas iniciales actividades literarias de Mesonero terminaron, al mismo tiempo que el periódico, en los comienzos de 1823. Vino después la aventura

---

(14) *Ob. cit.*, pp. 31-32.

(15) Su primer número apareció el 8 de mayo de 1822; dejó la revista de publicarse a comienzos de 1823.

(16) Cotarelo hizo el recuento de estas publicaciones en su biografía de *El Curioso Parlante*. Enumera los siguientes títulos: *Las caricaturas, Cosas que están por probar, Singulares ventajas que resultan de morirse, Ser o parecer, Cosas que no debieran haberse inventado, Cosas que me admiran, Ha sido... es, Del dicho al hecho, El vecino, El nuevo Plutarco, Beneficios simples, La capa*, y algún otro. «También —añade Cotarelo— hizo algunas revistas (reseñas) de teatros, alternando con sus compañeros de redacción Carnerero y don José Joaquín de Mora. El estilo de todos estos trabajillos es incorrecto y vulgar; la observación, pobre y trivial; pero su carácter costumbrista no puede ponerse en duda» (*Ob. cit.*, p. 163, n. 3).

militar, que ya hemos relatado, y que contribuyó a mantenerle alejado de las letras. Y al despuntar la década absolutista, abandonadas ya las tareas mercantiles heredadas de su padre, se refugió en la lectura, y no sólo —hemos de pensar— para completar su educación literaria, sino para evadirse del cuadro desabrido que las persecuciones del realismo ultra ofrecían en su torno.

Cierto que la dureza del momento de liquidación del *trienio* pasó pronto. En realidad, los años que siguieron, a partir de 1825, significaban una etapa de paz y de reconstrucción interna, que había de traducirse en cierto bienestar económico —tras la acertada gestión financiera de López Ballesteros—, y en un incipiente desarrollo industrial. El propio Larra, que en la fase final de la década lanzaría sus deliciosos artículos de *El Pobrecito Hablador*, no dejó de reconocer, de cuando en cuando, los aspectos positivos de aquella dictadura matizada, gracias a la buena voluntad de algún que otro ministro, con un tinte ilustrado nostálgico de la era carlotercista. Claro que las contadas ventajas materiales que aquellos años de calma ofrecían estaban notoriamente compensadas por la falta de libertad y, sobre todo, por el intolerable tormento de la censura. *El Pobrecito Hablador* marcaría a fuego los aspectos negativos de la situación, subrayando, con agudeza capaz de burlar los argos del ministro de Justicia, la inopia y la desorientación política de los españoles (17), la ausencia de crítica, impuesta por el temor (18), y la arbitrariedad y corrupción desarrolladas al abrigo del despotismo (19).

Mesonero, mucho más cauto que Larra, no incurrió en los riesgos de *El Pobrecito Hablador* —que murió, como es sabido, «de un tragantón de palabras»—; cierto que el horno no estaba para bollos, pues aun manteniéndose al margen de cualquier actividad «subversiva», incluso él estuvo a punto de caer en las garras de la recelosa policía fernandina (20). Ni siquiera se atrevió a cultivar el periodismo durante esta época, aunque ello no quiera decir, en modo alguno, que abandonase sus aficiones literarias; simplemente, trocó las

(17) *Carta a Andrés escrita desde las Batuecas por el Pobrecito Hablador*: «Más te dijera, Andrés, en el particular, si más voluntad tuviese yo de meterme en mayores honduras; empero sólo me limitaré a decirte, para concluir, que no sabemos lo que tenemos con nuestra feliz ignorancia, porque el vano deseo de saber induce a los hombres a la soberbia, que es uno de los siete pecados mortales, por el plano resbaladizo de nuestro amor propio...» (*Obras de Mariano José de Larra*, en B. A. E., t. 127, p. 85).

(18) *Idem íd.*, págs. 84-85: «Así ves, Andrés mío, a los batuecos, a quienes una larga costumbre de callar ha entorpecido la lengua, no acertar a darse mutuamente los buenos días, tener miedo, pazguatos y apocados, a su propia sombra cuando se la encuentran a su lado en una pared, y guardándose consideraciones a sí mismos, por no hacerse enemigos, sucediéndoles precisamente que se mueren de miedo de morirse, que es la especie de muerte más miserable de que puede hombre morir...»

(19) Sobre todo, véase la *Carta de Andrés Niporesas al Bachiller*, en la edición y vol. citados, pág. 130 (probablemente esta aguda sátira fue causa de la supresión de *El Pobrecito Hablador*. Vid., en el mismo volumen, nuestro estudio preliminar: *La crisis española del siglo XIX en la obra de Larra*, págs. XXXVI-XXXIX).

(20) El motivo lo dio la pintoresca pandilla o tertulia encabezada por Olózaga, y bautizada con el nombre festivo de «Caballeros de la Cuchara», que celebraba sus uniones en casa del padre de aquél, situada en la calle de Preciados, y que —al parecer, sin que Mesonero lo sospechara— tenía conexiones políticas en relación «con la desdichada intentona de los emigrados impacientes, que a raíz de la revolución de julio, en Francia, se habían lanzado a ella con tan desastroso éxito...». La policía detuvo a Olózaga y a Iznardi, dos de las figuras más destacadas en el círculo juvenil de los «Caballeros» (finales de diciembre de 1830). A Mesonero, pese al pánico que aquellas noticias le produjeron, no le ocurrió absolutamente nada.

breves evocaciones costumbristas por las refundiciones teatrales. Todavía vigentes las inflexibles normas neoclásicas en nuestra lánguida escena de aquellos años, Mesonero siguió el camino de Cándido María Trigueros, Vicente Rodríguez de Arellano y Félix Enciso Castrillón, embarcados en el empeño de «purificar» académicamente las nunca olvidadas obras de Lope, geniales, pero heterodoxas para el preceptismo a lo Boileau; como Dionisio Solís había hecho con Tirso, Calderón, Rojas y Moreto. Persiguió Mesonero en estos años la ilusión de restaurar el *drama nacional*: restaurarlo, claro es, era en la mayor parte de los casos echarlo a perder, a trueque de apresarlo en las mallas de *las tres unidades*.

Cinco fueron los «arreglos» de Mesonero: tres, realizados sobre comedias de Tirso —*Amar por señas, Ventura te dé Dios, hijo* y *La dama del olivar*—; una, refundición de *La viuda valenciana*, de Lope; otra, *El marido hace mujer y el trato muda costumbre*, de Hurtado de Mendoza. Con indudable benevolencia, Cotarelo se muestra favorable en general a los repintes del joven y audaz escritor. «Verdaderamente —dice refiriéndose a *Amar por señas*—, esta clase de refundiciones no puede menos de ser aceptada, bien que sólo para la representación en la escena.» En especial, no regatea elogios a la versión de *La dama del olivar* —*Lorenza la de Estarcuel*, según el nuevo título con que la bautizó Mesonero—: «Hizo —escribe el gran erudito— de uno de los dramas más desordenados del insigne mercedario (que no siempre había de acertar), uno muy agradable, porque además procuró conservar la mayor parte de los primores de lenguaje, versificación y estilo en que esta comedia abunda, por otro lado.» Prescindiendo de la valoración estricta de estas refundiciones, lo que ellas ponen de relieve es la predilección de Mesonero por Tirso de Molina; predilección en que, por lo demás, comulgaba con sus contemporáneos y paisanos, incluyendo al propio Rey.

Las actividades teatrales de Mesonero se sitúan en los años 1826-1828. *Amar por señas* se estrenó en 1826, primero en una casa particular (21), luego en el Príncipe. También en este teatro, y a finales del mismo año, se dio a conocer la nueva versión de *Ventura te dé Dios, hijo*. En el teatro de la Cruz, y al año siguiente, se representaron *Lorenza la de Estarcuel* y *La viuda valenciana*, y a 1828 corresponden la adaptación de Hurtado de Mendoza —que no llegó a ser puesta en escena— y una traducción de Mazères: *Marido joven y mujer vieja*, estrenada en el Príncipe el 25 de noviembre de 1828 (22). En cuanto a su única obra original —y no representada—, *La señora de protección y escuela de pretendientes*, es posible que haya que referirla a una fecha algo posterior. Su asunto fue divulgado por el propio Mesonero en una de sus Escenas, publicada en 1832: *Pretender por alto* (23).

La preocupación de Mesonero por refundir y «arreglar» nuestras piezas del Siglo de Oro nos lo muestran como un neoclásico impenitente, en quien la

---

(21)   No es muy aventurado suponer que algunas pinceladas irónicas de su artículo posterior *La comedia casera* proceden de esta experiencia.

(22)   Cotarelo, págs. 172-175.

(23)   Véase la nota del propio Mesonero a este artículo, en que se refiere la historia de su comedia *nonnata*.

admiración por las grandes obras del barroco se contradice con una continua y dócil sumisión a la tiranía preceptista —algo parecido le ocurrirá en el capítulo de sus gustos artísticos, y sobre todo en la inevitable condena de la arquitectura riberesca: las aficiones estéticas del *Curioso Parlante* son las de un «reaccionario» con todas las de la ley—.

Pero en 1828 veía la luz la resonante proclama de Agustín Durán a favor del teatro español de la gran época —*Discurso sobre el influjo que ha tenido la crítica moderna en la decadencia del teatro antiguo español*—. Fue como arrojar una piedra en las aguas quietas de un estanque: la reacción, por parte de las vestales del preceptismo, no se hizo esperar —y Cotarelo sospecha que alguno de los folletos lanzados a la polémica era de pluma de Mesonero—. En todo caso, Durán estaba de acuerdo con el tiempo, y sus argumentos dejaron decisiva huella, especialmente en las nuevas generaciones. Prueba de ello es que, pese a su actitud de réplica inicial —si en realidad la hubo—, Mesonero debió de dejarse convencer y en adelante se limitó a preparar ediciones de clásicos, respetándolos en su integridad y abandonando decididamente el camino de las refundiciones (24).

Paréntesis sentimental

De nuevo echamos de menos, en las *Memorias* de Mesonero, un margen de mayor amplitud para su propia intimidad. Las *Memorias* son en realidad la reconstrucción de los acontecimientos de su tiempo vistos desde el ángulo ligeramente irónico —socarrón en ocasiones— de la propia situación vital del escritor. Pero sólo de cuando en cuando aparece en ellas una anécdota que se despegue del fondo madrileño o nacional. Cuando lo que le ocurre no está relacionado con cualquier acontecimiento notable, o curioso, de la gran biografía de la ciudad o del país, Mesonero lo guarda para sí. Con exactitud ha dicho Allison Peers que Mesonero era por naturaleza la clase de hombre que «se aparta de la vida para contemplarla y observarla de un modo objetivo y distanciado» (25). Aunque, en todo caso, conviene no confundir los términos; el «apartamiento» —en busca de una visión más objetiva— no significa en modo alguno que Mesonero se limitase a ser espectador; por el contrario, *vivió su propia vida* intensamente y distó mucho de practicar el ascetismo. Lo que sucede es que este parlanchín impenitente se nos hace demasiado discreto cuando se trata de ponernos en contacto con su biografía personal.

---

(24) Allison Peers, que ha subrayado en su excelente estudio sobre el romanticismo español la importancia y trascendencia del *Discurso* de Agustín Durán, no ha anotado su reflejo en el caso concreto de Mesonero. Más evidente resulta aún el impacto en el adolescente Larra; y tampoco Peers ha recogido el elocuente párrafo de su publicación más temprana —*El Duende Satírico*—, donde, al hacer la crítica de la famosa obra de Casimiro Delavigne, *Treinta años o la vida de un jugador,* lamenta aquél el hecho de que la pedantería crítica del preceptismo francés lanzase sus fulminaciones un día contra los grandes dramaturgos españoles, no atenidos a *las reglas,* para, al cabo del tiempo, presentar como novedad y descubrimiento esa misma técnica teatral —la del romanticismo—, evidente en obras como la que juzgaba.

(25) *Ob. cit.*, II, 114.

En 1833, cuando, a la muerte de Fernando VII, sobrevienen de nuevo acontecimientos importantes para la vida del país y nuestro hombre se apresura a registrarlos, él frisa ya en la treintena; pero nada sabemos de su posible biografía sentimental, ni de las razones que le hicieron aplazar todavía por espacio de más de diez años el abandono de su *feliz independencia*. Hemos de acudir a otros testimonios de su pluma para intuir un capítulo inédito —la contrapartida de sus aficiones de ratón de biblioteca— en la juventud de Mesonero, que no debió de ser ni retraida, ni solitaria, ni huraña o melancólica (26).

De 1824 data una de las escasas poesías que no quiso destruir cuando en 1833 hizo auto de fe con sus abundantes ensayos poéticos: se titula *En la muerte de Carolina*, y es, por su forma, una imitación de la célebre lira de Fray Luis *A la Ascensión*. Prescindiendo de este ropaje formal, late indudablemente en sus ingenuas estrofas el recuerdo de un amor juvenil truncado por la muerte:

«¡Cruel! ¿No das oídos
al deseo del alma que te adora?
¿No escuchas los gemidos
del que tu ausencia llora,
del que espera tu voz encantadora?

... ...

¡Oh! ¡Vuelve, vuelve, hermosa;
vuelve a mostrar tus gracias cual solías;
vuelve a ser cariñosa,
y de mis tristes días
a disipar las fieras agonías!

... ...

¡Felice tú, señora,
que en el celeste puerto apetecido
miras nacer tu aurora!
Yo, solo, sin sentido,
en la noche del mundo estoy perdido.»

¿Quién sería esta Carolina, sin duda el primer amor de Mesonero, que le hizo lanzar lamentos románticos en moldes del Renacimiento, al ocurrir su muerte prematura?

_____

(26) El mismo Mesonero escribió en una ocasión que no era concebible juventud sin amor. Me refiero a una letrilla de sus años mozos (data de 1822) en que se lee lo siguiente:

«Al mirar de una hermosa
los cándidos primores,
¿pueden vuestros ardores
su ímpetu reprimir?
No, que del niño ciego
amante compañera,
juventud no pudiera
sin amor existir...»

Otras dos poesías del *Curioso*, datadas en 1825 y 1826, ambas también imitación de Fray Luis, parecen referirse a una misma persona; a un amor imposible, naufragado en el desdén. En la primera reconviene a la incógnita dama —«tirana con el que humilde os adora»—, sugiriéndole que tal vez un día sufra ella, a su vez, los desdenes de aquel a quien entregue su corazón:

> «Cuando un amador constante
> perdáis por vuestro desdén,
> creed lo que os digo bien,
> entonces seréis su amante;
> y si le veis ocupado
> y al lado
> de otra hermosa, vuestro pecho
> llenaráse de despecho
> por haber la causa dado.
>
> ... ...
>
> Entonces sí que veréis
> y probaréis
> lo que yo he con vos sufrido;
> dudaréis cómo he vivido,
> y la razón me daréis.»

La segunda poesía, fechada en 1826 (una *Oda*, escrita en *liras*), insiste en el tema, con acento de mayor pasión: ahora, el poeta no duda en invocar la muerte si ella puede vencer el rigor de la amada:

> «Y a tal punto ya llega
> el duro estado de mi dura suerte
> y a tal horror me entrega,
> que buscaré la muerte
> por si en ella consigo enternecerte.
>
> ... ...
>
> Pues si sólo mi vida
> impide que mi ingrata rigorosa
> me atienda conmovida,
> ven pronto, muerte hermosa,
> y acaba ya la situación penosa.»

De este segundo trance sentimental de Mesonero sólo sabemos que no terminó en boda ni, por supuesto, con la muerte del desdeñado amante: ¿sería parte el episodio a mantenerle célibe durante veinte años más? En realidad no parece que sus primeros tropiezos sentimentales dejaran honda huella en el carácter del escritor; si acaso, pudieron empeñarle más en sus actividades literarias. En sus *Escenas* puede barruntarse la huella de otras «evasiones» menos románticas y menos intelectuales, explicables en una juventud pletórica de vitalidad como la de Mesonero. Sospecho que *La capa vieja y el baile del candil* es eco de una anécdota personal, más o menos disfrazada; y en cuanto a *El paseo de Juana*, resulta demasiado «realista» para no encerrar un fondo de verdad vivida. En el primer caso tomamos contacto con un joven Mesonero atraído por la tentación de lo popular —en lo que éste tiene de libre y desgarrado—, como alegre evasión al convencionalismo, en costumbres y relaciones, de la alta clase media a la que él perteneció; sus escapadas a los barrios bajos, que sin duda habían de contribuir a completar su visión de Madrid, serían también escapadas a un esporádico y alegre libertinaje, en un mundo muy distinto al suyo propio. Cuando una mayor madurez, y quizá algún lance comprometido, como el que relata la *Escena* en cuestión, le fueran desprendiendo de tales calaveradas, le quedaría un regusto amargo de sus experiencias y un injusto menosprecio para los ambientes y los estratos sociales en que las vivió —volveremos más adelante sobre ello—. La picaresca viñeta romanceada *El paseo de Juana* es, posiblemente, una evocación concreta. Porque sin duda, aventuras fáciles como la que Mesonero nos describe en estos versos constituirían el contraste materialista y grosero de una juventud embarcada en las naves resplandecientes del idealismo romántico, cuando todavía la guerra o el motín, la secta tenebrosa o la conspiración no habían surgido como violento «derivativo» jue diríamos ahora...

Los primeros triunfos: el «Manual» y el «Panorama matritense»

Los últimos años del reinado de Fernando VII señalan un momento decisivo en la biografía de Mesonero. La llegada de la nueva Reina, María Cristina de Nápoles, «iris de paz» para los liberales exiliados (27), y la Amnistía con que les abrió las puertas de la Patria, dieron insospechado impulso al mezquino ambiente literario de la Corte. Mesonero ha evocado con pluma insustituible, en pasaje muchas veces reproducido, la famosa tertulia del Parnasillo, que había de ser, andando el tiempo, punto de partida de la transformación cultural de la Corte:

«De allí, de aquel modesto tugurio, salió la renovación o el renacimiento de nuestro teatro moderno; de allí surgieron el importantísimo *Ateneo científico*; de allí el brillante *Liceo artístico*, el *Instituto* y otras varias agrupaciones literarias; de allí la renovación de las academias, de la cátedra y de la prensa periódica;

---

(27)   La expresión fue utilizada por el propio Mesonero en el entusiasta soneto que dedicó a la joven Reina apenas ocupó el trono:

«Llega, ¡oh, Reina!, a triunfar; y la amargura
que a la ibera nación entristecía
disipa con tu faz encantadora;

cual suele aparecer en el altura
tras el horror de la tormenta umbría
iris alegre que cenit colora».

de allí los oradores parlamentarios y los fogosos tribunos, que promovieron, en fin, una completa transformación social» (28).

Por aquellas mismas fechas daba Mesonero punto final a la primera de las grandes obras de su pluma: el *Manual de la villa*, que constituía al mismo tiempo un breviario de historia, una guía y un repertorio monumental. Este libro contaba con dos antecedentes concretos —la *Guía pequeña o el Lazarillo de Madrid en la mano*, de Andrés Sotos, publicado en 1805, y el anónimo *Paseo de Madrid o Guía del forastero en la Corte*, que databa de 1815—. Pero ni el uno ni el otro podían compararse al *Manual*, fruto del paciente trabajo de años enteros y elaborado con un cariño, con un entusiasmo cuyo punto de partida estuvo en la abnegada renuncia a una vieja vocación sin horizontes —la poesía (29)— y a un camino equivocado —el teatro—: renuncias ambas que le facilitarían el descubrimiento de los verdaderos cauces reservados a su «prosaico ingenio».

> «Seguramente —escribe Mesonero— que al trazar este libro, por demás prosaico y limitado a una descripción más o menos amena, no pudo ser mi intento aspirar a un triunfo literario, sino más bien a un pensamiento patriótico, en obsequio y pro de mi pueblo natal, apartándome al mismo tiempo de la frivolidad, que por entonces era el carácter de todas las producciones del ingenio.»

Pero la obra, al salir a la luz en octubre de 1831, había de convertirse en un verdadero *best-seller* —que diríamos ahora, con un americanismo muy gráfico—. En el primer día de venta se agotó la remesa de trescientos ejemplares y fue preciso suspenderla hasta tener concluida la encuadernación de los demás. «El librero Cuesta —añade Mesonero— me instaba diariamente para recibir nuevas remesas, y por último, en pocas semanas quedó comple-

---

(28) Apoyándose, precisamente, en este pasaje de Mesonero —verdadera acta documental de la organización y características del *Parnasillo*—, observa Allison Peers que, a diferencia de lo que en Francia fueron otras tertulias literarias análogas —el *Premier Cenacle*, de propósitos y aspiraciones definidos, y el *Sécond Cenacle*, de diferente composición y con puntos de vista y objetivos muy distintos—, «el Parnasillo español no se proponía nada en concreto. Se daba en él más iconoclastismo que espíritu constructivo... Los miembros del «Parnasillo» mantenían, sin duda, puntos de vista diversos, pero no forzosamente definidos. Poseían en grado muy acusado el don de la expresión, pero lo emplearon más bien para disputar entre sí y atacar las ideas de los demás que para construir los cimientos de una literatura nueva y estable. No formularon credo alguno; no se propusieron una actuación constructiva ni fundaron ninguna escuela. En esto estribaba su debilidad, y a ello se debe la debilidad de la rebelión romántica en conjunto» (*Ob. cit.*, I, 371).

(29) Mesonero dudó siempre, humildemente, de sus dotes poéticas; pero *poetizó* desde sus años mozos hasta su muerte. Cuando contaba sólo diecinueve (en 1821) firmó el *Epigrama de sí mismo*, que no es sino una festiva y *desesperada* invocación a Apolo:

«Al dios de la Poesía
rogaba yo una mañana
que no fuese tan tirana
la ciencia que él presidía.
     Oyó la súplica mía
el dios y se descolgó
y aquesto me contestó:
Hablar puedes prosa neta,
porque hijo, lo que es poeta.
no serás viviendo yo.»

tamente agotada su copiosa edición. Caso rarísimo, cuando no único, que pudiera citarse hasta entonces en los fastos de nuestra librería.»

Curioso de recordar es que este libro, de éxito tan fulminante, estuvo en un tris de no salir a luz, por obra y gracia de la censura calomardiana, aunque no precisamente a causa de su «carga revolucionaria», que ninguna tenía, sino en virtud de la desidia y escaso interés de los funcionarios responsables. Presentólo el autor, en efecto, al Consejo de Castilla, en 10 de diciembre de 1830; el encargado de su aprobación, don Francisco Sáenz González, bibliotecario mayor, se limitó a echarle una ojeada, en la que únicamente se buscó a sí mismo —es decir, que leería tan sólo el pasaje dedicado al Hospital de la Latina, de que él había sido rector—. Como no lo halló totalmente de su agrado, desistió de revisar más a fondo una obra que supuso por las buenas plagada de errores, y la devolvió «para que otro sujeto que pueda rectificar las noticias se dedique y consagre a prestar dicho objeto». En vista de lo cual, el Consejo se limitó a rechazar el *Manual* con la siguiente apostilla: «No ha lugar a la licencia solicitada por don Ramón de Mesonero Romanos.» Recurrió nuestro hombre contra tal dictamen; remitióse la obra entonces a informe del Ayuntamiento; éste se mostró más favorable, añadiendo su interés en que se diese al público cuanto antes... y, en fin, rectificó el Consejo su primitivo acuerdo, otorgando licencia para la impresión del libro el día 15 de abril de 1831, «con tal de que se ejecute en papel fino y buena estampa».

Personalmente acudió Mesonero a La Granja, donde a la sazón se hallaba la Corte, para ofrecer los primeros ejemplares salidos de la imprenta al Rey, la Reina y los infantes. Fue entonces cuando efectivamente se vio nuestro héroe cara a cara con Fernando VII, quien se mostró afable y cordial en la entrevista. Pasados cuarenta años, aún recordaba el escritor, con exactitud, el pergeño y las palabras del Rey (30).

* * *

«Alentado, que no envanecido, por el episodio de mi primera campaña prosaica, me determiné a seguir por este camino a que me inclinaba también mi irresistible instinto, y consagrarme a una obra de imaginación, aunque hija también de mi acendrado amor a mi pueblo natal, que me diese ocasión para aprovechar mi observa-

---

(30) «Hallábase a la sazón el Monarca vestido con harta sencillez: pantalón y chaqueta redonda de mahón, y sentado al lado de una mesa; y al serle presentada la obrita con algunas explicaciones de Montenegro, Fernando me dijo, hojeándola: *Me parece muy bien y muy útil; ya sé que has tenido algunas triquiñuelas con los golillas: son mala gente».* José de Montenegro era ayuda de cámara del Monarca, y muy amigo de Mesonero: él sirvió de intermediario para la entrevista, como previamente había servido ya de mucho al escritor para sacar adelante la impresión del *Manual.*

Tanto la Reina como el infante don Francisco —éste particularmente—, acogieron con simpatía al escritor. No así, en cambio, el infante don Carlos, que no quiso recibirle. Algunos días más tarde le hizo, sin embargo, a través del librero Cuesta, la petición expresa de un ejemplar para su uso. «Diga usted al infante don Carlos —respondió Mesonero— que no puedo complacerle, porque su ejemplar, que no quiso recibir de mi mano, lo he colocado ya.» Efectivamente, el nuevo destinatario era nada menos que Calomarde.

ción y estudio sobre el carácter y costumbres de sus habitantes. Había pintado en mi primera obrilla el Madrid físico: quise aspirar en esta segunda a pintar el Madrid moral.»

Con estas sencillas palabras nos refiere Mesonero el nacimiento de la idea inicial del *Panorama matritense*. Se trataba de bosquejar un amplio fresco, lo más completo posible, de la sociedad madrileña —alta, media y baja, «desde el grande de España hasta el mendigo de San Bernardino»—, mediante una serie de breves apuntes que reflejarían tipos y costumbres, virtudes y defectos, en toda clase de ambientes y de situaciones, desde las romerías y ferias hasta «las escenas privadas de la vida íntima». La técnica utilizada iba al encuentro de un amplísimo círculo de lectores; el medio —la prensa periódica— estaba de acuerdo con la marcha del tiempo y con un nuevo ritmo de vida: «porque el público gustaba ya de aprender andando, y todavía tampoco se le había acostumbrado a endosarle las páginas del libro por debajo de las puertas, en entregas en pliegos sueltos».

La primera *Escena* de las que habían de constituir el *Panorama* apareció en la revista *Cartas Españolas*, el 12 de enero de 1832. Se titulaba *El retrato*, y era, en realidad, una deliciosa viñeta en la que se evocaba, con cierta melancolía, un pasado muy próximo, ahogado en el precipitado discurrir de los acontecimientos que siguieron al reinado de Carlos IV. Buena introducción, este juego de contrastes entre el ayer y el hoy, para situarnos en el día y la hora, en el mundo y el ambiente vivos que Mesonero se proponía fijar.

No vamos a ocuparnos ahora —volveremos sobre el tema más adelante— de la prioridad en el descubrimiento y la utilización del género. Modestamente reconoce nuestro escritor que Estévanez empezó, por las mismas fechas que él y en la misma revista, a publicar sus *Escenas andaluzas*. Meses más adelante, pero todavía en el año 1832, iniciaría Larra los deliciosos relatos de *El Pobrecito Hablador* (31). Lo cierto es que en las postrimerías del reinado de Fernando VII se hicieron moda las escenas de costumbres, y que los artículos de Mesonero en *Cartas Españolas* le consagraron desde el primer momento por máximo representante de esta modalidad literaria, que se adaptaba, como anillo al dedo, a su temperamento, abriéndole seguro refugio contra la moda romántica, incompatible con su equilibrada y burguesa concepción de la vida y de la belleza (32).

Las colaboraciones de Mesonero en *Cartas Españolas* —que habían de constituir la mayor parte del *Panorama matritense*— se prolongaron hasta la extin-

---

(31) La opinión de Mesonero sobre estos artículos de Larra es un tanto mezquina, y en ello no deja de transparentarse cierto achaque de celos: «Estas primeras producciones de aquel agudo ingenio —dice— que más adelante y por el campo virgen de la sátira política había de rayar a tan inmensa altura, carecían ciertamente de originalidad y de plan, y sólo en fuerza de la inmensa popularidad, justamente alcanzada después por Larra, pueden hoy obtener un puesto en la colección de sus escritos» (¡y se refiere Mesonero nada menos que a los estupendos artículos de *El Pobrecito Hablador!*).

(32) «En este género peculiarmente español —escribe Peers— ...fue donde se asentó el clasicismo que conservaba alguna vitalidad...» «Constituyó un grato refugio de muchos escritores y lectores a los que repelían los absurdos románticos y que, por otra parte, deseaban una literatura que reflejara la sociedad contemporánea con más o menos fidelidad» (*Ob. cit.*, II, 111).

ción de aquella revista, en abril de 1833; solamente pasados dos años largos las reanudaría Mesonero en otra publicación —el *Semanario Pintoresco*—, para dar por cerrado el ciclo del *Panorama*, esto es, la primera serie de las *Escenas matritenses*.

La «belle époque» fernandina: el crepúsculo del antiguo régimen

Así, pues, estos tres años últimos del reinado de Fernando VII resultan decisivos en la trayectoria literaria de Mesonero: en ellos elaboró y dio a la luz el *Manual de la villa y corte*, que había de conquistarle definitiva notoriedad entre los escritores de su tiempo; en ellos, sobre todo, popularizó el seudónimo de *El Curioso Parlante*, a través de los artículos del *Panorama*. Se comprende que, en sus *Memorias*, los capítulos consagrados a «la Corte de Fernando y Cristina» y al movimiento literario de aquel tiempo estén especialmente impregnados de ese encanto sugestivo de «buen tiempo pasado», característico de todo libro de recuerdos. Son éstos los años crepusculares del antiguo régimen, y parece como si la alta sociedad de un mundo que poco a poco había de irse hundiendo a lo largo del proceso revolucionario de todo el siglo, hubiera querido decir adiós a los últimos tiempos de paz con un alegre despliegue de fiestas y frivolidades.

En todas partes se habla de la música y se improvisan conciertos: las aficiones filarmónicas de la Reina han decidido el triunfo total de la ópera en Madrid. Pero no se trata ya de una simple moda *de buen tono*, sino de «un verdadero culto, una devoción entusiasta hacia el arte que tan preclaros genios ostentaba a la sazón en un Rossini, un Donizetti, un Bellini, un Meyerbeer...» Grandes compositores y grandes intérpretes, por lo general en el teatro de la Cruz, especializado en el gran espectáculo; y así, «no es de extrañar que el público matritense adquiriese, escuchándoles, un exquisito gusto artístico, recibiese una educación musical que produjo una pléyade de excelentes artistas, más bien que aficionados, de ambos sexos, que formaron por entonces el encanto de nuestros salones...». La propia Reina canalizó la corriente filarmónica mediante la fundación del Conservatorio. Y cuando Rossini estuvo en Madrid, en 1831, su visita se asemejó mucho a una auténtica apoteosis.

Con música de fondo, la buena sociedad madrileña, como la aristocracia vienesa, despliega su boato en saraos, bailes y tertulias «en que, desterrado el apocamiento primitivo de la antigua sociedad..., se matizaba ya con ese agradable colorido de elegancia sin sequedad, cortesía sin afectación, franqueza sin exceso; con ese buen tono, en fin, que aún hoy la distingue y forma el encanto de nacionales y extranjeros...». Son generalmente las familias acomodadas de la antigua clase media las que dan ahora la pauta en este rosario de diversiones mundanas: Mesonero evoca los «magníficos conciertos y espléndidos bailes dados por el coronel don Pablo Cabrero, dueño de la fábrica platería de Martínez, en cuyo inmenso salón, que permitía una concurrencia de ochocientas personas, se reunía en días señalados todo lo más escogido de la sociedad...». Pero no le iban en zaga los Vallarino, Villavicencio, Elhuyer, Gayangos, Mariátegui, Cambronero, Valdés... «y otras varias casas de la clase media, en que se pasaban las horas en animado y agradabilísimo solaz...».

Aunque con menos frecuencia, también se abren a veces los salones de la más rancia aristocracia —marcará época el espléndido sarao ofrecido a los Reyes en la Casa llamada de los Trastamara, durante el carnaval de 1832—. Pero empieza a generalizarse la costumbre de organizar bailes de máscaras en teatros y cafés —el de Solís, sobre todo, por la amplitud de sus salones—. El propio Mesonero formó parte del Comité organizador de las fiestas de carnaval en aquel elegante mentidero, al que concurría una sociedad «compuesta de 150 suscriptores de las clases más distinguidas y vitales de la población». Para que sepamos a qué atenernos respecto a lo que significaban estos términos, nuestro hombre menciona de pasada un baile —el domingo de carnaval de 1832— en el que se hallaban presentes «los infantes don Francisco de Paula y doña Luisa Carlota, grandes, títulos y cortesanos, *con toda la brillante juventud de la clase media*, rivalizando todos en el lujo de los disfraces, en lo animado de los chistes y bromas y en el clasicismo de la danza...». Porque, efectivamente, en estos años se está produciendo el gran ascenso de la burguesía, que muy pronto rebasará los límites de una impregnación puramente mundana para alcanzar las claves de la política y de la administración del Estado a través de «su» revolución. Una revolución en la que, como en los bailes de Solís, en el paseo elegante —el salón del Prado— o en los palcos de la ópera —los tres grandes escenarios mundanos de su triunfo, las plataformas de su espectacular «espaldarazo»—, las nuevas promociones de «clase media» irán del brazo de la vieja aristocracia.

Por curiosa paradoja, Fernando VII es uno de los impulsos decisivos en este proceso. Las *Memorias* de Mesonero recogen con frecuencia los rasgos mesocráticos del Rey —y no deja de ser simpática alguna anécdota como la relativa al famoso actor Valero, rechazado en uno de estos bailes aristocrático-burgueses, y para el cual exigió el propio monarca una reparación formal de los mismos que le habían afrentado—. Por sus gustos y por sus inclinaciones, Fernando VII oscila entre el «plebeyismo» que fue moda de la alta aristocracia «fin de siglo» y el aburguesamiento de que precisamente en los años treinta hace alarde en París el astuto Luis Felipe de Orleáns. Sino que lo que en éste es un plegarse oportunista al tono requerido por los núcleos sociales que le llevaron al trono, en Fernando VII tiene un aire natural y espontáneo; diríase que, de hecho, antes de que la «revolución liberal burguesa» desplace de su sagrado sitial a la Corona, el monarca que la ha combatido más sañudamente se ha dejado conquistar por el talante y los modos de vida de la burguesía.

Las poesías de Arriaza y la pintura de Vicente López —árbitros, literario y artístico, respectivamente, de los medios palatinos en la época de Fernando VII— son un trasunto directo y gráfico de esta realidad: el primero, un Meléndez en tono menor, cuyas evocaciones idílicas, un tanto trasnochadas, se prefieren en la Corte al ímpetu herreriano de Quintana; el segundo, un

Mengs de vía estrecha, cuyos esmaltados retratos, desbordantes de encajes y perifollos, son como la antítesis de la genialidad de Goya. Uno y otro —Arriaza y López—, especializados en una técnica muelle y almibarada, sin nervio ni sangre popular, pero también sin la frialdad grandiosa de lo verdaderamente aristocrático; dechados del gusto y de las aficiones de la buena clase media, que ama lo *bonito* más que lo bello, y que rehuye las impresiones profundas. Algo de esto hay también en Mesonero; pero Mesonero añade a sus estampas un «esprit», una gracia castiza de buena ley, que están ausentes en el pintor y en el poeta. En cualquier caso, sus primeras *Escenas* encajan plenamente con cuanto apetecía, al finalizar el primer tercio del siglo XIX, una sociedad burguesa o aburguesada, del Rey para abajo.

Es de creer que si Fernando VII acogió con agrado la publicación del *Manual*, no debió de desdeñar tampoco la lectura del *Panorama matritense*. Y a la recíproca, nos explicamos que Mesonero, perfecta encarnación de la *nueva clase* que se adelantaba al primer plano en la vida del país, como eje decisivo de una inminente etapa histórica, se dejase llevar tal cual vez —contra su voluntad— de cierta secreta simpatía hacia el *Deseado*. Casi estaríamos por decir que el anecdotario que aún hoy nos redime la tantas veces maltratada memoria del Rey, haciéndonos olvidar su tradicional etiqueta de tirano y pérfido, se lo debemos íntegramente al autor de las *Memorias de un setentón*.

* * *

Siempre fiel anotador de los acontecimientos que le tocó vivir, Mesonero nos habla, con vivacidad muy directa, de la onda de angustia registrada en Madrid durante los días críticos de septiembre de 1832, en que la grave enfermedad del Rey puso decisivamente sobre el tapete la alternativa inexorable a que apuntaba el futuro —o don Carlos o una apertura decidida hacia el liberalismo—:

> «... Desde los primeros instantes en que llegó a noticia de la población el estado crítico de la salud de S. M., el terror, la zozobra y el espanto fueron generales, lo cual no era en verdad de extrañar si se atiende a que el funesto acontecimiento que se anunciaba era evidentemente la señal de un verdadero cataclismo social... En los días que siguieron, la población entera de Madrid, estacionada en las calles y plazas, interrogándose mutuamente sobre la marcha de la enfermedad, inquiriendo noticias en todos los centros donde pudieran existir e interrogando mentalmente al telégrafo óptico que estaba colocado en la Torre de los Lujanes, plazuela de la Villa, como queriendo arrancarle de hora en hora la noticia fatal.»

La alarma llegaría al colmo el día 18, en que se daba al Rey por muerto, cuando ya se había filtrado la noticia en torno al famoso codicilo que significaba el triunfo del partido «ultra»: «El pueblo de Madrid corrió entonces a las iglesias, donde estaba expuesto el Santísimo Sacramento, y en la Real de San Isidro el cuerpo del Santo Patrono, alternando en su vela los regidores capitulares de la villa...» Sólo a partir del día siguiente empezaría a aclararse el horizonte, con la mejoría de Fernando. Con ella, también quedaba definitivamente claro el porvenir político: la primera regencia de María Cristina —afianzada en sus manos durante la lenta convalecencia del Rey— tendía ya la mano a los antiguos perseguidos. La carta-manifiesto con que el Monarca cerró la crisis a finales de año, ya por completo restablecido, era una ratificación de aquel viraje decisivo en la marcha política del país. Con exactitud comenta Mesonero —sin duda partícipe, durante todo el proceso, de la angustia y el temor de sus paisanos y convecinos—: «No se puede hacer una retractación más solemne del sistema seguido durante todo su reinado que la que hizo Fernando en este memorable documento.»

Era, en realidad, el sacrificio de los principios ideológicos de que fuera baluarte a lo largo de veinte años, por un concreto interés de padre de familia. En lo cual, Fernando VII no desmentía, una vez más, su talante eminentemente burgués...

* * *

Porque ya todo estaba decidido, el desenlace amenazador de la enfermedad del Rey —sólo unos meses aplazado—, tuvo menos trascendencia —como lo ha subrayado el profesor Suárez Verdeguer— que los «sucesos de La Granja» a que acabamos de referirnos. En todo caso, nos faltó la presencia de Mesonero en la Corte, al ocurrir la muerte de Fernando, para registrar la nueva ola emocional provocada por el suceso. Mesonero había salido de Madrid en agosto, y de España a finales de septiembre de 1833. El último acontecimiento público del reinado al que asistió personalmente fue la solemne jura de la princesita Isabel como heredera del trono. Y, con ello, a las últimas «Cortes estamentales» reunidas en Madrid, en un afán de continuidad con aquellas de 1789 que abrieron el reinado de Carlos IV. ¿A quién podría ocultársele, ante el cortejo de cardenales y prelados, de grandes y títulos, y de procuradores de las ciudades «con voto en Cortes», que asistía al despliegue final del antiguo régimen?

La «primera salida» de Mesonero, con una crisis nacional a sus espaldas

Por espacio de diez meses —desde agosto de 1833 a mayo de 1834— permaneció Mesonero ausente de Madrid. Siguiendo el criterio que preside todas las páginas de sus *Memorias* —que al fin y al cabo son las de un «natural y vecino de la villa de Madrid»—, el *Curioso Parlante* no incluye en ellas referencias a este viaje —salvo para señalar que se hallaba en Marsella el día 2 ó 3 de octubre, cuando le llegó la noticia de la muerte del Rey.

Mesonero había abrigado el propósito, al emprender el viaje, de recoger todas sus impresiones en un pormenorizado *Diario*. No llegó a realizar el plan, y si lo realizó, sólo muy parcialmente ha llegado hasta nosotros, en los *Fragmentos de un diario de viaje*, que entre otras obras póstumas o no colec-

cionadas publicaron los hijos del escritor después de su muerte (33). Los
fragmentos en cuestión recogen las impresiones de Mesonero camino de Valencia, una animada descripción de la ciudad levantina —muy poco divulgada,
por cierto— y otra no menos sugestiva de Barcelona. En especial esta última
encierra particular interés: piénsese que el *Curioso Parlante* visita la ciudad
condal en uno de los momentos decisivos de su historia —el que cubre la
primera fase en el proceso de concentración industrial registrado a lo largo
de todo el siglo.

Nada escapa a su mirada observadora: desde la fisonomía urbana que la
población ofrece, verdadero laberinto de callejas estrechas y oscuras —entre
las que sobresalen tres o cuatro vías por su mayor amplitud: las Ramblas,
la calle Ancha, la del Conde de Asalto y la nueva de Fernando VII, que Mesonero debió de conocer recién inaugurada—, hasta el impresionante despliegue
de sus fábricas, y en especial la de Bonaplata, «precioso documento de lo
que ha adelantado en España el buen gusto». Centros en los que se producen
percales e indianas que no envidian a las manufacturas extranjeras, tejidos
de todas clases, hierro colado —«del mismo Bonaplata, unas y otras movidas
por vapor»—; «blondas, galones y tantos otros artículos como comprende la
inagotable industria catalana...».

> «En unas vi sellar y remitir semanalmente sólo a Madrid 200 pie-
> zas de tela; en otras vi pagar un sábado al pie de 50.000 reales
> en jornales; en algunas, además de las máquinas, hallé 400 y 500
> obreros, hombres y mujeres, y en todas observé el orden de la
> distribución de los trabajos y la inteligencia de los directores.»

Abonan el espíritu de observación de Mesonero algunas notas rápidas que
trascienden del tiempo y de la circunstancia: el «espíritu de provincia» —entiéndase, la pronunciada matización regionalista—, que «choca sobremanera
al forastero, y sobre todo al español, que se encuentra mirado como un
extranjero», el «amor propio, que les hace mirarse como muy superiores al
resto de España». Y no escapa el escritor —de abolengo mercantil, con una
fortuna respetable y empapado de principios liberales— a la polémica, viva
en todos los círculos de la ciudad condal frente a los llegados de tierra adentro, acerca del proteccionismo económico:

> «Este egoísmo provincial, que pretende que en agradecimiento a
> su industria le paguen un tributo forzado las demás provincias, y
> el Gobierno la dispense continuas exenciones y privilegios en per-
> juicio de aquéllas, no dejaba de proporcionarme algunas contesta-
> ciones con los dueños de las fábricas. En ellas puedo decir que
> observé la agudeza de sus argumentos; por ejemplo, decíanme:
> «*Nosotros somos obligados a comprar los granos y otras materias
> de Castilla, pudiéndolos tener más baratos en el extranjero; pues
> oblíguese en cambio a los castellanos a comprar nuestras manufac-
> turas.*» Pero este argumento está contestado en el hecho, pues yo
> veía y ellos mismos me habían repetido que casi todos los productos

---

(33) Véase anteriormente, nota (6).

de sus fábricas los remitían a Madrid y otras ciudades; luego, señores catalanes, ¿quiénes compran sus manufacturas de ustedes? ¿Los
franceses? No por cierto. ¿Los ingleses? Tampoco. No hay que cansarse, y si no, recórranse esas tiendas de Madrid, Valencia, Sevilla, etc., y se verán en todas ellas sustituidos en lo general los
paños, las blondas, los algodones, las sedas, los sombreros, las medias, el papel, los percales catalanes a los extranjeros, que hace
diez años ocupaban casi exclusivamente nuestro mercado.»

Esta página, ya de por sí, nos da una rápida y gráfica imagen de lo que
había sido el progreso industrial en Cataluña durante los últimos años del
reinado de Fernando VII. Mesonero se ufana de esta espléndida realidad y,
castizo madrileño hasta en esto, no tiene empacho alguno —viniendo de una
ciudad que aún dista mucho de «vestir» plenamente su rango de capital «de
no sé cuántos mundos», como diría Larra—, en proclamar su entusiasmo y
su admiración por cuanto de elogiable hay en la próspera ciudad de los
condes.

A finales de septiembre pasó Mesonero la frontera y a partir de aquí,
según parece, dejó de registrar sus impresiones —salvo alguna estampa de
París, incrustada luego en el librito que escribió seis años más tarde a propósito de un segundo viaje a Francia y Bélgica (34)—. Sabemos, sin embargo,
que en tanto se iniciaba a sus espaldas, en la angustiada España de la Reina
niña, la primera gran guerra civil de nuestra época contemporánea, el *Curioso
Parlante* recorría, siempre con los ojos muy abiertos, la Francia de Luis Felipe
y la Inglaterra en que aún no se había iniciado la «era victoriana» (35). De

(34) *Recuerdos de viaje por Francia y Bélgica en 1840 y 1841.* Su autor, *El Curioso
Parlante*. Madrid, 1841.
(35) En poder de la familia Mesonero existía un índice inédito del relato que
don Ramón se proponía hacer de este viaje —y a cuyos fragmentos realizados acabamos de referirnos—. Los hijos del escritor lo imprimieron en el volumen II de sus *Trabajos no coleccionados* (p. 586). Helo aquí:
«1. Salida de Madrid. Mis compañeros de viaje. La Mancha. El puerto de Almansa.
Llegada a Valencia.
2. Valencia. El Miguelete. Las calles. Industria y comercio. Artes. El peluquero
Pedro Pérez. El Cabañal. Paseos y diversiones. Iglesias. Carácter provincial. Alrededores de Valencia. La Albufera. El tribunal del Riego. El Cabañal y el Cañanelar. San
Miguel de los Reyes. La huerta de Valencia. Castellón de la Plana. Venta de Burja-
senia. Entrada en Cataluña.
3. Barcelona. Llegada. Los catalanes. Aristocracia mercantil. Pro y contra. La
Bolsa. Establecimientos de caridad. La Ciudadela. Montjuich. La catedral. La Barce-
loneta. Las torres. Policía urbana. El teatro. Campiña de Barcelona.
4. Sarriá. El desierto. Gracia. La torre de Inglada. La torre de Gironella. El pasaporte. Ribera del Mar. Mataró. Calella. Gerona. Figueras. El castillo de San Fernando.
Entrada en Francia.
5. Bellegarde. La Aduana de Pertus. Perpiñán. Montpellier. Sepulcro de Meléndez
Valdés. Nimes. El puente de Gard. Arlés. Tarascón y Bancaire. El Ródano. El barco
de vapor. La Venecia provenzal. Una noche a la luna.
6. Marsella. El puerto. La ciudad. El teatro. La campiña. Las Bastidas. Paseo por
mar. La isla de los catalanes. La ballabesa.
7. Camino de Tolón. Tolón. El arsenal. La escuadra francesa. El presidio.
8. Hieres. La Provenza. Aix. Avignon. La fuente de Vaucluse. Casa del Petrarca.
9. El correo. Lyon. Comercio e industria. Palacios. Teatro. Los puentes colgantes.
El Ródano y el Saona. El camino de hierro. Macon. La Borgoña. Melun. Proximidad
de París.
10. París. El hotel des Hautes Alpes. Palacio Real. Tullerías. La Columna. Los
boulevards. Teatro Francés. Academia Real de Música. Otros teatros. La Bolsa. Cortesanía francesa. El Rey de los belgas en París. Revista de la guardia nacional. En-

este viaje, en fin, si no un relato en forma de *Memorias* o de Diario, nos quedaría, al menos, el trabajo que el autor tituló *Rápida ojeada de la capital y de los medios de mejorarla*. Porque, incluso en sus ausencias, Mesonero vivía su madrileñismo impenitente. Un madrileñismo de buena cepa, y como tal, abierto a todas las influencias, a todos los estímulos capaces de representar una mejora, un embellecimiento, un engrandecimiento positivo para la villa del oso y el madroño.

Revolución y romanticismo

«Al regresar a Madrid de mi largo viaje por el extranjero, en los primeros días de mayo de 1834, todo había cambiado de aspecto en el orden político y administrativo del país.»

Hacía muy pocos meses que ocupaba el Gobierno uno de los más nobles y finos espíritus de la época, Francisco Martínez de la Rosa; apenas dos semanas antes de la llegada de Mesonero a Madrid, se había publicado —por el momento, con general aplauso— el *Estatuto Real*, «importantísimo documento... que iniciaba una nueva época en la marcha histórica y política del reino». En el espacio de pocos días, Martínez de la Rosa había alcanzado las dos cumbres —política y literaria— de su vida; pues el 24 de abril se estrenaba en el Príncipe la famosa *Conjuración de Venecia*, que consagraría la

tierro de Víctor Ducange. Las librerías. Marie... La Biblioteca Real. Las horas de París. Los restauradores. Tortoni. Los ómnibus. Coches de alquiler. Notre Dame. Saint Sulpice. Panteón. Cementerio del Père Lachaise. Sepulcro de Moratín. La niebla. El hotel Dieu. Delavigne y Victor Hugo. Los Inválidos. Establecimientos de beneficencia. Los españoles en París.

11. Versailles. Saint Cloud. Saint Germain. Sevres. Saint Denis. Montmorency. Ermenonville.

12. Salida de París. Beauvais. Amiens. Calais. El Canal de la Mancha. La llegada a Inglaterra.

13. Douvres. El Hotel Inglés. La aduana. La diligencia inglesa. La campiña. Gravessend. Cantorbery. Llegada a Londres.

14. London. Coffee House. Mister Leigt. Las calles. Las tiendas. San Pablo. Westminster. La Torre. Miss Perera. Cicerone español. Jockey negro. National Gallery. Teatros de Covent Garden y de Ducry Laine. Opera italiana. Tabernas. East India. Doks. Greenwich. Los puentes. Zoological Garden. Green Park. Hyde Park. Regent Street. Squares. Los españoles en Londres. El general Mina. Iglesias protestantes y de otros cultos. Capilla católica de Baviera.

15. Salida de Londres. El viajero español. Birmingham. Las fábricas de hierro. La noche en las cercanías de Birmingham.

16. Manchester. Fábrica de tejidos. El Hotel Royal. Por la noche. Comida inglesa. Míster Lucas. Calles y edificios. D. Vicente González.

17. Rayl-wais. Camino de hierro. Liverpool. Los diques. Fábricas de hierro. La ciudad.

18. Regreso a Londres. La Nochebuena.

19. Regreso a Douvres.

20. Regreso a Calais.

21. Regreso a París. El día de Año Nuevo. Despedida de París.

22. Viaje a Bordeaux. Tours. Orleans. Angouleme. Bordeaux.

23. Viaje a Toulouse. Toulouse.

24. Viaje a Perpiñán. Entrada en España.

25. Regreso a Barcelona. El Carnaval en Barcelona.

26. Viaje a Zaragoza. Zaragoza. Regreso a Madrid.»

El viaje se prolongó desde principios de agosto de 1833 hasta finales de enero de 1834.

moda romántica en nuestra escena. «Con los ojos arrasados aún, con el corazón henchido de contrapuestos sentimientos, sólo encontramos expresiones para
proclamar esta representación como la primera de todas cuantas se han visto
en Madrid...», escribía Larra en una primera y rápida reseña del estreno. Y
al día siguiente, al terminar el extenso reportaje crítico que le dedicó en la
Revista Española, observaba:

> «No acabemos este juicio sin hacer una reflexión ventajosísima
> para el autor: ésta es la primera vez que vemos en España a un
> ministro honrándose con el cultivo de las letras, con la inspiración
> de las musas. ¿Y en qué circunstancias? Un Estatuto Real, la pri-
> mera piedra que ha de servir al edificio de la regeneración de
> España, y un drama lleno de mérito. ¡Y esto lo hemos visto sólo
> en una semana! No sabemos si aún fuera de España se ha repetido
> esta circunstancia particular» (36).

Fue este ambiente, cargado de entusiasmo literario y político, el que per-
cibió Mesonero a su regreso, como una bocanada de aire fresco. Todavía no
preocupaban las partidas iniciales de la guerra civil: el Pretendiente había
sido expulsado de Portugal y se encontraba en Londres. El código político de
Martínez de la Rosa, en el que éste cifraba una posibilidad conciliadora de
las dos Españas lanzadas a la guerra civil, aún no había demostrado su inefi-
cacia como instrumento pacificador. Y el político poeta, todavía a salvo de las
ironías de Larra (37), vivía su mejor momento: las simpatías que despertó
su vuelta al Poder, al cabo de diez años de proscripción política, se convertían
en entusiasmo ante su obra literaria, en aquellas noches inolvidables del Príncipe.

> «No hay necesidad de repetir —escribe Mesonero— que, por mi
> parte, y dentro de la esfera de mi insignificancia política, veía con
> placer el giro que tomaban las cosas, y que, deseoso de contribuir
> con mis débiles fuerzas al desarrollo de la cultura patria —aunque
> siempre contenido dentro de los límites que me trazaban la pru-
> dencia y el amor puramente platónico y desinteresado hacia las
> reformas útiles—, me dispuse a poner desde luego al servicio de mi
> pueblo natal los estudios y observaciones que había podido hacer
> en mis viajes a los países extranjeros, sobre las mejoras materiales
> y la administración de las capitales que había visitado...»

Toda aquella primavera trabajó Mesonero en su *Memoria*, y a principios
de julio estaba ya a punto para llevarla a la imprenta. Pero los meses en que
el escritor permaneció absorto en su tarea habían presenciado un cambio radical en el ambiente de la Corte. Las que fueron partidas desorganizadas al
comenzar el año habían hallado un caudillo y organizador extraordinario
—Zumalacárregui—; la aparición del Pretendiente en el Norte —saludada
por Martínez de la Rosa con la frase: «Un faccioso más»— convirtió en incen-

---

(36) *Obras*, ed. cit. de B. A. E., t. I, pág. 386.
(37) Hasta cierto punto, puesto que en 18 de febrero había publicado ya *Fígaro*
el artículo *Los tres no son más que dos y el que no es nada vale por tres* (véanse
Obras, I, pág. 347, y nuestro *Estudio preliminar*, págs. XLIX y ss.).

dio la primitiva hoguera. Al paso que la guerra civil destrozaba las esperanzas
del jefe moderado en la virtud del «justo medio» simbolizado en el Estatuto,
se producía la ofensiva de los «exaltados» —núcleo del futuro progresismo
adscrito, de momento, al texto constitucional de Cádiz—. En pleno desbordamiento de las pasiones, la peste vino a sumarse, como una nueva y terrible
calamidad, a las que ya afligían al país. Y utilizándola como inicuo y absurdo
pretexto, se produjo —en el mes de julio— la primera gran ofensiva de
violencia contra las casas religiosas de Madrid. La Iglesia no había ocultado
nunca sus simpatías por el antiguo régimen. Y ahora aparecía, súbitamente,
envuelta por el odio de una de las partes enfrentadas: no tardaría en recibir
un golpe mucho más duro —la gran desamortización de Mendizábal, el «inmenso latrocinio».

Mesonero, cada vez más retraído de la lucha política, no pudo, en cambio,
escapar al cólera morbo. Como buen cronista de Madrid, debía vivir en su
carne aquella crisis que sembró de luto a la ciudad. He aquí su puntual
relato:

> «En la noche del 9 ó 10 de julio, después de asistir a la tertulia
> o *soirée*, que en ciertos días de la semana reunía en su casa, calle
> de Relatores, el ilustrado jurisconsulto, estadista y consejero real
> don Vicente González Arnao (el amigo y heredero de los manus-
> critos de Moratín), salí de ella acompañado de mis amigos Larra,
> Salas y Quiroga y Bustamante; y siendo la noche en extremo calu-
> rosa, y no muy avanzada la hora, entramos a refrescar en el café
> de San Sebastián, sin tener en cuenta para nada en los vagos rumo-
> res que ya empezaban a circular de haberse observado algunos casos
> de *cólera morbo asiático*; casos que eran desmentidos, y por lo
> menos desdeñados del público y de los facultativos, fiándose en la
> notoria salubridad de nuestro clima, que en todos tiempos había
> resistido a la invasión de las epidemias. Mas por lo que a mí toca,
> no sé si por efecto del inoportuno refresco o de la preocupación
> aprensiva de que me hallaba dominado, es lo cierto que desde aquel
> mismo momento me sentí indispuesto, y así continué en los días
> sucesivos, aunque sin darle gran importancia...»

La agravación de la enfermedad coincidió con los tumultos populares —a
partir del día 15, en que la peste tomó proporciones aterradoras en la capital—. Su crítica situación ahorró al menos, al doliente escritor, un conocimiento directo de las matanzas sacrílegas del día 17:

> «Aunque quisiera —nos dice—, no podría reseñar aquí el espan-
> toso estado de la población en tan críticos momentos, porque ale-
> targado y casi exánime, sólo era sensible a los tiernos cuidados que
> me dispensaba mi amantísima madre, la cual llevó su abnegación a
> tal extremo, que al verme materialmente expirar en la noche del 19,
> hubieron de arrancarla violentamente de mi lado; pero ¿de qué
> modo? Cuando un ataque fulminante de la terrible enfermedad la
> hirió súbitamente y acabó en breves horas con su existir: Testimonio
> sublime de abnegación y de amor maternal, que no puedo menos
> de consignar aquí, y a cuyo recuerdo (aun a tan larga distancia)
> siento agolparse a mis ojos lágrimas de ternura.»

Así, pues, si en 1820 la revolución liberal coincidió con una desgracia familiar en casa de Mesonero —la muerte de su padre—, ahora la crisis política y social en que definitivamente naufragó el antiguo régimen tenía su contrapunto en un nuevo acontecimiento decisivo para la vida de nuestro escritor: la muerte de su madre. Pero también ahora, como en 1820, supo Mesonero sacar fuerzas de flaqueza y reaccionar con energía. Sus aficiones literarias y matritenses constituyeron el mejor tónico para superar su lógico abatimiento ante la desgracia familiar y ante el cúmulo de desdichas que en poco tiempo se habían desencadenado sobre el país —recrudecimiento de la guerra, violencias y desmanes contra la Iglesia, descenso de los fondos públicos...

> «Venciendo con energía y fuerza de voluntad mi abatimiento físico y moral, me ocupé, aun antes de arreglar mis intereses propios, en dar la última mano a mis observaciones de viaje, dignas, a mi entender, de ser sometidas a la opinión de mis convecinos, y las di a la estampa en una extensa *Memoria*, a la que puse el título de *Rápida ojeada a la capital, y de los medios de mejorarla*, y con el fin de darla más pronta circulación, la publiqué como Apéndice a la última edición del *Manual de Madrid*...»

* * *

En definitiva, este plan de mejoras redactado por Mesonero responde a un claro propósito: contrastar la situación que ofrecían los servicios municipales de Madrid con cuanto él había podido observar en las ciudades europeas —París especialmente— que acababa de visitar. Rasgo éste muy característico de nuestro escritor, empeñado siempre en una obra constructiva antes que en una simple lamentación estéril; y que ahora hubo de resultar más eficaz gracias a la oportuna gestión de un alcalde benemérito, el marqués de Pontejos, en cuyas iniciativas —inspiradas por Mesonero— tiene punto de partida la gran transformación del Madrid carlotercista operada en el reinado de Isabel II. La colaboración entre el escritor y el alcalde —solicitada por este último— no se redujo a una adopción por la administración municipal de los planes elaborados por el *Curioso Parlante*, sino que éste añadió un apoyo sistemático a la obra reformadora, a través de la prensa —desde las columnas del *Diario de Madrid* (38).

Aparte las mejoras formales en la fisonomía y policía urbana de la ciudad, estos años de la Reina Gobernadora se ilustran con la creación de dos instituciones memorables —a las que también dio vida Pontejos, como jefe político de la provincia, y de las que en buena parte fue asimismo inspirador Meso-

---

(38) «Hice más —escribe Mesonero en sus *Memorias*—: deseoso de apoyar y desenvolver con alguna extensión mis ideas, tomé de mi cuenta, con el impresor don Tomás Jordán, el *Diario de Madrid* desde 1.° de mayo de 1835; le di nueva forma; le dupliqué en tamaño y, reservándome un espacio conveniente, empecé a publicar en él un *Boletín* diario sobre todos los ramos de la Administración municipal, desde los referentes a policía urbana hasta los de diversos establecimientos útiles de instrucción, de beneficencia y de recreo. Y como contaba de antemano con la aquiescencia del corregidor, con quien mantenía estrecha relación amistosa, me atreví a proponer en mis artículos reformas sustanciales, que al día siguiente se veían convertidas en bando con la firma del corregidor.»

nero Romanos—: la *Sociedad para propagar y mejorar la educación del pueblo*, y la *Caja de Ahorros y Monte de Piedad*, una y otra guiadas por un aliento filantrópico que honra a la burguesía ilustrada de Madrid, todavía fiel a la buena tradición carlotercista, en los momentos en que la revolución liberal mostraba más crudamente sus contrapartidas sociales.

* * *

La extraordinaria vitalidad con que el país se sumaba a las corrientes ideológicas y políticas triunfantes en el Occidente de Europa, tenía su mejor exponente, durante estos mismos años —en que ardía la guerra civil como telón de fondo y se producía el descongelamiento del sistema de propiedad agraria a impulsos de la gran desamortización—, en el maravilloso florecimiento del romanticismo literario: ya hemos hecho alusión al impacto de *La conjuración de Venecia* en el teatro; añádase que por entonces el cetro poético estaba en manos de Espronceda, y el de la prosa en las de Larra, uno y otro «epónimos» de la generación romántica. La iniciativa privada —el inefable *Parnasillo* del café del Príncipe—, con el refrendo oficial inmediato, daría lugar a la fundación de los dos grandes hogares en que el nuevo credo estético y literario iba a hallar marco y escenario apropiados: el Ateneo y el Liceo. Un capítulo entero de sus *Memorias* dedica Mesonero a hacer la historia de estas dos ilustres sociedades, en cuyo nacimiento —como en el de las instituciones filantrópicas antes mencionadas— tuvo él parte muy principal. Sin las páginas autobiográficas de Mesonero nos faltaría el testimonio preciso para comprender la ola de juventud y de entusiasmo que presidió los pasos iniciales de las dos Casas —tribuna intelectual llena de ambición, la primera; hogar de convivencia, la segunda, de un amplio mundo social, fundido en el mismo afán de belleza y de gloria—. Desde la venerable atalaya de sus setenta años, el *Curioso Parlante* subrayaría también —con esa plácida sonrisa sin hieles con que siempre supo aceptar, rehuyendo la acrimonia y la amargura, el paso de las cosas y de los tiempos— lo que tuvo de fugaz, aunque refulgente y espléndido, aquel estallido de entusiasmos, esencialmente romántico por su generoso impulso de idealismo, que presidió el orto de un nuevo Madrid, de una España nueva, pronto traicionados por la crecida materialista de su transfondo burgués:

«Pero pasados aquellos momentos —o sean años— de ardiente fe y de sed entusiasta de gloria, la tendencia del siglo se inclinó a materializar los goces y a utilizar prosaicamente las inteligencias; por eso los institutos de esta clase fueron amenguando, por eso fueron desamparándolos sus expansivos y sobradamente generosos ingenios, corriendo a las redacciones de los periódicos políticos, a la tribuna o a la plaza pública, a conquistar no aquellos modestos y espontáneos laureles que en otro tiempo bastaron a su ambición, sino los atributos del poder y los dones de la fortuna. De los nombres que arriba cité como sostenedores de la tribuna del Liceo, según se presentaron a mi memoria, casi todos ellos figuraron después como ministros, embajadores, consejeros, senadores, diputados y publicistas, alternando en diversos bandos y épocas, según la marcha de los sucesos; y sólo Zorrilla y el que esto escribe se obstinaron en conservar su independencia y su nombre exclusivamente literario, sin aspirar a su engrandecimiento por otros caminos, con la circunstancia, en pro del ilustre Zorrilla, de que a mí sólo me faltaba la ambición, y a él le faltaban la ambición y la fortuna.»

* * *

Sin duda es ésta una de las etapas más activas en la vida, plena siempre de dinamismo, de Mesonero Romanos. El 3 de abril de 1836 nacía la famosa revista por él fundada —el *Semanario Pintoresco Español*—, cuya finalidad, en contraste con el variado panorama de publicaciones periódicas que canalizaban por entonces, en la prensa, la contienda ideológica y política, era «generalizar la afición a la lectura y el conocimiento de las cosas del país, así en su belleza natural como en sus monumentos artísticos, ya en la vida y hechos de sus hijos ilustres como en la historia y tradiciones de sus localidades, usos y costumbres del pueblo...» Esta voluntaria inhibición respecto al clima de pasión polémica de las otras publicaciones similares, representaba, indudablemente, la ventaja de atraer a toda clase de lectores, lo cual, por lo pronto, había de implicar también un mejor fruto económico (39). Por lo demás, con su característico entusiasmo para cuantas empresas iniciaba, Mesonero no regateó medios en el empeño de lograr, técnica y artísticamente, algo que significase una auténtica aportación al desarrollo de la cultura patria: «procurando realzar las descripciones con profusión de dibujos, *grabados en madera* por el método recientemente adoptado en el extranjero, y de que ni siquiera se tenía noticia entre nosotros». Sus modelos fueron dos brillantes publicaciones, londinense una, parisiense la otra: el *Penny Magazine* y el *Magasin Pittoresque* (40); su único antecedente en España, *El Artista*, revista aparecida en 1835 y no muy afortunada en cuanto a su trascendencia.

Porque desde el primer momento, el *Semanario Pintoresco Español* se impuso por su amena variedad y, sobre todo, por el especial atractivo que le prestaban las colaboraciones personales de *El Curioso Parlante*, que iniciaba ahora, en casa propia, la segunda y más brillante serie de sus popularísimos artículos de costumbres, bautizada ya con el título de *Escenas matritenses* (41).

---

(39) Según Mesonero, esta circunstancia —su falta de color político— era un inconveniente para la difusión del periódico; creemos que, muy por el contrario, su carácter puramente cultural le hacía igualmente atractivo para toda clase de lectores.

(40) «Es fácil asegurar —observa Georges Le Gentil— que, en lo que toca al formato, impresión, grabados, disposición de materias [el Semanario Pintoresco], es exactamente similar al *Magasin pittoresque* de una parte, y de la otra, al *Musée des familles*, puesto que reserva un lugar importante a la descripción de los monumentos históricos; da una reseña de las obras literarias, y acoge todos los artículos que se refieren, sea directamente, sea indirectamente, a la pintura de las costumbres antiguas, presentes, madrileñas o provincianas» (*Le poète Manuel Bretón de los Herreros et la société espagnole de 1830 a 1860*. París, 1909. Pág. 244).

(41) Quizá el testimonio más gráfico y significativo de la popularidad de las *Escenas* nos lo dé una carta de Antonio de Trueba al propio Mesonero, escrita muchos años después de la aparición de aquellos artículos: «Era usted muy joven y empezaba a enamorar al público con sus admirables cuadros de costumbres, y era yo muy niño y empezaba a saborear la buena literatura leyendo aquellos cuadros. En el almacén

Por espacio de veinte años prolongó este éxito la nueva revista, aunque su momento más brillante correspondiera a los años en que Mesonero fue su propietario único, entre 1838 y 1842, cuando el *Semanario* llegó a contar hasta 5.000 suscriptores, número realmente inusitado para aquella época (42).

Los viajes de 1840 y 1843: entre dos crisis nacionales

Apenas concluida la guerra civil, decide Mesonero hacer una segunda salida a Europa. Cuando relate este viaje, el autor empezará por situarnos, con su habitual gracejo, en la nueva coyuntura que la paz ha abierto a los españoles, y particularmente a los madrileños:

«Por los meses de junio y julio del año pasado (1840), todos los habitantes de esta heroica villa parece que se sintieron asaltados de un mismo deseo: el deseo de perder de vista y de hacer por algunos días un ligero paréntesis en su vida circular... Y a la verdad no era de extrañar esta unánime resolución de viajar que impulsaba a los habitantes de Madrid, de ordinario quietos e inamovibles, si se atiende a que era el primer verano en que, después de seis años de guerra civil y de casi completa incomunicación, podían con libertad saborear el derecho de menearse (que es uno de los imprescindibles que nos concedió la naturaleza), y querían con este motivo extender alguna cosa más su acostumbrada órbita, que se limita de un lado en Pozuelo y Villaviciosa, y por el otro abraza hasta el último Carabanchel...»

Así como no nos ha quedado testimonio del autor respecto a su primer viaje —salvo los apuntes consagrados a Valencia y Barcelona—, de este segundo nos hizo Mesonero, en efecto, un delicioso y pormenorizado relato (43), que a mi entender tiene una virtud esencial en orden a lo que podríamos llamar «definición moral» del escritor (44): resplandece en sus páginas el

de hierro de la calle de Toledo, 81, un pobre niño trabajaba toda la semana esperando el domingo. ¿Era porque el domingo le visitaba la libertad del campo, a que era muy aficionado? No: era porque el domingo le visitaba *El Curioso Parlante*, conducido por el *Semanario Pintoresco* o el *Diario de avisos*». (E. Varela y Hevias: *Cuatro cartas...*, en «Clavileño», núm. 40, julio-agosto 1956. P. 52).

(42) Hasta 1857, se publicaron 22 tomos de la revista. En un comienzo, Mesonero había estado asociado al editor, impresor y librero don Tomás Jordán, encargado también de la administración —que estaba en la Puerta del Sol— Hacia 1838, el número de suscriptores se acercaba a 3.000. Entonces quedó Mesonero como propietario único de la revista, que trasladó a una de sus casas, en la calle de la Villa. Poco después, el periódico alcanzaba la cifra de 5.000 suscriptores. Sin embargo, en 1842 vendió la publicación a don Gervasio Gironella, que la conservó hasta 1845, fecha en que, a su vez, se hizo cargo de ella don Vicente Lalama. En fin, un año más tarde la revista pasó a manos de don Francisco Navarro Villoslada, don Angel Fernández de los Ríos y el grabador don Vicente Castelló, que procedieron a reorganizarla. De 1847 a 1855 la dirigió solo Fernández de los Ríos; pero como llevaba a la vez otras publicaciones importantes, cedió el *Semanario* a don Eduardo Gasset y Artiene. El último propietario y director de la revista, en 1857, fue Asas, que tuvo que suspender su publicación.

(43) *Recuerdos de viaje por Francia y Bélgica. 1840-1841*. Madrid, 1841.

(44) La ecuanimidad de Mesonero se refleja, por lo pronto, en la cordial simpatía con que alude a las gentes del país vasco, hasta pocos meses antes alineadas al otro lado de las trincheras de la guerra civil: «Cuando considerábamos que aquellos campos... acababan de ser teatro de todos los horrores de una guerra fratricida, pare-

buen sentido de este españolista cien por cien, que no se encierra en la tonta
pretensión de estimar todo lo de fronteras adentro como superior a lo de
fronteras afuera, pero que tampoco cae en el extremo de un papanatismo
atónito de signo contrario. Los apuntes de viaje de Mesonero, aparte su valor
documental, encierran siempre una intención práctica: recoger en forma de
enseñanzas aprovechables para el propio país cuanto de bueno puede apren-
derse o estimarse en los demás. A nuestro madrileño no le duelen prendas
—¡oh, esas pulcras, elegantes y cómodas hosterías francesas, tan diferentes de
las rudas y toscas fondas y posadas españolas!—, pero su objetividad le permite, de cuando en cuando, subrayar los aspectos favorables que en un cuadro
comparativo planteado con serenidad pueden deducirse para España.

Leyendo el famoso artículo de Larra *En este país*, diríase que uno y otro
—Mesonero y *Fígaro*— estaban de perfecto acuerdo en sus puntos de vista. *El
Pobrecito Hablador* afirmaba gravemente en 1833: «Si alguna vez miramos
adelante y nos comparamos con el extranjero, sea para prepararnos un porvenir mejor que el presente y para rivalizar en nuestros adelantos con los de
nuestros vecinos: sólo en este sentido opondremos nosotros en algunos de
nuestros artículos el bien de fuera al mal de dentro» (45); afirmación que
respira sana confianza en una labor de regeneración progresiva. Por desdicha,
a medida que Larra crece en años y experiencia, parece ir perdiendo gradualmente su fe en las «muchas cualidades buenas que nos distinguen aún
de otras naciones...» (46), para acabar, a vuelta de ironías y mordacidades
en que sangran múltiples heridas, envolviendo todos sus sueños de adolescente
—y en primer término sus sueños patrióticos— en un adiós trágico: «En
cada artículo encierro una esperanza o una ilusión...» Esa angustia profunda
que produce en un temperamento medularmente romántico como el suyo la
sistemática contrastación entre esquemas ideales y realidades concretas, acen-
túa el tono sombrío de sus aguafuertes y da una fuerza extraordinaria a sus
observaciones críticas; pero estas observaciones son cada vez más apasionadas,
más unilaterales.

En Mesonero, la tensión patética no se percibe; su temperamento sano,
optimista, sitúa los contrastes dentro de unos límites que ofrecen margen a la
síntesis superadora; jamás abandonará su fe en un esfuerzo cimentado en la
constancia, preconizando el aprovechamiento de cuanto pueda ser útil, en
los modelos foráneos, para mejorar la propia heredad, redimiéndola del cúmu-

cíanos un sueño, y por tal lo tomaríamos, a no hallar de vez en cuando algún caserío
quemado, algún puente roto; a no saber por nuestros conductores que aquellas que
dejábamos a la derecha eran las alturas de Arlabán; que más adelante teníamos enfrente las famosas líneas de Hernani, y los conductores, por otro lado, no nos dejaban
la menor duda, contándonos con la mayor franqueza, sin orgullo ni disimulo, que aquí
disputaron el paso a nuestras tropas; que allí deshicieron la legión inglesa; que allá
cortaron el camino para favorecer una retirada; que acullá quemaron ellos mismos
su pueblo para que no pudiese servir de asilo al enemigo. Todo esto dicho sin acrimonia, sin arrogancia, como una cosa natural, sencilla, y al mismo tiempo contentos con
su actual posición: el uno habiendo vuelto a labrar el campo de sus padres; el otro
conduciendo nuestra silla-correo; cuál escoltándonos a lo largo con el fusil al hombro;
cuál otro, cantando el *zorzico* al compás del martillo con que trabajaba en la fe-
rrería...»
    (45) Vid. *Obras*, ed. de la B. A. E., Madrid, 1960, I, p. 219.
    (46) *El casarse pronto y mal*, en *Obras*, ed. cit., I, 112.

lo de viejas rutinas amontonadas por la pereza o por la ignorancia. Porque, en definitiva, el elemento básico y eterno con el que es preciso contar —el elemento humano— merece los mejores elogios y las mayores alabanzas.

Si leemos detenidamente las páginas de los *Recuerdos de viaje*, veremos una y otra vez registrada en ellas esta ecuánime actitud. Si Mesonero elogia —y describe minuciosamente— las excelencias de las carreteras francesas, la abundancia y comodidad de los medios de locomoción en la Francia de Luis Felipe, no lo hace sin afirmar, como contrapartida, que «salvas aquellas diferencias, es más grata la vida en las diligencias españolas, más cómodo su servicio particular» (las razones son muy significativas: de una parte resulta más homogénea la sociedad que utiliza estos vehículos en España; de otra, esa *selección clasista* —debida al precio y a la novedad del sistema— está compensada por el vínculo cordial que desde el principio funde en un cuadro casi familiar a los viajeros y a los servidores de la diligencia). Consideraciones análogas merece a Mesonero el contraste entre la bruma parisiense, el aspecto húmedo y ennegrecido de sus edificios, y la diafanidad del ambiente, la nitidez de las perspectivas y la alegría del colorido madrileño; verdadero trasunto de otra más profunda diferencia en el tono de las relaciones humanas, tal como ya quedara registrada en el caso de las diligencias:

> «¡Qué diferencia de nuestra sociedad castellana, donde la franqueza natural, la amabilidad y el desprendimiento abren de par en par las puertas al recién venido, y a dos por tres le brindan aquella expresiva fórmula de *Esta casa está a la disposición de usted!*»

Las reflexiones que siguen podrían tomarse como una verdadera contrapartida de lo escrito por Larra en sus artículos *El Castellano viejo* y *Vuelva usted mañana*, mas lo cierto es que ambos testimonios —el de Mesonero y el de Larra— representan el anverso y el reverso de una misma realidad (tanto es así, que las páginas finales de estos *Recuerdos de viaje* casi se dirían prolongación y glosa de los ácidos comentarios de *Fígaro* acerca de la desidia y el inmovilismo de la sociedad española).

Pero en todo caso queda en pie —como observación de un hecho que al cabo del tiempo aún conserva vigencia en nuestro atropellado siglo xx— el contraste, positivo para España, entre la «franqueza» española y la reserva del anfitrión foráneo:

> «Aquí, cuando llega un extranjero, sea diplomático altisonante, amigo o enemigo de nuestro país; sea pedante literato, despreciador injusto de nuestras costumbres; sea especulador industrial que venga con deseo de abusar de nuestra buena fe, se le recibe y obsequia a porfía en nuestros liceos y sociedades privadas; se le hace un lugar (¡acaso demasiado!) en nuestras almas; se le adula imprudentemente y se le confían los datos para que luego sirva contra nuestra política, revele y exagere nuestros defectos, engañe y comprometa nuestro interés.»

* * *

Por curiosa coincidencia, los grandes viajes de Mesonero fuera de Madrid se corresponden siempre con una crisis política de gran envergadura: sin contar con la odisea de 1823, en el ocaso del trienio liberal, la visita de nuestro escritor al Levante español y a Francia en 1833, tiene lugar en la etapa crítica de la muerte de Fernando VII y el final del antiguo régimen; la abdicación de la Reina Gobernadora y el comienzo de la dictadura esparterista ocurren durante el segundo viaje al extranjero del *Curioso Parlante*. En 1843, el fracaso del esparterismo frente a un nuevo alzamiento —esta vez de moderados y progresistas al unísono— se produce simultáneamente con la visita de Mesonero a las principales ciudades andaluzas.

Había salido nuestro hombre de Madrid a comienzos de abril, en compañía de su gran amigo don Francisco de Acebal y Arratia; se proponían ambos pasar la Semana Santa en Sevilla y realizar luego un amplio recorrido por el sur y el levante peninsulares. Y en efecto, tras detenerse breves días en la gran ciudad del Guadalquivir, Mesonero pudo rememorar sus aventuras de veinte años atrás con una rápida excursión a Cádiz; luego, por Gibraltar, los dos amigos se dirigieron a Málaga. Allí les alcanzaron las primeras noticias del alzamiento nacional contra los «ayacuchos», que tenía precisamente uno de sus focos en la linda ciudad mediterránea. En julio, los viajeros se encaminaron a Granada, donde supieron del desembarco de don Manuel de la Concha y su triunfo sobre el esparterismo en Sevilla. El final del verano y el comienzo del otoño lo pasaron Mesonero y su acompañante en diversas ciudades levantinas —Almería, Cartagena, Murcia y su huerta, Alicante—. Por último se detuvieron en Valencia, sin decidirse a pasar a Barcelona, donde el movimiento había alcanzado una temible turbulencia. Hasta finales de octubre no regresaron a Madrid (47).

En la capital acababa de afianzarse el Gobierno de «unión nacional» —difícil y poco estable *unión*—, presidido por Olózaga. Para evitar nuevas complicaciones en torno a una tercera Regencia, la reinecita Isabel era declarada mayor de edad. Todavía no aparecía completamente clara la situación política: había demasiada distancia entre las dos grandes fracciones del liberalismo para que éstas pudieran fundirse en un solo programa de gobierno, una vez desplazado el enemigo común —Espartero—. Dividido el progresismo, era lógico que esa situación política híbrida acabase por definirse unilateralmente a favor de los moderados. El audaz intento de Olózaga —desembarazarse del Parlamento, de mayoría moderada, mediante un decreto de disolución arrancado a la inexperta Isabel, con habilidad y pocos escrúpulos— fue un paso en falso que sus enemigos políticos utilizaron abusivamente, acusándole de haber forzado la confianza regia —lo que implicaba un crimen de *lesa majes-*

(47) El viaje de 1843 fue objeto de un relato literario, o más bien del proyecto de un relato literario por parte de Mesonero; y digo proyecto porque se quedó en los comienzos. Al menos, sólo conocemos de esta obra el fragmento publicado en 1883, con otros papeles inéditos del autor (Ramón de Mesonero Romanos: *Algo en prosa y en verso inédito. Publicado por sus hijos para conmemorar el primer aniversario de su fallecimiento.* Madrid, Librería de Fernando Fe, 1883). Concebido en tono festivo y a imitación de crónicas añejas, se titula *Viaje de los dos donceles.* Había de distribuirse en *jornadas,* de las cuales no se redactó, al parecer, más que la primera, relativa a la estancia en Sevilla.

tad—. El escándalo acompañó al hundimiento de la fracción progresista que había servido a los moderados de puente hacia el Poder. Se iniciaba la década moderada.

Esta nueva singladura histórica de la España liberal coincide con el momento de plenitud —intelectual, política y humana— de Ramón Mesonero Romanos.

La etapa de plenitud

A través de sus *Memorias*, y en sus Notas a las *Escenas*, Mesonero aparece siempre obsesionado por el afán de proclamar, una y otra vez, su independencia de criterio respecto a las diversas parcialidades políticas, su sistemático alejamiento de toda vinculación a partidos o banderías. Esta insistencia resulta un tanto sospechosa, pero además se halla en contradicción con otras afirmaciones suyas. Hay algo, en efecto, que no ofrece lugar a dudas: el liberalismo de Mesonero, profesado desde la infancia, y que en plena juventud le embarca en la aventura *miliciana* a favor del constitucionalismo amenazado por los *Cien mil hijos de San Luis*. Pero tampoco es dudosa —la confiesa explícitamente el *Curioso Parlante*— su decepción ante el derrotero demagógico y energuménico de la segunda experiencia liberal durante «los tres llamados años». Mesonero proclama, en cambio, su adscripción a «la verdadera libertad»; y hemos de entender que señala a aquella libertad del *centrismo*, del *justo medio*, que diría Martínez de la Rosa, por igual alejada de la reacción absolutista y de la huera exaltación del progresismo.

Por ejemplo, es muy significativa su manera de referirse al enfrentamiento de los patricios de Cádiz con la izquierda demagógica en la difícil coyuntura de 1820-1821. Mesonero nos dice, textualmente, que los concurrentes a las galerías del Congreso «llegaron al extremo de silbar y escarnecer a patriotas tan eminentes como Martínez de la Rosa, Toreno, Calatrava y otros defensores esclarecidos *del orden y de la verdadera libertad*». Y sigue contándonos que cuando las elecciones de 1822 desplazaron de la Cámara a aquellos «insignes varones» se impuso una mayoría «ultra-liberal», destinada «providencialmente» a protagonizar el hundimiento de la causa constitucionalista. Desde su posición *centro*, Mesonero aprovecha esta coyuntura para lanzar idéntica acusación catastrófica contra los dos polos extremos de la ideología política del momento:

> «Esto mismo sucedió por igual razón el año 14, cuando la renovación de las Cortes gaditanas, que dejó eliminados a los fundadores de la libertad para dar cabida a una mayoría reaccionaria o absolutista, que bajo la denominación de *los Persas*, acabó con aquélla.»

¿Era, pues, Mesonero un moderado? Sin *comprometerse* nunca —con su experiencia de 1823 había tenido bastante—, no cabe duda de que sus simpatías y sus amistades preferentes estuvieron siempre en el sector del «justo medio». Incluso cabría añadir que, de hecho —sin acta de diputado ni carnet de partido—, figuró siempre en las filas del moderantismo; o al menos dio pie a que se le encasillase de esta suerte. Muy ilustrativo es lo que él mismo nos refiere de sus andanzas como socio fundador —y afianzador— del Ateneo madrileño. Vióse éste sustentado, en sus orígenes, si no exclusivamente, sí de forma predominante, por personalidades del partido moderado. Cuando la formación del Ministerio Istúriz (48), en el que entraron el duque de Rivas y Alcalá Galiano, presidente y consejero del Ateneo, respectivamente, provocó un reajuste en la distribución de cargos directivos en la «docta casa», Olózaga pasó a ocupar su presidencia, suscitándose así una situación delicada, ya que el ilustre orador, «por sus ideas avanzadas en política, no estaba de acuerdo con las que predominaban ya en la corporación». Sobrevenido el motín de La Granja, y con él una situación progresista, Olózaga fue nombrado jefe político de Madrid. El Ateneo atravesó entonces una situación difícil: «acéfalo —refiere Mesonero—, y puedo decir que casi absolutamente en mis manos, porque los demás *individuos*, Ríos y Olavarrieta, no le veían tampoco con buenos ojos, *como progresistas que eran*, y el médico Fabra había fallecido...». Apuntada por el propio Olózaga la conveniencia de disolver la lánguida corporación, Mesonero se opuso, sugiriendo, por el contrario, una reorganización a fondo, mediante la instalación en nuevo y más amplio local y el restablecimiento de las *cátedras públicas*, que se confiarían a las primeras notabilidades de la época. La lista de esas *notabilidades* fue facilitada por Mesonero a Olózaga en el plazo de veinticuatro horas: por supuesto, como el propio Olózaga observó al repasar los nombres anotados en ella, *todos pertenecían al partido moderado*. Se avino Mesonero a dar cabida a personalidades del progresismo, pero, en definitiva, esta ampliación se redujo a Corradi —para la literatura extranjera— y al presbítero Santaella —«que entonces pasaba por muy avanzado en sus opiniones políticas y hasta teológicas», pero que «en su primera disertación *Sobre la influencia de la religión en la política*, se mostró tan extremadamente retrógrado, que Olózaga, contrariado, no salía de su asombro...» Desde 1837, la vuelta de los moderados al Poder determinó el definitivo afianzamiento del Ateneo, presidido ahora nada menos que por Martínez de la Rosa. «Continué —refiere Mesonero— desempeñando como Dios me dio a entender los cargos que me tocaron en la Junta directiva, pero en 1840, y hallándome viajando nuevamente por el extranjero, *caí con el Ministerio o sea presidencia de Martínez de la Rosa*, quedando en la simple condición de soldado raso...»

Como decíamos antes, creemos que toda esta *pequeña historia* es muy elocuente, ya que nos permite identificar —hasta donde es posible— la ideología del *Curioso Parlante*. De igual modo, resulta muy significativo que la *década moderada* coincida con la época de plenitud en lo que podríamos llamar «vida pública» de Mesonero. Su fortuna le situaba al margen de apremios económicos y no sentía inclinación por las complejas tramas de la política «práctica»; así se explica su apartamiento de los caminos —para él hubieran sido muy fáciles— que conducían a un Ministerio, o al menos, a los escaños

---

(48) Sobre el auténtico matiz político de este Ministerio, véase nuestro *Estudio preliminar* en las *Obras* de Larra (B. A. E.), pág. LXIII.

del Congreso; desde luego, Mesonero no dejó de alardear de su independencia en todo momento (49). Pero en cambio se le brindó campo abierto para que desarrollase sus proyectos concretos a favor de las reformas urbanas de Madrid, desde el lugar donde lógicamente podía emprender esta labor: una concejalía del Ayuntamiento. Que nadie tenía más méritos que él para desempeñar tal cargo es cosa que nada quita al visible empeño de los políticos moderados por premiar de alguna forma al ilustre escritor, a quien consideraban, muy fundadamente, como uno de los suyos.

* * *

La década moderada, centro de la era isabelina, carece aún —como todo el reinado— de un estudio documentado y «actual», que tendría que partir de una revisión a fondo de cuanto ha venido repitiéndose monótonamente —salvo contadas excepciones— en los últimos cien años. Considerar a secas el moderantismo como simple «reacción», cuando, ideológicamente, significa la búsqueda de un centro de equilibrio entre los dos extremos en que la revolución había polarizado al país desde la etapa constitucional de Cádiz, es, notoriamente, injusto e inexacto. El confusionismo creado en nuestros días en torno al término *reacción* hace todavía más difícil un recto entendimiento del problema. Realmente, todos los sectores políticos *reaccionan* frente al adversario; pero la *reacción* contra extremos absolutamente antagónicos es lo menos *reacción* posible, ya que parte del reconocimiento de que una parcela de la verdad está en cada una de las actitudes extremas. Es bastante común, sobre todo en nuestro país, dar por supuesta una falta de *firmeza* o de *solidez* en las posiciones de equilibrio, cuando son, por el contrario, las más firmes y sólidas, al rehuir un sectarismo que, como decía Ortega, supone siempre «la negación, menos un punto, de todo el resto de la realidad vital»; con la contrapartida de que esta realidad forzadamente excluida, como no deja de ser real aunque la neguemos, acaba por volver siempre, imponiéndose aún a aquellos que habían pretendido ignorarla.

Piénsese que, en líneas generales, el moderantismo parte —ya en el trienio liberal— de la necesidad de evitar la guerra civil, implicada en la quiebra de la alianza entre el trono y la libertad, y que se formula explícitamente, a

---

(49) Especialmente, véase la arrogante poesía *Mi independencia. Fotografía del autor*, donde éste proclama «su independencia» «a la faz del mundo todo»:

«No recibo del poder
participación ni voto,
y de la Tesorería
hasta hoy el camino ignoro.
. . . .
Nunca interrumpe mi sueño
de un ministro el ceño torvo,
y si le encuentro en la calle
hago que no le conozco.
Todos fueron mis amigos
y mis compañeros todos:
yo me quedé en la platea,
ellos saltaron al foro.»

través del Estatuto de Martínez de la Rosa, como el intento de crear un centro integrador de las dos Españas —carlista e isabelina—, que hará innecesario el inminente rompimiento armado. La decidida apelación a las armas por parte del realismo «ultra» hubo de dejar sin base justificadora el programa moderado, y acabó por dar paso a la iniciativa progresista, primero en el Ministerio Mendizábal —compensado aún, relativamente, por la persistencia del Estatuto como cauce constitucional— y luego en la nueva situación abierta por el vergonzoso motín de La Granja, en 1836. Con todo, por lo menos en una parte de la obra político-social del progresismo, los moderados podían sumar su acuerdo —al fin y al cabo, unos y otros estaban encuadrados en un liberalismo que había quedado sellado en la guerra civil—. Tanto el moderantismo como el progresismo significaban, políticamente, la quiebra definitiva de la monarquía absoluta, y en una proyección más honda, la destrucción de la vieja sociedad estamental. Pero si los moderados —herederos en cierto modo del pensamiento de Jovellanos— querían, como los progresistas, descongelar la propiedad agraria, inmovilizada por el sistema de mayorazgos y vinculaciones, y abrir las barreras interpuestas de estamento a estamento, no deseaban llegar a ese fin por los mismos caminos que el progresismo. Seguían contemplando en el pueblo a un menor de edad y, aleccionados por las experiencias revolucionarias vividas desde 1808, consideraban esencial un difícil acuerdo del *orden* con la *libertad*. Recusaban, lógicamente, el dogma progresista —por lo demás, hipócrita— de la «soberanía nacional» (50); defendían la independencia de la Corona —un Poder ejecutivo fuerte— y la restauración de la Iglesia sobre nuevas bases. En los años que precedieron a la «década moderada» se puso en evidencia que estos principios *todavía* podían seguir siendo válidos para aglutinar, al menos, a una gran parte de la España vencida; pero en cambio resultaban incompatibles con las aspiraciones maximalistas del progresismo. Fracasada, así, tras la expulsión de Espartero, la «unión nacional» —lo que pudiéramos llamar un «centro-izquierda»—, se impuso, en 1844, un «centro-derecha»: una situación moderada abierta hacia las filas del carlismo posibilista.

Es este el momento de Balmes, de Viluma, de Donoso, de Martínez de la Rosa de nuevo; el momento que cristaliza políticamente en la Constitución de 1845 y estabiliza y limita la revolución, reconciliándola con la Iglesia, mediante el Concordato de 1851. Pero que ha de confiar su continuidad y

---

(50)   En este sentido, Mesonero trazó una caricatura llena de intención —la del «juntero»—, en sus *Tipos y caracteres*. Por el juntero bien puede leerse «el progresista»: «Su residencia ordinaria es el café más desastrado de la ciudad, y allí irá a buscarlo la masa popular cuando sienta su levadura... «El juntero, que así lo había previsto, o por mejor decir, que así lo había preparado, luego que llega a entrar con aquella investidura en la casa consistorial, saca del bolsillo la proclama estereotípica, en que habla de los *derechos del hombre* y del *carro del despotismo*, de la *espada de la ley* y de las *cadenas de la opresión;* a cuya eufónica algarabía responde el gutural clamoreo de los que hacen de pueblo, con los usados *vivas* y el consabido entusiasmo *imposible de describir.* Y nuestro juntero, padre de la patria, lo primero que hace es suprimir las autoridades y declararse él y sus compañeros autoridad omnímoda, independiente, heroica y liberal. Se repican las campanas, se interceptan los correos, se arma a los pobres, se encarcela a los ricos, se persigue a éstos, se despacha a aquéllos (todo con el mayor orden), se canta el *Te Deum*, y se pasea la junta en coche simón...»

su solidez a la espada de un general de energía e inteligencia fuera de lo
común: Narváez. (Señal de que la integración de las dos Españas no ha sido
más que muy relativa: ahí están el progresismo revolucionario de 1848, de una
parte, y la segunda guerra carlista, de otra.) El moderantismo seguirá siendo,
pues, una *posición centro*, posición flanqueada por la amenaza de una regre-
sión «ultra», a la derecha, y de una nueva apelación revolucionaria del progresismo, reorganizado y resentido, a la izquierda. Y así acabará convirtiéndose en la dictadura de un determinado sector social: un sector social muy
restringido, en el que se confunden la aristocracia —en su mayor parte—, la
alta clase media enriquecida con la desamortización y asegurada en el disfrute
de sus conquistas económicas por el Concordato, y el capitalismo industrial,
favorecido por un proteccionismo a ultranza (51). Y lo que se ha iniciado
como generosa *apertura*, ideológica y política, acabará transformándose en
cerrado monopolio clasista, según pondrán de relieve los datos estadísticos en
que se conjugan las leyes electorales de la era isabelina —rígidamente censi-
tarias— con la cifra de electores, que oscilará, en los últimos años —liberali-
zada la legislación de la década— entre el 1 y el 4 por 100 de la población
del país.

He aquí el pro y el contra de una etapa política malograda, en definitiva,
por su propia inmutabilidad. Porque como toda dictadura, lo que en su planteamiento se justificaba con la precisión de *asegurar el orden* y la *disciplina
social*, acabó convirtiéndose en *arbitrariedad* y *patente de corso* para unos
pocos. El orden y la disciplina no se vieron compensados, pues, con una legislación favorable a los núcleos del pueblo «menores de edad»; la paz con la
Iglesia significó en cambio, por parte de ésta, el asentimiento y la vinculación a una determinada situación política, lo que a su vez aferraría al trono
cada vez más incondicionalmente a esa misma situación, que le garantizaba,
siquiera, la tranquilidad de conciencia. La inmutabilidad del sistema Narváez
tuvo, en fin, otras consecuencias negativas en el orden económico: el impulso
industrial, garantizado por un proteccionismo rígido, acabó congelándose sin
los estímulos de un mercado competitivo (52).

Pero durante unos años, esta contrapartida del «buen orden» asegurado
por Narváez —de la *verdadera libertad*, que diría un burgués de temperamento optimista, como Mesonero—, todavía no se percibiría con claridad. De
hecho, el país, en paz al cabo de una década de turbulencias, comenzó a
recibir los beneficios de la revolución económica implicada en la revolución
política. La curva demográfica experimentó una sacudida hacia adelante. Se
ampliaron por doquiera las roturaciones y comenzó el proceso de concentración

---

(51) En cuanto a los núcleos sociales en que se sustentaba el progresismo, no es
preciso quitar punto ni coma a lo que nos dice Mesonero Romanos refiriéndose al «juntero» de la nota anterior: «Este tipo es provincial, moderno, popular y socorrido.
Abraza indistintamente todas las clases, comprende todas las edades; pero lo regular
es hallarle entre la juventud y la edad provecta, entre *la escasez y la ausencia completa de fortuna. Militares retirados, periodistas sin suscriptores, médicos sin enfermos,
abogados sin pleitos, proyectistas, y cesantes del pronunciamiento anterior...*» (los subrayados son nuestros).
(52) Véase el luminoso estudio de Jaime Vicens Vives *Cataluña en el siglo XIX*.
Rialp. Madrid, 1961. Págs. 160 y ss.

industrial en determinadas zonas periféricas. Las obras públicas recibieron un impulso inusitado. Las ciudades empezaron a ser *grandes ciudades:* había sonado la hora de acabar con los viejos recintos amurallados. Barcelona conquistaba la ciudadela y soñaba con el ensanche. Y Madrid...

En la transformación del Madrid carlotercista en un Madrid isabelino ya hemos dicho que fue factor principalísimo Mesonero Romanos. Mesonero había iniciado el despliegue sistemático de sus planes de reforma urbana a raíz de su primer viaje al extranjero. En 1846, a las pocas semanas de ocupar la concejalía para la que había sido votado en noviembre anterior, presentó una *Memoria* en el seno del Ayuntamiento, que en aquel entonces se estimó tan revolucionaria que hubo quien le tachó de iluso o de loco. Y, sin embargo, el *estirón* registrado por la capital durante los años que siguieron sería de tal envergadura que había de dejar al cabo muy atrás las modestas pretensiones de Mesonero —no sospechaba éste, por ejemplo, la aparición del más espléndido barrio residencial de Madrid, el de Salamanca, trazado e iniciado en los últimos tiempos del reinado—. La mayor parte de las reformas propugnadas por el *Curioso Parlante* se efectuaron poco a poco : la construcción de nuevos y modernos mercados y la desaparición de los zocos callejeros; la reordenación de los barrios del Barquillo y Argüelles; la ampliación de la calle de Sevilla; el tendido del Viaducto, sobre la calle de Segovia; la bella disposición de la plaza de Oriente, entre el Palacio y el teatro Real...

No era sólo esto. Todo el caserío de la ciudad se renovaba vertiginosamente. Y buena falta hacía. Los viejos inmuebles, inhóspitos y cochambrosos, ajenos a todo cuidado en la pulcritud de sus portales y escaleras, en sus servicios higiénicos, eran sustituidos por edificaciones de bella apariencia —que todavía hoy dan tono a un amplio sector del casco urbano de Madrid—. Empieza a predominar la casa de amplia portalada en arco, con paramentos de piedra y ladrillo en los que el mirador de hierro y cristal pone una nota de gracia entre los balcones —que ya aguardan a *las oscuras golondrinas* de Bécquer—. La aceleración en el ritmo de las edificaciones es impresionante : si en la década de 1823 a 1833 la media anual de casas construidas de nueva planta es de unas sesenta, sólo en el sexenio transcurrido entre 1844 y 1850 se rebasa el número de seiscientas fincas, lo que da un promedio de cien por año —y obsérvese que aún no se ha producido la gran dilatación del primitivo ámbito de Madrid : se construye todavía en el seno de la ciudad vieja, lo que implica un auténtico *cambio de piel*—. Factores muy concretos explican el fenómeno; el propio Mesonero —escribiendo en 1851— los enumera con claridad :

> «... La desamortización y venta de los cuantiosos bienes del clero, la demolición de la mayor parte de los conventos, la acumulación de capitales concentrados durante la guerra civil en la capital; el desarrollo de las ideas de buen gusto y las importantes mejoras establecidas en la policía de la villa por una autoridad activa, celosa e inteligente, causas... reunidas a las exigencias de una capital populosa...»

Fundamental, entre todas estas razones, es la que atiende a la gran desamortización eclesiástica. Nuestro escritor, propietario de varias fincas en Ma-

drid —son suyas la casa de la calle del Olivo, donde nació; la de la calle
de la Aduana, donde vivió de 1836 a 1846; la de la calle de la Villa, en
que por algún tiempo estuvo instalada la Redacción del *Semanario Pintoresco*...—, ha sido también avisado comprador de «bienes nacionales» en el
momento preciso. En 1846 traslada su hogar a la plaza de Bilbao, en una
de las *casas nuevas*, por él edificada sobre terrenos procedentes de un antiguo
establecimiento religioso (53). Dato muy digno de tenerse también en cuenta,
a la hora de precisar su filiación política. Porque, como puede verse, Mesonero cuenta entre los beneficiarios de la *revolución de fondo* iniciada por
Mendizábal; entre los interesados en consolidar esta situación, en la tranquilidad del Concordato y a la sombra de Narváez. Y como fuerte contribuyente
posee la *plenitud de derechos* —la «verdadera libertad»—, cautelosamente
otorgados por el sistema censitario, típico, como en la Francia de Guizot y
Luis Felipe, en la España de Narváez e Isabel II (54).

* * *

No estará de más señalar aquí algo que nunca se ha dicho al hablar —siempre elogiosamente— de la labor madridista de Mesonero. Por supuesto, nadie
puede negar lo que Madrid debe a su cronista en un orden de cosas muy
práctico y muy concreto: las reformas ideadas por el escritor —entre 1835
y 1855— aportan a la ciudad un urgente plan de ordenación interna, de
puesta al día de sus servicios de salubridad, de limpieza y de alumbrado.
Pero nos inquieta la sospecha de que algunos aspectos de su programa impli-
casen un reverso demasiado costoso. Porque no se planteó el *Curioso Parlante*
la necesidad de proyectar *un nuevo Madrid* respetando el antiguo, sino que
se entregó a la tarea de reconstruir —en sus rincones más venerables— la antigua villa, dando pauta a una tradición ininterrumpida desde su tiempo: la
de fiarlo todo a la piqueta.

Lo que antes dijimos respecto a la insensibilidad de Mesonero para el barro-
quismo literario, podríamos repetirlo —sin más que aducir sus propios textos—
en lo que se refiere a sus criterios estéticos. Para Mesonero, como para la
inmensa mayoría de los hombres cultos de su tiempo, las notabilísimas crea-
ciones arquitectónicas de Pedro Ribera no son otra cosa que molestas manifestaciones del «mal gusto». De José Donoso, afortunado restaurador de la
Casa Panadería después del incendio de 1672, se limita a decir que fue «uno
de los corruptores del buen gusto en aquella época desdichada». Del palacio
de Perales —una de las escasas reliquias del Madrid de Felipe V que aún nos
restan, pese a los repetidos asaltos del funesto neoclasicismo o del «raciona-
lismo urbanístico» en que el propio Mesonero comulgó plenamente— recuerda
que fue labrado «a principios del siglo pasado con cierta grandiosidad, aunque
con el gusto caprichoso en su ornato (especialmente en la portada) que dis-

---

(53) El convento de capuchinos de la Paciencia, cuyo amplio solar dio espacio
a la moderna plaza de Bilbao.

(54) Especialmente significativo es recordar que Mesonero fue, primero, Secretario (1846) y luego, Presidente honorario perpetuo (1881) de la *Asociación de Propietarios de España*.

tinguía al arquitecto don Pedro Ribera y a su escuela»; calificación parecida
le merecen la iglesia de San Cayetano y la torre de Montserrat. Y ni siquiera
oculta su gesto de desagrado ante la obra maestra del gran arquitecto —el
Hospicio—: «El extenso edificio actual —escribe— es obra del siglo XVIII,
haciéndose notable, aún más que por su solidez o espaciosidad, por la *extra-*
vagante y *fantástica* portada con que plugo decorarla al célebre arquitecto
don Pedro Ribera, y que viene siendo desde entonces el tipo más señalado
del extraño gusto que se apellidó *churrigueresco.*» De «extraño gusto arqui-
tectónico» califica también al teatro de la Cruz, cuya fachada «es lo más
peregrino que pueda imaginarse» (55). En fin, su repudio del barroco le
lleva a menospreciar, en su conjunto, la soberbia obra suntuaria llevada a
cabo en la época de Felipe V —que comprendía el puente de Toledo, el
Seminario de Nobles, los teatros de la Cruz y de los Caños del Peral, las
iglesias de Montserrat, San Cayetano, el Hospicio, la fábrica de tapices y no
pocos palacios—, porque en todos estos edificios, «así como en las fuentes
públicas de la Puerta del Sol, Antón Martín, Red de San Luis y otras, se
echa de ver el estragado gusto peculiar de sus directores, los Churrigueras,
Riberas y otros a este tenor...» (56).

De las consecuencias de este menosprecio —aunque, por supuesto, no haya
que atribuirlas a Mesonero expresamente— da fe un hecho harto significativo:
de todo el conjunto de edificios enumerados, sólo el puente de Toledo, el
Hospicio y la iglesia de Montserrat quedan hoy en pie. Cierto que a las veces
sale Mesonero en defensa de aquellos monumentos en que «en medio del
extravío de la imaginación se descubre alguna centella del genio, alguna originalidad en el artista» —está hablando nada menos que del puente de Toledo,
que, por lo demás, encierra una virtud básica para el escritor: su valor práctico, «la importancia y solidez de la obra» (57)—. Pero la realidad es que
no siempre se ha impuesto la discreción o la prudencia a la hora de sacrificar
monumentos «de mal gusto» y aun barrios enteros —¿cómo sería la morería
madrileña que el *Curioso Parlante* alcanzó a conocer... para denostarla y
desear su desaparición?—. Como ya hemos dicho, Mesonero, comprador de
antiguas propiedades de la Iglesia, fue siempre, por otra parte, un entusiasta
de la desamortización (58). Y la historia del arte —no descubro nada nuevo—

---

(55) Véase el artículo *Mi calle,* en que Mesonero contrapone el viejo y el nuevo
Madrid; como uno de los símbolos del primero se mencionan, junto al mal empedrado,
los calesines desvencijados, las casas «a la malicia» y los tocadores al sol, el teatro de
la Cruz y la fachada del Hospicio.

(56) En otro lugar señala que la época del corregidor Vadillo fue célebre en Madrid «por las muchas obras que en ella se realizaron, si bien con la desgracia de haber
sido dirigidas por el mal gusto de los arquitectos Ribera, Churriguera y sus imitadores...»

(57) Sospecho que esta espléndida joya arquitectónica, hoy justamente mimada
por el municipio madrileño, corrió, no obstante, muy fundado riesgo de perder lo que
le da precisamente originalidad y gracia, ya que Mesonero no sería el primero ni el
último en contraponer la «grandeza y regularidad» de sus pilares y arcos, «exentos
del extravío del genio que le condujo», y los remates, antepechos y pabellones, en que
«campea aquella pueril decoración gótico-plateresca (!...!) que ha quedado sancionada
con el nombre de su apóstol Churriguera».

(58) Véase la enumeración de fincas desamortizadas y su nuevo destino, en el
Manual (edición de 1844). Ya para el período 1820-23 señala Mesonero como hecho

tiene muy poco que agradecer a la «revolución de fondo» o «el inmenso latrocinio» —según se mire— de Mendizábal.

* * *

La década, tan importante en la vida de Mesonero por haber abierto a
éste la posibilidad de encauzar personalmente hacia una proyección práctica
sus queridos planes de reformas urbanas, lo es también en otros aspectos.
Durante estos años (en 1845 y 1851) ven la luz las dos mejores ediciones de
sus *Escenas*. En 1854 se publica la última del *Manual* —ya sin semejanza
apenas con la primera, de 1830—, y aparece *El antiguo Madrid*, esfuerzo
meritísimo éste para fijar la imagen de la vieja ciudad medieval y barroca
que está desapareciendo a golpes de piqueta... en buena parte impulsados
por el propio Mesonero. Desde 1847, el *Curioso Parlante* es académico de
número de la Española (59). Y en fin, es en esta época cuando nuestro escritor
da el paso trascendental y decisivo en su vida privada. Páginas atrás hemos
hecho referencia a las posibles razones de su prolongada soltería —amores
frustrados en la primera juventud, inclinación a una libertad *bien adminis-
trada...*—. Pero al aproximarse la cincuentena Mesonero decide sustituir esta
«feliz independencia» por la seguridad de un hogar estable.

¿Cuándo se iniciaron sus relaciones con Salomé de Inchaso? Probablemente, en 1848. Mesonero vivía, desde el 1 de enero de 1846, en un hermoso piso
de la plaza de Bilbao, en la finca por él edificada sobre el solar de un convento de capuchinos desaparecido en 1836. Según parece, allí conoció a la que
había de ser su mujer. Salomé de Inchaso, hija de padre navarro —el briga-
dier don Claudio, ya fallecido en aquel tiempo—, había nacido en Valladolid
en 1827; su madre, doña Joaquina Mateo, era, como la de Mesonero, de
origen aragonés —natural de Egea de los Caballeros—. El matrimonio tuvo
efecto en la iglesia de San Luis, de la calle de la Montera, el 27 de junio
de 1849; el novio contaba por entonces cuarenta y cinco años largos; la
novia, sólo de veintidós, podía, por su juventud, haber sido hija suya (60).

decisivo en el camino de las mejoras materiales de Madrid «la desamortización y venta
de gran parte de las fincas de los extinguidos monacales».
(59) Pero ya desde 1838 figuraba en la Corporación como académico honorario:
designado el 3 de mayo de ese año, el día 17 del mismo mes había leído su Discurso
de ingreso, acerca de la novela (fue publicado por el autor al año siguiente, en *El Semanario Pintoresco*, y luego se incluyó en el volumen *Algo en prosa y verso inédito*,
aparecido en 1883).
(60) La partida de matrimonio reza así: «En la muy heroica villa de Madrid en
veinte y siete de junio de mil ochocientos cuarenta y nueve: con licencia del Sr. D. Manuel Cortés Martínez, Cura propio de la Iglesia parroquial de San Luis: Yo, D. Pedro
de Alva, Teniente Cura de dicha Iglesia, en la casa habitación de la señora contrayente,
Plazuela de Bilbao, número trece, cuarto tercero, desposé por palabras de presente al
señor don Ramón, Elías, Justo Mesonero Romanos, caballero de la Real y distinguida
Orden de Carlos tercero, individuo de la Academia Española y Bibliotecario de la
Nacional y Regidor de esta referida villa, natural de la misma, edad de cuarenta y
cinco años, de estado soltero, hijo de los Sres. D. Matías, natural de Salamanca, y
doña Teresa Romanos, natural de Moros, provincia de Zaragoza, ya difuntos: con la
señora doña María Salomé Inchaso, natural de la ciudad de Valladolid, edad de veinte
y dos años, de estado soltera, hija de los Sres. D. Claudio, ya difunto, natural que fue
de Los Arcos, provincia de Navarra, y doña Joaquina Mateo ,natural de Egea de los
Caballeros, en dicha provincia de Zaragoza; y al siguiente día veinte y ocho, en el

Pero esta diferencia de edades no sería obstáculo a la inalterable felicidad y armonía del matrimonio, del que habían de nacer, en los años inmediatos, varios hijos, cuatro de los cuales sobrevivirían a sus padres (61).

El largo crepúsculo

Entre 1849 y 1854 cambia totalmente el *ámbito vital* de Mesonero. Primero, su matrimonio; un año más tarde, la renuncia a la concejalía; en 1854, la retirada del periodismo activo, con el traspaso del *Semanario Pintoresco* (62), van replegándole poco a poco hacia un marco estrictamente hogareño.

Las circunstancias políticas han variado también de forma decisiva: desde 1851 se inicia el ocaso de la década moderada, desacreditado el sistema por los excesos y arbitrariedades inevitables en una situación de monopolio político apoyado por los *grupos de presión* de la gran finanza. Y en 1854, el pronunciamiento de Vicálvaro intentará una renovación del parlamentarismo isabelino y será la primera llamada de atención hacia el «cuarto estado» —que en 1868 ha de hacer decisivo acto de presencia en la política española.

Diríase que la decepción y la inquietud ante el derrotero que las cosas están tomando, o un avisado *alerta* respecto a la gran crisis nacional que se aproxima, deciden a Mesonero, acentuando sus viejas reservas y repugnancias, a deshacerse de cuanto pueda significar un relativo vínculo de compromiso «oficial» con la situación política que flanquean, ahora, Narváez a la derecha y la «Unión Liberal» de O'Donnell, a la izquierda (63).

Marido feliz y excelente padre de familia, la biografía de Mesonero pierde todo su relieve exterior para limitarse al ámbito de una vida privada sin más problemas que los pequeños y cotidianos incidentes domésticos. Lo cual no quiere decir que el *Curioso Parlante* abandone sus dos nobles pasiones: la de las letras y la del «madridismo». Por una parte, en los años que corren de 1857 a 1861, se sitúan precisamente sus colaboraciones para la Biblioteca de Autores Españoles (Rivadeneyra): ediciones de los dramaturgos contemporáneos y posteriores a Lope de Vega, y de las comedias escogidas de Rojas Zorrilla. Por otra, si la renuncia a la concejalía —en 1849— le ha permitido

---

Oratorio reservado de la expresada Iglesia, velé y di las bendiciones nupciales, conforme al Ritual Romano, a estos señores desposados, habiendo precedido todos los requisitos para la validez y legitimidad de este contrato matrimonial. Fueron padrinos el Excmo. Sr. D. Francisco de Acebal y Arratia y la señora madre de la contrayente, y testigos el Excmo. Sr. D. Joaquín Gómez de la Cortina, Conde (*sic*) de Morante, y el Sr. D. Bartolomé Obrador, catedrático de Medicina. Y por ser verdad lo firmo.— *Pedro de Alva.*» (Lib. 27 de Matrimonios, fol. 99). Reproducido en la obra *Trabajos no coleccionados...*, II, 627.

(61)   Estos cuatro hijos supervivientes fueron D. Francisco, D. Santiago, D. Manuel y doña Mercedes, de los cuales el segundo falleció en 1896, poco después de su madre, la viuda de don Ramón, que murió en 5 de septiembre de 1894.

(62)   Véase la nota (42).

(63)   Según Cotarelo —al que Sáiz de Robles se limita a seguir, sin más—, Mesonero Romanos fue diputado provincial en 1858. Es un punto que no he podido comprobar; sin embargo, en la minuciosa enumeración de los cargos y honores atribuidos durante su vida al *Curioso Parlante* —que figura en los dos volúmenes publicados en 1905 por sus hijos—, no se menciona para nada semejante hecho; ignoro de dónde procede la información de Cotarelo acerca del mismo.

desvincularse de engorrosas implicaciones políticas, aunque lo fuesen en beneficio de la villa y corte, no tardará en proyectar su actividad sobre un ámbito de radio más reducido, pero que rendirá, con el tiempo, frutos positivos. El 15 de julio de 1864, la Corporación municipal le otorga el título de cronista, «confiriéndole, además, si está dispuesto a aceptarle, el cargo honorífico de coleccionar, de acuerdo con el archivero de S. E., todas las obras existentes en las diversas dependencias del Ayuntamiento, para formar lo que podrá considerarse como Biblioteca Municipal, auxiliándole a este fin los empleados necesarios» (64). Sin embargo, este especial e interesante encargo no se llevaría a la práctica hasta muchos años después. Posiblemente, Mesonero no descuidó la ordenación de los fondos ya existentes en la Casa de la Villa; pero sólo en 1876, siendo alcalde el conde de Heredia-Espínola, se pondrían las bases de la gran biblioteca municipal, precisamente con la adquisición por el Ayuntamiento de las colecciones especializadas de la biblioteca particular de don Ramón. Cedemos la palabra al puntual cronista de Madrid y biógrafo de Mesonero, Sáinz de Robles, para que nos relate el episodio:

> «Compró el Ayuntamiento a Mesonero la aludida parte —en la cantidad de 70.000 reales— y la organizó en el «salón principal del Palacio llamado la *Panadería*, en la plaza Mayor». Y nombró director perpetuo de aquella biblioteca a Mesonero Romanos, quien se comprometió —y cumplió— a redactar el catálogo correspondiente en el plazo de un año. Pocos años después —julio de 1881—, el cronista y bibliotecario de Madrid fue nombrado comisario nato del Archivo Municipal...» (65).

(La verdad es que en el lance de la biblioteca cabía esperar una mayor generosidad de parte del *Curioso*, harto sobrado de dineros para necesitar *la venta* de sus libros. La simple *cesión* al Ayuntamiento madrileño de unos fondos que, por lo demás, iba a seguir administrando directamente, hubiera sido un gesto elegante a la par que un sacrificio muy relativo para el bibliotecario perpetuo de Madrid.)

* * *

Entretanto, las diversas fases políticas por las que atraviesa el complejo panorama nacional —desde el plano inclinado del falso parlamentarismo isabelino hasta la segura playa de la Restauración, incluyendo el paréntesis revolucionario: Gobierno provisional, monarquía democrática de Amadeo, República y dictadura amorfa de Serrano—, se desarrollarán ante sus ojos de simple espectador como la famosa crisis de la «francesada», vivida en su niñez: a la manera de una película interesante y llena de incidencias, pero que al cabo termina bien; sino que Mesonero no la incluirá ya en el repertorio de sus recuerdos, de un lado, porque se trata de *recuerdos* que todos pueden *recordar*, y de otro, porque él se siente ya demasiado ajeno al nuevo mundo que se **está edificando**. En cambio, unos y otros, conservadores y demócratas, tendrán

(64) Publicado en *Trabajos*..., II 627.
(65) *Ob. cit.*, pág. 69.

para el *Curioso Parlante* idéntica deferencia y respeto: su bien ganado prestigio le envuelve en una dorada aureola; *nadie le discute*. Distinciones y honores no suponen ya otra cosa que el refrendo oficial de un hecho por todos reconocido: así, por ejemplo, la imposición de la Gran Cruz de Isabel la Católica por el Gobierno de Amadeo, en 1871 (66); la de Carlos III le había sido otorgada por los moderados treinta años antes (67). Mesonero sabe, por su parte, utilizar esta excelente situación en beneficio de Madrid, siempre que el caso lo requiere: una oportuna gestión suya salvará en 1869 el monasterio y la iglesia de las Trinitarias, amenazados por la demoledora piqueta de la revolución; el respetado cronista ha sabido invocar a tiempo las cenizas de Cervantes, allí sepultadas. Dígase esto en descargo de la satisfacción placentera con que el *Curioso Parlante* presenció otras demoliciones.

Más expresiva y eficaz que cualquier premio simbólico es para Mesonero Romanos la universal veneración de la «nueva ola» de escritores que despunta en torno al 68. Convertido en auténtico patriarca de las letras españolas, ejerce don Ramón, en la fase final de su vida, una función decisiva para la historia literaria del siglo: la de animador y, en cierto modo, orientador de un brillante plantel de jóvenes prosistas. Porque todos ellos —Alarcón, Pereda, Galdós, Trueba, incluso el propio Cánovas (68)—, han partido, como precioso antecedente, de los pequeños cuadritos del *Curioso Parlante*, para desarrollar la espléndida teoría de la novela de costumbres. Aunque volvamos sobre el tema en otro apartado —cuando tratemos de fijar la amplitud de las recíprocas influencias—, no cabe pasar por alto el hecho al trazar la biografía de Mesonero; ya que, sin duda, la más grata contrapartida de su voluntario retiro la constituyen, en la última década de su vida, estas activas relaciones intelectuales.

De todas ellas, las más trascendentes son las que le unen —desde 1874 hasta su muerte— con el insigne autor de los *Episodios Nacionales*. Y no sólo desde el punto de vista literario; porque la amistad entre el viejo patriarca y el joven y laborioso novelista resulta perfectamente definitoria para el noble perfil humano de uno y otro. En este sentido, es imprescindible el relato hecho por el propio Galdós de las circunstancias en que se conocieron personalmente:

«Don Ramón de Mesonero Romanos dijo a un amigo mío que deseaba conocerme. Pocos días después de llegar esto a mi noticia

---

(66) Se trató de una iniciativa del alcalde don Manuel María José de Galdo. La gran cruz le fue concedida en 18 de mayo de 1871; según refieren los hijos de Mesonero, no la usó nunca, ni llegó a comprar la insignia.

(67) La cruz sencilla de Carlos III se le concedió en el mismo decreto que a don Agustín Durán, por la reina Isabel II, «queriendo dar muestra del distinguido aprecio que hago de sus vastos conocimientos y reputación bien adquirida», el 28 de noviembre de 1838.

(68) Varela y Hevias reproduce una carta de Cánovas a Mesonero fechada «Domingo, 15», pero sin indicación de año, en que puede leerse lo siguiente: «Hace muchos, muchos años que tuve el gusto de conocerle a usted llevándole con recomendación de mi tío El Solitario, uno de mis primeros ensayos literarios, para que me diera sobre él su opinión, y no he olvidado nunca la bondad con que recibió y aconsejó entonces al modesto estudiante que hoy alcanza el honor de que le dirija usted en tan lisonjeros términos su último libro...» (*Cuatro cartas*, Clavileño núm. 40, p. 53).

encontré en casa de Cámara una tarjeta de aquel insigne novelista literato, en la cual me suplicaba que fuese a su casa. Fui a eso de las dos, y al punto me recibió. Estaba *El Curioso Parlante* en su despacho, y cuando entré hallábase en mangas de camisa. Se vestía.

Recibióme amablemente y con cariño, hízome sentar a su lado y me rogó que hablase alto, porque —decía— *me he quedado sordo.* Me causó extrañeza encontrar en él una energía y una locuacidad viva y pintoresca, pues yo le conceptuaba más decaido...

Primero me dijo que había leido con sumo gusto mis *Episodios Nacionales.* Sobre la mesa tenía *Napoleón en Chamartín,* publicado el día anterior.

—Yo creí que era usted persona de más edad —me dijo—. He preguntado por usted en la librería de Durán, y allí me han dicho que era usted joven.

Añadió que me tenía por de su escuela, lo mismo que Pereda, y me expresó una gran benevolencia.

Luego dijo, después de señalarme algunas inexactitudes de mis *Episodios,* que él podía darme abundantes noticias y datos, si no de 1808, de 1823 en adelante.

Hízome mil ofrecimientos y me despedí. La visita a Mesonero Romanos me ha sido sumamente agradable» (69).

Esta entrevista, efectuada el 7 de marzo de 1874 (70), iba a ser punto de partida de una amistad afectuosísima, e incluso de una estrecha colaboración literaria. «El *Curioso Parlante* —testimonia Clarín— quería como a hijo de sus más caras aficiones al autor de los *Episodios,* y admiraba que, sin haberlos vivido, conociese tan bien aquellos tiempos a que Mesonero Romanos consagraba su culto. Yo he visto un regalo de Mesonero a Galdós...: era un pedazo de pan —del *año del hambre*—» (71).

---

(69) Vid. Berkowitz: *Galdós and Mesonero Romanos.* Romanic Review, 1933, XXIII; y Varela y Hevias, *Cartas de Pérez Galdós a Mesonero Romanos.* Ayuntamiento de Madrid. Publicaciones de la Sección de Cultura e Información. Madrid, 1943, páginas 4-5.

(70) Mucho tiempo después hizo Galdós otro relato del episodio, en que la exactitud de los datos tiene fallos notorios, pero que refleja el mismo espíritu de cordialidad generosa: «Mesonero Romanos... ¡Qué grande hombre y qué bueno! Era yo un jovenzuelo... Un día se presentó en mi casa. El vivía frente a la mía. En la calle que hoy lleva su nombre y que entonces se llamaba del Olivo. Como que yo muchas veces, sin acordarme del nombre, suelo decir: En la calle del Olivo... Mesonero se me entró un día por las puertas de mi casa. ¡Figúrese qué alegría para mí! ¡Un principiante, entonces, que ve que un maestro, y un maestro de la talla de Mesonero Romanos, va espontáneamente a visitarle, a decirle que tenía deseos de conocerle después de haberse entusiasmado con sus obras!... Desde entonces fuimos muy amigos...» (Bachiller Corchuelo: *Benito Pérez Galdós.* En «Por Esos Mundos», núm. 186, año XI, julio de 1910. Pág. 31). Como ya sabemos, por testimonio del propio Galdós, la entrevista se efectuó en casa de Mesonero, aunque por iniciativa de éste; y por otra parte, no pudo tener lugar en la calle del Olivo, porque hacía cerca de treinta años que Mesonero residía en la plaza de Bilbao.

(71) Leopoldo Alas (*Clarín*): *Benito Pérez Galdós. Estudio crítico-biográfico.* Madrid, 1889 (2.ª ed.), pág 34, nota.

Pero no se reduce Mesonero, aún en su edad más avanzada, al simple papel de venerable maestro y viviente archivo. Su «retiro» no significa, en modo alguno, una renuncia a seguir escribiendo: de su pluma continúan brotando primorosos artículos que verán la luz, hasta el fin de sus días, en *La Ilustración Española y Americana* y en otras revistas de la época. Y todavía hará algo más que simples artículos; sin duda, bajo el influjo de los *Episodios Nacionales*, cuya publicación él seguía ávidamente, decidióse, en un arranque juvenil —aunque al filo de los setenta años—, a escribir una obra que, en cierto modo, era como el despliegue de sus viejos artículos de costumbres, entramados con perspectiva histórica, mediante un prolongado hilo conductor —la propia vida—. Surgieron así las *Memorias de un setentón*, cuya peculiaridad tal vez resida en el grato equilibrio entre una nostalgia que no es amargura y un tono festivo y optimista matizado con esa deliciosa mezcla de ingenuidad y de ironía tan característica del *Curioso Parlante*.

Las *Memorias de un setentón* (72) son, en realidad, más que una autobiografía —pues de esto tienen relativamente poco—, la evocación de un mundo ya periclitado: y de aquí que Mesonero las cierre en el año 1850, silenciando más de un cuarto de siglo, no sólo por demasiado próximo, sino porque, probablemente, no lo consideraba ya como «su mundo». Escribir este libro era volver a animar un amplio cuadro de viejas y queridas sombras: los ambientes, los modos de vida, las costumbres y hasta los prejuicios que él había vivido y amado en la época en que realidades ya casi caducadas eran todavía ilusiones juveniles tan sólo. Volver la mirada sobre todo aquello significaba recoger piadosamente las hojas secas que el viento se llevó... y hacerlas reverdecer de nuevo, en un esforzado retorno a la juventud.

* * *

Pero de esta nueva sociedad, de este nuevo mundo literario, y sobre todo, de este nuevo Madrid que Mesonero no quiso incluir en su libro de *Memorias*, nos ha quedado también su comentario en una de sus últimas poesías —porque, aun teniendo en muy poca estima su estro poético, Mesonero no dejó de versificar, de vez en cuando, hasta el fin de sus días—. En 1876 fechaba el artículo rimado que lleva por título *El nuevo Madrid* (*despedida*), en que la admiración del cronista por el despliegue de una ciudad que ya ha trazado su barrio más elegante en el ensanche ideado por el marqués de Salamanca, se expresa así:

> «Madrid se va a Salamanca
> por la Puerta de Alcalá;
> que harto de ser siempre villa,
> quiere ascender a ciudad.

---

(72) Las *Memorias* aparecieron primero en forma de artículos, en la *Ilustración Española y Americana;* inmediatamente se publicaron como libro, editados por la misma *Ilustración* (1880).

De un poderoso banquero
obedeciendo al imán,
huyendo va de sí mismo
por su confín oriental;
y del *oso* y del *madroño*
avergonzándose ya,
se extiende a *campo de plata*
en que de nuevo escudar...»

Más que al contraste entre los «escombros» de una «histórica edad» y las suntuosas realidades del nuevo urbanismo, Mesonero apunta, con maliciosa ironía, al desplazamiento de la vieja aristocracia del linaje por la de las talegas:

«... la plutocracia
del crédito y del metal
y su bolsa, y sus cupones,
y su libro talonar...»

Y el viejo escritor se reconoce irónicamente demasiado humilde para cantar las glorias de este sublimado y desconocido Madrid:

«¡Pobre Madrid de mis días!
¿Quién te reconoce ya?
A término tan excelso
te has llegado a sublimar,
que para narrar tus glorias
(y perdona el tutear)
se reconoce impotente
la pluma, oxidada ya,
de tu antiguo coronista,
topográfico y social» (73).

* * *

Pero detrás de esta melancólica declaración acerca de un Madrid —plutocrático y con pretensiones— que siente extraño a lo que siempre fue su pequeña villa —el Madrid fernandino que él se esforzó en adecentar y embellecer—, hay, en el fondo, un recatado y placentero orgullo, como el del padre que ve al hijo, ya mayor de edad, escapar de sus manos y de sus orientaciones para construir el propio hogar.

Y por lo demás, Mesonero sabía muy bien que precisamente el secreto característico de Madrid reside en su inestabilidad, en la continua contrapo-

(73) Incluyeron sus hijos esta poesía en el librito *Algo en prosa y verso*. Obsérvense en ella las claras alusiones al marqués de Salamanca y el espléndido barrio residencial que lleva su nombre.

sición del ansia de novedad al lejano, apenas perceptible, mensaje de los siglos; en la perpetua inquietud, en el afanoso *cambiar de piel* año tras año. El había asistido a uno de los momentos decisivos en este proceso de desarrollo que es, en realidad, muestra de exuberante vida, de perenne juventud. Y no ignoraba que, pese a esa febril renovación de su aspecto formal a la que él contribuyó sin demasiados remordimientos —que hace de Madrid una ciudad «a la última»—, se salvará siempre un espíritu peculiar y «castizo», cuya fuerza acaba por prevalecer sobre todas las influencias. Ese espíritu que infunde un sello especialísimo, «madrileñizándolas» a cuantas modas alcanzan, desde los diversos enclaves del cosmopolitismo europeo, las orillas del Manzanares, hasta convertir en notas propias las del «schottis» prusiano y el organillo vienés, y en indumentos típicos el hongo británico y el chal oriental... Que acaba por fundir, con aire de familia, los nobles perfiles de las construcciones de los Austrias, la pompa del neoclasicismo isabelino, la tendencia americanizante de las grandes realizaciones de Alfonso XIII y el definitivo triunfo de la estética neoyorquina en nuestro tiempo...

Ese espíritu, en fin, que vence todos los acentos localistas, recreando en su crisol a cuantos llegan a la Corte desde las cuatro esquinas de la piel de toro.

El fin. Evocación del hombre

El *Curioso Parlante* hace honor a su nombre hasta la hora final. Ya hemos dicho que nunca ha dado paz a la pluma; tampoco le abandona jamás esa inquieta curiosidad que constituye una de sus principales razones de ser. La jornada de este impenitente burgués transcurre, pacífica y feliz, según un horario inalterable. Se levanta a las nueve; lee la prensa matutina —*La Correspondencia* y *El Imparcial*, generalmente—; ocupa el resto de la mañana en despachar su correspondencia y escribir sus artículos. Por la tarde, vencida la fuerza del calor en el verano, y algo más pronto en el invierno, da un largo paseo, solo o acompañado. «Gustaba en los últimos años de su vida —refiere uno de sus amigos, Olmedilla y Puig— dar largos paseos, casi siempre solo y pocas veces con alguno de sus amigos íntimos, con quien departía siempre recordando los muchos episodios de su pasada vida, que refería con singular gracejo y fácil expresión...» (74). En efecto, siguen siendo sus mayores placeres la conversación y el callejeo. Pero en realidad, durante esta fase final de su vida, una sordera acentuada convierte, de hecho, el diálogo en monólogo: en lo cual, generalmente, sale ganando el interlocutor de turno. Interlocutor que no suele faltar: Mesonero recibe continuamente visitas, algunas muy ilustres (75).

---

(74) Joaquín de Olmedilla y Puig: *Bosquejo biográfico del popular escritor de costumbres D. Ramón de Mesonero Romanos (el Curioso Parlante)*. Madrid. Tipografía de Manuel G. Hernández, 1889. Pág. 37.

(75) Por ejemplo, la del general Serrano —antiguo Regente y uno de los promotores de la revolución del 68—, que tuvo lugar a raíz de la publicación de las *Memorias de un setentón*. El hecho lo relataron detenidamente los hijos de Mesonero en *Trabajos no coleccionados*, II, 637-638.

Por la noche, de sobremesa, y antes de retirarse a dormir, alguno de sus hijos lee para él *La Epoca*.

Así un día y otro hasta el último de su vida. Mesonero tiene una naturaleza robusta; no es un viejo achacoso. Fumador empedernido, no se priva nunca del buen habano. Y nada hace sospechar, en la primavera de 1882, que se acerca el final.

* * *

«Salió —refiere Cotarelo—, como de costumbre, a la tarde del 28 de abril a pasear, y regresó a casa sin sentir molestia ninguna. Pero cerca del amanecer del 29 se sintió mal y fue durante el día agravándose, en términos que a la tarde el derrame cerebral había alcanzado su mayor intensidad y el enfermo perdió la facultad de hablar y conocer a las personas, y en este estado continuó hasta la mañana del siguiente día 30, en que a las diez y media exhaló dulcemente el postrer aliento...» (76).

El entierro del famoso escritor pondría de relieve el entrañable afecto con que su ciudad había llegado a corresponder a los desvelos del *Curioso Parlante*. Nos lo cuenta Sáinz de Robles:

«Tan aficionado yo, desde siempre, a cuanto se refiera a Madrid, recuerdo haber escuchado —en 1915—, de labios del padre de un compañero mío de estudios, el gran caballero don Julián Benítez de Astorga, algunas noticias del entierro de Mesonero Romanos, que él había presenciado, siendo estudiante, desde un balcón de la calle de las Infantas, esquina a la del Clavel, donde vivía su novia. Y me aseguraba que más de diez mil personas llenaban la plaza de Bilbao y sus alrededores, profundamente conmovidas, ninguna de las cuales dejó de seguir al coche fúnebre hasta la Puerta de Toledo» (77).

* * *

¿Cómo fue personalmente Mesonero Romanos? Poseemos no pocos trasuntos literarios de su fisonomía espiritual y física: semblanzas escritas por contemporáneos que le conocieron o por los que después— ateniéndose al espléndido retrato moral que él mismo trazó, sin proponérselo, en muchas de sus páginas— se han acercado a la simpática humanidad de don Ramón. Disponemos también de una buena iconografía.

El lienzo de José de la Revilla, pintado en 1838, nos pone frente al Mesonero juvenil, en plenitud de ilusiones y trabajos: en pergeño muy de acuerdo con la moda romántica, alzado tupé y pobladas patillas al modo de Larra; nariz ancha, y más ancha sonrisa en los labios. Sin lentes todavía,

---

(76) *Elogio...*, pág. 458.
(77) *Estudio Preliminar* a la ed. de las *Escenas Matritenses* de Aguilar (2.ª edición), Madrid, 1956. Pp. 73-74. «Fué enterrado en el cementerio de San Isidro, patio de Santa María de la Cabeza, en un nicho que llevaba el número 29, de la tercera fila, y en cuya lápida se leía: *Ramón de Mesonero Romanos, «El Curioso Parlante». Cronista de Madrid.—19 de julio de 1803, 30 de abril de 1882.* (Idem, p. 73).

la mirada un poco vaga denota ya una miopía indudable, bajo la hermosa frente, despejada y alta.

De la segunda mitad de su vida no nos faltan buenos grabados y, sobre todo, fotografías como la que reproduce el primer volumen de los *Trabajos no coleccionados.* El tiempo ha dado mayor volumen al personaje: la fisonomía, idéntica a la del retrato de Revilla en sus rasgos esenciales, demuestra la maestría del pintor. Han desaparecido las patillas y el tupé románticos, y en cambio, están ya aquí los clásicos lentes con que le describirán las abundantes semblanzas literarias que sus contemporáneos nos legaron.

De las mismas fechas que la fotografía a que acabamos de referirnos debe de ser, muy probablemente, el breve artículo que Pérez Galdós —uno de sus mejores amigos y discípulos— le dedicó en la *Galería de figuras de cera* que por el mes de marzo de 1868 —antes de entablar sus relaciones personales con él— venía publicando en *La Nación.* He aquí lo más sustancial del curioso texto:

> «Su rostro es, como hemos dicho, perfectamente ceránico. Su cutis, sonrosado y transparente, anuncia salud y felicidad: las sinuosidades, las depresiones y protuberancias de esta piel sana y feliz forman las facciones, a saber: una nariz ni grande ni pequeña, una boca contraida en perpetua y benévola sonrisa y unos espejuelos azulados, al través de los cuales se alcanza a ver la tenaz y minuciosa observación ocular del individuo atisbador de calles y plazuelas, examinador entusiasta de costumbres, cuadros, grupos y personas.
>
> Su cuerpo, pequeño y bastante robusto, ofrece poco de particular, y sus ademanes, excesivamente sencillos, no proporcionan tampoco grandes rasgos pictóricos al dibujante, exceptuando aquel hábito inveterado de llevar unidas atrás las manos, como si fueran un estorbo en su majestuosa marcha investigadora.
>
> En esta actitud, más bien humilde que presuntuosa, recorre el *Curioso Parlante* las calles de Madrid. Le habréis visto muchas veces en los sitios más públicos, examinando con detención los progresos de la villa en sus edificios y en sus calles, contemplando el esplendor de nuevas tiendas abiertas al comercio de bisutería, investigando cómo adelanta y se acicala y afeita esta querida e inolvidable villa, cuya imagen tiene él grabada en las telas del corazón» (78).

Pasados los años, y al remitir este retazo de prensa al propio Mesonero, Galdós se excusaría por la «frivolidad» e «irreverencia» de su «boceto o *coup de crayon*» (79). Ahora —1875—, el gran novelista estaba en condiciones de

---

(78) Benito Pérez Galdós: *Galería de figuras de cera.—X: Mesonero Romanos.* «La Nación», 8 de marzo de 1868. Año V, núm. 700.

(79) «Mi respetable maestro: revolviendo papeles he encontrado un articulejo, retrato o semblanza del *Curioso Parlante,* la cual pieza fue engendrada por mí en la época de mis primeros atrevimientos literarios. Aunque en aquellos tiempos me hubiese causado mucho gusto y extraordinario orgullo que Vd. fijase la atención en el mencionado parto de mi ingenio, hoy me avergüenzo al pensar que Vd. lo va a leer, pues no sólo es detestable por su estilo, sino que en el fondo y en la forma tiene mucho de frívolo y aun de irreverente. Sin embargo de esto, no vacilo en mandárselo a Vd. Es tan sólo una silueta o bosquejo, de género francés; y como se ve, atendiendo sólo a la figura, no me cuidaba de señalar la inmensa importancia literaria del *Curioso,* como verdadero creador de la literatura de costumbres y cimentador de la novela

escribir con mayor profundidad y conocimiento de causa acerca del *Curioso Parlante*. Y en efecto, le caracterizaba así:

> «Tiene... setenta y un años. Se expresa aún con muchísima gracia y vehemencia: constantemente lleva la mano, para arreglar la peluca, a los espejuelos, que suelen inclinarse a un lado. Le gusta llevar la voz cantante en la conversación, y la circunstancia de la sordera, dificultando al interlocutor el hacerse oír, contribuye a que él hable mucho. Su conversación no puede ser más agradable y relata sucesos pasados con una amenidad encantadora» (80).

Esta descripción física se inserta en la anécdota de la primera entrevista, a que ya hemos hecho referencia. Galdós agradeció siempre a Mesonero la amabilidad con que le tendiera la mano, generosamente, para darle alientos en sus primeros, y ya seguros, pasos de escritor. Muchos años después de su muerte, la simple mención de su nombre suscitaba en él, espontánea, una exclamación que era el mejor homenaje a su generosidad y gentileza: «¡Qué grande hombre y qué bueno!»

El *Bosquejo biográfico* escrito por Olmedilla y Puig corrobora y complementa la semblanza trazada por Galdós:

> «Su porte exterior llevaba indeleblemente marcado el sello moral de sus relevantes condiciones personales. De afeitado rostro al uso de los veteranos del siglo, dejaba entrever en su significativa y risueña vista, aunque velada por los espejuelos a que su miopía le obligó desde muy joven, el ingenio y la vis cómica que parecía pugnaban por desbordarse al exterior...»

Olmedilla subraya su benevolencia y mansedumbre, patentes en el tono de sus escritos, pero que no estaban reñidos con la firmeza y el tesón (81). A la bondad y discreción matizadas deliciosamente por un donaire de pura cepa madrileña, había aludido muchos años antes Hartzenbusch (82):

---

española contemporánea a la cual ha dado los tipos, las costumbres y las localidades.

«Yo estaba en aquellos días muy enfrascado en *El antiguo Madrid*, que leía con verdadera devoción, y estudiaba sobre el terreno por las calles, callejuelas, costanillas y derrumbaderos matritenses. Esta preocupación constante es la causa de que en mi boceto o *coup de crayon* me fijase más en aquella obra que en las célebres *Escenas*, que conocía desde mi niñez, y cuya lectura despertó en mí la afición a las pícaras letras y especialmente a los escritos de costumbres».

(Pérez Galdós a Mesonero Romanos, Madrid, 18 de mayo de 1875. Publicada por Varela y Hevias, *Cartas...*, pp. 13-14).

(80) Vid. la nota núm. (69).

(81) «No era batallador ni polemista. Sus escritos tenían la tranquilidad apacible del mar en bonanza cuya superficie solamente se halla rizada por el suave céfiro. Pero tenía, sin embargo, firmeza profunda en sus convicciones, fe en sus juicios, constancia en sus resoluciones, decisión en sus propósitos y prudencia en su manera de proceder» (Olmedilla y Puig, ob. cit., pág. 32).

(82) Hartzenbusch debía mucho al estímulo y a la bondad de Mesonero, que si criticó duramente su primera salida al escenario (como refundidor de la desdichada comedia de N. Laviano *La conquista de Madrid*), luego, al conocer sus poesías originales e inéditas, le interpeló de esta manera: «¿Y es posible que hombre que sabe hacer esto se ocupe en trabajos baladíes y sin gloria, tales como la refundición de malas comedias? Usted, amigo mío, puede marchar sin andadores y aun desplegar poderosas alas hasta encumbrarse a las alturas del Parnaso.»

«La concisión y el gracejo urbano, ese gracejo que agrada más cuanto más al descuido se vierte, caracterizan principalmente el modo de decir del *Curioso Parlante*, pero aún quizá es más de elogiar en él su carácter inofensivo» (83).

Unos y otros están siempre de acuerdo en la inmensa bondad, en el espíritu generoso y cordial del escritor (84). Estas excelentes cualidades positivas no alcanzarán nunca a verse empañadas por otras notas menos favorables de su personalidad: por ejemplo, el exceso de prudencia —que le da esa nota de «no comprometido» a que aludía Ramón Gómez de la Serna, y que resta fuerza y emoción a muchas de sus *Escenas*—. Por ejemplo, también, cierta inmodestia que no deja de transparentarse a veces en sus escritos, pese a las continuas protestas de humildad con que los inunda el autor. Y, en fin, unos prejuicios clasistas en los que, al fin y al cabo, se percibe simplemente al hombre de su tiempo. Porque, como tal, Mesonero es, sobre todo y ante todo —lo dijimos al iniciar estos apuntes— un perfecto exponente de la burguesía triunfante en el burgués siglo XIX.

Añadamos que, en su caso, el adjetivo debe ir acompañado de otro muy concreto, para evitar equívocos: porque un libro sobre Mesonero bien pudiera titularse, con propiedad absoluta: *Biografía del buen burgués Mesonero Romanos.*

(83) Prólogo a la edición de las *Escenas* de 1845.
(84) Sobre las excelentes virtudes humanas de Mesonero Romanos, reflejadas en su obra escrita, véase también Camilo Pitollet: *Mesonero Romanos, costumbrista.* En «La España Moderna», octubre 1903.

II

EL MUNDO SOCIAL DE MESONERO ROMANOS

Las «Escenas», trasunto de una sociedad en crisis

Al referirse, en sus *Memorias*, a los propósitos que le guiaron en el plan del *Panorama matritense*, escribió Mesonero que el sistema de «ligeros bosquejos o cuadros de caballete», «por su variedad sin límite obligado», había de permitirle «recorrer a placer todas las clases, todas las condiciones, todos los tipos o caracteres sociales, desde el Grande de España hasta el mendigo de San Bernardino...». Lo cual implicaba una democrática perspectiva, abarcadora de todos los estratos de la realidad social madrileña en su tiempo, desplegados en un auténtico «panorama».

El resultado conseguido en las dos series escritas por Mesonero, sólo hasta cierto punto responde a este propósito. La inmensa mayoría de las *Escenas* registradas por el *Curioso Parlante* se circunscriben, en realidad, a un círculo social determinado: la clase media, en sus distintos estratos. El bajo pueblo, por lo general, sólo se evoca como telón de fondo —salvo alguna excepción: *La capa vieja y el baile de candil, El barbero de Madrid, El paseo de Juana...*, o el delicioso esbozo de novela trazado en los dos relatos, *El recién venido* y *España en Madrid*—. El gran mundo se asoma tal cual vez, aludido con cierta timidez por el autor. Porque la curiosidad del parlante Mesonero no se refiere al bajo ni al alto estamento, sino al centro equidistante entre uno y otro: el que, no muy adecuadamente, puede designarse, en una ciudad como el Madrid de 1830, *burguesía*; el que integra las llamadas —con más propiedad— *clases medias*.

Clases medias, pequeña y alta burguesía, este amplio sector social es el auténtico protagonista del siglo XIX en todo el Occidente. Comprendiéndolo así, veía en él Bretón de los Herreros —contemporáneo estricto de Mesonero— el exponente más claro, o más directo, de las virtudes y defectos del pueblo español, ya que la revolución profunda acarreada por el siglo le estaba convirtiendo en síntesis, una vez derrumbadas las viejas barreras infranqueables, entre los estamentos sociales del antiguo régimen (85). Y en este punto de

(85) «Pero no es en los palacios de los próceres ni en los camaranchones de la chusma donde han de estudiarse la índole y las costumbres de un pueblo, sino en la

vista coincidió plenamente Mesonero, en quien Georges Le Gentil percibe, con más fuerza aún que en el propio Bretón, «el advenimiento del espíritu burgués» (86).

* * *

Intentaremos ahora reducir a sus líneas esenciales el bosquejo movido, multiforme, con que la visión «panorámica» del *Curioso Parlante* viene a caracterizar los estamentos sociales en el momento crítico pautado por la revolución liberal.

El «cuarto estado»

Páginas atrás señalamos la tendencia *clasista* que claramente palpita a lo largo de toda la obra de Mesonero: su desdén hostil hacia los estamentos populares. Más que en las *Escenas,* esta posición se hace explícita en unas páginas del *Manual de la villa y corte,* donde puede leerse nada menos que esto:

> «Las costumbres del pueblo bajo son lastimosas: mezcla de grosería y libertinaje; valientes hasta la temeridad; enemigos del trabajo, que soportan tal vez algunos días para emplear su producto el domingo y el lunes en las tabernas y en los toros. Las mujeres conocidas con el nombre de *manolas* son dignas de tales esposos, de tales amantes. Su ingenio natural se convierte en desenvoltura; su animosidad en alevosía; sus gracias, en objeto de vil tráfico; acostumbradas a ser maltratadas, los maltratan; para ellas y para ellos la mejor razón es el palo, y el argumento más sublime, la navaja; y sólo en fuerza de la extremada vigilancia del Gobierno se contienen en ciertos límites. Es de creer que la mejor educación del día puede variar las costumbres del pueblo, tanto más sensibles cuanto que precisamente recae en la capital del pueblo» (87).

El alegato era tan duro, que suscitó una curiosa réplica: el opúsculo anónimo titulado *¡Madrid! Indicaciones de una española sobre inmoralidades y miserias presentes y su remedio: a cuya redacción ha dado margen el Manual*

clase media; y más cuando ésta ha ganado en número y en influencia lo que aquéllas han perdido, tal vez para bien de todas; pues con haberse en cierto modo amalgamado entre nosotros las diferentes jerarquías sociales, se han introducido en el trato una cortés franqueza y una amable cordialidad de que sin duda están todavía muy distantes otras naciones que pasan por más civilizadas que la nuestra» (*Obras.* Madrid, 1851; t. *Poesías. Miscelánea crítica,* p. 592).

(86) Le Gentil, *Ob cit.,* p. 490.

(87) Hay otro texto muy poco conocido de Mesonero —el fragmento de sus apuntes de viaje de 1833, relativo a Valencia—, en que se nos describe la peligrosa inseguridad de los alrededores de la capital levantina, hasta el punto de que «los propietarios... huyen de permanecer de noche en sus deliciosas campiñas, desconfiando de los mismos a quienes dan el sustento...» Este testimonio, de indudable interés, aunque sin duda tan extremoso como el relativo al bajo pueblo de Madrid, concluye con una consideración similar a la que cierra el párrafo del citado *Manual:* «¡Funesta anomalía que sólo puede explicarse por la insuficiencia de las leyes y la falta de una educación extendida en las clases ínfimas de la sociedad!»

de Madrid, descripción de la villa y de la corte (88). El autor, probablemente
un religioso, desarrolla en esta obrilla, con nobleza apasionada, una *democrática* y generosa defensa del estamento social atacado por Mesonero. Sus
razones son de indudable fuerza, y, sobre todo, están hoy *más cerca de nosotros*
que el *desprecio burgués* en que lastimosamente naufraga la tradicional benevolencia del *Curioso Parlante*:

> «Todo el párrafo... relativo a la última clase social madrileña
> debe suprimirse por calumnioso, en alto e injusto grado, e infa-
> mante de dicha clase... ¡Las mujeres de esta clase *son desenvueltas,
> prostitutas y, sobre todo, alevosas! ¡Y sólo en fuerza de la extre-
> mada vigilancia del Gobierno se sostienen los hombres y las mujeres
> de ella en ciertos límites...! ¡Y* esto lo dice un madrileño en Madrid,
> en una obra de mérito y con licencia! ¡Qué asombro!»

El anónimo autor del folleto recuerda muy oportunamente que a la hora
del heroísmo y del sacrificio, el *pueblo* ha rayado a más altura que las otras
clases; y rechaza, por eso, incluso el calificativo de *bajo* que Mesonero le
aplica

> En primer lugar, debo recordar que Madrid se honra justísima-
> mente con el conocido dictado de *muy heroico:* que al merecimiento
> de éste han contribuido todas sus clases, y la última, si no más,
> no menos que las otras; que, por tanto, choca la denominación
> de *baja* que se usa en el citado párrafo para esta tan benemérita
> como la superior; que será por tanto racional y justo denominarla
> de hoy en adelante en expresión mejor sonante...»

Por lo demás, observa el anónimo autor del opúsculo, bastaría comparar
el artesanado de Madrid con el de las otras grandes capitales europeas —París,
Londres—, para cerciorarse de la superioridad moral de aquél. En cuanto al
calificativo de *grosero*:

> «... Puesto que sea común propiedad (sin poder dejar de ser así)
> de todas las ínfimas clases sociales del mundo la falta de esmerada
> educación que corrige la natural grosería... en la de Madrid no se
> nota en verdad semejante extremada repugnancia de modales si no
> es individualmente, y por cierto y con vergüenza en todas las clases...
> Añadir que es libertino es desconocer voluntariamente que su gene-
> ralidad yace en la miseria mayor de lo justo y conveniente, y que,
> como los mismos censurados dicen con gracia, *tripas vacías no quie-
> ren folías.* El libertinaje, ya sea de pasiones físicas, ya morales,
> no es tacha que se observa entre pobres...»

Si no se libra de patente ingenuidad esta última consideración, en otros
puntos de su razonamiento, el censor —o la censora— de Mesonero pisa con
indudable firmeza; por ejemplo, al rechazar la calificación de *holgazanes*

---

(88) ¡*Madrid! Indicaciones de una española sobre inmoralidades y miserias presentes, y un remedio: a cuya redacción ha dado margen el Manual de Madrid, descripción de la Villa y Corte. Año 32º del siglo XIX (vulgo) siglo de las luces.* Madrid.
Imprenta de D. Eusebio Aguado, 1833. Con licencia del Consejo, expedida en 27 de
septiembre de 1832.

para los representantes del humilde artesanado. Pues dejando aparte que con mayor dureza habría que motejar a los nacidos ricos —«creo que no sudan mucho...»—, o a los empleados y burócratas de las oficinas del Estado, queda en pie un hecho muy cierto: la inactividad del *bajo pueblo* es, realmente, una *inactividad forzada:*

> «Con sumo disgusto mío callo aquí los nombres de respetables personas que, compadecidos de los brazos que han visto parados hacia los barrios de la gente pobre, han hecho en varias ocasiones dispendios para ocuparlos, y han observado con placer laboriosidad, desinterés y reconocimiento en los ocupados.»

El esforzado polemista aduce la ejemplaridad de las muchachas del pueblo empleadas en fábricas de zapatos, de sombreros, en tiendas de modas, de guantes, en sastrerías; y subraya en especial el caso de las sufridas y honradas lavanderas. Porque el problema, económico y social, del *desempleo,* no puede confundirse frívolamente con la holgazanería:

> «Los talleres todos y todas las fábricas de Madrid están llenos de su juventud popular; pregúntese a los jefes de estos establecimientos, y dirán que la fortuna pública madrileña apenas ofrece trabajo para el menestral; que cuando se presenta obra abundante, entonces los maestros hallan para desempeñarla oficiales que prescinden de tabernas y de toros, y de las horas de descanso; asimismo de la obligación del día festivo, la cual dispensa sin dificultad (caso necesario) la ilustrada autoridad eclesiástica. Cuando los grandes y los ricos han necesitado el trabajo ordinario y extraordinario del pobre, ¿dejaron alguna vez de satisfacer sus deseos a causa de la *holgazanería madrileña?* Nunca. Emplee el *Manual* las banderillas de la holgazanería contra todo el género humano, y prepare algunas puntiagudas saetillas para los gruesos y adulados cerviguillos de los ricos, que no promueven la aplicación con abundante bien pagado trabajo...»

En honor de Mesonero hay que aducir dos cosas: en primer término, su efectivo esfuerzo personal para conseguir una mejora en las condiciones, materiales e intelectuales, del artesanado —véase, en las páginas biográficas que preceden, su entusiasta contribución al nacimiento de instituciones de proyección social tan notoria como la *Caja de Ahorros* y la *Sociedad para propagar y mejorar la educación del pueblo*—. En segundo lugar, un leal reajuste de sus primitivos puntos de vista, registrado al paso de los años.

Si nos atenemos a la última edición del *Manual* —la de 1854—, saltan a la vista las notorias diferencias que ofrece el pasaje que antes quedó reproducido. Mesonero hace ahora historia de la manolería madrileña, a la que presenta como un resultado de la agregación, sobre la población propia, «de los infinitos advenedizos que de todos los puntos del reino acudieron desde el principio a la corte a probar fortuna...», y de aquí la originalidad del tipo popular madrileño, «compuesto de la gracia y de la jactancia andaluzas, de la travesura y viveza valencianas y de la seriedad y entonamiento castellanas». Rehuyendo la dureza de sus antiguos apóstrofes contra las «clases bajas» de Madrid,

Mesonero observa ahora en ellas un «carácter altivo e independiente», «una indómita arrogancia» y una «fuerte animosidad contra todo lo extranjero o sus recuerdos», cualidades que, unidas a la escasa instrucción y a los vicios y disposición «propios de las grandes poblaciones», hicieron de esta parte del vecindario, «hasta hace pocos años una población aparte, aislada, hostil y temible para el resto de ella». Pero la evolución saludable se ha producido, y Mesonero estima que la represión de sus demasías en épocas de revuelta «le dieron a conocer que no podía abusar en todas ocasiones de la fuerza material, y que no toda había sido encaminada a tan santos fines como el inmortal 2 de mayo de 1808».

> «Desde entonces —concluye Mesonero, trazándonos un cuadro radicalmente distinto al de 1831—, mejorándose simultáneamente la instrucción, aumentada la comodidad de la existencia a medida que el amor al trabajo y a los goces más halagüeños de una sociedad culta, y extendiéndose también en aquellos barrios extremos, con el aumento y mejora del caserío, una parte de la población más acomodada, la entrada en ellos ha dejado de ofrecer un valladar impenetrable a las personas decentes. Ya no choca el ruido de los coches, ni son perseguidas las señoras con *gorro* ni los hombres con *frutaque* o *levosa*; los chicos de tierna edad no aparecen ya en cueros o en camisa jugando al toro o apedreándose a cada esquina; antes bien, se recogen en las benéficas *escuelas pías* y *salas de asilo* de las calles de Mesón de Paredes, Espino, de Atocha o de Belén. Las manolas no serpentean ya todo el día con sus trajes elegantes o campanudos (excepto aquella parte proporcional dedicada al vicio y a la prostitución); asisten a trabajar modesta y silenciosamente en la fábrica de cigarros o en los particulares obradores de zapatería, sastrería y otros; los manolos son también artesanos o mercaderes ambulantes y han tomado el gusto a una ganancia legítima y segura, si bien no curados enteramente de la excesiva afición a los toros o la taberna...»

Observemos que, en líneas generales —y aunque justificando la transición con el cambio aparejado en el transcurso de los años—, lo que hace Mesonero es *corregir* su *visión deformada* de 1831 con arreglo a las observaciones que ya en aquella fecha le apuntó el autor de la réplica al *Manual*. De un lado, los aspectos negativos de su «retrato social» se disuelven en la acotación general que los tipifica «en las grandes poblaciones» —y conviene añadir que en 1854 Mesonero dispone de términos de comparación con los que no contaba en 1831—. De otra parte, esos aspectos negativos están compensados por eminentes virtudes que Mesonero olvidó en su redacción primera —el carácter altivo e independiente, la indómita arrogancia, que será heroísmo en los grandes trances—. Y, en fin, mujeres y hombres, manolas y manolos, trabajan «modesta y silenciosamente» siempre que haya posibilidades de trabajo.

Pero junto a este leal «reajuste» reclamado ya en 1831, también hay que dar la razón a Mesonero en su afirmación de que el paso de los años ha impuesto un tono más refinado, más cosmopolita incluso, a la sociedad artesana del Madrid décimonónico. En sus apuntes de 1854 —reproducidos luego

en *Tipos y caracteres*—, Mesonero registra la transición de los personajes de
Ramón de la Cruz a los del «género chico» que llegará a su exaltación en las
noches inolvidables del teatro Apolo, a finales de siglo. No deja de ser curioso
observar que, *mutatis mutando*, lo que Mesonero señala ahora como signo de
cosmopolitismo, desde nuestra perspectiva del siglo XX ha venido a convertirse
en rasgo de casticismo zarzuelero:

> «... trocando para ir a los toros el antiguo y estrepitoso *calesín*
> por el *ómnibus* comunista, las *seguidillas* por la *polka*, la *bandurria*
> y el *pandero* por la orquesta militar o el *organillo* alemán...»

La aristocracia

Al otro extremo de la escala social, el auténtico *gran mundo* apenas ha
sido entrevisto por Mesonero Romanos. Fácil es hacer el recuento de las
alusiones con que la aristocracia queda incluida en el calidoscopio del *Curioso
Parlante*: se reducen —ensanchando en lo posible nuestro registro— a cinco
o seis escenas: *Las visitas del día, Las tres tertulias, Las tiendas, Las niñas
del día, El viaje al Sitio, Grandeza y miseria...* En *Las visitas del día* y en
Las tres tertulias el escritor nos franquea muy a la ligera, y como a regaña-
dientes, los círculos restringidos del gran mundo. La primera de estas dos
escenas nos informa de que la murmuración, la sátira y la mala fe presiden
las «espirituales» conversaciones de nuestra «buena sociedad»; la segunda nos
permite comprobar que ya en 1833 los jóvenes elegantes estimaban, como
prenda esencial del buen tono, la falta de cortesía, la displicencia y la des-
atención en sus relaciones con las *niñas bien*. Para que Mesonero —y sus
lectores— no se escandalicen demasiado, doña Dorotea Ventosa, protagonista
de la escena en cuestión, se encarga de disipar las confusiones posibles:

> «Ella me hizo ver que aquello que yo llamaba atrevimiento y
> grosería no eran otra cosa que aire de mundo y de gran tono; que
> el amor, que yo creía aún vendado, hacía ya tiempo que veía muy
> bien y sabía por dónde iba; ella disipó mis temores respecto a las
> incautas jóvenes; ella me convenció de que la ficción sistematizada
> era una de las perfectibilidades sociales; que el ardor de las pasio-
> nes y la animada expresión de la alegría eran propios de las almas
> comunes y de ningún modo convenientes en las reuniones de buen
> tono; que para lucir en ellas sólo eran necesarios una buena dosis
> de presunción y el correspondiente desenfado; que hoy día, para
> no parecer ridículo, es preciso serlo; que la moda había autorizado
> algunas que yo llamaba descortesías, tales como dejar solas en la
> sala a las señoras, negarse a bailar, permanecer sentados afectando
> indiferencia, equivocar las contradanzas, llevar siempre una misma
> pareja y otras muchas cosas, a las cuales llamaba doña Dorotea *darse
> tono*...»

Claro que, en todo caso, hay que convenir en que la *buena sociedad* y el
gran mundo a que estas escenas se refieren tienen una altura relativa —como

ocurre, también, con la pobre marquesa a la que los dependientes de un comercio de telas dan gato por liebre, en la deliciosa viñeta titulada *Las tiendas*—. En cambio, la *Amalia* de *Las niñas del día* «es una rica heredera de la primera nobleza», lo que permite a Mesonero denunciar los graves fallos de una posición elevada : distanciamiento afectado, banalidad de una educación que se dice escogida (89) y sumisión a los prejuicios de una clase que —estamos en 1833— todavía no ha sido invadida por el empuje de la mesocracia triunfante. Una vez más, en esta ocasión el *Curioso Parlante* es fiel expresión de una mentalidad crítica acusadamente burguesa :

> «Desde sus primeros años fue el objeto de la adulación asalariada; separada casi constantemente por la etiqueta de la vista de sus padres, rodeada de gentes inferiores a ella, desconoce los sentimientos tiernos y el lenguaje de la verdadera amistad; dirigida por maestros a quienes ella mira siempre como criados, para ella el genio no tiene ninguna superioridad... Agrádanle la lisonja y la cortesía de los jóvenes que la rodean, y quisiera tal vez responder con menos altivez a sus suspiros, pero aún no es tiempo; fiel a su dorada cuna, tiene empeñada su mano desde antes de nacer a un cuarto primo, con cuyo enlace conseguirá añadir al escudo de su casa dos osos trepantes y una serpiente en campo de plata. *Con tales ontecedentes* —preguntareisme—, *¿le hará feliz o desgraciado?* Lo ignoro, amigas; sólo sé decir que le hará marqués...»

La crítica más directa de la nobleza española, tal como ella llega a la fase crepuscular del antiguo régimen, la hace Mesonero en su artículo *Grandeza y miseria*, en que se describe el caso de un aristócrata aragonés, rico terrateniente, a quien ciega el falso espejuelo de la vida cortesana y, abandonando sus propios estados, se instala en Madrid para ser pronto víctima de *su propia corte* —administradores y mayordomos desaprensivos, secretarios indiscretos, criados rapaces, aparato y ostentación en que está a punto de sucumbir su fortuna y su libertad en un círculo de ficciones y deslealtades—. El suceso ocurre en los últimos tiempos de Fernando VII : aún no se ha puesto en marcha el proceso desvinculador y la supresión del régimen de mayorazgos, pero se nos hace evidente la rapidez con que ese proceso, una vez iniciado, desmoronará las viejas posiciones inexpugnables de la nobleza, cuando escuchamos las lamentaciones confidenciales del marqués, verdadero índice de muchos casos similares :

> «Mis enormes rentas, ¿me permiten disponer a cualquier hora de una cantidad, por mínima que sea? ¿No he vendido ya mis fincas libres, gravado enormemente las vinculadas, acudido a los usureros, que primero me prestaban sobre mi palabra, luego sobre mi firma, después sobre alhajas y posesiones, y a falta de éstas

---

(89) «Primeras letras, gramática, geografía, lenguas, dibujo, música y baile, de todo recibió lecciones; y por resultado de esta enseñanza, que costó un considerable capital, sabe hoy escribir un billete sin puntos ni comas, cantar una *cavatina* en italiano o bailar una *mazurka* en ruso, lo cual es suficiente saber para los tiempos que corren». Compárese esta descripción con la que Larra hace respecto a la educación de un joven elegante en su famoso artículo *Empeños y desempeños* (en *Obras*, I, p. 86).

han llegado a no prestarme nada? Los criados me piden sus sueldos;
mi mujer, su dote; mis hijos, su fortuna, y la memoria de mis
abuelos, el lustre de su nombre. ¡Qué hacer, mi querido amigo,
en tal ahogo, ni cómo remediar tamaños males!»

Los consejos de su interlocutor —Mesonero— nos traen ecos de la ilustración dieciochesca; se trata, una vez más, del clásico esquema «jovellanista»:
la nobleza, justificada como servicio —en el «campo del honor»—, o como
ejemplaridad; la apertura de la aristocracia al trabajo útil, o cuando menos,
al mecenazgo de la industria, las artes y las letras; su arraigo en la propia
tierra, en un nuevo «menosprecio de corte y alabanza de aldea»:

> «Tú hubieras evitado tal abismo si, siguiendo mis consejos, hubie-
> ras cultivado tu buen carácter en la educación y dado a tus incli-
> naciones el giro conveniente; el ocio, causa de todos tus desastres, te
> hubiera parecido insoportable, y para evitarle hubieras buscado mil
> recursos, que tu fortuna te permitía; los viajes útiles, las empresas
> nobles, el deseo de verdadera gloria, que en otros países, y en
> nuestra misma España, ostentan varios de tu ilustre clase, no desde-
> ñándose de proteger la industria, cultivar las artes y las letras o
> brillar en el campo del honor... Huye, pues, de este centro de
> corrupción y de placeres; huye, y en tu apacible quinta de las
> orillas del Ebro, lejos de la disipación y del bullicio, encontrarás
> la paz del alma, que sólo puede proporcionar una conciencia tran-
> quila. Tus rentas, bien administradas, sirvan, después de satisfacer
> tus empeños, a proteger al genio y al trabajo; tu casa, purgada de
> bajos aduladores, sea el asilo de la franqueza y de la honradez;
> tus hijos, educados bajo otros principios que tú, aprendan de tu
> boca las desgracias que el ocio proporciona...» (90).

La clase media

Cuando leemos la excelente semblanza del *tipo madrileño* que Mesonero
incluyó en su *Manual* desde la edición de 1831, percibimos desde el primer
momento que el autor ha centrado su objetivo en los representantes del estamento medio —y para subrayarlo mejor, la semblanza termina con la referencia, ya recogida por nosotros anteriormente, a «las costumbres del pueblo
bajo»—. Al madrileño medio atribuye Mesonero, como cualidades positivas,
viveza, penetración, ingeniosa tendencia a satirizar, fina amabilidad. A ellas

---

(90) Algún crítico ha pretendido descubrir una «clave» en el artículo *Grandeza
y miseria;* estimo que la interpretación «política» que se ha querido dar a su moraleja —convirtiendo al protagonista en un símbolo o personificación de España— no
pasó nunca por las mientes del autor. Hartzenbusch apuntó, sin embargo, que «al bosquejar con cuatro toques las oficinas de la casa de un poderoso, nadie podía desconocer
que el travieso crítico había pintado, tal vez involuntariamente, las del Estado...» (?)
Y Cotarelo se hizo eco de Hartzenbusch, al escribir: «Si alguna vez llevó [Mesonero]
doble intención, sería en el titulado *Grandeza y miseria,* donde nos presenta un aristócrata devorado por sus múltiples criados, lacayos, secretarios, mayordomos, que le
arruinan y tiranizan, siendo el dueño el único que no disfruta de sus riquezas. La noble
víctima de sus servidores sería, según un malicioso amigo del autor, el Estado español,
saqueado y vendido por los que presumen de bien gobernarle» (*Ob. cit.,* 189).

se añaden ciertas notas en que sin duda participan los estratos más elevados de la población: una afectación extranjerizante (*snobismo* diríamos ahora), un desdén por las costumbres y las cosas propias, un afán de hablar de todo, con ingenio pero con superficialidad. El defecto más grave quizá radique en la indolencia, en buena parte resultado de una educación equivocada, y en parte también, consecuencia del ambiente general de la Corte, en que abundan el *paseante* y el *parásito*, y en que con medios de fortuna es casi inevitable el sumirse en un dulce *far niente* para el que la heroica villa —escaparate de pompas oficiales, rompeolas de vanidades mundanas—, parece creada a propósito, dada su carencia de tradiciones industriales de algún vuelo.

Por añadidura, la clase media se ve ahora, más que nunca, profundamente afectada por el deseo de equipararse a la aristocracia —y ello se explica teniendo en cuenta los caracteres sociales de la revolución liberal—. De aquí la tendencia a la «empleomanía» como medio de evadirse al menospreciado mostrador o al honrado trabajo del sufrido menestral; de aquí el afán de convertirse pronto en rentista (91) y, por ende, la permanente amenaza de naufragar en el proceloso mar de las costosas apariencias —ha hecho su aparición el tipo *cursi*—.

El calidoscopio de Mesonero nos ofrece, en despliegue colorista, todo este cuadro de pequeñas pasiones, contempladas con burlona y cariñosa simpatía.

La afectación extranjerizante —galicista, diríamos con propiedad— acarrea una dolorosa lección, en *El extranjero en su patria*, a don Melquiades Revesino, que empeñado en dotar de educación *a la francesa* a su único hijo varón, acaba por hacer de él un inadaptado, pues «¿qué partido tomar —clama el afligido progenitor— con una persona para quien nada hay a propósito y cuyos conocimentos y circunstancias no pueden aplicarse en la sociedad en que ha de vivir?» Si éste es el resultado extremo del *snobismo* —en una línea seguida en el siglo anterior por las clases más elevadas del país—, sus manifestaciones más comunes —y menos peligrosas, ya que se deslizan por el plano del ridículo— quedan captadas, con risueño gracejo, en el artículo titulado *El Prado*, a través de la indiscreta pareja de lechuguinos que utilizan el diálogo en afectado francés de colegio como una especie de patente de corso para una «navegación galante» por el mar de elegancias que es el célebre paseo en un atardecer de primavera.

En línea similar al *snobismo* extranjerista sitúa Mesonero la pasión de «figurar», que reviste muchas modalidades: desde el caso del mayorazgo lugareño que acude al escaparate de la Corte trocando gustoso sus buenas rentas campesinas por un empleo en las oficinas del Estado —empeño en que chocará con idéntica pretensión por parte del *propietario rico*, el *industrioso fabricante*, el *comerciante*, el *letrado...* (92)—, hasta el afán del funcionario aco-

---

(91) Este proceso que en el primer tercio del siglo XIX inicia un ciclo, llega a su plenitud en la etapa de la Restauración. La gran novela de Galdós *Fortunata y Jacinta* lo registra minuciosamente, de mano maestra.

(92) «La manía es general —dice uno de los interlocutores de *La empleo-manía*—; ni el propietario rico, ni el industrioso fabricante, ni el comerciante, ni el letrado, ni ninguna de las otras clases independientes se consideran por sí solas bastante lucidas como no vayan acompañadas del *empleíto*. Este falso raciocinio, esta terrible manía,

modado —y, sobre todo, de su esposa— por embarcarse en un tren de vida
al que sus medios no pueden responder: caso del excelente, pero débil, don
Homobono Quiñones, protagonista de *El día 30 de cada mes* (93); caso del
primogénito de don *Melchor Vallecillo*, en el artículo *1802 y 1832.*

La pasión de figurar encierra sin duda peligros más graves que la manía
del *snobismo*: no ya sólo el que corre el desprevenido e ingenuo protagonista
de *Pretender por alto*; en *1802 y 1832* están crudamente aludidos los vergon-
zosos expedientes a que ha de acudir —como marido complaciente— el que
no puede, por sus propios méritos, sostener una posición desproporcionada con
su fortuna. Reverso de la *empleomanía* es, por otra parte, la triste realidad
del *cesante* —tipo social «fichado» muy tempranamente por Mesonero, pero
que alcanzará una proliferación masiva en la primera parte de la Restauración, todavía viviendo el *Curioso Parlante* (94).

Entiéndase que Mesonero no critica exactamente el noble y humano deseo
de superar los propios horizontes: él mismo cruzará por dos veces la frontera
en un deseo de enriquecer su mirada, para juzgar con precisión —y mejorar,
por ende— la propia patria; en sus artículos y en sus otras obras late continuamente el designio de arrancar a sus paisanos de la rutina, de la pereza,
de la angostura, en fin, de un cerrado casticismo insensato. Lo que Mesonero
condena es todo aquello que, lejos de potenciar las propias cualidades, acaba
por desvirtuarlas, desplazándolas violentamente de su propio círculo, susti-
tuyendo la progresión en una línea continua y razonable por peligrosos saltos
en el vacío (el escritor utiliza, para el *snob* y para el *cursi*, idéntica expresión:
el *extranjero en su patria* ha sido sacado *fuera del círculo en que nació*, para
colocarle en otro muy distinto del que su padre imaginaba; la *empleomanía*
ha provocado la desdicha de muchos, *sacándolos del círculo en que pudieran
haber brillado...*).

Pero más lamentable que esta «desnaturalización» agostadora es, en el polo
opuesto, la inercia de *Modesto Sobrado*, el protagonista de *Tengo lo que me
basta.* En él hace Mesonero la crítica —bastante discutible, según veremos—
de una *virtud mal entendida*: el exceso de sobriedad, la falta de ambición.

---

es la que despuebla nuestros campos y nuestras fábricas, al mismo tiempo que hincha
de pretendientes las antecámaras y las oficinas; la que arranca al comercio y a la
industria los brazos más útiles para ocuparlos en trabajos rutinarios; la que hace
de un hombre activo un intrigante, de un literato un adulador, de un afortunado un
ambicioso. Esta es la que a tantos ha hecho infelices sacándolos del círculo en que
pudieran haber brillado...»

(93)   El caso de don Homobono Quiñones vuelve a mencionarse en *Las niñas del
día:* «Mas volved la vista a esotro lado; veréis venir crujiendo de sedas y descubriendo
su beldad por entre el celaje de finísima blonda a la hermosa *Serafina:* ¿quién al ver
su equipaje no la tendría por alguna marquesa? Pues nada menos que eso: tal como
la veis, es hija del empleado don Homobono Quiñones, mi vecino, cuya mesada no
equivale a la mitad de lo que ha costado ese velo. ¿Cómo se verifica tal milagro?, me
preguntáis. Hijas mías, si no tenéis memoria, mirad el artículo *El día 30 del mes.*»

(94)   «Hay un gracejo y vis cómica notables en el artículo *El cesante* —escribe
Olmedilla y Puig— que considera, en medio de un entretenido y fácil diálogo, lo que
son los destinos públicos y lo que es la vida del empleado, y eso que decía el *Curioso
Parlante* en agosto de 1837, parece que ha ido progresando de pasmosa manera en el
largo espacio de más de medio siglo transcurrido, pues muchos de los defectos que
señala en aquella burocracia relacionada con la política no eran más que los comienzos
de lo que ha sucedido en posteriores tiempos. Sólo aparecía en ligero boceto lo que
había de ser extenso y completo cuadro» (*ob. cit.,* 24).

Como la novela de Fernández Flórez *Las siete columnas*, este artículo desarrolla la tesis de que sin el impulso de los vicios humanos sería imposible el
progreso de la sociedad moderna:

> «Quitad a una sociedad entera este orgullo, este amor propio,
> esta ambición, este lujo, esta vanidad; inspiradla el desprecio de
> los placeres mundanos, la moderación y el contento con las más
> exiguas necesidades. Vereisla convertir muy luego en un cuerpo
> raquítico y apocado, en un silencioso yermo en que sólo alcance a
> percibirse de vez en cuando el saludo fatal de los discípulos de San
> Bruno: *¡Que morir tenemos!*»

El caso de Modesto Sobrado sintetiza muchos otros casos; por ello, el
autor sitúa a su personaje en una serie de distintas y sucesivas experiencias. Y
así, le vemos primero sirviendo en el Ejército —donde alcanzará en pocos años
el grado de capitán—; funcionario respetable en la corte, luego; probo e
inteligente agente comercial, más tarde, y por último, incluso, escritor afortunado. Pero su esfuerzo se limitará a desbrozar estos diversos caminos que, uno
tras otro, se muestran despejados y prometedores para él, sin que en ningún
caso pretenda el buen Modesto llegar hasta el final alcanzando en cualquiera
de ellos una meta verdaderamente brillante y, desde luego, posible. La vida
se encargará al final —cuando ya no hay remedio— de demostrarle que se
ha equivocado, que *no le basta lo que tiene*, «o que sólo tiene para ofrecer
a Dios en desagravio de su indolencia». La moraleja es fácil: «Este *Tengo lo
que me basta*, concluye Mesonero con sentencioso y solemne acento, hace renunciar muchas veces a los hombres y a las naciones a su vitalidad e inteligencia,
condenándolos a una voluntaria parálisis y, acaso, acaso, a su cierta e inevitable ruina.»

Merece la pena detenerse en el artículo porque, sin duda, es el que refleja
de manera más nítida lo que hemos llamado la *mentalidad burguesa* del *Curioso Parlante*; mentalidad difícilmente asimilable a las tradiciones de una
auténtica moral cristiana. Porque si la sentencia final es perfectamente orto-
doxa, e indiscutible cuanto tiene de estímulo positivo una ambición legítima,
ya no resulta tan clara la legitimidad de los caminos que el honrado *Modesto*
ha menospreciado, ateniéndose a la estoica —y honesta— máxima que encabeza
el artículo.

Así, por ejemplo, si el protagonista acaba convirtiéndose en *cesante* después de una etapa de funcionario administrativo, la cosa ocurre, no por su
pereza o por su descuido, sino porque se atiene igualmente a *la estricta obser-
vancia de su deber*, y —anota Mesonero— «no cuidaba de saber las mudanzas
de gabinete, ni leia las declamaciones periodísticas, *ni daba alguna vuelta por
las antesalas de la corte, ni tenía esposa bella que recibiese visitas de los amigos y protectores*». Y Mesonero se contradice a sí mismo cuando añade, con
ironía: «Vese por lo dicho que nuestro hombre era más propio para los tiempos añejos y poco ilustrados en que no se había llevado tan a cabo la perfec-
tibilidad social.» ¿Contra qué o contra quién va encaminada aquí la crítica?
¿Contra Modesto o contra los viciados resortes que no quiso tocar? Algo pare-

cido cabe preguntarse ante la actitud adoptada por nuestro hombre, una vez
cesante; «en vez de trabajar de nuevo con sus jefes para solicitar una reparación de aquella injusticia, o tal vez *tomar pretexto de ella para darse a luz
como la víctima de un partido, y órgano natural del otro*, recurrió únicamente
a sus propios medios». Determinación muy digna de elogio, a nuestros ojos,
aunque no, al parecer, a los de Mesonero. Y mucho más elogiable aún la honrada moderación con que el protagonista sabe poner límite al posible alcance
de sus posteriores empresas mercantiles. Su *probidad e inteligencia* le han
deparado ya en este campo una satisfactoria situación. Y Mesonero comenta:

> «En casos tales, cuando la señora fortuna gusta de sonreír a un
> genio laborioso y emprendedor, es lo natural que el favorecido huma-
> no se deje arrastrar de la corriente y crezcan en el suceso las alas
> de su ambición, sacrificando a ella su libertad, su reposo y *su con-
> ciencia misma*.»

No sé hasta qué punto salva el criterio de Mesonero la acotación que sigue:
«Esto es sin duda un extremo vituperable; nuestro protagonista se inclinaba,
como ya hemos visto, al extremo opuesto.» (Pero ¿cabe en este terreno un
término medio, un *justo medio*? En tal caso, pensamos, probablemente esté
en el camino seguido por Modesto Sobrado.)

Las contradicciones notorias en que incurre la argumentación de Mesonero
en el artículo a que acabamos de referirnos, se reproducen en no pocos de sus
textos. Con arreglo a la doctrina sentada en *Tengo lo que me basta*, no parece-
ría censurable el picaresco camino seguido por *Juan Algarrobo* —el paleto
ingenuo de *El recién venido*— para arraigar en la Corte «al frente de un establecimiento respetable», en *La posada o España en Madrid*. Claro que estas
contradicciones no son sino el reflejo de las paradojas y contrastes que a su
vez ofrece un medio social en rapidísima crisis de transformación: la permea-
bilidad de los antiguos estamentos, el afán de abrirse camino, de auparse
hacia las clases superiores, constituyen la consigna del siglo, y Mesonero no
hace más que formularla; pero simultáneamente no puede evitar el gesto de
desagrado, o cuando menos, la sonrisa irónica, ante el olvido de los viejos
escrúpulos —o de los viejos prejuicios, según se mire—. Y al paso que censura
la falta de ambiciones en el verdaderamente capacitado, lamenta el asalto des-
aprensivo del pícaro encumbrado desde el barro a los palacios:

> «La fortuna es loca y gusta las más de las veces de favorecer a
> quien menos acaso es digno de ella... ¿Quién sabe? Al que vimos
> entrar ayer cruzado en un pollino, preguntando los nombres de las
> calles, tal vez le veremos mañana pasearlas en dorada carretela y
> adornado su pecho con bandas y placas que nos deslumbren y ocul-
> ten a nuestros ojos la pequeñez del origen de su posesor...»

Pero, extremando nuestra malicia, nos sentiremos proclives a sospechar
que —también prejuicio muy burgués— los medios que Mesonero está dispuesto a perdonar —en orden a los fines— entre los de su clase, los encuentra

perfectamente condenables cuando el que los utiliza es un pobre lugareño
de «aspecto semihumano»:

> «... criatura casi racional, con sus tres potencias distintas, puesto
> que la del entendimiento, harto entumecida por falta de uso, casi,
> casi, hacía dudar de su existencia; en fin, un ciudadano español
> con sus derechos imprescriptibles y su cacho de soberanía; el cual
> ciudadano, en prueba de estos derechos, acababa de pagarlos a la
> puerta por los garbanzos y judías que acarreaba...»

* * *

Todo cambia y se agita en esta sociedad española de los años treinta; pero
en ningún punto de España es tan tajante la multiplicación de contrastes como
en Madrid. Acierto indiscutible de las *Escenas* trazadas por Mesonero es haber-
las concebido como una especie de registro, planteado desde diversos ángulos,
del fenómeno más característico de la época y de la ciudad: la contraposición
entre tipos, costumbres y formas de vida, que se codean en el círculo de la
burguesía ochocentista en trance de decisiva crisis. Contraposición entre el ayer
y el hoy, entre el cosmopolitismo y el casticismo, entre lo *clásico* y lo *romántico*. Contraposición que si expresamente se ha tenido en cuenta en las estampas tituladas *Tipos perdidos, tipos hallados* —base de los posteriores *Tipos y
caracteres*—, está ya insinuada desde el primer artículo del *Panorama matritense*, donde, a través de la pintoresca historia de un retrato al óleo, se nos
hace un claro resumen de la transición operada entre la sociedad del siglo XVIII
y la del crepúsculo fernandino; transición que se polariza en el diálogo man-
tenido por Mesonero con su amable vecino durante una calurosa siesta, en el
artículo titulado *1802 y 1832*, y que se decide en lamentable derrota del protagonista de *La casa a la antigua*, empeñado inútilmente en convertir su mansión
y su familia en inexpugnable fortaleza frente a las corrupciones del nuevo
tiempo (95).

Las supervivencias del pasado en la nueva sociedad se denuncian, de una
u otra forma, en cuadros como *Paseo por Madrid*, *Mi calle* o *Policía urbana*;
y referidas a la pugna de la moda femenina —entre lo castizo tradicional y
el refinamiento francés—, en el delicioso cuadro *El sombrerito y la mantilla* (96). Como de costumbre, la posición de Mesonero en esta polémica está
presidida por su prudencia o su espíritu de equilibrio; y si no tiene inconveniente en otorgar preferencia a la gracia del indumento tradicional en el
caso de la mantilla, por lo general se muestra proclive a una apertura europei-
zante. Algunos de sus cuadros están presididos por la intención de subrayar
cuanto de angosto, retrasado o inaceptable para las exigencias del tiempo hay

---

(95) Algunos puntos de contacto tiene este personaje, don Perpetuo de Antañón,
con el Modesto Sobrado de *Tengo lo que me basta*. Como este último, don Perpetuo
decide cancelar su negocio mercantil y retirarse a la vida privada, convencido de «la
delicada posición de un hombre de bien en medio de las asechanzas que le rodean».
Pero esta retirada, y el encierro a que somete a su familia, nada evitan: el enemigo
se le mete en casa de manos de su propia hija.

(96) Sobre la evolución de las modas, es igualmente ilustrativo el artículo titulado
El gabán.

todavía en las formas de vida madrileñas; o simplemente, por el deseo de
estimular cualquier giro ya iniciado en el sentido de una transformación cosmopolita. Véase, por ejemplo, la graciosa estampa *Las casas de baños*, por la
cual entramos en conocimiento de que el Madrid de 1835 dispone ya de doce
establecimientos públicos de esta clase, entre *buenos* y *malos*, frente a la
vetusta institución que fue como la matriz de tan higiénico solaz a comienzos
de siglo («la casa del Cura»); pero que, de ellos, sólo los de la Estrella, a
espaldas de la parroquia de Santiago, pueden parangonarse con los de París,
mucho más numerosos y, lo que es más de notar, *abiertos todo el año* y no
una breve temporada —agosto—, como sucede en Madrid.

> «En todo —sentencia con razón el *Curioso Parlante*— sucede lo
> mismo; la civilización y la cultura hacen nacer necesidades nuevas,
> que poniendo en circulación los capitales, alimentan la industria,
> dan aplicación a las ciencias y a las artes, modifican y embellecen
> las costumbres públicas.»

Caso similar a éste es el incipiente hábito de *veranear* fuera de las tapias
de la Villa; reducido todavía, en los años treinta, a una aburrida estación en
Aranjuez o a un pretendido cambio de aires en Carabanchel; pero que va a
iniciar un insólito despliegue después de la guerra civil, a favor de la paz y
de la relativa comodidad que brinda el servicio de diligencias (97).

De esta tensión entre lo viejo y lo nuevo, entre un pasado próximo que ya
no ha de volver (98) y un próximo futuro que para nosotros, lectores actuales,
es ya pura historia, Mesonero acierta a extraer con frecuencia una palpitación
de vida permanente: tipos o situaciones tan entrañablemente humanos, que
seguirán pareciéndonos familiares lo mismo hoy que mañana. Tal, entre tantos
otros, la inefable «patrona de huéspedes», cuya figura y cuyo caso sentimental
—más o menos grotesco, más o menos patético— sigue teniendo vigencia en
nuestra evolucionada sociedad del siglo XX.

---

(97)   Como yo se indicó, el hecho está registrado por el propio Mesonero al comienzo de su *Viaje por Francia y Bélgica* (1840).

(98)   Aunque a veces Mesonero da por desaparecido lo que sólo ha sufrido un
eclipse: tal, el *tipo perdido* del *religioso* —y nótese que este es el único caso en que
nuestro escritor alude al segundo estamento del antiguo régimen—, al enfrentarse con
el cual, ya de vuelta de la revolución desamortizadora, el Curioso Parlante procura
—un poco tarde, sin duda— poner las cosas en su sitio: «El religioso, tiempo es de
repetirlo, tiempo es de hacer justicia a una clase benemérita que la marcha del siglo
borró de nuestra sociedad, no era, como se ha repetido, un ser egoísta e indolente,
entregado a sus goces materiales y a su estúpida inacción. Para uno que se encontraba
de este temple había otro por lo menos dedicado al estudio, a la virtud y a la peni-
tencia. No todos pretendían los favores cortesanos; muchísimos, los más, se hallaban
contentos en su independiente medianía, y prestaban desde el silencio del claustro el
apoyo de sus luces a la sociedad. No penetraban todos en el seno de las familias para
corromper sus costumbres, sino, más generalmente, para dirigirlas o moderarlas. Creer
lo demás es dar asenso a los cuentos ridículos del siglo pasado o a los dramas venenosos del actual. Si pasaron los frailes, débese a la fatalidad anexa a todas las cosas
humanas, a las nuevas ideas políticas o a los cálculos económicos, más bien que a sus
faltas y extravíos.»

III

MESONERO ROMANOS EN LA LITERATURA ESPAÑOLA

A buen seguro que si Mesonero Romanos no hubiera escrito otra cosa que su *Manual* y *El antiguo Madrid*, apenas tendría acogida en una historia general de la literatura española. Lo que da peculiar relieve y trascendencia al *Curioso Parlante* es su labor como articulista: sus famosas series del *Panorama* y de las *Escenas matritenses*. De colección de reportajes retrospectivos podría calificarse también su delicioso libro de recuerdos, las *Memorias de un setentón*.

En los linderos iniciales del romanticismo, Mesonero, muy poco comprensivo para la nueva moda literaria, se refugia en una prosa clásica y en el reducido campo de un buen observador poco propicio a la evasión o a la libre fantasía, y acuña un género que cuenta con antecedentes desde el Siglo de Oro, y que, por otra parte, saltando sobre treinta años de literatura, abrirá la puerta a la gran novelística de finales de siglo. Ni fue completamente original, ni tuvo suficiente talla de escritor para engarzar por sí mismo sus pequeños cuadritos de género en el gran retablo de la novela de costumbres. Y, sin embargo, su obra es como un cruce de caminos; a un tiempo, culminación y punto de partida

La paternidad del género costumbrista

Volvamos una vez más sobre esta debatida cuestión. En las postrimerías del reinado de Fernando VII —no tan estéril en glorias literarias como tantas veces se ha repetido— inician simultáneamente una labor paralela Estévanez Calderón, Larra y Mesonero Romanos. De ello dejaría constancia el propio Mesonero:

> «En descargo de mi conciencia, y en prueba de mi sinceridad, debo confesar aquí que no fui solo en lanzarme por este camino, absolutamente nuevo entre nosotros; a mi lado tuve un insigne compañero, un modelo de ingenio y de buen decir, el erudito don *Serafín Estévanez Calderón*, que bajo el seudónimo de *El Solitario*, empezó a trazar por entonces, en las mismas *Cartas Españolas*, sus

preciosísimos cuadros ·de costumbres andaluzas, con una gracia y
desenfado tales que pudieran adoptar y firmar como suyos un Cervantes o un Quevedo...

Algunos meses después (a fines de 1832), y cuando ya llevaba
yo publicada casi toda la primera serie de las *Escenas* —que se reim-
primió por entonces con el título común de *Panorama matritense*—,
apareció en el palenque de la prosa humorística otro nuevo campeón,
don *Mariano José de Larra*, que bajo el seudónimo de *El Pobrecito
Hablador*, empezó a dar a la estampa varios folletos sin período fijo,
insertando artículos, o más bien sátiras, en verso y prosa..., haciéndolas extensivas de vez en cuando a la pintura de costumbres —«aunque no tengo para ello el buen talento de mi antecesor, el "Curioso
Parlante"», según modestamente estampaba en uno de sus primeros artículos y repitió después en otros, indicando claramente el
propósito de seguir mi camino...—»

Cánovas, biógrafo de su tío Estévanez, procuró dejar bien sentada la primacía del *Solitario* sobre el *Curioso* (99). Pero lo cierto es que antes de que
Estévanez iniciara su labor, se habían publicado ya varios artículos breves
—doce, uno por mes del año—, que constituían como el boceto de algunas
de las *Escenas* de Mesonero: la breve serie, titulada *Mis ratos perdidos*, apareció en 1820-21. Foulché Delbosc, que poseyó este curioso folleto anónimo,
lanzó una estridente y precipitada denuncia: Mesonero había tratado de adju-
dicarse una falsa primacía en el género costumbrista, a sabiendas de que le
había precedido otro escritor; tan a sabiendas, que sin ningún empacho por
su parte, utilizó, hasta el mismo plagio, en sus propios artículos, los del anónimo de 1820. Desbocado por este camino y envanecido con su descubrimiento,
Foulché-Delbosc fue más lejos aún: llegó a sostener que las *Escenas* de 1820
eran obra de un escritor de más quilates literarios que Mesonero, más sobrio
y directo, menos farragoso que el *Curioso Parlante*. Para probar este aserto
reprodujo el breve folleto de 1821 como apéndice a su artículo (100).

Las apasionadas afirmaciones del hispanista francés eran una verdad a
medias. En el folleto de 1821 estaban, como en imperfecto embrión, algunas
escenas de Mesonero..., porque el propio Mesonero era el autor de *Mis ratos
perdidos*. En sus memorias, y de forma muy explícita, había hecho el *Curioso
Parlante* amplia referencia a aquella obra temprana —escrita cuando andaba
por los diecisiete años—. Con una ligereza imperdonable, Foulché no se había
tomado siquiera el trabajo de consultar este pasaje:

«... La buena, aunque confidencial acogida que tuvo mi primera
jugarreta escribomana me animó a repetirla, y prescindiendo ya de
la personalidad, borrajeé una serie de doce *artículos de costumbres*
(uno para cada mes del año 1821), en que preludiando ya mi natural
instinto de observación satírica, me propuse trazar cuadros festivos
de la sociedad que apenas conocía, y corrí presuroso a comunicár-
selo a mis amigos y camaradas; pero ¡oh, dolor!, en este trasiego,
una noche hubo de caérseme del bolsillo el abultado manuscrito;

---

(99) A. Cánovas del Castillo: *El Solitario en su tiempo*. Madrid, 1883.
(100) *Le modèle inavoué du «Panorama matritense»*. Revue Hispanique, XLVIII,
257-310.

quiero decir que lo perdí. No es fácil describir el desconsuelo y la desesperación del novel autorcete en este amargo caso... En tal caso, acudiendo con toda la intensidad de mi dolor al arsenal de mi memoria, me encerré en mi despacho, y merced a una noche de insomnio y de trabajo, logré reproducir fielmente el tal folleto desde la cruz a la fecha, bajo el título de... Pero tate: no quiero decir cuál es el tal título, no sea que algún ejemplar de aquel engendro haya logrado escapar de los dientes del ratón o del cesto del trapero y venga muy serio a sacarme los colores de la cara. Pero lo más chistoso del caso es que, publicado que fue dicho folleto (por supuesto bajo el modesto anónimo), acertó a abrirse paso entre la turba de papeluchos, quier políticos, quier literarios, que diariamente vomitaban las prensas, hubo de llamar la atención del público (que consumió la edición en pocos días) y de los periódicos, que ponían en las nubes el tal borrón. Esto prueba lo medradas que andaban las letras por aquellas calendas.»

¿Qué hubiera dicho Mesonero de poder conocer la opinión de Foulché-Delbosc sobre su *engendro* de adolescente? A fe que las afirmaciones del ilustre hispanista no son un tanto a favor de su sensibilidad crítica; porque cualquiera que lea ahora *Mis ratos perdidos* —encabezan nuestra edición—, percibirá fácilmente su inconsistencia literaria frente a la elaboración, más madura y perfecta, de las *Escenas*; diferencia lógica entre un ensayo casi infantil y un trabajo de plenitud.

Lo más curioso es que Foulché-Delbosc se percató de su mayúsculo «planchazo» antes de que el malhadado artículo de la *Revue Hispanique* viera la luz. Pero en lugar de retirarlo de la imprenta —como hubiera sido lo lógico—, se limitó a añadir una especie de epílogo o apéndice reconociendo noblemente su error y desdiciéndose de sus ataques contra el pobre Mesonero... Gracias a ello, disponemos ahora del texto de *Mis ratos perdidos* —pues el folleto original es rarísimo—. Y gracias a ello también, quedó probada de forma categórica la primacía de Mesonero en la utilización del género: exactamente lo contrario de lo que Foulché pretendía.

* * *

Primacía muy relativa, por otra parte, ya que escenas de costumbres se habían escrito en España en todo tiempo, desde el esplendoroso cénit del Siglo de Oro. El propio Mesonero lo reconoció honradamente, aludiendo a Quevedo, a Diego de Torres, a don Ramón de la Cruz, y también a sus modelos no españoles —Wanton, Jouy, Mercier—. Ahora sabemos muy bien cuán abundantes arroyos fueron a henchir el caudaloso río de las *Escenas*. Cotarelo, en un alarde de erudición, aportó una copiosa lista de precedentes (101), lo que no significa, por supuesto, que todos los autores mencionados en ella sirviesen

---

(101) Esta lista incluye: los novelistas de costumbres del siglo XVII —Salas Barbadillo, Castillo Solórzano, Cortés de Tolosa, Francisco de Lugo y Avila, Liñán y Verdugo—; Quevedo (*La hora de todos y la fortuna con seso*); Zabaleta (*El día de fiesta*); Francisco Santos...; los escritores del siglo XVIII Torres y Villarroel, José Clavijo y Fajardo —que para su *Pensador matritense* declara, a su vez, haberse inspirado en

de modelo al *Curioso Parlante* (102). Georges Le Gentil, otro hispanista no excesivamente cordial con nuestro escritor (103), hizo por su parte un minucioso recuento de las deudas contraídas por éste con los costumbristas franceses; especialmente con el *Tableau de París*, de Mercier (104), y sobre todo, con Jouy (105). A esta indudable influencia, también estudiada por Berko-

---

Addison—; la autora anónima de *La pensadora gaditana;* Gregorio Vaca de Guzmán, en dos tomos añadidos a su traducción de los *Viajes de Enrique Wanton;* Cadalso; Ramón de la Cruz... Los folletos, abundantísimos, dedicados a crítica social —entre los que destaca *La óptica del cortejo,* de Manuel Ramírez y Góngora—; folletos formando serie, con o sin periodicidad (*El Juzgado casero, El filósofo y la moda, El novelero de estrados y tertulias, El Duende de Madrid, El Bufón de Vallecas, Conversaciones de Perico y Marica, El Apologista universal, El Corresponsal del Censor, El postillón del Correo de Madrid, El Lazarillo corresponsal de los Diarios,* las *Cartas de don Severo Patricio,* las de *Don Urbano Severo,* «y otros en que, a pretexto de corregirlas, se fotografiaban una y otras mil veces las más singulares formas de conducirse en sociedad los habitantes de esta coronada villa». (Cotarelo, *ob. cit.,* p. 188).

(102)   Correa Calderón puntualiza de esta manera: Había leído [Mesonero], es evidente, a Liñán, a Francisco Santos y acaso a Ramiro de Navarra. Su artículo *El recién venido* pudiera parecer una síntesis de la *Guía y avisos,* del *Día y noche en Madrid* y de *Los peligros de Madrid.* A Zabaleta le cita nominalmente, nada menos que en compañía de Quevedo y Castillo Solórzano, lo que indica a las claras su alta estima, en su artículo *La vida en Madrid,* del libro *Tipos y caracteres.* Que conoció a Cadalso, en sus dos obras de carácter satírico, lo demuestra el hecho de recordarle entre los clásicos que con más acierto han reflejado las costumbres... Incluso había leído a un interesante escritor del siglo XVIII, injustamente olvidado, el autor de *El Corresponsal del Censor,* don Santos Manuel Rubín de Celis y Noriega, como lo prueba la referencia que hace en *El retrato...* Que conocía a otro curioso costumbrista del mismo siglo, el zaragozano Romea y Tapia, autor de *El escritor sin título* (Madrid, 1763), que aparece como «traducido del español al castellano» nos lo muestra también el subtítulo *Mis ratos perdidos,* que la presentan como «obra escrita en español y traducida al castellano por su autor» (Introducción al tomo I de *Costumbristas españoles.* Aguilar. Madrid, 1950. Pág. XXXI).

(103)   Gentil se muestra resentido con Mesonero por su crítica de determinados aspectos de la sociedad francesa, considerándola tan desenfocada como la que el Curioso denuncia en los visitantes extranjeros de la península: «Juzgó a París como lo habría hecho al retorno de España el menos escrupuloso de los viajeros franceses» (*Ob. cit.,* 485). Cualquiera que haya manejado estos relatos de visitantes extranjeros en España y lea las páginas de Mesonero sobre París, habrá de reconocer que la apreciación de Le Gentil es muy poco justa y ecuánime.

(104)   Esta deuda la reconoce el propio Mesonero: «En este punto, digo con Mercier: Pasajero en el navío, no pretendo gobernar al piloto». Le Gentil opina que el *Tableau de París* ha proporcionado a Mesonero «le cadre et les compartiments des *Escenes matritenses* et du *Panorama matritense*», y añade que, en ocasiones, la imitación es directa (Le Gentil, *Ob. cit.,* págs. 237 y 238).

(105)   El hecho había sido ya subrayado por Larra —otro seguidor muy cercano de *L'Hermite de la Chaussée d'Antin*—. Le Gentil subraya la coincidencia de asuntos y títulos, montando el siguiente paralelo:
L'histoire du shall = *El retrato; Lectures et succès des salons* = *La comedia casera; Le café Touchard ou les comédiens de provinces* = *Los cómicos en cuaresma; Les six étages d'une maison de la rue Saint Honoré* = *Las casas por dentro; Deux journées à quarante ans de distance* = *1802-1832; Les sépultures* = *El camposanto; Les étrennes* = *El aguinaldo; Les trois visites* = *Las tres tertulias; Affiches et avis divers* = *Policía urbana; Une maison de la rue des Arcis* = *La casa de Cervantes; Une visite a l'höpital* = *Una visita a San Bernardino; Le bureau de deuil* = *El duelo se despide en la iglesia; La journée d'un fiacre* = *El coche simón.*
Y enumerando los asuntos favoritos de la superficial filosofía y la crítica sin aristas de Jouy, observa: «C'est dans cet ouvrage monotone et vieillot qu'en découvrira les thèmes préférées du «Curioso Parlante», l'origine de ses développements sur le *lechuguinismo* (dandysme), sur l'*extranjerismo* (snobisme), sur le *casticismo* (traditionalisme), de sa propagande en faveur des gloires nationales, en fin le programme de réformes qu'il a soutenu et fait triompher á l'*ayuntamiento* de Madrid» (*Ob. cit.,* p. 240). La exageración del párrafo que acabamos de copiar es notoria: de atenernos a Le Gentil, las inquietudes madridistas de Mesonero no serían sino simples reflejos de artículos de Jouy (!...!).

witz (106), añade Correa Calderón la de «un raro costumbrista francés», Henri Monnier, cuyas *Scenes populaires* se habían publicado en París en 1830 (107).

Peculiaridad y limitaciones

Pero aun reconociendo todas estas herencias en el patrimonio literario de Mesonero (108), ¿cabe negar una personalidad acusada al *Curioso Parlante*, dentro del marco de la literatura española? En todo caso, sería preciso revisar nuestros conceptos acerca de la originalidad de creación y convenir en que la verdadera originalidad, o bien apenas existe en el mundo del arte y de las letras —buena demostración de ello nos la da el siglo de Luis XIV, desde Corneille a Molière, y váyanse unos préstamos por otros—; o bien ha de entenderse por ella la virtud capaz de infundir vida propia a una *simple versión*, fijándola naturalmente en un cuadro de circunstancias completamente distintas de aquellas en las que se apoya el presunto modelo. ¿Quién podrá confundir a Larra con Jouy, o estimar al segundo más que al primero? Y, sin embargo, nuestro *Fígaro* no tuvo inconveniente en subrayar cuánto debía a aquel mediocre y olvidado plumífero (Jouy podía dar el molde, pero la materia, el espíritu y hasta la intención, los había puesto *El Pobrecito Hablador*). Y si esto es innegable en el caso de Larra, algo parecido podría decirse, respecto a su originalidad esencial, de Estévanez Calderón y de nuestro Mesonero Romanos. Como ha sabido ver Correa:

> «Por fortuna, Estébanez, Larra o Mesonero logran aprehender el genio español, tanto en el lenguaje como en la figura o en la masa; la idiosincrasia de nuestro pueblo; y esto, lo entrañable y vernáculo, no era posible tomarlo a préstamo de otro país. Más deben, en cuanto al espíritu, que es lo que importa en definitiva, aunque no lo confiesen o lo declaren tímidamente, a sus antecesores españoles» (109).

Es decir, que deudores en cuanto a la *técnica* de los franceses, eran herederos, en cuanto al *espíritu*, de una rica tradición española. Esto les da su peculiaridad en un notable capítulo de nuestra literatura del siglo XIX. Peculiaridad que reside, precisamente, en su carácter de reacción castiza —pro-

---

(106) Berkowitz, *Mesonero's Indebtedness to Jouy* («Publications of the Modern Language Association of America». Baltimore, 1931, XLV, págs. 553 y ss.).

(107) «Bastará comparar algunos títulos de uno y otro, como *L'enterrament* y *El duelo se despide en la iglesia; Le déménagement* y *El alquiler de un cuarto; Une nuit dans un bouge* y *Una noche de vela,* o *Le peintre et les bourgeois* y *La exposición de pinturas,* para darse cuenta de que el madrileño imitaba sin escrúpulos al escritor francés» (Correa, *ob. cit.*).

(108) Nótese que Mesonero, al afirmar que el camino por él escogido era «absolutamente nuevo *entre nosotros*», señala implícitamente que fuera de España no lo era; y ya hemos dicho que no se recató en mencionar sus modelos franceses (aun en esto, con notoria razón, Lomba Pedraja cree que se pasó de escrupuloso, puesto que su verdadera inspiración se la dio la contemplación de un concreto medio social —el español— en rapidísimo trance de transformación. Vid. José R. Lomba y Pedraja: *Cuatro estudios en torno a Larra.* Madrid, 1936. Pág. 63).

(109) Correa, *ob. cit.*. p. XXX.

fundamente realista y tradicional, por ende—, frente a los desmelenamientos y exageraciones del romanticismo (110).

Pero el costumbrismo tiene una seria contrapartida en sus propias limita- ciones. Apresurémonos a advertir que no es éste el caso de Larra, cuyos artículos ofrecen siempre mucho más que simples cuadros de género : modu- lan, en una serie de *tiempos breves*, una espléndida sinfonía que preludia la plenitud crítica del 98. En cambio, el hecho es evidente en Mesonero Roma- nos, en el que Correa Calderón diagnostica, agudamente, una insuperable «li- mitación imaginativa». En efecto, no es difícil percibir la *frustración* —la posibilidad truncada— en las *Escenas* de *El Curioso Parlante*:

> «Si en algún momento se hubiera preguntado Mesonero sobre lo que hubiera querido escribir, y fuese sincero, quizá nos confesase que su mayor ansia sería lograr una novela al estilo de las novelas cortesanas del siglo XVII o una comedia de costumbres a lo Moratín, o acaso que sus escenas populares cobrasen vida al modo de los alegres sainetes de don Ramón de la Cruz... Que le tentaba la novela nos lo demuestra el hecho de haber tenido, a los doce años, la desmesurada ambición de escribir una especie de novela picaresca sobre la corte de Fernando VII...» (111).

Para este mismo crítico, lo que frena a Mesonero Romanos es «su propio temperamento, minucioso, metódico, correcto, pero sin aliento»; y la prueba está en alguna que otra excepción —como *De tejas arriba*, o como *El recién venido y España en Madrid*—, que permiten atisbar posibilidades apenas plan- teadas (112).

Mesonero y la novela realista: Galdós, discípulo y maestro

Lo curioso es que tal frustración —compensada, en todo caso, con la chispa que anima a la síntesis, dotada a veces de una finura picante, digna del pincel de Fortuny—, se convertirá en punto de partida para todo un ciclo de la novelística española. Si Fernán Caballero —iniciadora de la novela de costum- bres (113)— ha tenido muy en cuenta los bosquejos de Estévanez Calderón para componer sus cuadros narrativos, tampoco le ha sido ajena la influencia de Mesonero. Pero en éste hay que ver, sobre todo, al maestro —en su más exacta acepción, la de orientador decisivo— de los tres grandes : Alarcón,

---

(110) Caso muy similar se había producido dos siglos antes. «En el XVII, cuando los conceptistas y culteranos construían sus grandes retablos y baldaquinos recargados de floripondios barrocos Liñán, Ramiro de Navarra, Zabaleta y Francisco Santos —tal vez por incapacidad imaginativa, acaso por convicción— se complacen en continuar la trayectoria realista de la novela picaresca y cortesana, observando a su vez la vida menuda que en torno a ellos se desenvolvía...» (Correa, XXXV).

(111) *Ob. cit.*, pág. XXXV.

(112) «Es muy posible que debamos estas divertidas, graciosas estampas de la vida madrileña a la propia incapacidad creadora de Mesonero, al menos en su primera época, ya que desde luego es muy posible que hubiese decidido su vocación descriptiva a la vista del éxito obtenido con sus artículos iniciales»

(113) Véase José María Castro y Calvo, introducción a las *Obras Completas* de Fernán Caballero, publicadas en BAE. Madrid, Atlas, 1961.

Pereda, Galdós. Los tres lo reconocen explícitamente (114), y ésta será la suprema gloria de Mesonero (115).

En el caso de Galdós —cuya amistad con Mesonero hemos historiado—, la cosa no paró aquí; sino que, además, el *Curioso Parlante* llegó a convertirse, para él, en una cantera viva de noticias e informaciones que hicieron posible el vasto fresco de los *Episodios Nacionales*; hasta tal punto, que hoy podemos afirmar rotundamente que una buena parte de aquéllos no se hubiera escrito, o a lo menos, tendría un contenido muy distinto, sin esta estrecha colaboración entre los dos escritores. La correspondencia de Galdós con Mesonero está llena de pasajes tan significativos como éstos:

> ...Hallándome ya en lucha, a brazo partido, con las *Memorias de un cortesano de 1815*, creo que me será imposible salir adelante si no utilizo sus bondadosos ofrecimientos. Sin más auxilio que los apuntes que de los libros he tomado, me encuentro rodeado de oscuridades, y lo que es peor, expuesto a faltar a la verdad de un modo lamentable. Me tomaré, pues, la libertad de importunar a usted con algunas preguntas... De mañana a pasado, con la venia de usted, iré a molestarle, deseoso de adquirir noticias sobre una época tan interesante...» (116).

> «... Concluidas las *Memorias de un cortesano* y necesitando nueva adquisición de *primeras materias* para el tomo siguiente, me tomaré la libertad de molestar a usted otra vez. Desearía mucho copiar los versos alegóricos y encomiásticos que se publicaron con motivo de la entrada en Madrid de Isabel de Braganza, segunda esposa de nuestro *Narizotas*. Aunque repitió usted alguna de estas composiciones delante de mí, no recuerdo ni un solo verso de ellas...» (117).

> «... Me hallo tan desorientado, tan lleno de confusiones al tratar de hacer el *Grande Oriente*, que no sé cómo voy a salir de este trance masónico... Pero no quiero marearle a usted antes de tiempo y

(114)   En 6 de noviembre de 1874 escribe Alarcón a Mesonero una expresiva carta que concluye con este párrafo: «Muchísimas gracias, mi querido maestro; muchísimas gracias; y Dios le dé a Vd. vida y salud para escribir y enviarme innumerables obras más, que me sirvan de deleite y modelo como éstas, al par que sean también gala y ornato de la patria literaria». En 5 de octubre de 1878, Pereda le anuncia la dedicatoria de *Don Gonzalo González de la Gonzalera*, llamándole «mi amigo y maestro». Y en la misma dedicatoria anunciada, se refiere a sus cuadros de costumbres diciendo que «eran, y son todavía, mi encanto por lo deliciosos, y mi desesperación por lo inimitables». (Vid. E. Varela Hevias, *Cuatro cartas*, en «Clavileño», julio-agosto de 1956, número 40). Galdós le llamaba «mi respetable maestro», y en su carta del 18 de mayo de 1875, ya citada, proclama su «inmensa importancia literaria», como verdadero creador de la literatura de costumbres y cimentador de la novela española contemporánea, a la cual ha dado los tipos, las costumbres y las localidades» (E. Varela Hevias: *Cartas de Pérez Galdós a Mesonero Romanos*. Ayuntamiento de Madrid. Publicaciones de la Sección de Cultura e Información. Madrid, 1943. Págs. 13-14).

(115)   Véase lo referido por el propio Galdós: «Añadió que me tenía por de su escuela, lo mismo que Pereda...» (nota 69 de este estudio).

(116)   Carta de 27 de octubre de 1875 (*Cartas de Pérez Galdós...*, pág. 17). Esta carta lleva el siguiente curiosísimo anexo —verdadero índice de las aportaciones de Mesonero—: «Fisonomía física del duque de Alagón.—Chamorro.—Ostolaza.—Lozano de Torres.—Ugarte.—El duque de San Carlos.—D. Pedro Ceballos.—D. Martín Garay.— Vida doméstica de D. Antonio Pascual y de D. Francisco y D. Carlos, infantes.—Dichos y agudezas de Fernando VII.—Anécdotas galantes.—Trato, modales, conversación del Rey.—¿Chamorro era criado de librea?—Noticias privadas y crónica escandalosa de la Camarilla.»

(117)   Carta de 23 de noviembre de 1876 (en Varela y Hevias, pág. 17).

me reservo las preguntas e impertinencias para el día de la lección,
que será en lo que queda de semana o en los primeros de la próxima...» (118).

«...Estoy en *El 7 de Julio*, más desorientado, más ignorante, más
confuso que nunca. No pasaré, pues, del jueves o viernes sin permi-
tirme ir a su casa para que su amena conversación de usted me sugie-
ra alguna idea feliz. ¿Cómo era Morillo? ¿Y San Martín? ¿Y don
Víctor Sáez, que si bien no figuró hasta el 23, me conviene pre-
sentarlo desde ahora...?» (119).

Estos simples fragmentos escogidos ponen de relieve, de una parte, la
escasa razón con que Baroja atribuía a Pérez Galdós, en la elaboración de
sus *Episodios*, una simple información libresca; de otra, la inmensa importancia del asesoramiento de Mesonero.

* * *

Lo curioso en esta colaboración estrecha entre don Ramón y don Benito es
que supuso una influencia recíproca. Mesonero, «maestro» y crítico de Galdós (120), acabó por ensayar —a su modo— el camino de los *Episodios*, y
ninguna crítica anheló o estimó más que la de «su discípulo» (121). Y en
efecto, parece indudable que fue la lectura de la obra galdosiana la que
decidió al *Curioso* a escribir las *Memorias de un setentón*. Agudamente lo ha
señalado Gaspar Gómez de la Serna:

«Mesonero Romanos, al llegar a los setenta años, subyugado por
el método galdosiano, y sin duda por su fortuna, dejó de hacer costumbrismo clásico —en el que el clásico era él— ceñido a la actua-
lidad del momento en que escribe, para penetrar, tras las huellas

(118)   Carta de 7 de junio de 1876. Añade el siguiente anexo: «Desearía tener
todas las noticias posibles acerca de la persona y carácter y fisonomia de los personajes siguientes: Romero Alpuente.—Félix Mejía.—Moreno Guerra.—D. José Manuel Re-
gato.—El ministro Feliú—Copons y Navia.—San Martín.—Capaz.—Palarea.—San Miguel.—Varias obras escritas por masones aseguran que era *Gran Maestre* del orden
masónico en 1821 y 22 D. José Campos, director general de Correos. De este hombre
oscuro nada dice la Historia.—¿Dónde estaba la logia masónica? *El Antiguo Madrid*,
que indica la residencia de la Asamblea de los Comuneros, creo que no dice nada de
las logias masónicas.—Las noticias de trajes para ambos sexos contenidas en el artículo *Fisonomía de nuestra sociedad en 1825*, ¿pueden aplicarse a 1821?—Canciones
Trágala y el *Lairón*.—¿Dónde estaba *La Cruz de Malta*?—¿Cómo era el uniforme de
milicianos en 1821 y 22? —El duque del Parque: ¿qué personaje era éste? ¿Cómo
era?» (Varela y Hevias, *ob. cit.*, p. 22).
(119)   Carta de 25 de octubre de 1876 (Varela y Hevias, *ob. cit.*, p. 23).
(120)   En este sentido es sumamente ilustrativa la serie de cartas de Mesonero
a Galdós publicada recientemente en el volumen *Cartas a Galdós* que, ordenado por
Soledad Ortega, editó la Revista de Occidente (1964). Como ejemplo, cabe citar la del
19 de enero de 1879, en que Mesonero da su dictamen sobre *La familia de León Roch*,
declarando que «le ha gustado, seducido y admirado», pero añadiendo francamente su
escasa simpatía hacia el «género trascendental». «Sobre todo, en cuanto al delicado
punto de la religión y del culto quisiera no verle a Vd. tan encariñado con este objetivo; más me encanta cuando, prescindiendo de él y ateniéndose sólo a la naturaleza,
como en *Marianela*, nos regala con un idilio de amor, de sencillez y de ternura».
(121)   La correspondencia que acabamos de citar pone de relieve hasta qué punto
estaba pendiente Mesonero de la opinión de Galdós acerca de sus artículos de *La Ilustración Española y Americana* (que coleccionados luego integrarían las *Memorias de
un setentón*).

de Galdós, en el campo de la historia próxima que es propio del *episodio*, y en el que él mismo está ayudando a caminar a don Benito... Las *Memorias de un setentón*... contienen la historia de la primera mitad del siglo XIX; historia vivida por el autor y relatada, si bien conservando la técnica sociológica que señoreaba la factura de sus *escenas* de costumbres, haciendo en primer término *historia* a la manera galdosiana y, en segundo lugar, pasando por esa urdimbre histórica el hilo novelesco-real de la autobiografía del escritor para dar continuidad y enlace a los distintos episodios» (122).

De tal manera había entrado» Mesonero en el campo de Galdós que en algún momento esta «invasión» dio lugar a curiosas interferencias. Durante la redacción de *Los Apostólicos*, Galdós pidió a Mesonero datos acerca de la evolución del mundo literario en el Madrid fernandino. Mesonero no quiso dárselos, recabando para sus *Memorias* este concreto tema, y ofreciendo, en cambio, inhibirse en lo referente al anecdotario estrictamente político (123).

Sin llegar a ser exactamente un *episodio nacional* —aunque desde luego los primeros capítulos, hasta el fin del *trienio*, tienen mucho de ello—, las *Memorias de un setentón* parecen concebidas como una espléndida introducción a la gran obra galdosiana. Y bien sabido es que las «introducciones», aunque abren un libro, se conciben «desde su final» como una panorámica general de su contenido. Ciérrase así muy cumplidamente el legado de Mesonero a nuestras letras. En el *Antiguo Madrid* había cursado Galdós la asignatura del madrileñismo. Las *Escenas* sirvieron de fermento para la novela de costumbres y la novela realista, desde Trueba y Pereda a Alarcón y Galdós. Las *Memorias de un setentón* venían, en fin, a completar maravillosamente el ciclo de los *Episodios Nacionales*, capital en la obra galdosiana.

Bien puede, pues, decirse que, en cierto modo, la obra de Mesonero, a través de sus distintos estadios, resume, en línea muy clara, la trayectoria literaria de nuestro siglo XIX, desde el Romanticismo hasta el 98.

---

(122) Gaspar Gómez de la Serna: *El Episodio Nacional como género literario*. «Clavileño», marzo-abril 1952, núm. 14, pág. 26.

(123) En 17 de mayo de 1879 escribe Mesonero a Galdós: «Según indiqué a usted en nuestra conversación última días pasados, verá por el artículo de *La Ilustración* que a la sazón estaba ya en prensa, que el giro de mis *Memorias* me va llevando a la narración del progreso o renacimiento de nuestra literatura, y la semblanza de sus autores a cuyo lado me tocó trabajar en aquel sentido. Por esta razón rogué a usted que me dispensase si en las noticias o explicaciones sobre este punto no era tan explícito como en la historia política; y esto mismo le reitero, y pues que Vd. en sus preciosos episodios se ha encerrado en este círculo, y no tiene necesidad de extenderlo al campo literario (de que por otro lado sería acaso imposible que pudiese tener noticias ciertas), creo que en interés mutuo conviene a Vd. no hacer este escarceo que de ningún modo acrecienta el interés de sus novelas, y renunciar a él así como yo lo pienso hacer en mis *Memorias* desde la muerte del Rey...».

NUESTRA EDICION

Sin que pretendamos haber recogido la obra íntegra de Ramón de Mesonero Romanos —cosa no fácil, ciertamente—, creemos que nuestra edición representa la colección más completa —hasta ahora— de su producción literaria, que hemos procurado ordenar sistemáticamente de la siguiente forma:

1. Cuadros de Costumbres (vols. I-II).

2. Estudios sobre Madrid (vol. III).

3. Memorias (vol. IV).

4. Obras varias (vol. V).

Incluimos —por primera vez— al frente de los *Cuadros de Costumbres* el curiosísimo folleto *Mis ratos perdidos*, verdadero punto de partida de este género literario. También hemos de advertir que nos hemos basado, para las *Escenas Matritenses*, en la edición de 1851, considerada por Cotarelo como la mejor de las preparadas por Mesonero; aunque modificado, con arreglo a su auténtica cronología, el orden de lo sartículos.

Los *Estudios sobre Madrid* incluyen, además de *El Antiguo Madrid*, dos ediciones del *Manual*: la primera y la última. Es tal la diferencia que separa a una de otra, que nos pareció interesante —como auténtico índice de las transformaciones de la capital a lo largo de un cuarto de siglo— contrastar, dándolas simultáneamente estas dos instantáneas de la villa y corte.

En el apartado «Memorias» incluimos no sólo las *Memorias de un setentón*, sino los relatos de viajes, que tienen indudablemente este mismo carácter.

OBRAS Y PRINCIPALES EDICIONES DE RAMON DE MESONERO ROMANOS

(Para un recuento de los artículos de Mesonero y las revistas y fechas en que fueron apareciendo, remitimos al lector al exhaustivo catálogo elaborado por don Emilio Cotarelo y publicado en el *Boletín de la Real Academia Española* (1925); catálogo reproducido, más recientemente, por Federico Carlos Sainz de Robles en su edición de las *Escenas Matritenses* de la Casa Aguilar. Por nuestra parte nos limitamos a enumerar aquí las principales ediciones de sus libros.)

Mis ratos perdidos o ligero bosquejo de Madrid de 1820 y 1821. Obra escrita en francés y traducida al castellano por su autor.—Madrid, imprenta de don Eusebio Alvarez, 1822. (Reproducido por Foulché Delbosc en su artículo *Le modèle inavoué du «Panorama matritense»*, Revue Hispanique, XLVIII.)

Marido joven y mujer vieja.—Comedia en tres actos y en prosa, acomodada al teatro español por don R. de M. Madrid, 1829.

Manual de Madrid. Descripción de la villa y corte... por don Ramón de Mesonero Romanos. Va adornado con cinco estampas finas y un plano topográfico de Madrid. Con licencia del Consejo. Madrid, 1831. Imprenta de D. M. de Burgos. (Hay una segunda edición, corregida y aumentada: *Manual de Madrid. Descripción de la corte y villa.* Madrid. Imprenta de D. M. de Burgos, 1833; y una tercera: *Manual históricotopográfico, administrativo y artístico de Madrid.* Madrid. Imprenta de don Antonio Yenes, calle de Segovia, número 6, 1844. Entre la segunda y la tercera se intercala el

Apéndice al Manual de Madrid. Descripción de la corte y de la villa.—Madrid. Tomás Jordán, 1835.

Manual histórico-topográfico estadístico. Descripción de Madrid.—Madrid, viuda de Yenes, 1854 (última y definitiva edición, puesta al día).

Panorama matritense.—Cuadros de costumbres de la capital, observados y descritos por *Un Curioso Parlante*. T. I., Madrid. Imprenta de Repullés, 1835; t. II, Madrid, 1835.

Recuerdos de viaje por Francia y Bélgica en 1840 y 1841.—Su autor, el *Curioso Parlante*. Madrid. Imprenta de don M. de Burgos, 1841.

Escenas Matritenses, por el *Curioso Parlante*. Cuatro vols. Madrid. Imprenta de Yenes, 1842.

Escenas matritenses por el *Curioso Parlante* (don Ramón de Mesonero Romanos). Cuarta edición, corregida y aumentada por el autor e ilustrada con grabados. Madrid. Imprenta y librería de don Ignacio Boix, 1845.

Proyecto de mejoras generales de Madrid, presentado al Excelentísimo Ayuntamiento Constitucional por el regidor del mismo don Ramón de Mesonero Romanos y mandado imprimir por acuerdo de Su Excelencia. Madrid. Espinosa y Compañía, 1864.

Ordenanzas de policía urbana y rural para la Villa de Madrid y su término, del año 1847. Madrid. Imprenta de Yenes, 1847.

Tirso de Molina. Cuentos, fábulas, descripciones, diálogos, máximas y apotegmas, epigramas y dichos agudos escogidos en sus obras, con un discurso crítico, por don R. M. R. Madrid. Mellado, Editor, 1848.

Escenas Matritenses, por el *Curioso Parlante* (don Ramón de Mesonero Romanos). Quinta edición única y completa, aumentada y corregida por el autor e ilustrada con 50 grabados. Prólogo de Hartzenbusch. Madrid. Imprenta y Librería de Gaspar y Roig, 1851.

Dramáticos contemporáneos de Lope de Vega.—Colección escogida y ordenada, con un discurso, apuntes biográficos y críticos de los autores, noticias bibliográficas y catálogos, por don Ramón de Mesonero Romanos. Madrid. Rivadeneyra, 1857 y 1858 (dos vols.).

Dramáticos posteriores a Lope de Vega.—Colección escogida... (como el anterior). 2 vols. Madrid. Rivadeneyra, 1858 y 1859 (tomos 44 y 45 de la B. A. E.).

Comedias escogidas de don Francisco de Rojas Zorrilla, ordenadas en colección por don Ramón de Mesonero Romanos. Madrid. Rivadeneyra, 1861 (tomo 54 de la B. A. E.).

El antiguo Madrid, paseos históricoanecdóticos por las calles y plazas de esta villa. Madrid. Mellado, 1861.

Obras jocosas y satíricas del «Curioso Parlante» (4 vols.). Madrid. Mellado, 1862.

Catálogo de los libros que forman la biblioteca de don Ramón de Mesonero Romanos. 1 de enero de 1875. Madrid. Imprenta de D. R. P. Infante, 1875.

Catálogo de los libros de la Biblioteca Municipal a su instalación, en 1 de mayo de 1876. Madrid. Imprenta y Litografía Municipal, 1877.

Escenas Matritenses. «Biblioteca Universal». Rivadeneyra (2 vols.). Madrid, 1879.

Memorias de un setentón, natural y vecino de Madrid. Madrid. Oficinas de la *Ilustración Española y Americana,* 1880.

Obras jocosas y satíricas del «Curioso Parlante». Nueva edición, corregida y aumentada, con notas (ocho volúmenes). Madrid. Oficinas de *La Ilustración Española y Americana,* 1881.

Algo en prosa y verso inédito. Publicado por sus hijos para conmemorar el primer aniversario de su fallecimiento. Madrid. Dubrull, 1883.

Trabajos no coleccionados. Publicados por sus hijos en el centenario del natalicio del autor (2 vols.). Madrid. Hernández, 1903 y 1905.

Obras de don Ramón de Mesonero Romanos (8 tomos). Biblioteca Renacimiento. Madrid, 1925-1926.

Escenas matritenses. Con un prólogo de Ramón Gómez de la Serna. «Biblioteca Austral». Buenos Aires, 1942.

Antología. Selección y prólogo de Octavio Madeiros. Editora Nacional. Madrid, 1944.

Escenas Matritenses y Tipos y Caracteres. Con una biografía, bibliografía y notas de Federico Carlos Sainz de Robles. M. Aguilar. Madrid, 1945. (Hay una segunda edición aumentada con ilustraciones procedentes de la de 1845. Madrid, 1956.)

Memorias de un setentón (2 vols.). Publicaciones Españolas. Madrid, 1961.

BIBLIOGRAFIA GENERAL

Acta de la sesión y discursos pronunciados en la celebrada por la Sociedad Económica Matritense en honor de don Ramón de Mesonero Romanos el quinto aniversario de su fallecimiento, 30 de abril de 1887. Madrid. Tello, 1888.

«Azorín»: *Larra y Mesonero.* En *Lecturas Españolas.* «Austral». Buenos Aires 8.ª ed. Madrid, 1957.

«Bachiller Corchuelo»: *Benito Pérez Galdós.* en «Por Esos Mundos», núm. 186, año XI, julio de 1910.

Berkowitz, H. Chonon: *The Memory Element in Mesonero's Memorias.* «Romanic Review», XXI, 1930.

— *Mesonero's Indebtedness to Jouy.* «Publications of the Modern Language Association of America». XVL. Baltimore, 1931.

— *The younthful writings of Pérez Galdós.* «Hispanic Review», 1933, 1.

— *Galdoss' literary apprenticesph.* «Hispanic Review», 1935, III.

— *Galdós and Mesonero Romanos.* «Romanic Review», 1933. XXIII.

Burgos, Carmen de («Colombine»): *«Fígaro».* Madrid, 1919.

«Clarín» (Leopoldo Alas): *Benito Pérez Galdós. Estudio crítico-biográfico.* Madrid, 1889.

Correa Calderón, E.: *Costumbristas españoles.* Aguilar. Madrid, 1950.

Cotarelo Mori, Emilio: *Elogio biográfico de don Ramón Mesonero Romanos.* «Boletín de la Real Academia Española». T. XII, págs. 155-191, 300-343 y 433-469.

Cotarelo Mori, Emilio: *Bosquejo biobibliográfico de don Ramón de Mesonero Romanos.* Separata del «Boletín de la Real Academia Española». Madrid, 1925.

Foulché Delbosc, R.: *Le modèle inavoué du «Panorama Matritense», de Mesonero Romanos.* «Revue Hispanique». XLVIII, 1920.

Galdós, Benito: *Galería de figuras de cera: el Curioso Parlante.* «La Nación», número 700. Madrid, 1868, 8 de marzo.

Gómez de la Serna, Gaspar: *El «Episodio Nacional» como género literario.* «Clavileño», núm. 14, marzo-abril 1952.

Gómez de la Serna, Ramón: *Prólogo a la Selección de Escenas Matritenses.* Colección Austral. Espasa-Calpe. Buenos Aires, 1942.

Larra, Mariano José de: *Obras* Edición y Estudio Preliminar de Carlos Seco Serrano. «Biblioteca de Autores Españoles», tomos 127-130. Madrid, 1960.

Le Gentil, Georges: *Le poète Manuel Bretón de los Herreros et la société espagnole de 1830 a 1860.* París, 1909.

— *Les revues littéraires de l'Espagne pendant le première moitié du XIX siècle.* París, 1909.

Lomba y Pedraja, J. R.: *Cuatro estudios en torno a Larra: costumbristas españoles de la primera mitad del siglo XIX. Madrid,* 1936.

López Arroyo, Sebastián: *Album en honor y recuerdo de don Ramón de Mesonero Romanos.* P. Montoya. Madrid, 1889.

MEDEIROS, Octavio de: *Prólogo y notas a la Antología de R. de Mesonero Romanos*. Editora Nacional. Madrid, 1944.

MORÉRE, F.: *Don Ramón de Mesonero Romanos. Escenas Matritenses. Scènes de la vie de Madrid. Avec une notice biographique et littéraire et des notes*. Garnier Frères. París, 1896.

NÚÑEZ DE ARENAS, M.: *Génesis de unas Memorias. Una carta inédita de Mesonero Romanos*. BHi, XLIX, 1947.

OLMEDILLA PUIG, Joaquín: *Bosquejo biográfico del popular escritor de costumbres don Ramón de Mesonero Romanos*. Hernández. Madrid, 1889.

ORTEGA, SOLEDAD: *Cartas a Galdós*. Revista de Occidente, Madrid, 1964.

PEERS, E. ALLISON: *Historia del movimiento romántico español*. 2 vols. «Biblioteca Románica Hispánica». Gredos. Madrid, 1954.

PITOLLET, Camilo: *Mesonero Romanos, costumbrista*. «La España Moderna». Octubre, 1903.

SAINZ DE ROBLES, Federico Carlos: *Ramón de Mesonero Romanos*. En *El epigrama español*. Aguilar. Madrid, 1941.

— *Ramón de Mesonero Romanos*. Estudio preliminar de la edición de *Escenas Matritenses* de Aguilar. Madrid, 1945.

SÁNCHEZ DE PALACIOS, Mariano: *Mesonero Romanos. Estudio y antología*. Compañía Bibliográfica Española, S. A. Madrid, 1963.

VARELA Y HEVIAS, E.: *Cuatro cartas*. «Clavileño», núm. 40, julio-agosto de 1956.

— *Cartas de Pérez Galdós a Mesonero Romanos*. Ayuntamiento de Madrid. Publicaciones de la Sección de Cultura e Información. Madrid, 1943.

MIS RATOS PERDIDOS
PRIMERA EPOCA
(1832 a 1836)

MIS RATOS PERDIDOS

«*Oyente, si tú me ayudas,
Con tu malicia y tu risa,
Verdades diré en camisa
Poco menos que desnudas.*»

QUEVEDO.

PREFACIO,

exordio, principio, o llámese como quiera, que esto al fin es cuestión de nombre

Habéis de saber ante todas cosas, lectores míos (si los hubiera, que esto todavía está por discutir), que el Supremo Hacedor, al imponerme la dura ley de vivir en este triste mundo, tuvo a bien prestarme un genio maligno y socarrón, más inclinado a poner en ridículo todos los objetos, chicos o grandes, que hieren mis sentidos que a hacer obras de misericordia. Con tan felices disposiciones crecí en años y en malicia, y héteme aquí un chisgaravís avinagrado, con más de pícaro que de santo, aunque a primera vista sepa disimularlo tan bien que muy pocos logren penetrar mis ideas. Ya veis que la franqueza al menos no me es desconocida cuando os declaro así mis flacos, y aunque no sea más que por esta cualidad debo tener partidarios. Pero vamos a nuestro asunto. Conociendo, pues, que mi carácter, llevado al extremo de acritud a que naturalmente se inclinaba, podría hacerme parecer cual otro Zoylo mordaz a los ojos de los que

me trataran, me vi precisado a endulzarle lo mejor que pude (porque también se endulzan los genios cuando nos conviene, y con quien nos conviene) y he aquí la causa por la cual, con el favor de Dios, me he proporcionado, ayudándome yo, un genio agridulce, así a manera de membrillo, que no me va muy mal; pero mi natural tendencia a la sátira no se ha extinguido, ni creo que sea fácil que así suceda en lo que me resta de vida; por otra parte ¡hay tanto que criticar! Y en Madrid, figúrese usted... ¡en un Madrid...! Pero no consiste la gracia, se me dirá, en criticarlo todo, sino en ver cómo se hace. Eso en verdad es muy cierto, mas a ello se puede responder que hay cosas que para ponerlas en ridículo basta parar la atención en ellas.

Mi idea, al escribir lo que se verá, no ha sido otra que manifestar el efecto que en mí producen algunas de nuestras costumbres, en lo cual no creo ser solo.

Porque ¿quién ha de mirar con indiferencia el que en nuestros días sea tenida la grosería por elegancia, la pedantería por ciencia, la coquetería por gracia, la poca urgencia por genio divertido, y en fin, todos los vicios disfrazados con el nombre de las virtudes? Yo al menos no lo he podido sufrir, y en un acceso de mi indignación he trazado estas imperfectas líneas, únicamente para desfogar mi acrimonia, ya que no esté en mi mano poner remedio a tantos males que otros han criticado con toda la maestría que a mí me falta, sin que por esto hayan sacado más partido que el que yo espero sacar; protestando desde

ahora que no me ha pasado por la imaginación el querer retratar a nadie en particular, y sí sólo satirizar los vicios en general;

> «Y pues no vitupero,
> señaladas personas,
> quien haga aplicaciones
> con su pan se lo coma.»

Por último: en cuanto a no manifestarme a las claras, respondo lo que aquella discreta confesada al curioso director de su conciencia: «Padre mío, mi nombre no es pecado.» Basta de prólogo, y manos a la obra.

CAPITULO PRIMERO

OCTUBRE DE 1820

Una tertulia.

Ya se acabó la estación ardorosa; ya tenemos delante el aterido invierno con todos sus rigores; pero en Madrid no hay que temer el fastidio que aquél trae consigo, pues para dulcificarle se van ya preparando las grandes reuniones en que se pasan sin sentir las largas noches de enero. Queriendo yo también disfrutar de los placeres de mis compañeros, porque no me tengo por menos que nadie, me dirigí a uno de ellos, de estos del *gran tono*, que desde lo elevado de su elegancia se digna descender hasta el extremo de darme algunas lecciones de esta sublime ciencia, rogándole me presentara en una buena sociedad donde pasar dulcemente el tiempo: no fue menester más para que se constituyese mi introductor en una de las que él frecuentaba. Señaló la noche de aquel día para verificarlo, y yo, impaciente, deseaba la hora que me había de guiar a tantas diversiones; acicalé lo mejor que pude mi triste figura, siempre guiado por los elegantes consejos de mi elegantísimo amigo, y llegado el momento de la partida, me puse en marcha acompañado de mi conductor.

Fue preciso, antes de subir a la casa, limpiarnos cuidadosamente, estirarnos el corbatín, atusarnos el pelo, y hacer en fin todas aquellas operaciones que mantienen la ilusión de que vamos rodeados, pero que hechas en público la destruyen. Llamamos a la puerta, y sin preceder más recado ni formalidad, en-

tramos por enmedio de un gran salón coronado de gente de uno y otro sexo. Después que con nuestras repetidas cortesías a derecha, izquierda y frente, hubimos llamado la atención de la concurrencia, me agarró mi buen amigo de la mano, y llevándome delante de una joven belleza, que desde luego conocí ser la diosa de aquel templo, me presentó a ella con las corrientes expresiones de alabanzas de mis cualidades, etc. La dama contestó a mi amigo con la mayor cortesanía, y yo correspondí como pude a tantas mercedes.

No bien nos hubimos sentado, cuando yo llamé la atención de mi compañero, a fin de que si era tiempo reparásemos la falta en que creía habíamos incurrido, por no haber cumplimentado al dueño de la casa: «¡Cómo se echa de ver —me respondió— que no estás orientado en las máximas del gran mundo! Pero, pues me toca enseñártelas, has de saber que en todo rigor de elegancia, toca a la dama el derecho de ofrecer su casa a aquellos que tenga a bien, y al marido seguir siempre el voto de su cara mitad.» «¡Feliz invención! —exclamé—; ¿y cuál de los que vemos es el desventurado galán que hace aquí un papel tan secundario?» «Vuelve, vuelve los ojos —me respondió mi amigo—, y mira al primero que tienes a tu derecha.» Hícelo así y... «¡Dios mío! —exclamé—; ¿es posible que ese espectro ambulante sea dueño absoluto de aquella beldad, habiendo logrado franquear la inmensa distancia que entre ellos debía existir por la edad y por la figura?» «Nada de eso te debe admirar —me contestó mi amigo—, si te haces cargo del poderoso influjo del busto de S. M., que es el que regularmente preside a estos casamientos, y que en la mayor parte de las mujeres pesa más que las gracias de la juventud y los encantos de la sabiduría; además de que esta clase de esposos no usan de un dominio tan absoluto como tú piensas respecto de sus súbditas, porque las caricias y los manejos de éstas saben *constitucionalizarlos* de tal modo, que vienen a ejercer una monarquía sumamente moderada, sin otra facultad casi que la sanción de los caprichos de sus legisladoras; y éstas, en uso de sus atribuciones, se suelen ver en la dura precisión de declararlos desde luego ineptos para ejercer su soberanía, y darles un asociado, que los ayude en sus penosas tareas.»

Aquí llegaba mi sabio director cuando fue llamado por una de las ninfas que componían aquel coro, y dejándome pendiente del final de su discurso, voló hacia el lado donde su presencia era tan necesaria. Quedéme, pues, solo, y considerando mi inacción en medio de aquel animado cuadro, maldije mil veces la cruel cortesía que parece creada para nuestro tormento. Por fortuna no duró largo rato esta escena para mí tan violenta, pues, ya dispuestas las mesas, se trató de *echar una manita*; hirió entonces mis oídos una dulce voz femenil que me llamó a secas por mi apellido, con la mayor franqueza: volvíme, pues, hacia el lado de donde salía tan suave acento, creyendo encontrar alguna persona conocida mía, y vi que la que me llamaba era nada menos que la señora de la casa; no dejó por el pronto de sorprenderme su marcialidad, pero luego consideré que podría ser *elegancia*, y bendije en lo interior de mi corazón un uso tan ahorrativo de palabras. Díjome que había dispuesto que *fuese de la partida*, y yo sin murmurar me conformé con sus superiores disposiciones; marché, pues, a mi asiento, donde ya esperaban mis maduros compañeros, y empezamos nuestra contienda, en tanto que los jóvenes, más entretenidos en sus dúos de tenor y tiple que nosotros en el juego, se habían ido colocando en corro

graciosamente interpolados, de modo que sin más que volverse a derecha o izquierda, podía cada uno ser amante de su dama, y cortés con la de su vecino. ¡Dichosa situación! No dejaba de darme a mí su poquito de envidia, verlos tan complacientes y complacidos, y ya casi iba olvidándome del juego, cuando mi mala suerte me hizo reparar en él, llegando a tal extremo su osadía, que no faltaba más que un golpe para dar con todas mis municiones en los almacenes de mis compañeros. Viéndome tan mal parado, traté de hacer una honrosa retirada, para lo cual fingí un gran dolor de cabeza, levantándome apresurado de aquel banco de paciencia.

Dirigíme, pues, al corro, y mi buena suerte me deparó un asiento que acababa de quedar vacante por salida a otro destino del que lo ocupaba; tomé apresurado posesión de este incomparable asilo, y al reparar a mi derecha, no pude menos de gloriarme con la idea de que el amor iba a indemnizarme de los reveses que había sufrido en mi fortuna: estaba, pues, cerca de mí cierta jovencita, airosa, elegante y linda sobremanera, cuya edad rayaría en los diecisiete; fuime acercando no sin temor a aquel escollo de mi formalidad, y empecé a examinar el campo, mirando escrupulosamente el conjunto de gracias que hacían la fuerza de mi adversario; no tardé en fijar sus miradas, y este primer paso fue para mí un triunfo que no esperaba tan pronto: más animado, pronuncié algunas tiernas expresiones que no fueron tampoco mal recibidas, y ya empezaba a creerme el más feliz de los hombres, cuando, presentándose en la escena otro menos reservado, comenzó desde un asiento inmediato a asestar sus tiros a la misma plaza que yo tenía sitiada, e hizo de modo que a poco rato nos hallábamos a una misma altura respecto de ella; desesperábame yo, mordía los labios, mirábala entre airado y amoroso, y ella, inalterable, volvía los ojos al otro espectáculo que en lugar de reconvenciones la ofrecía rendimientos y agasajos.

Cansado, en fin, de ver su imperturbabilidad, me levanté y fui a tomar asiento fuera del alcance de sus pérfidos tiros:

hallábase junto a mí un jovencito muy agraciado, el que viendo mi turbación y conociendo la causa, me habló en estos términos: «No debe usted pasar cuidado por tan inconstante criatura, pues ya que tiene el sentimiento de no ser el preferido, puede contar con la seguridad de no tener rival, porque su natural carácter es estar tan dispuesta a recibir bien a todos, como a no dar preferencia a ninguno.»

Con estas y otras reflexiones que me hizo el buen hombre quedé tranquilo y sosegado, y pude con bastante serenidad mirar el entretenido cuadro que formaba en grande el conjunto de la sociedad, igual en un todo al que mi diosa y yo habíamos representado, de lo cual inferí que el proceder de aquélla no había tenido nada de extraño, pues comparándole con el de las demás concurrentes, no hallaba desemejanza alguna; lo cual fue causa de que me afirmase en la idea de que la coquetería es parte intrínseca de la elegancia, como después me aseguró mi amigo en las conversaciones que sobre ello tuvimos; en cuya inteligencia, y queriendo reparar mi falta, me llegué a mi bella, a quien hallé más que medianamente enojada, suplicándola tuviese a bien retirarme su indignación, perdonándome el exceso cometido, y Dios sabe lo que me costó lograrlo. Llamando a mi amigo aparte, tratamos de desfilar por ser ya media noche, como en efecto lo hicimos con las mismas ceremonias que a la entrada, añadiéndose sólo el ofrecimiento de aquella casa, que yo debería tener el placer de frecuentar todas las veces que me lo permitieran mis ocupaciones.

«¿Cuándo haces ánimo a volver?» —me preguntó mi introductor, no bien nos vimos en la escalera—. «¿Yo volver a un sitio donde a un mismo tiempo se pierde la fortuna y la paciencia? ¿Y son éstas vuestras diversiones?» «Y si no lo son tuyas —me replicó mi amigo, algo indignado—, dígote que eres incorregible, y desde ahora me relevo del encargo de enseñarte a vivir en el gran mundo.»

Volví en mí al oír esto, y yo no sé si la indignación de mi amigo, el temor de quedarme sin maestro a los principios de mi aprendizaje, o el reconocimiento que hice de mi poca inteligencia para disputar con él, me obligaron a callar y a consentir en volver a la casa, como lo verá el curioso lector si algún día me diere gana de contárselo.

CAPITULO II

NOVIEMBRE

Sociedades patrióticas.

¡Cuánto no se ha escrito ya sobre este asunto! ¡Cuántos grandes ingenios han manifestado su opinión en pro y en contra! ¿Y querré yo, pobre y desnudo de las cualidades que a aquéllos sobran, meterme en un campo trillado ya por sus profundos conocimientos? Pero supuesto que todos tenemos derecho a pensar (salvo el parecer de los ilustrados miembros de la difunta) y que no sería la primera vez que muchos grandes hombres se han engañado en sus juicios de medio a medio, no me quiero quedar con nada en el cuerpo y, pese a quien quiera, he de decir algo sobre esta clase de reuniones, para lo cual contaré sencillamente lo que una noche de estas vi y oí en la sociedad de la Fontana de Oro; y es como sigue.

Las cinco de la tarde serían cuando, pasando por la puerta de dicho café, vi entrar más gente que lo regular; picóme algún tanto la curiosidad, y teniendo en la mano el medio de satisfacerla, me metí en el tropel; entré o me entraron, de modo que, sin hacer ningún esfuerzo por mi parte, me hallé en medio del salón en que se celebran las sesiones. Acomodéme allí, lo mejor que pude, es decir, en la tercera parte del sitio que debía ocupar mi cuerpo estando como Dios manda, sin facultades para rebullirme a un lado ni a otro. Largo rato hacía que nos hallábamos en esta situación, que, para saber cuál es, es menester sufrirla, cuando, por último, subió

a la tribuna un orador, cuyo marcial despejo me hizo interesar a su favor: comenzó su discurso con tranquilidad, continuóle con fuego, y le acabó con entusiasmo, en medio de los aplausos de todos los que le oyeron. Sucedió a éste otro no tan vehemente, pero algo más claro, quien, con auxilio de sus chanzonetas y amargas verdades, hizo poner de su parte al auditorio, aunque proponía todo lo contrario que el anterior. Dividióse entonces la concurrencia; y aunque después subieron varios oradores, ya no fue posible oír más que los gritos, las patadas, etc.

Todo lo observaba yo desde mi rincón, y cada vez me convencía más y más tanto de la utilidad de esta clase de reuniones para disipar los errores de la multitud cuanto de la necesidad de que los encargados de ello conozcan lo fácil que es extraviar la opinión pública, y se guarden de hacerlo. ¿Es posible, decía yo, que los Padres Conscriptos, temiendo más el engrandecimiento de estas sociedades que su desenfreno, hayan mirado con indiferencia un mal cierto e inevitable por otro que no es ni lo uno ni lo otro? ¿Es posible que, prohibiendo la elección de un presidente responsable que llamase al orden al que pareciera extraviarse, se haya dejado la puerta franca para verter expresiones que tanto pueden perjudicar? ¿Es posible que, quitándolas el carácter de sociedades, haya abierto el camino a cualquier mal intencionado para constituirse en orador, con peligro de que pueda por medios falaces extraviar la opinión de los incautos que le oyen y no conocen su malignidad? Por fortuna, hasta ahora todo ha sido orden y armonía: ¡plegue a Dios que así suceda siempre, y que las Cortes, desengañadas por la experiencia, no tengan que revocar un decreto que es, a mi entender, la causa de cualquier desorden que pudieran cometer estos cuerpos sin cabeza!

Salíme lo mejor que pude de aquella violenta mansión, y al verme en mitad de la calle bendije a la Providencia que me había vuelto a mis anchuras, aunque algo magullado de las pasadas estrecheces.

LOS BATOS PERDIDOS

CAPITULO III

DICIEMBRE

Navidades.

Día veinticuatro de diciembre: las once de la mañana serían cuando, envolviéndome en mi capa, salí a olfatear alguna cosa sobre el modo y la manera con que en este gran pueblo se celebra el nacimiento de su Redentor. Acerquéme (no sin trabajos y repetidos encontrones de los machos de dos patas que giraban por todos lados con las provisiones de boca y guerra para las sangrientas refriegas celebradas en tal día) a la Puerta del Sol, mansión de todos los curiosos y vagabundos. Paréme, pues, a ver venir y a considerar descansado aquel espectáculo, que a la verdad era divertido; por aquí renegaba un mozo a quien un par de pavos que traía en la mano le impedían sostener una banasta bien peltrechada que descansaba sobre sus costillas; por allá se descolgaba una aldeana, caballera en su pollino, soberbiamente prevenidas las alforjas de tarros de leche, tortas, manteca y *otras muchas cosas cucas:* por aquí rabiaba un chiquillo a quien un mal intencionado, pinchando su rabel, había traspasado su corazón; por allí una gran tropa de muchachos venía atronando las cabezas con los dulces sones de los tambores, zambombas y chicharras; a mi derecha un gran corro de gente oía los primores de la catarrosa voz de un ciego que al son de su guitarrillo cantaba el nacimiento del Hijo de Dios; a mi izquierda... ¿pero cómo pintar los diversos espectáculos que sin cesar se sucedían de-

lante de mí? Baste decir que, aturdido y casi sin conocimiento, tuve que volver más que a prisa a encerrarme en mi covacha para descansar de tanta agitación.

Llegó, pues, la tarde de aquel angustiado día, y aunque cansado de la mañana, no quise ignorar si había variado la escena, y al efecto, me dirigí otra vez al propio sitio. La misma gente me indicó que la plazuela de Santa Cruz era, digámoslo así, el foco de la reunión, y antes de cinco minutos me hallaba con toda mi persona en medio de él. ¡Quién será bastante a pintar las angustias, las pisadas, los trabajos, en fin, de todas clases que padecí el tiempo que estuve en aquel infierno con el nombre de la Cruz! ¿Será cierto, decía yo entre mí, que en un pueblo culto y civilizado se tenga por diversión apiñarse en un círculo tan estrecho, pudiendo apenas rebullirse? ¿Será cierto que otras mujeres que aquellas que hacen su negocio en las estrecheces vengan a un sitio donde se desconoce el pudor y donde la mezcla confusa de ambos sexos y la libertad que en tal día se permite expone a la más recatada a oír y ver palabras y acciones las más groseras e indecentes? Estropeado y sin fuerzas, salí de aquel Babel y metiéndome en los portales de la plaza creí encontrar algún descanso, pero sí el mismo desorden, la misma confusión, el mismo todo en fin, aumentado si cabe con la gritería de los vendedores de dulces. Volvime, pues, al café de Lorencini a descansar de una vez y a reflexionar sobre las necedades de los hombres, cuando héteme que atisbo a mi amigote (ya se acordarán los lectores que hablo de mi Director), que se hallaba con otros de sus mismas trazas. Llaméle, vino a mí con alegría, y antes que le contara mis cuitas, ya me tenía cogida la palabra de acompañarle por la noche a hacer colación en una casa de su confianza. Descansamos un gran rato, hablamos algo más que lo regular, y a eso de las nueve nos pusimos en marcha para nuestro *rendez-vous.* Llegamos allá y, contra todas mis esperanzas, me hallé con una sociedad alegre, franca y divertida, donde antes de media hora se me trataba con la misma familiaridad que a un amigo antiguo.

Llegada la hora de cenar y preparadas las mesas, empezamos una colación tan reducida, que bien podría ayunar con ella toda la comunidad de nuestro padre San Basilio sin temor de que quedase con ganas. Hacia el fin de ella empezaron los brindis, los versos y, en fin, todas aquellas demostraciones que el patriarca Noé nos dejó por *otro sí* de su legado. Acabóse, por último, al cabo de

tres horas, la dichosa operación de cenar; mi amigo y yo, deseosos de completar el día, nos dirigimos a la iglesia de San Sebastián a oír la misa de Gallo. Entramos en ella al Sanctus y a tiempo que la música se hallaba tocando rigodones y valses, lo cual, unido a la soberbia disposición de los concurrentes, hacía un cuadro tan edificante, que sólo faltaba que uno rompiera el baile para que todos le siguieran. No fue de mi gusto esta escena, y así supliqué a mi amigo la abandonásemos, a lo cual accedió con la precisa condición de que correríamos más iglesias.

Con efecto, así lo hicimos, y en todas ellas veíamos repetido el escándalo de la primera; salíamos a la calle y siempre nos hallábamos con quimeras, borrachos descarados o mozas sin pudor, ofreciéndonos aquéllos algún palo por desperdicio; los segundos, compromisos continuos, y las terceras, otra cosa algo más duradera. Y después de todo lo dicho, ¿habrá alguno que no quiera gozar *de los placeres* de la Nochebuena?

CAPITULO IV

ENERO DE 1821

Un baile.

¡Yo te saludo, oh feliz día primero de enero! ¡Yo te saludo y conmigo todos los españoles que conserven en su pecho el sagrado fuego de libertad! ¡Sea eternamente ensalzada tu memoria por un pueblo a quien tú libraste para siempre del ominoso yugo que le agobiaba! Aquí llegaba yo en mi gratulatoria al ver la luz de tan bello día, cuando hube de interrumpirla viendo entrar a mi inseparable amigo por la puerta de mi habitación dándome albricias y parabienes; preguntéle con extrañeza la causa, y él, gozándose en mi turbación, me respondió con la siguiente prosopopeya: «Ya sabes, querido amigo, qué día es hoy.» «Sí, y en esta contemplación estaba cuando tú me has interrumpido.» «Bien; no ignorarás tampoco que en la calle de los Jardines de esta corte existe una sociedad tan patriótica como divertida.» «Varias veces he oído hablar de ella.» «Sabrás también la costumbre que tiene de celebrar con grandes bailes los aniversarios de los días clásicos de nuestra última revolución.» «Y que hoy, por consecuencia, le tiene y que me vienes a convidar, ¿no es esto lo que vas a decirme con tantos preámbulos?». Más frío que una nieve se quedó mi buen hombre al ver que su noticia había causado un efecto tan contrario al que él se imaginaba; visto lo cual, me determiné a consolarle diciéndole: «No es esto manifestar que yo no tenga una complacencia en asistir, si es posible, a esa función,

pero no he podido menos de extrañar la importancia que la das.» «No mereces tú, me respondió con enojo, que yo haya dado tantos pasos por poderte proporcionar una completa diversión.» «¿Pues qué, te ha costado mucho?» «Y tanto, que si tú lo supieras, me lo habías de agradecer eternamente.»

Conociendo yo entonces que las cosas se deben apreciar, no por lo que son en sí, sino por lo que cuestan, empecé a interesarme tanto por el dichoso baile, que ya se me hacían siglos las horas que faltaban hasta hallarme en él; hice, pues, las paces con mi buen amigo y comenzamos juntos a tratar de los medios de presentarnos *comm'il faut* a tan brillante sociedad. Por lo que hace a mi compañero, pronto se halló vestido *en todo rigor de elegancia*; pero yo, ¡triste de mí!, que nunca había salido de mi levitón, mi pantalón gris con sus botitas por debajo, con lo cual y otras pocas frioleras se concluía todo mi equipaje, ¿cómo proveerme tan pronto como era necesario de otro todo elegante, todo en solfa y todo, en fin, digno del grandioso objeto a que se dedicaba? En tan crítica situación sólo el provisto almacén de mi condescendiente amigo pudo sacarme a puerto seguro, y ¡oh precioso cofre!, nunca me olvidaré de lo bien que me servistes en aquella ocasión.

Dispuesto todo del modo que llevo dicho, comenzó la grande obra de adornar con tan buenos atavíos mi desaliñada persona, y aquí pido la paciencia de mis lectores, considerando la que tuvimos mi maestro y yo. Abrió éste su elegante depósito cuando yo me hallaba en el traje del glorioso San Sebastián, y sacóme unas medias negras; íbamelas a poner cuando, queriendo asegurarme de que algún punto final no me saliese al encuentro, me hallé con que todas ellas eran, digámoslo así, una verdadera celosía. Reconvine riendo a mi amigo sobre el buen recado que me iba dando, pero ¡cuál fue mi extrañeza al reparar que él se estaba poniendo otras iguales, y que, según me dijo, no podía yo prescindir de hacer lo mismo si quería ir *de gran tono*, pues lo que yo llamaba bujeros, no eran sino calados...! A tan fuertes razones, ¿quién había de replicar? Yo, al menos, no lo hice, pues me planté mis medias, resolviendo en mi interior aprovechar a la sombra de tan buena moda unos cuantos pares que mis pies han calado con primor. Púseme en seguida un pantalón también negro, que yo al principio creí deber rehusar por ser propio sólo para saltar arroyos; pero a la voz que me dio mi amigo de «es de última moda», bajé mi cabeza, estiré mis piernas y me metí; nueva dificultad al abrocharme: que o este pantalón no tiene pretina, o la tiene tan grande que yo no sé por dónde se empieza a abotonar; tuvo mi buen hombre que hacerlo él mismo para enseñarme, y llamo otra vez la atención de mis oyentes sobre el cuadro que haríamos mi maestro y yo el tiempo que duró la larga operación de echar once candados a mis necesidades; de igual ayuda necesité para ponerme un corbatín tan prolongado, que merecía por lo respetable el tratamiento de excelencia; del chaleco no digo nada, pues tampoco lo dije entonces, aunque bien me chocó su figura, y, por último, me hallé vestido encajándome un gran frac que, haciendo parecer lo que no había, me daba todo el aire de una ama de cría de las que vienen de mi tierra (soy de la provincia de Burgos, para servir a sus mercedes). Calcéme guantes y sombrero, y ya *elegantizados* de este modo, rompimos la marcha con toda solemnidad.

Llegados que fuimos a aquel sitio encantador, mi primer cuidado fue reparar si mis dichosas medias habían va-

riado de calado; no creí engañarme del todo, pero, pensando que sería defecto de mi vista, más bien que de ellas, no me detuve más y entré a la sala con mi amigo. Asombróme verdaderamente aquel magnífico cuadro, regocijándome en mi interior de ser una parte de él, y llegó a su colmo mi satisfacción cuando mi compañero me expresó la suya diciéndome, entusiasmado:

«Ici on trouve le plaisir, et ici on fait l'amour; aux belles dammes on fait ici la cour.»

Pues aunque yo no entiendo ni una jota de esto de lenguas de extranjis, como oí algo de *dammes*, *plaisir*, *amour*, lo traduje acá a mi modo y, desde luego, me aseguré de que mi amigo había dicho una gran cosa.

Eché mis ojeadas a la redonda y hallé que entre los concurrentes de ambos sexos se hallaba íntegra y completa la tertulia a que yo había asistido (véase el capítulo I); busqué, pues, a mi volátil diosa con ánimo de reparar por entero el desaire que mi inexperiencia la hizo; pero vi con dolor que otro menos escrupuloso ocupaba mi puesto; dirigí entonces el rumbo hacia otra parte; mas, ¡oh pesar!, todo estaba tomado y este hombre infeliz se veía, a pesar de sus medias, su pantalón, su chaleco, su frac y su excelentísima corbata, expuesto, como quien nada dice, a quedarse de non en medio de tantas parejas; por último, después de repetidas solicitudes, logré que viniese a mis manos un billete para poder bailar; en uso de las facultades que por él se me concedían, intenté sacar a cierta jovencita que no me desagradaba; pero un *«estoy comprometida»* fue todo el fruto que en aquel campo pude recoger. La misma solicitud hecha hasta diez veces obtuvo otras tantas el mismo despacho, hasta que la undécima halló por fin acogida favorable, teniendo la satisfacción de ver salir a correr parejas conmigo a una de las más preciosas y más elegantes de la sociedad.

Tal era mi entusiasmo, que apenas daba lugar a las palabras, y enajenado con mi feliz suerte pasé contemplándola el largo rato que medió hasta romper a bailar, pudiendo decir que

Cada vez que la miraba,
más bella me parecía.

Por último, fue preciso salir de aquel éxtasis y, agarrando tan dulce carga, empecé a valsar con un espíritu que me parecía interminable; pero a muy breve rato mi natural pesadez me imposibilitó de continuar aquel violento ejercicio y hube de recurrir a una silla para no dar conmigo en el santo suelo. Acabóse aquel vals y al llevar a mi compañera a su asiento la rogué *con toda la expresión del amor* tuviese a bien ahorrarme el disgusto de verla bailar con otro, a lo que ella accedió con un gusto que me hizo formar de mí un concepto aventajado; sentéme, pues, al lado de mi bella y resuelto a ser el satélite de aquel planeta, no me separé de él ni mientras el baile ni mientras el ambigú servido después. Varias veces salimos a lucir nuestra habilidad y siempre, confesándome vencido, tenía que implorar de mi enemiga la suspensión de las hostilidades.

Con éstas y las otras iba creciendo en mi pecho una pasión tan fogosa, que ya no hallaba medios de sujetarla, cuando uno de los concurrentes, queriendo sin duda hacernos ver que ya eran pasadas las horas de la ilusión, abrió de pronto los balcones, inundando de luz a un mismo tiempo la sala y nuestras ofuscadas imaginaciones. Miro entonces a mi bella y... ¿cómo es posible pintar el trastorno que la mudanza de escena había ocasionado en su figura? Facciones, color, todo, todo, me parecía nuevo: aquellos ojos que tan brillantes había visto los encontré apagados y sin gracia; reconocí en su tez, que yo creía tan fina, las crueles trazas de las viruelas, y, en fin, ¿para qué cansar más explicando por menor la transformación total de mi ilusionante pareja? Baste decir que fue tal mi turbación, que apenas pude continuar dirigiéndola la palabra, y todo corrido dejé aquella morada de las ilusiones, donde todo se ve no como es, sino como debía ser.

¡He aquí (exclamaba yo, bajando la escalera) de dónde proviene regularmente la vanidad femenil! Ofuscadas por los elogios que de su belleza se hacen en tales reuniones, no se dan lugar a pensar que la causa de esto procede de que no aparecen en ellas con sus verdaderos colores, y a la manera del asno de la fábula, toman a su cargo las adoraciones rendidas sólo a sus atavíos. ¡Dichosa la mujer que no se haya hallado en un baile...! ¿Pero qué digo?; entonces no será más que una *linda sin maneras y sin elegancia,* destinada a hacer un papel muy secundario en unos tiempos en que los únicos adornos de su sexo son el baile, la música, etc.; pues es cosa cierta que desde que los hombres se han vuelto mujeres, las mujeres han dejado de querer parecerse a los hombres. ¡Tal es tu degradación, oh sexo destinado a ser fuerte, que aún el débil se desdeña de imitarte! *¡Oh tempora, oh mores!*

CAPITULO V

FEBRERO

Teatro.

Triste y caviloso pasaba yo una noche de estas por la calle del Príncipe, a tiempo que la gente entraba a la comedia; el no saber qué hacer de mi persona y el deseo de distraerme de mis lóbregas contemplaciones me resolvió a gozar de aquel espectáculo; llegué con esta idea a tomar mi billete, pero se habían acabado, y ya me consideraba fuera de aquel combate, cuando, sin más ni más, me hallé rodeado de una porción de encapotados que trataban, por decirlo así, de envolverme en billetes, ponderándome las ventajas del que me ofrecían, de las cuales no podía yo disfrutar sino *con la precisa condición* de pagarles el doble de su valor. Causóme no poca extrañeza que a la vista misma del despacho se permitiese semejante escándalo, pero deseoso ya de divertirme a toda costa, eché mano a mi bolsillo y di cuatro pesetas por un billete de dos, y las gracias encima, pues según el que me lo vendió, debió haber llegado a un duro.

Entré, pues, en el teatro y me acomodé lo mejor que pude en el estrecho círculo que me permitía, por un lado, lo bien aprovechado del terreno, y por otro, el par de tomos que me tocaban a derecha e izquierda; pasé por fin el rato que medió hasta empezarse la representación, mirando con ayuda de mi lente (que es lo único que tengo de elegante, con harto dolor de mi alma) una por una todas las bellezas y no bellezas que

coronaban aquel agradable recinto; parando más la consideración, como es natural, en las primeras, a pesar de los molestos ruegos de mi vecino, que me importunaba para que notase los defectos de las segundas; hallábame embelesado al notar tanta mirada tierna, tantos anteojos enarbolados, tanta dulzura en fin, cuando un tremendo silbido que hirió mis oídos algo más de lo regular anunció el principio de la comedia; subióse el telón, cayeron los sombreros, cesaron las mudas conversaciones, tomaron otro rumbo los anteojos y empezamos a gozar algún descanso.

Representábase aquella noche, por mi desdicha, una de aquellas comedias famosas en que una dama sin pudor, una criada habladora, un galán espadachín, un criado chocarrero y, sobre todo, un infame traidor (¡*y cómo me gustan a mí las comedias en que hay traidor!*) armaban un enredo tan imposible de desatar como de retener en la memoria; fatigada la mía al ver tantos dislates, y estimándola más que a ellos, traté de entretenerla con otro asunto; pero ¿cómo era posible que ella se contuviese al ver

«La desvergüenza pública y notoria
de la escuela (que llaman) de costumbres
en el siglo (que llaman) ilustrado
y en una capital de un grande estado?»

¿Ni cómo tapar tampoco la boca a mi oficioso vecino, que me contaba con todos sus pelos y señales los lances que iban a suceder dentro de media hora y la vida, virtudes y milagros de todos los personajes encubiertos que se presentaban en la escena? «Repare usted, me decía, los bellos ojos de la S...; quiero contar a usted un lance que la sucedió con el marqués de...» «Ruego a usted no se incomode, pues no me intereso en esa clase de lances.» «Al menos, me permitirá usted que le cuente el origen de aquel medallón que saca al cuello.» «Tampoco deseo saberlo». A pesar de tan secas respuestas, tuve que sufrir el cuento del marqués y el apéndice del medallón. Resuelto, por fin, a no contestarle, le dejé charlar todo lo que quiso, hasta que por fin, habiéndola armado con el de su derecha, me dejó descansar algún rato, que bien lo necesitaba.

Acabóse a este tiempo la comedia; y el público, en lo general ocupado sin duda en las mismas consideraciones que yo, explicó tan bien su disgusto, que ya creí era llegada la hora de aquellos pobres bancos y sillones, en tanto que los promovedores de aquel desorden se estarían riendo de él detrás del telón que nos les ocultaba. *¡Almas grandes para quienes los silbidos son arrullos y las maldiciones alabanzas!*» Sosegóse algún tanto el tumulto cuando una desgarrada manola y un chulo algo más comedido salieron a bailar un baile que el arte reprueba y que las buenas costumbres abominan, el cual fue vitoreado a su modo por la chusma que se hallaba acampada a mis espaldas. Empezaba a gozar alguna diversión en la graciosa pieza que siguió después; pero, ¡oh imperfectibilidad de las cosas humanas!, mi piadoso vecino cuidó de ahogarme todo el placer con los violentos extremos con que manifestaba el suyo, que fueron tantos y tan repetidos, que faltó poco para que la gloria de Guzmán no me hubiese costado un par de costillas. Acabóse, por fin, la representación y, en fuerza de mis esfuerzos, tuve la satisfacción de encontrarme de patitas en la calle.

No bien me vi a mis anchuras y al abrigo de la sempiterna charla de mi vecino, cuando este maldito genio reparón con que Dios me ha regalado me inclinó a parar la imaginación en el espectáculo que acaba de dejar, ofreciéndome, como hace siempre, no las buenas circunstancias de él, sino los defectos de que se halla rodeado. Trataba yo con todas mis fuerzas de dirigirla hacia las primeras, pero ella, sea que no las encontrase, sea que la abultasen más los segundos, sólo me ofrecía una reunión fría y escandalosa de disparates con el nombre de comedia *moral*.

«Y llamamos rabones a los mulos cuando no tienen rabos en los cu...»

Una ejecución sin vehemencia ni verdad, una impropiedad absoluta en los trajes y decoraciones, un teatro a oscuras y malísimamente servido por dentro y fuera, y, en fin, me ofreció tanto, tanto..., que ya ni me acuerdo, ni aunque me acordara lo diría por quedarme con algo en el cuerpo para probar a ver si lo puedo digerir, aunque, Dios mediante, espero que no.

Que hay comidas tan toscas, que sólo las digiere un papa-moscas.

CAPITULO VI

MARZO

Puerta del Sol.

Mucho y muy bueno había yo oído hablar de este curioso sitio al cura y al escribano de mi lugar, que son los únicos que desde que se fundó se han alejado de él la inmensa distancia de 42 leguas que hay hasta llegar a esta gran corte, y eso, no por gana de ver mundo, sino por precisión; porque el primero vino a hacer la rueda del pavo a un gran señorón, que, en premio de sus buenos servicios, le recompensó con aquel curato; y por lo que hace al escribano, también vino obligado a Madrid a lucirlo delante de los señores del nunca bien ponderado Consejo de Castilla (que en paz descanse), que ya se sabe que eran los únicos que podían y debían entender de examinar a estos pájaros; pero ¡y qué bien que lo hacían!, hasta el sombrero que llevaba le examinaron a mi pobre hombre; ¡tal era su universal sabiduría, que a la legua conoció uno de ellos la fábrica en que se había hecho! ¡Esto sí que se llama examinar! Pero ¿voy a hablar de la vida del escribano y de la muerte del Consejo de Castilla, o de la Puerta del Sol? Prosigamos, pues, mis reflexiones sobre esta última y no nos apartemos del camino sin qué ni para qué.

Varias veces, acordándome de aquellas conversaciones, me había yo parado a considerar aquel cuadro, y cada vez me asombraba más de no encontrar en él el *busilis* que los demás. Un día que, entre otros, me hallaba contemplándole,

me ocurrió, por fin, la idea de que tal vez los negocios que en él se hacen podrían ser por lo bajo, como cosas que no todos conviene que sepan, en cuya inteligencia, con la libertad que me daba el no ser conocido, determiné irme colando en todos los corrillos que me rodeaban para enterarme de los asuntos en cuestión. Empecé, pues, mi obra acercándome a uno que se hallaba a mi derecha (póngase el discreto lector mirando a la calle de Carretas, gire a la derecha y adivinará el que digo), púseme a oír la conversación y, desde luego, conocí que los miembros de aquel respetable congreso eran de una casta de pájaros que, aunque algunos llamarán con un título propio de hombres diligentes, yo digo que hacen su negocio a pie quieto. Disertaban a la sazón sobre las causas de la baja del papel-moneda, diciendo con este motivo tantas necedades, que yo no pude menos de asombrarme de que unos hombres nacidos y educados en esta ciencia tuviesen tan poca sutileza para discurrir sobre ella; llegó a este tiempo un pobre pagano preguntando el precio del papel, y mi escuadrón se formó en batalla para recibirle con las formalidades de estilo; hecha su demanda, obtuvo otra pregunta por respuesta, a saber, si trataba de comprar o vender. No caí yo por el pronto en las causales de esta enigmática contestación, pero reflexionando sobre ella conocí la diferencia que debe haber en el precio según las circunstancias y admiré la previsión de aquellos honradísimos especuladores. Apenas hubo contestado mi buen hombre que su intención era la de vender un crédito que tenía, todos aquellos semblantes sufrieron la más rápida alteración, pasando desde el aire contemplativo e interesado al más despreciador y desdeñoso, con que contestaron al infeliz suplicante con las tristes expresiones de «*no se encuentra dinero*»; pero ¿cómo pintar la aflicción que se manifestó en aquel desdichado al oír semejantes palabras? Rogó, suplicó e hizo tanto, que al fin uno de ellos se resolvió, como por vía de conmiseración, a tomarle su crédito, aunque con la miserable diferencia de un 5 por 100 sobre el cambio corriente. No pudo menos de escandalizarme semejante usura y, por no precipitarme a dar muestras de mi descontento, tomé el partido de variar de posición; a cuyo efecto me dirigí a otro grupo que formaba en la esquina de la calle de Carretas: componíase de hombres de todos colores, los cuales, quien con más, quien con menos razón, discurrían políticamente sobre los asuntos del día. Defendía uno de ellos, apostando ciento contra uno, que los napolitanos no sucumbirían al yugo austríaco (no estaba en Nápoles a aquella hora), y otro, por el contrario, sostenía que los austríacos vencerían (¡soberbias narices!). Dividida entre estos dos partidos la concurrencia, empezaron a lucirse tan valientes pulmones, que ya iba creciendo el corro tanto, que yo tomé el partido de retirarme por si acaso la autoridad, creyéndola asonada, la dispersaba con su natural mansedumbre.

Subí, pues, hasta frente de la puerta del café de Lorencini y, viendo allí otra gran reunión, me entré sin decir oste ni moste a olfatear el asunto de que se trataba, no creyéndole menos grandioso que el que acababa de dejar, según el interés que manifestaban los circunstantes; pero ¿cuál fue mi asombro, cuál

mi rubor, al enterarme de que todo ello se reducía a disertar sobre... los pliegues de las levitas? Quise al pronto abandonar con desprecio aquella irrisoria escena, pero conociendo que podría serme instructiva para el sistema *tonical* que me he propuesto, me puse a escuchar con todos mis cinco sentidos a aquellos doctores de esta ley... «Desengáñese usted, decía uno de ellos, no hay traje más agraciado que una levita hecha por Hortet, según el último figurín de París.» «Pues yo, contestaba otro, hallo más elegancia en un frac alto de talle, como el que yo me he mandado hacer en Francia; pero a propósito de ésta, ¿han visto ustedes el chaleco que me han enviado de allá?; ¡oh amigos!, ¡qué novedad, qué perfección!, nada de cuellos largos, nada de dobleces, sino un cuellecito redondo, de dos dedos a lo más; ¡oh!, ésta es la última moda, y debe el mundo tan graciosa invención al famoso *Pantalonier*, que vive *dans la rue Royale de París*.» «¿Con que, según eso, replicaba el primero, vamos furiosamente indecentes con nuestros chalecos de gran cuello?» «Ciertamente; pero tened, que ya me parece haber visto yo en Madrid algún corte como el mío, y si no me engaño, los ha de tener Hortet.» «Pues entonces parto corriendo a tomar uno y a disponer que me lo haga, si es posible, para presentarme esta noche en el baile de la Marquesa de...; con que, señores, *au revoir*.» Edificado quedé yo al oír tan sabias disertaciones, y, desde luego, resolví en mi interior alistarme bajo las banderas del brillante artífice que oía nombrar con tanto aplauso.

Púseme en seguida a reflexionar sobre lo que había visto y oído en el discurso de aquella mañana y, desde luego, di la razón al cura y al escribano de mi lugar, diciendo con ellos que quien no ha visto la Puerta del Sol, no ha visto una cosa buena.

CAPITULO VII

ABRIL

Tribunales.—*Sus incidencias y depen-dencias, anexidades y conexidades.*

Sepan cuantos esta obra leyeren u oyeren leer, que mi venida a la corte desde mi aldea ha tenido por objeto principal el seguimiento de un pleito que me puso quien quería más mi dinero que mi sosiego. Cuatro meses hacía que con las trapisondas de este pueblo se me había hasta borrado de la memoria mi primer cuadro, cuando el mal dimoño, que no duerme para dar con mi paciencia en tierra, me lo acordó una mañana de estas y me resolví a saber su estado. Pasé con esta idea a casa de mi agente de negocios, a quien encontré dando audiencia, *in sede pro tribunale*, con todas las trazas de un hombre de pro; despedía a aquél, halagaba a éste, recibía de ambos y, en fin, él se manejaba de modo que todos quedaban contentos. Tocóme a mí el turno: y habiéndole preguntado por mi asunto, creyendo que, por lo menos, estaría ya para verse en estrados, me respondió que hacía tiempo se hallaban los autos en la escribanía, esperando que usásemos del traslado que se nos confería de lo alegado por la contraria, y que él no los había activado, porque las difíciles circunstancias no le permitían suplir dinero, por lo cual me suplicaba *le hiciese de fondos* para verificarlo. No dejó de chocarme la especie cuando ya iban dados tres ataques a mi pobre bolsillo; pero, considerando que no me convenía nada indisponerme con un hombre de

su valía, tomé el partido de suministrarle un cuarto refuerzo, con el que me prometió seguir el negocio con la eficacia que acostumbraba.

Poco satisfecho de tales ofrecimientos, bajé con toda mi formalidad a aquella mansión de la discordia, a aquel infierno abreviado que se halla frente de Santa María, entré en el tortuoso callejón de los procuradores y, a virtud de infinitos empujones y pisadas, llegué, por fin, a la mesa que el mío regentaba. Después que hube hecho mi correspondiente reverencia, le supliqué tuviese la bondad de tomar mis autos para llevarlos al abogado, a lo que él, con una prontitud que no me dio buena espina, me respondió que iba al instante a verificarlo, pidiéndome le acompañase. Hícelo así inocentemente, salimos de aquel recinto y subimos a otro no tan bullicioso, pero no menos lucrativo, donde, además de los autos y en cambio de media onza de oro, me entregaron una papeleta de derechos de *tiras*, *juntas*, etc., cuyos nombres, aunque yo no entendía, hube de contemplar válidos al verlos aprobados por mi práctico procurador.

Salí de allí algo más ligero que había entrado, pero bien se ha dicho que en empezando una vez la desdicha, tarde o nunca acaba, lo cual conocí por experiencia triste al ver que mi buen procurador supo procurarse otra media onza por otra media papeleta de términos que yo no había pedido y rebeldías que yo no había acusado. Cargado de papeles, y aliviado de dinero, llegué por fin ı casa de mi letrado, quien me recibió con su natural afabilidad y agasajo, y, tomando los autos, me aseguró de su pronto despacho. Queriendo yo examinar su juicio sobre mi negocio, le rogué me lo dijese francamente, a lo cual, con aire grave y mesurado, me contestó: «No debe usted tener miedo ninguno, pues es tal su justicia, que el tribunal no dudará en administrársela, desechando lo expuesto por el contrario y aun condenándole en las costas».

No quedé muy satisfecho con tan afirmativa respuesta, porque aquí, para *inter nos*, es menester que estemos en que yo, aunque litigaba, era más por presunción que por convencimiento de mi derecho, y no me podía figurar que tan de plano se pudiese afirmarle. Resuelto, pues, a desengañarme redondamente, eché mano al bolsillo y sacando otra,

no media, sino entera, y más amarilla que un oro, se la introduje en la mano a mi director a cuenta de cuentas, suplicándole me hablase claramente si debía o no seguir el litigio. «Me parece, me respondió, que yo en igual caso no dudaría en seguirle, porque, en medio de algunas fuertes razones alegadas por el contrario, entreveo yo otras que nos pueden favorecer mucho.» «¡Cómo!, ¿y es ésta la seguridad que hace nada me daba usted?» «Yo lo que he querido decir es que debe usted seguirlo, porque no creo se pueda graduar de temeridad». Acordéme entonces de aquel sabio francés que habiéndole preguntado por qué gastaba en médicos, si nunca hacía nada de lo que le decían, respondió: «*para saber lo que me conviene, que es lo contrario de lo que me ordenan*», y resolví abandonar el negocio, temiendo quedarme en camisa si lo ganaba, y en cueros si lo perdía.

CAPITULO VIII

MAYO

San Isidro.

Rayaba el alba del día quince de este mes, cuando los descompasados gritos de mi compadre y amigote me hicieron acordar de la palabra que la noche antes le había dado de visitar con él la ermita del santo patrono de este gran pueblo, como es uso y devota costumbre en él. A pesar de su resistencia, y en virtud de mis esfuerzos, logré al cabo de un rato una completa victoria sobre mi desmesurada pereza, y ayudado por mi amigo, pude ponerme en pie; vestíme, calcéme *tout a la negligée*, como lo pedía la hora y circunstancias de tal función, y entre bostezos y suspiros bajé la escalera, creyendo en mi interior no hallar diversión capaz de indemnizarme de las horas de sueño que había perdido. Pero muy luego varié de opinión al ver el gran turbión de gente de uno y otro sexo que se descolgaba por la calle Mayor y demás del camino de las dos puertas de Segovia y la Vega; más y más me afirmé en mi idea cuando, habiendo salido de esta última, vimos una gran cadena no interrumpida que guiaba hasta la misma ermita; internados en ella, comenzamos a distraernos con las diversas escenas que en tales fiestas se suelen oír y ver. Quién venía cantando al son de un guitarrillo, quién con una gran campana de barro atronaba las cabezas; quién, algo más espiritualizado que lo que Dios manda, venía dando encontrones y haciendo eses que no había más que ver; por aquí un grupo de manolas se acercaba bailando al son de sus panderos; por allá otro de mozos se abría

paso con las eficaces razones de unos cuantos garrotes; y en fin, por todas partes se veía una continua agitación, un continuo clamoreo, capaz de destornillar la cabeza más bien templada.

Acordábame yo de las descripciones que había leído de las fiestas con que los romanos celebraban sus bacanales, y comparábalas a ésta sin temor de que se me achacase de exagerado. Con efecto, si en aquéllas faltaba el pudor, en ésta no sobra; si en aquéllas había bailoteos, en ésta los hay de todos los géneros; si en aquéllas se daban latigazos, en ésta se dan palos; y en fin, si en aquéllas todo era desorden y confusión, todo es en ésta confusión y desorden. Crecía, pues, a medida que nos acercábamos al término de nuestro viaje, de modo que cada vez nos veíamos precisados a acortar más el paso, impedidos por la multitud que nos salía al encuentro. Subimos por fin a la hermosa pradera, que se hallaba dispuesta a manera de un campamento, con las suficientes tiendas de campaña bien pertrechadas de provisiones. Recorrimos aquel donoso sitio, admirándome yo cada vez más del poco recato del bello sexo en asistir a una tal función. En estas y las otras entramos en una de las fondas a reforzar nuestro desfallecido estómago; esperamos con paciencia a que se desocupasen dos sillas; luego que lo hubimos logrado, y en tanto que nos traían algo que almorzar, eché una ojeada por todo aquel recinto: entre otras aventurillas que distinguí, me llamó la atención, por lo misteriosa, una que desde luego califiqué de tal.

Hallábase frente de mí una joven muy pulida al lado de su anciana madre; sentado en la mesa inmediata se encontraba un agraciado mozalbete, que con sus miradas tiernas y su expresión amorosa logró al cabo de un rato fijar las de la joven. Animado con tan feliz suceso, se hallaba embelesado mi buen mancebo, cuando la bendita señora madre de aquel pimpollo dispuso la marcha a dar su vueltecita; entonces crecieron las miradas, los suspiros se manifestaron, y hasta que salieron madre e hija de la fonda, no cesó aquella patética escena. Quedóse el pobre mozo petrificado y sin valor por el pronto para seguir tan dichosa estrella, hasta que después de un rato determinó hacerlo; y levantándose precipitado, salió de la fonda con toda la expresión del amor. Perdí, pues, de vista aquel interesante entretenimiento, y mientras acabábamos de almorzar, me distraje con las varias situaciones que representaban los cuadros que tenía delante. Miraba en uno al amor tímido manifestarse como entre sombras; contemplaba en otro al amor correspondido con toda la altivez y fiereza que guarda para tales casos; compadecía en otro al amor desdeñado, viéndole tan abatido que a cualquiera movería a compasión, y, en fin, examinaba en todos el mismo afecto, a las diversas alturas a que suele llegar.

Dejamos por último aquel sitio, y nos trasladamos a la pradera, donde a muy breve rato divisé a mi consabido dúo con su allegado, que a la sombra de aquellas estrecheces dirigía a su objeto no ya miradas, sino expresiones que, según lo que uno y otro las saboreaban, debían ser más dulces que caramelos. ¡Ah, Dios, dije yo para entre mí, ya se rompió la primera barrera; quiera Dios que las demás no sucumban! En estas consideraciones me hallaba cuando vi que dos hombres que en el acceso de su furor repartían sendos garrotazos a todos lados, se iban acercando a mi pareja femenil y por consecuencia a su *apéndice* masculino; por cuanto y no, hizo el demonio que uno de ellos, tropezando en mi doña fulanita, me la llevase por delante, y Dios sabe dónde hubiera parado si no hubiera sido por el valor del fuerte brazo del don Quijote, que arrebatado de furor al ver por tierra a su Dulcinea, arremetió hacia aquellos malandrines, disparando sobre la cabeza de uno de ellos tan buena bendición que no hubo más que ver; el pobre hombre, que se vio obligado por tales modos, determinó contestar en los mismos términos, y heme aquí a mi valeroso caballero, combatiendo *en bruto* con uno que para serlo no le faltaba nada. Lloraba su desconsolada señora, chillaba su madre, y él, inflamado cada vez más, descargaba sobre su contrario con una firmeza que era para alabar a Dios. Por último, viéndolos heridos, y que podría haber funestas resultas, se tuvo por conveniente ponerlos en paz, y ya separados, siguieron cada uno por su camino.

Asendereado y maltrecho, fue mi pobre caballero a recibir el premio de sus esfuerzos, que fue el honor de acompañar a su diosa, y hacer a vista, ciencia y paciencia de mi señora su madre lo mismo que hasta aquí había hecho sin su noticia. ¡Cuál no sería el gozo que su pecho probase al hallarse introducido en toda forma, a costa de algunos garrotazos, con la que había causado su arrojo! Yo también le tuve, creyendo que todo ello había sido una casualidad del cielo, dispuesta para unir dos corazones amantes, por supuesto para buen fin, pero todo se cambió en sentimiento cuando supe que el tal sujetito era uno de estos tunos solapados que, con aspecto de modestia, tienen por oficio pervertir los inocentes corazones de las jóvenes, abandonándolas después para hacerlas el objeto de las conversaciones de sus pérfidos camaradas. Compadecí a la triste joven que tan sin reserva se había dejado engañar de aquel vil seductor, y vituperé a la madre cuya experiencia no había sabido alejar de ocasión tan peligrosa la inocencia de su hija.

¡Oh fiestas corruptoras de las costumbres! ¡Oh fiestas que sois otros tantos lazos contra el pudor y la sinceridad! Pero ¿qué es lo que digo? ¡Oh fiestas alegres, divertidas! ¡Oh fiestas donde se juega, se baila, se canta! Seguid, seguid siendo como hasta aquí, que en habiendo diversión, sea de la clase que quiera, todo lo demás es menos.

CAPITULO IX

JUNIO

Oficinas y Secretarías.

> *¿Quid est suavius quam bene*
> *rem gerere bona publico?*

repetía yo en mi interior cierto día, reflexionando sobre la buena proporción en que se ve cualquier empleado, de satisfacer completamente a la sociedad que le mantiene. En estas consideraciones, vine a acordarme de que también yo tenía que hacer con ellos, y determiné averiguar por mí mismo si cumplen con el cargo que la patria les ha confiado. Pasé al efecto a la mayor oficina del reino, que, como todas las cosas grandes, se halla al fin de la calle Mayor. Internéme, pues, en aquel *mare-magnum*, y desde luego, al ver tanta gente allí empleada, formé la idea más ventajosa del curso de aquel soberbio establecimiento; hallábanse todos a cual más ocupados en su negocio, que a primera vista creí, como era natural, ser el de la patria; pero ¡cuál fue mi desengaño cuando, acercándome a uno de los más embebidos, le hallé leyendo la *Gaceta* (que es el único papel que, ya sea por costumbre, ya por afición, o ya, en fin, en virtud de su antiguo privilegio, se deja ver en semejantes parajes: lo que puede ser privilegiados)! Pregunté por mi solicitud con los mejores modos posibles, pero un «*no tengo tal cosa*» fue la única respuesta que obtuvieron mis suplicantes palabras. Llegéme a otra de las mesas, cuyo regente se hallaba ocupadísimo haciendo rasgos, rúbricas y otras preciosidades de esta especie; y después de hecha mi demanda, sólo pude conseguir que me echara a la mesa inmediata. No estaba en ella su jefe, porque había tenido precisión de asistir a una disputa que se había movido sobre los asuntos del día; esperé a que se acabara, y habiéndome por fin hecho oír, me dio la misma respuesta que los anteriores, en cuyo ejercicio continué hallándome siempre tan entretenidos a mis buenos señores en trabajos como los que llevo dichos, y otros que no, cuales eran los de escribir alguna carta, componer algunos versos o refrigerar el estómago debilitado con tantas penalidades. Por último, di con una buena alma que me quitó de la cabeza la intención de ir recorriendo mesas hasta dar con mi solicitud, asegurándome que no podía menos de hallarse en la primera que había preguntado. Volví, pues, a ella, aunque no sin recelo de llevar el mismo despacho que la otra vez, pero habiendo acabado ya la lectura de su *Gaceta*, vi con dolor que a ella sola debía yo todos mis sofiones, pues a las primeras de cambio me contestó que efectivamente se hallaba en su poder mi desdichada pretensión. Irritóme aquel descuido de sus deberes, pero cuidando de cerrar bien el pico para no deslizarme delante de tantos y tantos que se hallaban en igual caso, me planté en la calle sin hablar más palabra.

Resuelto a echar, como comúnmente se dice, el día a perros, me trasplanté a una de las secretarías de Palacio, donde también tenía mis quehaceres : esperé largo rato luego que me vi en la primera antesala a que apareciera por allí alguno de los *cerberos* de aquel sitio, hasta que por último vi salir a uno que, por el soberbio uniforme, por su tren, y más que todo por su *coram-vobis*, me pareció pintiparado el mismo Ministro; pero hube de disimular mi sorpresa cuando por su pregunta conocí que era ni más ni menos que lo que yo andaba buscando, es decir, un... *Portero.* «¿A quién busca?», me dijo mi don Farolón con aire no de lo que era sino de lo que a mí me había parecido. «Busco al señor de...» «Hoy no da audiencia porque está muy ocupado.» Dicho esto, me volvió la espalda.

Quedéme, pues, tan solo como al principio, y ya empezaba a reflexionar sobre lo difícil que es purgar del aire déspota a un sitio infestado de él, cuando salió otro compañero del primero, que, aunque no tan orondo ni pavoneado, me pareció mejor criado que aquél, y compadecido sin duda de mi rendimiento, entró a buscar al oficial que yo deseaba hablar. Al cabo de un gran rato, se me anunció dicho señor en persona, y acordándome de aquel refrán de que «el criado dice lo que es el señor», hube de revestirme de todo el aire rendido y suplicante que el día 9 de marzo de 1820 creía deber desechar para siempre, y me presenté de este modo a su señoría. Empezaba a hacer mi corta relación, cuando a pocas palabras de ella me vi interrumpido por estas dos : «Al despacho»; y todavía estaba yo aplicando el oído para saber de dónde venían, cuando ya me hallaba entregado otra vez a mi triste soledad.

Agaché mis orejas y, resuelto a no visitarlos jamás, salí de aquellos muros, dentro de los que todo es encanto, todo rutina; y todo, en fin, según el feliz año diecinueve.

CAPITULO X

JULIO

Toros.

Cansado de emplear el tiempo en antesalas, y resuelto a no gastar un cuarto en pleitos ni en pretensiones, me propuse dar a uno y otro mejor destino, esto es, el de procurarme todas las diversiones que pudiera. ¿Y podría olvidaros, ¡oh nobles fiestas!, vosotras a quien un sabio escritor llamaba con toda intención «*eslabones de nuestra sociedad, pábulo de nuestro amor .patrio y talleres de nuestras costumbres políticas*»? ¡Ah, y dejaría de ser español si tal hiciera, y no dedicara mi dinero y mi tiempo a rendiros el homenaje que entre todas las naciones sólo os rinde la mía! Y por si algún hijo indigno de esta Patria fuese tan obcecado que negase las ventajas de estas fiestas, quiero contarle lo que presencié en una de ellas cierto lunes que vino después de cierto domingo; porque es menester que se sepa, ante todas cosas, que la razón de celebrar en lunes estas funciones es porque ellas solas merecen santificar un día, que de lo contrario pasaría el artesano en el ímprobo trabajo de su taller. Y empiezo mi relación.

Media hora larga de camino llevaríamos mi inseparable y yo, cuando al salir de la hermosa Puerta de Alcalá, nos encontramos *vis a vis* de la gran Plaza destinada a perpetuar nuestra ilustración, y cerca de otra media había ya pasado antes que hubiéramos podido colocarnos; pero no me extrañaba tanta concurrencia, considerando que había nada menos que el larguísimo espacio de ocho días que no se disfrutaba semejante diversión, que es como si dijéramos el *Pan* de los Españoles. Sentados ya y dispuestos a ver venir, hubimos de echar mano de toda nuestra cachaza para esperar las dos mortales horas que tardó en empezar la función, aunque yo por mi parte, no la eché de menos, distraído con las animadas narraciones de mi amigo, que me asombraba cada instante contándome las circunstancias de algunos de los concurrentes. «¿Ves, me decía, aquella madama de tanto tren que se halla rodeada de importunos a cual más solícitos por servirla? Sin duda creerás (y así era) que deberá ser alguna duquesa o cosa que lo valga; pues no, hijo, y cuando quieras desengañarte, pásate por la calle de..., donde la verás regentando un tabernáculo, que para serlo no le falta más que las dos últimas sílabas (y no se crea que lo digo por mal).» Iba a contestar a mi amigo con la extrañeza que me había causado su noticia, cuando llamó mi atención una joven que se hallaba frente de mí, tan engolfada en su conversación con dos caballeros que la daban pie, que no pude menos de preguntar a mi hombre si sabía a qué casta pertenecía aquello. «Esa que ves ahí, me respondió, es mujer de un empleado que, para evitar sin duda el fastidio que la debe causar la ausencia de su esposo que se halla en su oficina, habrá venido a distraerse a este sitio como muy propio para el caso.» «Muy bien hecho, repliqué yo, y mira cómo lo logra, merced a aquellos caballeros a quienes sin duda estará contando la hombría de bien de su querido esposo; pero ¿no es aquel que está allí N...?» «Sin duda.» «Pues ¿cómo es posible que tenga para venir a los toros, cuando no ha dos horas que, reconvenido por mí sobre lo que me está debiendo, me aseguró que no tenía hoy para comer?» «¡Qué quieres!, no será él solo el que ayune en obsequio de esta función, ni tu asiento será lo único que pagues tú en ella.»

Otros y otros muchos cuadros semejantes, capaces de interesar a cualquiera, se presentaban a nuestra vista, tales como un alegre artesano que deja sus trabajos por venir a darse este inocente desahogo; un empleado a quien su mala salud no ha permitido marchar a su oficina, aunque ha tenido la consideración de dejarle ir a los toros; un hijo de familia que se empeña por tener la satisfacción de convidar a madama y compañía; un tuno que anda husmeando dónde se sentará que se encuentre con una compañía paciente y sufridora; y, en fin, una alegría general, manifestada por todos los medios imaginables.

Llenóse del todo la plaza, y quedamos tan apiñaditos y tan acomodaditos, que no habría sido fácil que a una voz hubiéramos podido todos presentar las manos, en cuya situación permanecimos hasta que entre voces y gritería salió a lucirlo el primer galán de aquella tragedia. Y no crean mis lectores que voy a hacerles una descripción de estos cornados personajes; pues poco inteligente para poder juzgar de su mérito, me limitaré a decir los efectos, para que por ellos se conozcan las causas. Ello es que a poco rato de presentarse en la arena aquel heroico Gixonés, tuvo el sentimiento de quedarse solo en ella; tanta fue la prisa que se dio a deslucir a sus compañeros los otros animales de dos y de cuatro patas. Causábame al principio algún espanto aquella catástrofe, pero me animé desde luego viendo la alegría que derramaba en todos los concurrentes, y principalmente en una muchachita delicadita y compuestita que se hallaba a mi lado, llegando a ponerme en un estado tal, que hubiera

deseado que, no contento mi héroe con vencer los estorbos que se le oponían al paso, hubiera saltado la barrera y hecho conocer quién era Calleja a los que desde seguro le insultaban con los modos más desusados; pero ¡oh inconstancia de las cosas humanas!, ¿quién hubiera dicho que aquel fiero animal, para quien nada era bastante, había de venir a sucumbir bajo del hierro diestramente dirigido de quien no era tan fiero ni tan animal como él aunque con sobrada dosis de lo uno y de lo otro? Con efecto, así sucedió, y su muerte fue aplaudida y celebrada por toda la concurrencia, verificándose aquello de que

Quien por su mala estrella es infelice,
aun muerto lo será; Fedro lo dice.

Seis veces se vio repetida tan sangrienta escena, y otras tantas llenó de júbilo nuestros corazones, cada uno de los cuales podría muy bien decir

Je ne puis vivre heureux qu'à force de
[trepas.

Salimos por último de aquella mansión de la bárba... de la alegría; y al paso encontramos un par de camillas en que iban los heridos en tan cruel refriega, a proporcionar al establecimiento en cuyo beneficio había sido la función los medios de emplear su producto.

Y después de todo lo dicho, ¿habrá alguno que niegue la sabiduría de tan filantrópica institución? ¿Habrá alguno que diga que la tabernera debería estar rigiendo su taberna y alejando de sí el lujo y la ostentación, la casada guardando su casa y cerrando sus oídos a las conversaciones seductoras, el deudor buscando medios de pagar a sus acreedores sin ir a gastar los pocos que tiene en estas diversiones, el artesano en su taller, el empleado en su oficina, el hijo de familia cumpliendo con sus obligaciones, y el tuno guardándose de seducir la inocencia? ¿Habrá alguno que se obstine en demostrarnos la barbarie que estos espectáculos difunden en el carácter nacional, los atrasos que por ellos experimenta la agricultura, las fortunas que en ellos se malgastan, y otras mil lindezas que no parece sino son gabachos los que las dicen? Enhorabuena se diviertan aquellos con sus teatros, con sus globos, con sus experimentos físicos, y con otras niñerías de esta especie. Los españoles, dotados de más energía y grandeza de alma, sólo nos distraemos con escenas en que vemos comprometida la vida de un hombre, imitando en esto la ilustración de los antiguos tiempos por aquella sabia regla de que todo lo antiguo es bueno.

Y si, a pesar de esto, continuase alguno criticando tan loables costumbres, castiguémosle con el desprecio que hasta aquí, y sigamos impertérritos la senda en que caminamos solos desde que las demás naciones, desconociendo sus ventajas, se apartaron de ella dejándonosla expedita.

CAPÍTULO XI

AGOSTO

CAPITULO XI

A G O S T O

El Prado.

Bajaba yo una hermosa tarde de este verano por la ancha calle que guía desde el centro bullicioso de las especulaciones y de la usura, al hermoso sitio donde la juventud y no juventud madrileña se reúne periódicamente con el doble objeto de proporcionarse un ejercicio saludable, unido a una diversión. Distraido en mis reflexiones, había largo rato que me hallaba en aquel delicioso sitio, sin reparar en nada de lo que hería mis sentidos, cuando vino a sacarme de este éxtasis mi compadre y amigo que se hallaba allí, ni más ni menos que en su centro. «¡Cuánto celebro haberte encontrado!, le dije yo al instante; pues de este modo me recrearás e instruirás al mismo tiempo sobre algunas cosillas que me andan revoloteando en el magín, y para cuya solución me confieso poco capaz». «Explica, pues, tus dudas y veremos si yo puedo satisfacerlas; pero ante todas cosas es menester que sepas que te hallas en la mansión del placer de los madrileños, en el punto de reunión de todo lo que este insigne emporio de la gran moda encierra de más brillante; en este celebérrimo sitio, y con achaque de paseo, se hace la corte al papelón, se buscan recomendaciones y se hacen, en fin, visibles muchos que fuera de él son, si cabe, algo menos que nada; aquí es donde se traman los enredos amorosos, donde se ponen en uso todas las armas que la hermosura y la coquetería tie-

nen más poderosas con el loable fin de agradar al prójimo; por último, está definido diciendo que es un gran bosque donde se sale como quien dice al ojeo, con la particularidad de que en él suele ser más frecuente ver liebres buscando galgos, que galgos buscando liebres, cosa que, a no verla, nadie la creería».

Asombrado me quedé yo con la relación de mi amigo, y animado con la carta blanca que se me daba para satisfacer mi curiosidad, empecé mis preguntas de este modo. «Ahora bien, dime si alcanzas por qué toda esta gente, entre la cual hay alguna tan formal y de toda prosopopeya, prefiere irse dando encontrones y casi ahogando por no salir un punto del carril inalterable que se ha marcado» «¿Pues no conoces, pobre hombre (me contestó mi amigo con cierto aire de superioridad que me dejaba tamañito), no conoces, no sabes, que en la unión consiste la fuerza? Sin ella, ¿dónde se esconderían tantas aventuras que la estrechez autoriza, ni cómo sería posible que éstas se originasen, mirando de lleno los objetos, y no *a demi*, como sucede yendo tan encajonaditos?» «No prosigas, que ya te he entendido, y me confieso un porro por no haberlo adivinado; pero ¿no me dirás la causa por que esa pequeña parte de gran todo se pasea a nuestra izquierda en el camino que hay entre bancos y coches?» «Eso, me contestó mi director, es porque su sublime elegancia no le permite mezclarse entre la plebe, razón por la cual han puesto los bancos por línea divisoria, creando, digámoslo así, otra clase, que es la de aspirantes a la de los otros que más allá se pasean sentados».

Felice me pareció la invención, y en esta conversación íbamos, cuando hubimos de pararnos mientras que un *monsieur* que paseaba delante hizo un elegantísimo saludo a unas *mademoiselles* que divisó a lo lejos, lo cual me sugirió a mí la idea que comuniqué a mi compañero de que estos señores del *gran tono* deberían llevar, en obsequio de la comodidad del prójimo, uno o más lacayos que fuesen abriendo marcha, y aun no estaría demás que otros por detrás les tirasen de algunos cordeles, a la manera que a un globo hinchado se le sujeta si no se quiere que vaya a contarlo a las nubes: ¿no es verdad que sería muy conveniente mi invención?; ¡vaya, si el demonio soy yo para discurrir!

Pero dejemos el género masculino, que mejor merece ya el dictado de neutro, y echemos una ojeada sobre el que se creó para su delicia. ¡A qué depravación te ves reducido, sexo hermoso, sexo encantador, y cuán mal sabes usar de las armas que la naturaleza puso en tus manos! Deja, deja de embotarlas con los vanos atavíos de la ostentación y de la coquetería, deja a tu hermosura, deja a tus hechizos seguir su curso regular y no destruyas su poder queriendo aumentarle.

«Que vos graces soient naturelles,
ne les contrefaites jamais
des que l'on veut courrir aupres
on comence à s'eloigner d'elles.»

¿Pero qué es lo que hago?, ¿cómo me aparto de mi objeto metiéndome a predicador, debiendo de ser panegirista? No, hermosa parte del género humano, no creas que vitupero tus loables costumbres, sino que, pensando en tus atractivos naturales, te he hecho el agravio de tener por superfluos los que, a fuerza de tantos cuidados, te tratas de adquirir; pero consuélate con que no todos piensan como yo, y que, al contrario, hacen honor a tus ingeniosas invenciones, estimándolas aún más que las de la naturaleza.

Con éstas y las otras anocheció, como era de esperar, a la hora regular, y mi director me subió a ver el nuevo Tívoli con que algunos extranjeros, cuyas cuentas me parecen un poco galanas, han querido hermosear el Prado y llenar sus bolsillos, aunque, a mi entender, no lograrán tan bien el segundo como el primer objeto. Admiré aquella ostentación y aquel fausto, precursor de mucha miseria, y ya se ve, como a los provincianos todo nos choca, no hacía más que preguntar a mi amigo sobre todas aquellas lindezas, llegándole a cansar, de modo que, para distraerme, me hizo fijar la atención en dos figurines que delante de mí estaban sentados hablando de sus asuntos. Y quiero trasladar aquí su conversación con los mismos términos en que pasó, pues de todo me acuerdo.

«¿*Con que*, decía el uno al otro, *te di placer en presentarte anoche en casa de...?» «Oh, ciertamente, fue tan grande, que no espero tener un otro igual.» «Mafoi! Ella es una reunión deleitable, y no puede menos de agradar a un homme d'esprit.» «Hace lástima que no se hallase en ella la encantadora Elisa, por quien yo soy furiosamente amoroso.» «Pero al menos no me negarás la sensibilidad de Constanza, a quien yo dedico mis cuidados.» «¡Oh, no!; sería yo el más imbécil de los hombres si negase sus perfecciones.» «¡Ah, mi amigo!, ¡quel bonheur la de serle grato!; mas a propósito de ella, ¿no te hallaste en el baile de la marquesa de...? No, a mi pesar, pues, según me han detallado, fue digno de un hombre de buen gusto. ¡Oh, mi Dios, y combien de veces, acordándome de lo que sentí en aquel sitio, han pasado por mí las horas del reposo! No te puedo más decir, que desde aquel día me encuentro diabladamente enamorado de los charmantes encantos de mi diosa.» «No me hace sorpresa, pues ella es, a fe mía, bastantemente bella para espiritualizar a un sensible hombre.» «Eh, bien, ¿no me dirás si reciben esta noche chez la marquesa de...?» «Tened, que me parece que sí...; ¿no es hoy Jeudi?, soy con-*

tento de que me lo hayas acordado y me persuado a que querrás acompañarme voluntario.» «¡Oh, sí!; y ya me tardan los momentos de ver a mi bella... Alon donc...»

«¡Júpiter!, ¿para cuándo son tus rayos? Si esto es ser cultos, vale más ser payos.»

En tal exclamación prorrumpí yo, arrebatado de mis rancias ideas, cuando hube salido de la suspensión en que me dejaron aquellos señores con su diabólico dialecto; pero, conociendo mi amigo el efecto que en mí había causado, tuvo a bien cortar el vuelo a mis reflexiones, advirtiéndome que tal era el uso entre las gentes del *gran tono*, y yo, cabizbajo con tan fuerte argumento, tuve que volver al cuerpo lo que intentaba decir, guardándole allí hasta mejor ocasión.

CAPITULO XII

SEPTIEMBRE

Academia y ferias.

Pero nadie me quitará decir dos palabritas sobre estas dos contemporáneas diversiones con que el pueblo de Madrid entretiene las hermosas mañanas de otoño. Salía yo una de ellas entre modorro y avinagrado (resultas de ciertas consideraciones que acababa de dejar), y sin saber cómo ni cómo no, me dirigí a la espaciosa calle depósito general de muebles de todas clases, que ha usurpado de poco acá tan precioso destino a la gran plazuela, temida de malhechores. Acordéme, al pasar por la puerta, de la franquicia que se goza en tal mes para ver las salas de la Academia de San Fernando, y guiado por la curiosidad entré en aquel templo de las artes; admiré, desde luego, la gran concurrencia de ambos sexos, extrañándome el ver tanta afición a la pintura y escultura; adelantéme como pude hacia el patio, y después que hube visto a mi satisfacción todos los cuadros mudos, pasé a considerar los animados, que, como poco inteligente en aquéllos, me agradaban más; al instante conocí la causa de aquel gentío luego que reparé los tiernos grupos que se formaban de trecho en trecho, más interesantes y más patéticos que los de la batalla de San Marcial, y sin duda que lo eran, pues distraído con ellos, o en ellos, ninguno se puede decir que hacía caso de los otros.

Mi natural inconstancia me inclinó a variar de escena, y con esta idea subí a las salas principales a ver si lograba; pero no había pasado de la primera cuando advertí que nada había adelantado, y que las bellezas naturales alcanzaban aquí también el premio sobre las artísticas. Era, en verdad, muy chistoso ver reunidos una porción de mozalbetes mirando cualquier cuadro, por mediano que fuese, para tener ocasión de reparar a una Dulcinea que, tan inteligente como ellos, se había parado a considerarle; pero, sobre todo, ¿quién había de contener la risa al ver a otro, deseoso de atraerse la benevolencia de sus oyentas, disertar, ¡pero qué bien!, sobre cualquier pintura achacándosela tan pronto a Mengs o a Murillo como a Madrazo y Aparicio, y contando las vidas de todos estos artífices con tal exactitud, que, desde luego, nos dijo el lugar de España en que nació el primero y los años que hacía que Aparicio había dejado a Italia, su patria? Por último, fueron tantas y tan graciosas las escenas que vi en aquel sitio, que, cansado ya de reír, hube de dejarle a toda prisa.

Viéndome desocupado tan de mañana, determiné dar un paseo con el objeto de ver la feria; a este fin, seguí a lo largo de la calle de Alcalá, mirando con la mayor escrupulosidad todos los enseres que se hallaban de venta, y juro al dios Apolo que llevé un rato mejor que otro cualquiera. Llamóme la atención un gran corro de gentes que se hallaban mirando detenidamente una porción de libros, cuyo valor, uno con otro, no pasaba de dos reales, y acercándome a ver qué era lo que tan barato se vendía, me hallé con un surtido completo de espejos, belarminos, soledades de la vida, devotos peregrinos, etc. Al ver lo cual no pude menos de suspirar, considerando el descrédito a que en estos malditos tiempos han llegado tantas preciosidades; pero fue mayor mi desconsuelo cuando, llegándome a un estante que tenía en frente, cuyos libros, por lo acomodaditos y de diversos colores, me dieron a entender desde luego su patria, y sacando uno de ellos que, según el nombre que tenía al frente (*Voltaire*, para servir a ustedes), gradué al instante de impío y digno de la santa mano del mismo Torquemada, me pidieron veinte reales por él. Puede ser que si le hubiera leído de cabo a rabo no le hubiera soltado con la velocidad con que lo hice con sólo saber su precio, desde cuyo día, así que veo alguno de los que se le semejan, me aparto cien leguas, diciendo para entre mí: «No más libros colorados».

Seguí, pues, mi camino, y ya iba a dejarle, cansado de ver tantos trastos viejos y nuevos, tantos hombres con tantos servicios, tantos platos, tantos miriñaques, tantos curiosos y tan pocos compradores, tantas curiosas y tantísimos allegados, cuando pasó por delante de mí una de aquellas, pero no así como quiera, sino una muchacha como una perla, con una cara como un rostro. Pasmado me hallaba yo contemplando su belleza, cuando de aquella linda boquita salieron unos acentos tan dulces como los mismos caramelos que pedían; es, pues, el cuento que a la buena señora mía se la había antojado alguna cosa suave, y su señora *tía* no tenía ánimo de comprársela, cuya conversación pasó *por casualidad* delante de mí; no fue

menester más para mi genio caballeresco; corrí, volé a una de aquellas provistas tiendas, que como todo lo demás adolecía de mal francés, y llenando mi pañuelo de *bombones* y *bomboneras* llegué con todo el acatamiento posible a ofrecer tan pequeño don a aquella deidad, solicitando, en cambio, el permiso de acompañarla; concedióseme como pedía, y lleno de mi fortuna proseguí regalándola a la vez los dos sentidos del gusto y del oído; pero yo no sé si el haberla visto a mi satisfacción, o sus palabras fáciles y seductoras, o más que todo, el aviso que un amigo mío me dio a la oreja sobre su profesión, me empezó a resfriar de manera que sólo pensaba ya en los medios de perderlas de vista.

Conviene a saber que en el tiempo que hacía que yo tenía el honor de ofrecerlas mis obsequios, se habían ellas dignado admitirme una porción de ellos, que yo, ¡tonto de mí!, las había hecho, hasta que, asaltado por mis dudas y recelos, las entré en un café y pidiéndolas permiso para ir a hablar a un amigo que supuse estar a la puerta me di por despedido y desaparecí, dando por bien empleado el dinero que había gastado con tal de haber salido libre de las garras de aquellas lechuzas, pues he oído contar buenas cosas de Galicia y no determino ir a visitarla por ahora.

Pero, señor, se me dirá, de todo ha hablado usted menos de ferias. Señor mío, responderé yo, pues a eso se reducen las de Madrid, libros, muebles y... busconas; con el bien entendido, de que no es menester fiarse ni del forro de los primeros, ni del brillo de los segundos, ni del vestido de las terceras, pues allá dentro sabe Dios lo que se halla encubierto, y ¡ay de aquel que se meta a investigarlo!

MI PROFESION DE FE

Yo, don fulano de tal, caballero de a pie, señor de mi persona, etc., etc., habiendo venido de mi lugar que se halla tantas leguas más allá de otro a esta gran corte, centro de la cultura y de la buena educación, con el objeto de desvastarme y desechar las rancias ideas que ocupaban mi desdichado cerebro, sustituyéndole otras nuevecitas, flamantes y de última moda, para lo cual he tardado un año de continuos vencimientos, por la repugnancia que no podía menos de costarme dejar las bárbaras maneras a que estaba acostumbrado, y habiendo por la misericordia divina podido soportar este noviciado con todo el rigor que se me ha prescrito, declaro, hoy día 1 de octubre de 1821, en que la concluyo, que estoy resuelto a profesar y defender de aquí en adelante los cultos principios, desafiando desde ahora a todo el que los menosprecie; prometo y ofrezco seguirlos, no así como quiera, sino con toda la escrupulosidad que prescriban las reglas que estén en vigor y sucesivamente se vayan dictando en la gran ciudad (*Flectamus genua... Levate*), para lo cual me obligo desde hoy a hablar un lenguaje galo-hispano, que es el que conviene a nuestra patria, a fin de librarla de su bárbara lengua; protesto no acompañarme sino con personas que me puedan instruir en las diversas aplicaciones de la elegancia, declarando desde ahora por mi maestro perpetuo a mi amigote, ya que tan bien me ha sabido iniciar en estos sublimes misterios, a lo cual le viviré eternamente reconocido; y, por último, hago promesa solemne de hacer todo lo que hacen los maestros del *tono* que yo tengo acá en la imaginación.

«Así me llamarán jovial, sociable, útil, hábil, político y amable.»

P. D.—Hoy escribo a mi lugar para que vendan lo poquito que allí tengo, cuyo producto íntegro pienso depositarlo en poder de mis corresponsales de París, quienes, *en revanche*, me llenarán de trajes *a la derniere:* Agur, señores; dije mal: *A dieu, monsieurs, au revoir.*

ESCENAS MATRITENSES

SERIE I

(PANORAMA MATRITENSE)

LAS COSTUMBRES DE MADRID (*)

Difficile est proprie communia dicere.

Horat.

«Este que llama el vulgo estilo llano, envuelve tantas fuerzas, que quien osa tal vez acometerle, suda en vano.»

Lupercio de Argensola.

Grave y delicada carga es la de un escritor que se propone atacar en sus discursos los ridículos de la sociedad en que vive. Si no está dotado de un genio observador, de una imaginación viva, de una sutil penetración; si no reúne a estas dotes un gracejo natural, estilo fácil, erudición amena y, sobre todo, un estudio continuo del mundo y del país en que vive, en vano se esforzará a interesar a sus lectores; sus cuadros quedarán arrinconados, cual aquellos retratos que, por muy estudiados que estén, no alcanzan la ventaja de parecerse al original.

El transcurso del tiempo y los notables sucesos que han mediado desde los últimos años del siglo anterior, han dado a las costumbres de los pueblos nuevas direcciones, derivadas de las grandes pasiones e intereses que pusieran en lucha las circunstancias. Así que un francés actual se parece muy poco a otro de

la corte de Luis XV, y en todas las naciones se observa la misma proporción.

Los españoles, aunque más afectos en general a los antiguos usos, no hemos podido menos de participar de esta metamorfosis, que se hace sentir tanto más en la corte por la facilidad de las comunicaciones y el trato con los extranjeros. Añádanse a estas causas las invasiones repetidas dos veces en este siglo, la mayor frecuencia de los viajes exteriores, el conocimiento muy generalizado de la lengua y la literatura francesas, el entusiasmo por sus modas y, más que todo, la falta de una educación sólidamente española, y se conocerá la necesidad de que nuestras costumbres hayan tomado un carácter galo-hispano, peculiar del siglo actual, y que no han trazado ni pudieron prever los rígidos moralistas, o los festivos críticos que describieron a España en los siglos anteriores. Es a la verdad muy cierto que, en medio de esta confusión de ideas, y al través de tal estravagancia de usos, han quedado aún (principalmente en algunas provincias) muchos característicos de la nación, si bien todos en general reciben paulatinamente cierta modificación que tiende a desfigurarlos.

_____

(*) Creyendo el autor de esta obrita que acaso no carecerían de interés algunas notas aclaratorias de ciertos artículos, y relativas a la historia literaria y social de la época que comprenden, pensó adicionarlas en su respectivo lugar, pero habiendo resultado algún tanto largas dichas notas, las remite a la conclusión de la obra, donde las hallarán sus lectores. (*Véase la* 1.ª)

Los franceses, los ingleses, alemanes y demás extranjeros, han intentado describir moralmente la España; pero o bien se han creado un país ideal de romanticismo y quijotismo, o bien, desentendiéndose del transcurso del tiempo, la han descrito no como es, sino como pudo ser en tiempo de los Felipes... Y es así como en muchas obras publicadas en el extranjero de algunos años a esta parte con los pomposos títulos de *La España, Madrid o las costumbres españolas, El Español, Viaje a España*, etcétera, etc., se ha presentado a los jóvenes de Madrid enamorando con la guitarra; a las mujeres asesinando por celos a sus amantes; a las señoritas bailando el bolero; al trabajador descansando *de no hacer nada*; así es como se ha hecho de un sereno un héroe de novela; de un salteador de caminos un Gil Blas; de una manola de Lavapiés una amazona; de este modo se ha embellecido la plazuela de Afligidos, la venta del Espíritu Santo, los barberos, el coche de colleras y los romances de los ciegos, dándoles un aire a lo Walter Scott, al mismo tiempo que se deprimen nuestros más notables monumentos, las obras más estimadas del arte; y así, en fin, los más sagrados deberes, la religiosidad, el valor, la amistad, la franqueza, el amor constante, han sido puestos en ridículo y presentados como obstinación, preocupaciones, necedad y pobreza de espíritu.

Pero ¿qué ha de suceder? Viene a España un extranjero (y principalmente uno de vuestros vecinos traspirenaicos) y durante los cuatro días del camino de Bayona a Madrid no cesa de clamar con sus compañeros de diligencia contra los usos y costumbres de la nación que aún no conoce; apéase en una fonda extranjera, donde se reúne con otros compatriotas que se ocupan exclusivamente de la alza o baja de los fondos en París o de las discusiones de las cámaras; visita a todos sus paisanos, atiende con ellos a sus especulaciones mercantiles y sigue en un todo sus patrios usos.

Levántase, por ejemplo, al siguiente día, y después de desayunarse con cuarenta y ocho columnas de diarios llegados por la mala, se dirige por el más

corto camino a casa de *Mr. Monier* a tomar un baño; luego a almorzar *chez Genieys*; después al salón de *Petibon*, al obrador de *Rouget*; desde allí a la embajada, y saliendo a las tres. «*¡Peste de país!*, no hay nadie en las calles». Con lo cual se baja al Prado, donde no deja de hallar a aquella hora a algún ciego que baila los monos delante de los muchachos, otro que enseña el tutili mondi al son del tambor, o un calesín que va a los toros con dos manolas gallardamente escoltadas por un picador y un chulo. «Vamos a los toros...» —gritos, silbidos, expresiones obscenas...— «*¡Oh le vilain pais!*» Embiste el toro, cae el picador, derriba a los chulos, estropea el caballo; saca su libro de memoria y anota: «*En la corrida de toros murieron siete hombres, y el público reía grandemente*». Sale de allí y baja al Prado al anochecer; hay mucha gente, pero ya no se ve. «*Las jóvenes personas* (anota) *van al Prado tan tapadas que no se las ve*». Súbese por la calle de la Reina, come en *Genieys*, donde el champagne y el Bordeaux le entretienen tanto que llega al teatro cuando se ha empezado el sainete: «*Las pequeñas piezas en España son pitoyables*». No le parece tanto otra *pieza* que se distingue en la primer fila de la cazuela; espérala a su descenso y viéndola cabalmente sin compañía se ofrece caballerescamente a hacérsela; acepta ella, como era de esperar, y desde el momento le habla con la mayor marcialidad: «*Las mujeres en España son extremadamente amables*» —dice, sin meterse a averiguar más respecto a su compañera—. Luego va a una *soirée*, donde al instante todos empiezan bien o mal a hablarle en francés, y para diferenciar le invitan a jugar al *ecarté* o a bailar la *galope*, con lo cual vase luego a su casa y emplea el resto de la noche en extender sus memorias sobre las costumbres españolas y pintar los románticos amores de *don Gómez* con *donna Matilda*, o *donna Paquita* con *don Fernández*. Pasan así quince días, vuelve rápidamente a Bayona, y a poco tiempo: «*Tableau moral et politique de l'Espagne, par un observateur*», y pillando un trozo de Lesage, no duda en adoptar por epígrafe el: «*Suivez moi*, *je vous ferai connaitre Madrid*». Y, por cierto, que el Madrid que ellos pintan no le conocería Lesage ni el autor del *Manual*.

No pudiendo permanecer tranquilo espectador de tanta falsedad, y deseando ensayar un género que en otros países han ennoblecido las elegantes plumas de Adisson, Jouy y otros, me propuse, aunque *siguiendo de lejos* aquellos modelos y *adorando sus huellas*, presentar al público español cuadros que ofrezcan escenas de costumbres propias de nuestra nación, y más particularmente de Madrid, que, como corte y centro de ella, es el foco en que se reflejan las de las lejanas provincias. No dejo de conocer que los respetables nombres que acabo de escribir y las cualidades que senté al principio de este discurso, y que reconozco indispensables para llenar con perfección esta tarea, son otros tantos cargos contra mí y que acriminan la presunción de mi intento; pero, por otro lado, sea que nuestro gusto no esté tan refinado ni exija tanta perfección como en aquellos países, sea que marche por un campo virgen, donde a poco esfuerzo pueden recogerse flores y matizar con ellas mis descoloridos cuadros, sea, en fin, fortuna mía, he conseguido hasta ahora que el público que ha reído con la *Comedia casera*, la *Calle de Toledo*, el *Retrato* y las *Visitas*, se haya mostrado juez indulgente con quien le divierte a su costa.

Mi intento es merecer su benevolencia, si no por la brillantez de las imágenes, al menos por la verdad de ellas; si no por la ostentación de una pedantesca ciencia, por el interés de una narración sencilla, y finalmente, si no por el punzante aguijón de la sátira, por el festivo lenguaje de la crítica. Las costumbres de la que en el idioma moderno se llama *buena sociedad*, las de la medianía y las del común del pueblo, tendrán alternativamente lugar en estos cuadros, donde ya figurará un drama llorón, ya un alegre sainete. Empero, nadie podrá quejarse de ser el objeto directo de mis discursos, pues deben tener entendido que cuando pinto, no retrato.

Esto supuesto, y entre tanto que otros artículos preparo, saldrán a lucir sin formalidad ni cumplimiento *Los cómicos en Cuaresma*, *La empleo-manía*, *El día 30 del mes*, *El patio del correo*, *El pleito*, *La sala y la cocina*, *El teatro*, *La comida de campo*, *La vuelta de París* y otros muchos ya borrajeados, ya *in pectore*, donde vayan encontrando su respectivo lugar todas las virtudes, todos los vicios y todos los ridículos que forman en el día nuestra sociedad; donde los usos generales, los dichos familiares, caractericen el pueblo actual, llevando en su veracidad la fecha del escrito, y donde al mismo tiempo que se ataque al ridículo se vengue al carácter nacional de los desmedidos insultos, de las extravagantes caricaturas en que le han presentado sus antagonistas. Ojalá que guiado por una luz diáfana acierte a llenar mi propósito, y ojalá que el público, al leer estos artículos, diga con Terencio: «*Sic nunc sunt mores*». «¡Tales son nuestras actuales costumbres!»

(Abril de 1832.)

NOTA

Las costumbres de Madrid.—Este artículo y los demás que siguen hasta el de *El Campo Santo* inclusive, fueron escritos por el autor y publicados durante el año de 1832 en la única revista literaria y periódica que aparecía a la sazón, y era la titulada *Cartas Españolas*. Dirigía esta publicación el ameno y conocido literato *don José María de Carnerero*, hoy difunto, el cual, por su posición y relaciones en la Corte, pudo obtener del celoso y suspicaz gobierno de aquella época el privilegio especial de publicar un periódico literario. En él se encargaron de un género de escritos absolutamente nuevo en nuestro país el señor don Serafín E. Calderón (*el Solitario*) y el *Curioso Parlante*: aquél, en sus bellísimos cuadros o *Escenas de Andalucía*, y éste, con los que llevan por título *Escenas Matritenses*. Ambas obras, reimpresas después por separado, alcanzan hoy mucha popularidad, y la presente edición es la quinta de las *Matritenses*. Pues ahora bien; como dato curiosísimo de la época a que se refieren, baste decir aquí que el periódico o revista en que se publicaron ambas por primera vez, alternadas además con otros muchos artículos serios y festivos de ciencias, literatura y artes, por los colaboradores a dicho periódico, sólo llegó a alcanzar el número de 500 suscriptores; y eso que era la única publicación literaria periódica de la época, y con el *Correo Mercantil*, propiedad del señor Jiménez Haro, tenía el privilegio exclusivo de hablar en letras de molde a los aficionados a la literatura.

A pesar de tan marcada indiferencia de parte del público, y luchando además con los inconvenientes de una censura no la más ilustrada, los autores de las *Escenas Andaluzas* y de las *Matritenses*, jóvenes ambos, ambos estudiosos y entusiastas por las cosas patrias, no retrocedieron en la tarea que se habían voluntariamente impuesto, y con la mayor espontaneidad, sin interés alguno, y aún sin la natural satisfacción de ser leídos, prosiguieron alternando en sus cuadros respectivos con una constancia que no deja de ser laudable.

Desgraciadamente solos, o casi solos, en el palenque literario a causa de la ausencia o silencio de los buenos escritores, consiguieron al fin con sus festivos y originales escritos despertar algún tanto al público de entonces de su completa indiferencia y estimular a otros jóvenes también, e ingenios privilegiados, a lanzarse a la palestra que tantos lauros les esperaban. Entre ellos, descolló el malogrado *Fígaro* (don Mariano J. de Larra), que, animado por ambos y sin sombra alguna de miserables rivalidades, emprendió por aquel entonces la publicación de sus preciosas *Cartas de un pobrecito hablador*. Se ha dicho después por algunos críticos un tanto ligeros, y en son de alabanza de *El Curioso Parlante*, que era «el más feliz de los imitadores de Fígaro». Mucho honraría al autor de las *Escenas Matritenses* semejante comparación, si la verdad del hecho no fuese que precedió a aquél en la tarea, y, por consecuencia, mal podía imitar quien llevaba en el orden del tiempo la delantera. Así lo confiesa el mismo *Fígaro* en la primera edición de sus artículos, escritos cuando ya se habían publicado gran parte de los del *Curioso Parlante*. Además, como cada uno dio diferente giro y tendencia a sus escritos, no parece que existen términos de comparación. El intento constante del ingenioso y discreto *Fígaro* fue (con cortas excepciones) la sátira política, la censura o retrato apasionado de los hombres de la época: el *Curioso Parlante* se proponía otra misión más modesta y tranquila, cual era la de pintar con risueños, si bien pálidos colores, la sociedad privada, tranquila y bonancible, los ridículos comunes, el bosquejo, en fin, del hombre en general. Tal igualmente era el objeto del filosófico autor de las *Escenas Andaluzas*, el erudito y castizo *Solitario;* y ambos miraron sin asomos de celos ni pujos de rivalidad, en las manos de su amigo y compañero *Fígaro*, la merecida palma de la sátira política, en la que es preciso confesar que ni antes ni después ha tenido entre nosotros digno rival, ni aún siquiera afortunados imitadores.

Si de alguno lo fue Larra, no fue de otro que del ingenioso e incisivo *Pablo Luis Courrier*, que por los años anteriores había hecho cruda guerra al gobierno francés de la Restauración; pero apropiando su amarga sátira y su finísima observación a nuestro país y a sus circunstancias políticas, muy pronto llegó a abrirse un camino propio y a volar en alas de su alto ingenio hasta una altura superior. *El Curioso Parlante* confiesa también que al empezar su tarea se propuso modelos en un género en que se le ofrecían varios que imitar. *Adisson*, en Inglaterra, había, puede decirse, creado este género de escritos a mediados del pasado siglo en *The Espectator*. *Jouy*, en Francia, los había hecho aún más ligeros, más dramáticos y animados a principios del actual en *L'Hermite de la Chaussée d'Antin*. Entre nosotros, aunque la pintura festiva de las costumbres había sido hecha, y admirablemente hecha, en los siglos XVI y XVII por tales ingenios como Cervantes, Quevedo, Vélez de Guevara y Fernando de Rojas, sin embargo, ni el *Quijote* y las novelas del primero, ni la *Tragicomedia* del último, ni los *Sueños* de Quevedo, ni el *Diablo Cojuelo* de Guevara, podían para este caso ser otra cosa que admirables modelos de estilo, pero no de forma, siendo éstas como eran excelentes novelas, libros ingeniosos en que se despliega una complicada acción, y aquéllos haber de reducirse a ligeros bosquejos, cuadros *de caballete* para encontrar colocación en la parte amena de un periódico. Sin embargo, el autor no puede menos de reconocer que, si algún aprecio ha merecido en sus festivos escritos, lo debe, indudablemente, a su estudio de aquellos grandes modelos, y que siguiéndoles encantado por la magia de su estilo y por la filosofía de su pensamiento, se olvidó muy pronto de Adisson, Jouy y demás extranjeros, y procuró buscar en los propios algunos de los ricos matices de su admirable paleta, prefiriendo ser mal imitador de Cervantes y Quevedo a triunfar sobre *Jouy, Etienne y Balzac*. *El Solitario*, en sus preciosas *Escenas Andaluzas*, pensó sin duda del mismo modo, y sin duda también ayudado por su gran talento, exquisita erudición y rica fantasía, ha alcanzado puntos más cercanos de comparación con nuestros célebres hablistas en *Pulpete y Balbeja, La Rifa, Egas el escudero, La niña en la feria* y otros encantadores cuadros de la vida de Andalucía; el *Curioso Parlante* se contenta con haber consignado (aunque sin alcanzarle) el mismo propósito en *Madre Claudia, El Recién-venido, Los románticos, Las sillas del Prado, El día de Toros y El entierro de la Sardina*.

EL RETRATO

«Quien no me creyere que tal sea de él,
al menos me deben la tinta y papel.» •

Bartolomé Torres Naharro.

Por los años de 1789 visitaba yo en Madrid una casa en la calle ancha de San Bernardo; el dueño de ella, hombre opulento y que ejercía un gran destino, tenía una esposa joven, linda, amable y petimetra; con estos elementos, con coche y buena mesa, puede considerarse que no les faltarían muchos apasionados. Con efecto, era así, y su tertulia se citaba como una de las más brillantes de la corte. Yo, que entonces era un pisaverde (como si dijéramos un *lechuguino* del día), me encontraba muy bien en esta agradable sociedad; hacía a veces la partida de mediator a la madre de la señora, decidía sobre el peinado y vestido de ésta, acompañaba al paseo al esposo, disponía las meriendas y partidas de campo, y no una vez sola llegué a animar la tertulia con unas picantes seguidillas a la guitarra, o bailando un bolero que no había más que ver. Si hubiese sido ahora, hubiera hablado alto, bailado de mala gana, o sentándome en el sofá tararearía un aria italiana, cogería el abanico de las señoras, haría gestos a las madres y gestos a las hijas, pasearía la sala con sombrero en mano y de bracero con otro camarada y, en fin, me daría tono a la usanza..., pero entonces... entonces me lo daba con mi mediator y mi bolero.

Un día, entre otros, me hallé al levantarme con una esquela, en que se me invitaba a no faltar aquella noche, y averiguado el caso, supe que era día de doble función, por celebrarse en él la colocación en la sala del retrato del amo de la casa. Hallé justo el motivo, acudí puntual y me encontré al amigo colgado en efigie en el testero con su gran marco de relumbrón. No hay que decir que hube de mirarle al trasluz, de frente y costado, cotejarle con el original, arquear las cejas, sonreírme después y encontrarle admirablemente parecido; y no era la verdad, porque no tenía de ello sino el uniforme y los vuelos de encaje. Repitióse esta escena con todos los que entraron, hasta que ya llena la sala de gentes pudo servirse el refresco (costumbre harto saludable y descuidada en estos tiempos), y de allí a poco sonó el violín y salieron a lucir las parejas, alternando toda la noche los *minutés* con sendos versos que algunos poetas *de tocador* improvisaron al retrato.

Algunos años después volví a Madrid y pasé a la casa de mi antigua tertulia; pero, ¡oh Dios!, ¡*quantum mutatus ab illo!*, ¡qué trastorno! El marido había muerto hacía un año y su joven viuda se hallaba en aquella época del duelo en que, si bien no es lícito reírse francamente del difunto, también el llorarle puede chocar con las costumbres. Sin embargo, al verme, sea por afinidad, o sea por cubrir el expediente, hubo que hacer algún *puchero*, y esto se renovó cuando notó la sensación que en mí produjo la vista del retrato, que pendía aún sobre el sofá. «¿Le mira usted? —exclamó—. ¡Ay, pobrecito mío!» Y prorrumpió en un fuerte sonido de nariz, pero tuvo la precaución de quedarse con el pañuelo en el rostro, a guisa del que llora.

Desde luego, un don *No sé quién*, que se hallaba sentado en el sofá con cierto aire de confianza, saltó y dijo: «Está visto, doña Paquita, que hasta que usted no haga apartar este retrato de aquí no tendrá un instante tranquilo»; y esto lo acompañó con una entrada de moral que había yo leído aquella mañana en *El corresponsal del censor*. Contestó la viuda, replicó el argumentante, terciaron otros, aplaudimos todos, y, por sentencia sin apelación, se dispuso que la menguada efigie sería trasladada a otra sala no tan cuotidiana; volví a la tarde y la vi ya colocada en una pieza interior, entre dos mapas de América y Asia.

En éstas y las otras, la viuda, que, sin duda, había leído a Regnard y tendría presentes aquellos versos que, traducidos en nuestro romance español, podrían decir:

¿Mas de qué vale un retrato,
cuando hay amor verdadero?
¡Ah!, sólo un esposo vivo
puede consolar del muerto (*).

Hubo de tomar este partido, y a dos por tres me hallé una mañana sorprendido con la nueva de su feliz enlace con el *don Tal*, por más señas. Las nubes desaparecieron, los semblantes se reanimaron y volvieron a sonar en aquella

sala los festivos instrumentos. ¡Cosas del mundo!

Poco después la señora, que se sintió embarazada, hubo de *embarazarse* también de tener en casa al niño que había quedado de mi amigo, por lo que se acordó, en consejo de familia, ponerle en el Seminario de Nobles; y no hubo más, sino que a dos por tres hiciéronle su hatillo y dieron con él en la puerta de San Bernardino; dispúsosele su cuarto y el retrato de su padre salió a ocupar el punto céntrico de él. La guerra vino después a llamar al joven al campo del honor; corrió a alistarse en las banderas patrias, y vueltos a la casa paterna sus muebles, fue entre ellos el malparado retrato, a quien los colegiales, en ratos de buen humor, habían roto las narices de un pelotazo.

Colocósele por entonces en el dormitorio de la niña, aunque notándose en él a poco tiempo cierta virtud chinchorrera, pasó a un corredor, donde le hacían alegre compañía dos jaulas de canarios y tres campanillas.

La visita de reconocimiento de casas para los alojados franceses recorría las inmediatas, y en una junta extraordinaria, tenida entre toda la vecindad, se resolvió disponer las casas de modo que no apareciera a la vista sino la mitad de la habitación, con el objeto de quedar libres de alojados. Dicho y hecho; delante de una puerta que daba paso a varias habitaciones independientes se dispuso un altar muy adornado, y con el fin de tapar una ventana que caía encima..., «¿qué pondremos?, ¿qué no pondremos?» El retrato. Llega la visita, recorre las habitaciones y sobre la mesa del altar, ya daba el secretario por libre la casa, cuando, ¡oh desgracia!..., un maldito gato que se había quedado en las habitaciones ocultas salta a la ventana, da un maído y cae el retrato, no sin descalabro del secretario, que, enfurecido, tomó posesión, a nombre del Emperador, de aquella tierra incógnita, destinando a ella un coronel con cuatro asistentes.

Asendereado y maltrecho yacía el pobre retrato, maldecido de los de su casa y escarnecido de los asistentes, que se entretenían, cuándo en ponerle bigotes,

(*) Mais, qu'est ce qu'un portrait quand on aime bien fort? C'est un mari vivant qui console d'un mort.

cuándo en plantarle anteojos y cuándo en quitarle el marco para dar pábulo a la chimenea.

En 1815 volví yo a ver la familia, y estaba el retrato en tal estado en el recibimiento de la casa; el hijo había muerto en la batalla de Talavera; la madre era también difunta, y su segundo esposo trataba de casar a su hija. Verificóse esto a poco tiempo, y en el reparto de muebles que se hizo en aquella sazón, tocó el retrato a una antigua ama de llaves a quien ya por su edad fue preciso jubilar. Esta tal tenía un hijo que había asistido seis meses a la Academia de San Fernando, y se tenía por otro Rafael, con lo cual se propuso limpiar y restaurar el cuadro. Este muchacho, muerta su madre, sentó plaza y no volví a saber más de él.

Dieciséis años eran pasados cuando volví a Madrid, el último. No encontré ya mis amigos, mis costumbres, mis placeres, pero, en cambio, encontré más *elegancia*, más *ciencia*, más *buena fe*, más *alegría*, más *dinero* y más *moral pública*. No pude dejar de convenir en que estamos en el siglo de las luces. Pero como yo casi no veo ya, sigo aquella regla de que al ciego el candil le sobra; y así que, abandonando los refinados establecimientos, los grandes almacenes, los famosos paseos, busqué en los rincones ocultos los restos de nuestra antigüedad, y por fortuna acerté a encontrar alguna botillería en que beber a la luz de un candilón; algunos calesines en que ir a los toros; algunas buenas tiendas en la calle de Postas; algunas cómodas escaleras de la Plaza, y, sobre todo, un teatro de la Cruz que no pasa día por él. Finalmente, cuando me hallé en mi centro, fue cuando llegaron las ferias. No las hallé, en verdad, en la famosa plazuela de la Cebada, pero en las demás calles el espectáculo era el mismo. Aquella agradable variedad de sillas desvencijadas, tinajas sin suelo, linternas sin cristal, santos sin cabeza, libros sin portada; aquella perfecta igualdad en que yacen por los suelos las obras de Loke, Bertoldo, Fenelón, Valladares, Metastasio, Cervantes y Belarmino; aquella inteligencia admirable con que una pintura del de Orbaneja cubre un cuadro de Ribera o Murillo; aquel surtido general, metódico y completo de todo lo útil y necesario, no pudo menos de reproducir en mí las agradables ideas de mi juventud.

Abismado en ellas subía por la calle de San Dámaso a la de Embajadores, cuando a la puerta de una tienda, y entre varios retazos de paño de varios colores, creí divisar un retrato cuyo semblante no me era desconocido. Limpio mis anteojos, aparto los retales, tiro un velón y dos lavativas que yacían inmediatas, cojo el cuadro, miro de cerca... «¡Oh, Dios mío! —exclamé— : ¿Y es aquí donde debía yo encontrar a mi amigo?»

Con efecto, era él, era el cuadro del baile, el cuadro del seminario, de los alojados y del ama de llaves; la imagen, en fin, de mi difunto amigo. No pude contener mis lágrimas, pero, tratando de disimularlas, pregunté cuánto valía el cuadro. «Lo que usted guste», contestó la vieja que me lo vendía; insté a que le pusiera precio y, por último, me lo dio en *dos pesetas*; informéme entonces de dónde había habido aquel cuadro y me contestó que hacía años que un soldado se lo trajo a empeñar, prometiéndole volver en breve a rescatarlo; pues, según decía, pensaba hacer su fortuna con el tal retrato, reformándole la nariz y poniéndole grandes patillas, con lo cual quedaba muy parecido a un personaje a quien se lo iba a regalar; pero que habiendo pasado tanto tiempo sin aparecer el soldado, no tenía escrúpulo en venderlo, tanto más cuanto que hacía seis años que salía a las ferias y nadie se había acercado a él; añadiéndome que ya le hubiera tirado a no ser porque le solía servir, cuándo para tapar la tinaja y cuándo para aventar el brasero.

Cargué al oír esto precipitadamente con mi cuadro y no paré hasta dejarle en mi casa, seguro de nuevas profanaciones y aventuras. Sin embargo, ¿quién me asegura que no las tendrá? Yo soy viejo, muy viejo, y muerto yo, ¿qué vendrá a ser de mi buen amigo? ¿Volverá séptima vez a las ferias?, ¿o acaso, alterado su gesto, tornará de nuevo a autorizar una sala? ¡Cuántos retratos habrá en este caso! En cuanto a mí, escarmentado con lo que vi en éste, me felicito más y más de no haber pensado en dejar a la posteridad mi retrato: ¿para qué? Para presidir a un baile, para excitar suspiros, para habitar entre mapas, canarios y campanillas; para sufrir golpes de pelota; para criar chinches; para tapar ventanas, para ser embigotado y restaurado después, empeñado y manoseado, y vendido en las ferias por *dos pesetas.*

(Enero de 1832.)

NOTA

El Retrato.—Leyendo hoy el autor este artículo, escrito hace cerca de veinte años, no puede menos de sonreír al observar el empeño que en su primera edad juvenil parece que formaba en aparecer viejo ante sus lectores, y al mismo tiempo que en los últimos artículos de esta obrita, escritos algunos años después y en su edad madura, lucha y se esfuerza por dar a sus cuadros la frescura y colorido de la juventud. Achaque es éste natural y propio de los escritores de costumbres que, anhelando siempre proceder por comparación con épocas anteriores, van a buscarlas, cuando muchachos, a las sociedades que no alcanzaron, y después, cuando ya maduros, a las que formaban sus delicias en los tiempos de su risueña juventud. Por lo demás, esta historia de un retrato no es propiamente tal, sino en cuanto está fundada en datos, ciertos unos, calculados otros, y esparcidos en diversos casos, aunque fundados todos en las debilidades propias de nuestra humana condición. En este artículo, como en otros muchos de esta obrita, quisiéronse entonces buscar originales determinados, pero luego los que tal pensaban hubieron de desengañarse de que no fue ni pudo ser la intención del autor más que la de alcanzar en su pintura imaginada todo el grado de verosimilitud posible; y así hubo de creerlo, entre otros, el difunto Comisario de Cruzada señor Varela, que, deseando conocerle para felicitarle por este artículo, se le hizo presentar por un amigo, y, con la sonrisa en los labios, le manifestó que destinaba a la Academia de San Fernando el retrato suyo pintado recientemente, «porque —añadió con mucha gracia—, aunque el mérito del pincel de López me asegura contra las ferias, no quisiera morirme con el escozor que me ha producido su artículo de usted».

LA CALLE DE TOLEDO

«Como aquí de provincias tan distantes
concurren, o por gracia o por justicia,
diversas lenguas, traies y semblantes;

Necesidad, favor, celo, codicia,
forman tumulto, confusión y prisa
tal, que dirás que el orbe se desquicia.»

B. de Argensola.

Pocos días ha tuve que salir a recibir a un pariente que viene a Madrid desde Mairena (reino de Sevilla), con el objeto de examinarse de escribano. Las diez eran de la mañana cuando me encaminé a la gran puente que presta paso y comunicación al camino real de Andalucía, y ayudado de mi catalejo, tendí la vista por la dilatada superficie para ver si divisaba, no la rápida diligencia, no el brioso alazán, sino la compasada galera en que debía venir el cuasi escribano.

Poco rato se me hizo aguardar para dejarse ver de *los Angeles* acá (*rari nantes in gurgite vasto*) y mucho más hube de esperar para que llegase adonde yo estaba. Verificólo al fin, vióme mi primo, saltó del incómodo camaranchón y *pian pian* enderezamos hacia la gran villa, ya acortando el paso para que pudieran seguirnos las siete mulas que arrastraban la galera, ya procurando conservar la distancia conveniente para no ser interrumpidos en nuestra sabrosa plática por la monótona armonía de los cencerros y campanillas de las bestias, de los jaleos y rondeñas de los zagales.

—Y bien, primo mío, ¿qué te parece del aspecto de Madrid?

—Que ze pué desir dél lo que de Parmira, que es *la perla del dezierto*; y oyez, y tuvieron rasón zus fundadores en zituarle sobre alturas, porque zinó, con ezte río, adónde vamo-ha-paral...

—Ya te entiendo; pero en cambio tienes aquí este, que si no es gran puente, por lo menos es un puente grande.

—Zin duda, y aun por ezo he leído yo en un libraco viejo unaz coplillaz que disen:

> Fuérame yo por la puente
> que lo es sin encantamiento,
> en diciembre, de Madrid,
> y en verano, de *Ríoseco*;
> la que haciéndose ojos toda
> por ver su amante pigmeo,
> se queja dél porque ingrato
> le da con arena en ellos,
> la que...

—¿Acabarás con tu pintura?

—Rasón tienez; punto y coma y a otra coza, que ze hase tarde y habremoz de detenrnoz en la puerta.

Y con efecto fue así, porque llegando a ésta, y mientras se verificaba la operación del registro, se pasó media hora, en la cual no estuvieron ociosos nuestros ojos ni nuestras lenguas.

Mi primo es un mozo, ni bien sabio, ni bien tonto, aunque una buena dosis de malicia tercia entre ambas cualidades, y haciéndole disimular la segunda, le presta ciertos ribetes de la primera; además, es andaluz, y ya se sabe que los de su tierra tienen la circunstancia de caer en gracia, condición harto esencial, y en Madrid más que en otra parte. Hecha esta prevención acerca de su carácter, no se extrañará que yo desease conocer el efecto que le producían las rápidas escenas que pasaban a nuestra vista, para lo cual, y excitarle a hablar, anudé el interrumpido diálogo de esta manera:

—Vas a entrar en Madrid (le dije) por el cuartel más populoso y animado; desde luego, debes suponer que no será el más elegante, sino aquel en que la corte se manifiesta como madre común, en cuyo seno vienen a encontrarse los hijos, las producciones y los usos de las lejanas provincias; aquel, en fin, en que las pretensiones de cada suelo, los dialectos, los trajes y las inclinaciones respectivas presentan al observador un cuadro de la *España en miniatura.*

—Punto ez ezte —dijo mi primo— para obzervarle zentados; aprovechemos ezte poyito.

No bien lo habíamos dicho y hecho, cuando llegó una galera guiada por un valenciano tan ligero como su vestido. El iba, venía a todos lados, retozaba con los demás, blandía su vara, ceñía y desceñía su faja, aguijaba las mulas, contestaba a las preguntas del resguardo y pregonaba de paso las esteras que conducía en su carro. Deseoso yo de que le escuchara mi pariente, trabé conversación con él, suponiendo curiosidad por conocer los proyectos que le traían a Madrid; y muy luego supimos por su misma boca que pensaba vender sus esteras en un portal durante el invierno; emplear su producto en loza, que vendería por las calles en la primavera; fijarse mientras el verano en una rinconada para vender horchata, y trasladarse después a una plazuela para regir durante el otoño un puesto de melones;

tales eran los proyectos de este proteo mercantil.

Poco después llegaron unos cuantos, que por sus anguarinas, grandes sombreros y alforjas al hombro, calificamos pronto de extremeños; que conducían las picantes producciones que tan buen olor, color y sabor prestan a la cuotidiana olla española. De éstos supimos que eran todos parientes y de un mismo pueblo (Candelario), y no pudo menos de chocarnos la semejanza de las facciones de tres de ellos que parecían uno mismo, aunque en distintas edades; eran: padre, hijo y nieto, y traían a éste por primera vez a la capital, por lo cual no cesaban de darle consejos sobre el modo de presentarse en las casas, encarecer las ventajas del género y demás, concluyendo con una disertación choricera capaz de excitar al más inapetente.

Aún no se había acabado, cuando nos hallamos envueltos por una invasión de jumentillos alegres y vivarachos que se entraron por la puerta con una franqueza sin igual: traían cada uno dos pellejos, y diciendo que sus conductores eran manchegos, no hay que añadir que los pellejos eran de vino. Los mozos echaron pie a tierra y dejaron ver sus robustas formas, su aire marcial, expresivas facciones, color encendido, ojos penetrantes; traían todos tremendas patillas, su pañuelo en la cabeza y encima la graciosa monterilla; las varas a la espalda y atravesadas en el cinto. Empezaron luego a contar sus pellejos, mas por desgracia nunca iban de acuerdo con el guarda, pues si éste decía veinte, ellos sacaban diecinueve, y volviendo a contar sólo resultaban diecisiete; por último, se fijaron en dieciocho, pagaron su cuota y echaron a correr.

Otro carromato. ¿De dónde? De Murcia y Cartagena. ¿Carga? Naranjas y granadas. Al menos, es cosa de sustancia. Ahora van ustedes a probar que la tienen.

—A un lao, zeñorez —exclamó mi primo levantándose—; a un laíto, por amor de Dioz, que viene aquí la gente.

—Y decíalo por una sarta de machos engalanados que entraban por la puerta con sendos jinetes encima.

—A la paz de Dios, caballeroz —saludó con voz aguardentosa un viejo que, al parecer, hacía de amo de los demás.

—Toque esos sinco, paizano —dijo mi primo sin poderse contener—. ¿De qué parte del paraizo?

—De Jaén —replicó con un ronquido el viejo.

—Buena tierra zi no estuviera tan serca de Caztiya.

—Maz serca eztá del sielo.

—Como que tiene la cara de Dios.

—Y como que zí; pero, dejando ezto, ¿no me dirá zu mersé —dirigiéndose a mí— de dónde han traído ezta puelta?, porque o me engañan miz vizualez, o no eztaba añoz atraz cuando yo eztuve en ezte lugar.

—Así es la verdad —le contesté—; porque hace pocos años que se sustituyó este monumento a las mezquinas tapias que antes daban entrada por esta parte a la capital.

—Ahora —repuso el escribano— la entrada parece mesquina al lado de la puerta.

Aquí llegábamos en nuestra conversación, cuando se nos dio por sanos y salvos, con lo que pudimos emprender la subida de la calle, alternando nuestras observaciones con las del viejo andaluz. Entre los primeros objetos que la fijaron, fueron la recua de manchegos que habíamos visto en la puerta, los cuales salían de una posada inmediata para repartir los cueros por las tabernas. Mi primo me hizo observar que llevaban veinte pellejos, y acordándonos de los dieciocho pagados en la puerta, nos persuadimos de que habrían tratado de imitar el milagro de las bodas de Canaán.

Divertíamos así nuestro camino, contemplando la multitud de tiendas y comercios que prestan a aquella calle el aspecto de una eterna feria; tantas tonelerías, caldererías, zapaterías y cofrerías, tantos barberos, tantas posadas y, sobre todo, tantas tabernas. Esta última circunstancia hizo observar a mi primo que la afición al vino debe ser común a todas las provincias. Yo sólo le contesté que son ochocientas dieciséis las tabernas que hay en Madrid. Engolfados en nuestra conversación tropezábamos, cuándo con un corro de mujeres cosiendo al sol, cuándo con un par de mozos

durmiendo a la sombra; muchachos que corren; asturianos que retozan; carreteros que descargan a las puertas de las posadas; filas de mulas ensartadas una en otra y cargadas de paja que impiden la travesía; aquí una disputa de castañeras; allá una prisión de rateros; por este lado un relevo de guardia; por el otro un entierro solemne...

Favor a la justicia. Agur, camará. Réquiem œternam. Pué ya..., ¡el demonio del usía! Caballero, una calesa. Vaya usté con Dios, prenda. Chas..., a un lado, la diligencia de Carabanchel. Aceituna bue... Señores, por el amor de Dios. Riá..., tomá..., so..., o... o..., generala, coronela. Perdone usté, caballero. No hay de qué...

Con estas y otras voces, la continua confusión y demás, mi primo se atolondró de modo que le perdí de vista y tardé largo rato en volverle a encontrar. Por fin, pude hallarle, que estaba parado delante de la fuente nueva.

—¿Qué haces ahí parado? —le pregunté con algún ceño.

—¡Qué he de haser, hombre!; estoy recordando todo el Buffon a ver zi zaco en limpio qué animalejo ez eze que eztá ahí ensima.

—Majadero, ¿no conoces que es el león...?

—Como no lo dice el letrero...

—Vamos, vamos.

«Parador de Cádiz». «Aquí se sacan muelas a gusto de los parroquianos». «Se gisa de comer por un tanto diario todos los días». «Memoria-lista, se echan cuentas en todas lenguas». «Aquí se venden hábitos para difuntos completos». «Zapatos para hombres rusos hechos en Madrid». «Aquí se venden sombreros de paja para niños.»

—¿Qué demonios estás diciendo?

—Leo las mueztras —contestó mi primo.

—Vaya, déjate de tonteras y repara que pisas el recinto fatal en que los condenados al último suplicio...

—Pacito, primo, que tengo buen humor, y no eztá nada lindo ezo de que me enzeñes la horca antes que el lugar.

Tremendos cartelones. T e a t r o del Príncipe: *El castillo de Staonins-Coyz o los siete Crímenes.* Cruz: *Los asesinos elegantes.* Sartén : *Horror y desesperación,* drama melo-mimo-lóbrego.

—Oyez, primo, ¿y ze entretienen los zeñores madrileños con estaz lindesaz?

—Qué quieres, ¡el gusto del siglo…!

—Pue hemoz llegao a un ziglo divertío. Soberbia perspectiva hase eza iglezia.

—Como que es la principal de la corte y dedicada a su santo patrono.

—Póngaze en primer lugar en mi libro para visitarla mañana.

A este punto y hora llegábamos, cuando vimos a lo lejos una calesa con la cubierta echada atrás y sentadas en ella dos manolas con aquel aire natural que las caracteriza. Ni Tito ni Augusto al volver triunfantes a la capital del orbe pasaron más orgullosos bajo los arcos que les eran dedicados, que nuestras dos heroínas por el de la Plaza Mayor. Guardapiés amarillos y encarnados, ricas mantillas de sarga y terciopelo sobre los hombros, pañuelos de color de rosa al pecho, cesto de trenzas en las cabezas y coloreadas las mejillas por el vapor del vino; tal era el atavío con que venían echándose fuera de la calesa y pelando unas naranjas con un desenfado singular. Aquí de la turbación de mi provincial; parado delante de la calesa no reparaba su peligro hasta que una de las manolas :

—Oiga, señor visión —le dijo—, déjenos el paso franco.

—¿Adónde van las reinas?

—A perderle de vista.

—Si nesesitazen un hombre al eztribo…

—¿Y son así los hombres en su tierra? Jesús, ¡qué miedo!

—¡Y qué!, ¿no me han de dar un poco de naranja?

—Tome el rocín venido.

Y le dirigieron a las narices una cáscara de vara y media, con lo cual, y aguijando el caballejo, desaparecieron en medio de la risa general. Yo hube de contener la mía por no irritar al pobre mozo, a quien no me pareció había gustado el lance; pero me propuse echarle después un buen sermón. Entre tanto, seguimos nuestro camino sin hablar palabra hasta casa, recapitulando ambos lo que habíamos visto y oído; él para aprovecharse de ello, y yo para contarlo aquí.

(Febrero de 1832.)

LA COMEDIA CASERA

«¿On sera ridicule et je n'oserai rire?»

Boileau.

Los hombres nos reimos siempre de lo pasado; el niño juguetón se burla del tierno rapaz sujeto en la cuna; el joven ardiente y apasionado recuerda con risa los juegos de su niñez; el hombre formal mira con frialdad los ardores de la juventud, y el viejo, más próximo ya al estado infantil, sonríe desdeñosamente a los juegos bulliciosos, a las fuertes pasiones y al amor de los honores y riquezas que a él le ocuparan en las distintas estaciones de la vida. A su vez las demás edades ríen de los viejos..., con que queda justificado el dicho de que *la mitad del mundo se ríe siempre de la otra mitad.*

—¿Y a qué viene una introducción tan pomposa, que al oírla nadie dudaría que iba usted a improvisar una disertación filosófica a la manera de Demócrito?

Tal le decía yo a mi vecino, *don Plácido Cascabelillo,* cierta mañana entre nueve y diez, mientras colocábamos pausadamente en el estómago sendos bollos de los PP. de Jesús, hondamente reblandecidos con un rico chocolate de Torroba.

—Dígolo —me contestó el vecino con una sonrisa (y aquí se precipitó a alcanzar con los labios una casi deshecha sopa que desde la mano, por un efecto de su gravedad, quería volver a la jícara)—, dígolo por la escena que acabo de tener con mi sobrino.

—¿Y se puede saber cuál es la escena?

—Oígala usted. Este joven, a quien usted conoce por sus finos modales, nobles sentimientos y por la fogosidad propia de sus veinte años, tiene al teatro una afición que me da que temer algunas veces, aunque, por otro lado, no dejo de admirar su extraordinaria habilidad; así que siempre que le sorprendo en su cuarto representando solo, y después de haberle escuchado un rato con admiración, no dejo de entrar con muy mal gesto a distraerle y aún regañarle.

»Días pasados me manifestó que una reunión de amigos habían determinado ejecutar en este Carnaval una comedia casera, y al principio me opuse a su entrada en ella; pero acordándome luego que yo había hecho lo mismo a su edad, hube de ceder convencido de las cualidades que adornaban a todos los de la reunión, de la inocencia del objeto y de la inutilidad de resistir a los esfuerzos de mi sobrino. La sociedad recibió con entusiasmo mi condescendencia y, queriendo dar una prueba plena de su agradecimiento, resolvió *nemine discrepante* (ríase usted un poco, amigo mío) nombrarme su presidente.

Aquí prorrumpimos ambos en una carcajada, y echando un pequeño sorbo para dejar el jicarón a la mitad, continuamos nuestros bollos, y prosiguió:

—Ya usted conoce que hubiera sido descortesía corresponder con una negativa a tan solemne honor. Muy lejos de ello, oficié a la junta dándola las gracias por su distinción y admitiendo el sillón presidencial. Aquella misma noche se citó para la toma de posesión, y la verifiqué en medio de la alegría de ambos lados, cubiertos de socios *actores*, socios *contribuyentes* y socios *agregados*.

»El que hacía de secretario de la junta me leyó un reglamento en que se disponía la división en comisiones. Comisión *de buscar casa*, comisión *de decoraciones*, comisión *de candilejas*, comisión *de copiar papeles*, comisión *de trajes* y comisión *de permiso para la representación*. De ésta quedé yo encargado y presidente *nato* de las demás.

»El contarle a usted, amigo mío, las profundas discusiones, los acalorados debates, las distintas proposiciones, indicaciones, adiciones y resoluciones que han ido eslabonándose en las posteriores juntas, sería nunca acabar. Baste, pues, decirle que encontramos en la calle de... una casa con sala bastante capaz (después de tirar tres tabiques y construirlos más apartados), de un aspecto bastante decente (después de blanqueada y pintada), y con los enseres necesarios (que se alquilaron y colocaron donde convino). Así que resuelto este problema y el del permiso favorablemente, los demás fueron ya de más fácil resolución o quedaron subordinados a la importante discusión acerca de la elección de pieza que se había de representar.

»Diecisiete se tuvieron presentes. Óigalas usted —dijo esto sacando un papelejo de su escritorio—: *El Otelo, Las minas de Polonia, Pelayo, La pata de cabra, La cabeza de bronce, El viejo y la niña, El rico hombre de Alcalá, El español y la francesa, El jugador de los treinta años, El médico a palos, El tasso, El delincuente honrado, A Madrid me vuelvo, García del Castañar, La misantropía, Sancho Ortiz de las Roelas* y *El café*. Ya usted ve que en nuestra junta no preside exclusivamente el género clásico ni el romántico.

»Las dificultades que a todas se ofrecían eran importantes. En una había tres decoraciones, y los bastidores no se habían pintado más que por dos lados, por la sencilla razón de que no tenían más; tal necesitaba dos viejas, y ninguna de la comparsa, aún las de cincuenta y ocho años, se creían adecuadas para semejantes papeles; cuál llamaba a una niña de dieciocho años y una de cuarenta, rotundamente embarazada, se empeñaba en ejecutar aquel papel. En una salía un rey y el designado para este papel era bajo; en otra tenía el gracioso demasiado papel y poca memoria; todos querían ser primeros galanes; los que se avenían a los segundos apenas sabían hablar; se cuidaba por los maridos que el oficial N. no hiciera de galán enamorado; los amantes no consentían que sus queridas salieran de criadas; los galanes y las damas (porque a esta junta fueron admitidas), los barbas, las partes de por medio y las personas *que no hablan*, todos hablaban allí por los codos y a la vez, de modo que yo, presidente, vi varias veces desconocida mi autoridad. Por último, después de largo rato, pudo restablecerse el orden y a instancias de mi sobrino se resolvió y adoptó generalmente la comedia de *El rico hombre de Alcalá,* no sin grandes protestas y malignas demostraciones de un joven andaluz, a quien, para desagraviarle, se encargó el papel del rey don Pedro.

»Terminado así este importante punto, pasamos a vencer otras dificultades, como tablado, decoraciones, orquesta, bancos, mozos de servicio, arreglo de entradas, salidas, billetes, señas, contraseñas y demás del caso; y no tengo necesidad de decir a usted que en estos veinticinco días se han renovado veinticinco veces en nuestra sala de juntas las escenas del campo de Agramante.

»Por último, la suscripción se realizó, el arreglo del teatro también, los actores y actrices aprendieron sus papeles y empezaron los ensayos. En ellos fue, amigo mío, cuando saqué yo el escote de mi diversión. Porque había usted de ver allí las intriguillas, los chistes, los lances verdaderamente cómicos que sin cesar se sucedían. Quién formaba coalición con el apuntador para que apuntase a un desmemoriado en voz casi imperceptible; quién reñía con su querida porque en cierta escena había permanecido dos minutos más con su mano entre las del primer galán; cuál tomaba entre ojos a alguno porque le desairaba con sus grandes voces. «*Despacio, señores.. Más alto. Conde, que le está a usted manchando esa vela. Doña Antonia, que la llama a usted el rey don Pedro. Esos brazos, que se meneen. Usted sale por aquí y se vuelve por allá. Doña Leonor, don Enrique, doña María, aquí mucho fuego. Eso no vale nada.*»

»Por este estilo puede usted figurarse lo demás; pero todo ello ha pasado entre la risa y la algazara, a no ser cierta competencia amorosa a que da lugar una de las actrices entre mi sobrino y el andaluz que hace de rey. Varias veces hemos temido un choque, pero por fin salimos con bien de los ensayos; en su consecuencia, se ha señalado esta noche para la primera representación, y tengo el honor, como presidente, de ofrecer a usted un billete.

Acepté gustoso el convite, y, llegada la noche, y habiéndome incorporado con don Plácido, nos metimos en un simón, que a efecto de conducir al presidente y actores había tomado la compañía, y llegamos en tres cuartos de hora a la casa de la comedia. El refuerzo de un farol más en el portal nos advirtió de la solemnidad; y, subiendo a la sala, la encontramos ya ocupada tan económicamente, que no podíamos pasar por entre las filas de bancos. Por fin, atravesamos la calle real que corría en medio de la sala, formando división en la concurrencia, y fuímonos a colocar en la primera fila. Por de pronto, tuvimos que hacerlo de modo que al sentarnos no viniesen abajo los dos que se hallaban en las extremidades del banco, aunque el del lado de la pared no quedó agradecido al refuerzo.

Los *socios* corrían aquí y allá colocando a sus favoritas, haciendo que todo el mundo se quitase el sombrero, hablando con los músicos y con los acomodadores, entrando y saliendo del tablado, comunicando noticias de la proximidad del espectáculo y cuidando, en fin, de que todos estuviesen atentos.

Los concurrentes, por su parte, cada cual se hallaba ocupado en reconocer los puestos circunvecinos, alargar el pescuezo por encima de un peine, enfilar la vista entre dos cabezas, limpiar el anteojo, sonreírse, corresponder con una inclinación a un movimiento de abanico y entablar, en fin, aquellos diálogos generales en tales ocasiones. Entre tanto los violines templaban, el bajo sonaba sus bordones, el apuntador sacaba su cabeza por el agujero, los músicos se colocaban en sus puestos, y con esto y un prolongado silbido, todo el mundo se sentó, menos el telón, que se levantó en aquel instante.

—«¿No me escuchas?
　　　—¡Qué molesta
y qué cansada mujer!
—Siempre que te viene a ver,
debe de subir por cuesta.»

Ya pueden figurarse los lectores que así empezaron a representar; pero tres minutos antes que los dijeran ya repetía yo estos versos sólo de escucharlos al apuntador. Así fue repitiendo, y así nosotros escuchando, de suerte que oíamos la comedia con ecos.

Los actores eran de una desigualdad chocante. Cuando el uno acababa de decir su parte con una asombrosa rapidez, entraba otro a contestarle con una calma singular; uno muy bajito era galán de una dama altísima, que me hacía temblar por las bambalinas cada vez que aparecía en la escena; cuál entraba resbalándose de lado por los bastidores; cuál salía atropellando cuanto encontraba y estremeciendo el tablado; sólo en una cosa se parecían todos, es a saber: los galanes en el manejo de los guantes, y las damas en el *inevitable* pañuelo de la mano.

En fin, así s e g u i m o s aplaudiendo constantemente durante el primer acto todos los finales de las relaciones, que regularmente solían ir acompañados de una gran patada; pero subió a su colmo nuestro entusiasmo durante la escena entre el *Rico hombre* y el *buen Aguilera*. Tengo dicho, me parece, que el sobrino del presidente, que hacía de *Rico hombre*, estaba picado de celos con el que hacía de rey, así que cargaron a maravilla los desprecios y la arrogancia, con lo cual lució más aquella escena.

El entreacto no ofreció cosa particular, a no ser una ocurrencia de que me hubiera reído a mi sabor si hubiera estado solo, y fue que un oficial que se sentaba detrás de mí dijo muy naturalmente a uno que estaba a su lado que la dama era la única que lo desgraciaba.

—Se conoce que lo entiende usted muy poco, caballero, porque esa dama es mi hija.

—Entonces siento infinito haber creído que su hija de usted lo echa a perder.

—Diga usted que el galán no la ayuda.

—¿Cómo que no la ayuda mi sobrino? —gritó una voz aguda de cierta vieja de siglo y medio que estaba a mi derecha.

—Señores —saltamos todos—, no hay que incomodarse ni tomarlo por donde quema; todos se ayudan recíprocamente y la comedia *la sacan* que no hay más que ver.

Por fin, volvió a sonar el silbato; giramos todos sobre nuestros pies y quedamos sentados unos de frente y otros de perfil, según la mayor o menor extensión del terreno.

Todo el mundo deseaba la escena de la humillación de don Tello a la presencia del rey, menos mi vecino el presidente. En fin, llegó aquella escena y don Pedro, vengándose de lo sufrido por el buen Aguilera, trató al Rico-

hombre con una altivez sin igual; por último, al decir los dos versos,

«a cuenta de este castigo,
tomad estas cabezadas»

se revistió tan bien de su papel y de un sublime entusiasmo, que, aunque los bastidores no eran muy dobles, no hubieron de parecer muy sencillos al sobrino, según el gesto que presentó. Los aplausos de un lado, las risas generales por otro, y más que todo el aire triunfal de don Pedro, enfurecieron al sobrino don Tello en términos que, desapareciendo de su imaginación toda idea de ficción escénica, arremetió con don Pedro a bofetones; éste, viéndose bruscamente atacado, quiso tirar de su espada, pero por desgracia no tenía hoja y no pudo salir. Los músicos, alborotados, saltaron al tablado, el apuntador desapareció con su covacha, la ronda se metió entre los combatientes y la consternación se hizo general. Entre tanto doña Leonor, la Elena de esta nueva Troya, cayó desmayada en el suelo con un estrépito formidable, mientras don Enrique de Trastamara corría por un vaso de agua y vinagre. Todo eran voces, confusión y desorden, y nadie se tenía por dichoso si no lograba derribar una candileja o mudar una decoración. El tablado en tanto, sobrecargado con cincuenta o sesenta personas, sufría con pena tan inaudita comparsa, y mientras se pedían y daban las satisfacciones consiguientes, se inclinó por la izquierda y desplomándose con un estruendo horroroso bajaron rodando todos los interlocutores y se encontraron nivelados con la concurrencia. Esta, que por su parte ya había tomado su determinación, ganó por asalto la puerta y la escalera, adonde hallé al presidente haciendo vanos esfuerzos para evitar la retirada y asegurando que *todo se había acabado ya*; y así era la verdad, porque aquí se acabó todo.

(Marzo de 1832.)

LAS VISITAS DE DIAS

> «On s'embrasse, on s'etuffe a force de
> [tendresse,
> et tout bas on me dit de celui qu'on caresse.»
>
> *Picard.*

Entre las varias modificaciones que con el tiempo ha recibido la antiquísima y loable costumbre de felicitar a los amigos el día de su nacimiento, una es la de trasladarse al del santo de su nombre, y desde entonces fue más importante el calendario, así como resultaron más clásicos que los demás algunos días del año. Cuando se aproximan, v. gr., el 1 de enero, el 19 de marzo, el 24 de junio, el 16 de julio, el 8 de septiembre, el 8 de diciembre, ¡qué movimiento, qué vida en los talleres de sastres y modistas!, ¡qué actividad en las fondas y confiterías!, ¡qué cálculos entre los proveedores de comestibles! Amanece el día feliz y desde muy de mañana los mercados presentan el más lisonjero aspecto: triples órdenes de ternerillos, salmones, perdices y demás familia que sustentan los tres elementos para ponerlos a disposición del cuarto. ¡Qué día para los mayordomos!, ni la Bolsa de Londres ofrece más animación, más combinaciones que las que presenta a primera hora de tales días la plazuela de San Miguel. Los compradores de las fondas y casas grandes dan el precio de los víveres y los hacen pasar a sus oficiales; siguen su movimiento los criados asturianos y demás especuladores subalternos, y las criadas vizcaínas y alcarreñas acuden después a espigar el resto; todos se retiran cargados y en menos de dos horas desaparecen de aquel recinto algunos quintales de peso. Empieza después el movimiento rápido de barberos, que aquel día tienen que asistir a todos sus parroquianos a la misma hora; luego los peluqueros de antaño y los de hogaño; los sastres de allende y de aquende y las modistas se cruzan con los mozos de las confiterías, que sostienen en sus manos sendas fuentes con castillos de dulce, templetes, navíos, estatuas y obeliscos...

Hay varios modos de dar los días; el mejor, sin duda, es el que va acompañado de alguno de aquellos apéndices; pero aquí no se trata del mejor, sólo sí se quisiera trazar el más elegante.

Las ocho, «el barbero»; las nueve, «el peluquero»; las diez, «el sastre...»; el sastre no parece..., ¡maldito sastre!; las once, ya está aquí; a ver, probemos..., nada, no vale nada, llévesele usted, maestro; las doce, «señor, la berlina de la calle del Baño...»; vamos allá.

La primera hora está dedicada a aquellas visitas de amigos de confianza, adonde puede uno ir *de mañanita* antes de las dos de la tarde. «¿Adónde, señor?» «A la calle de Atocha, número..., casa de don Sinforiano Calabaza». El lacayo, repitiendo la orden al cochero, cerró de un golpe la portezuela y echamos a andar.

A este punto y hora saqué mi cartera y empecé a recapitular..., una, dos, seis, ocho, doce, diecisiete visitas..., no es nada... En seguida me puse a contemplar las tarjetas hechas *ex profeso* para aquel día. Grandes habían sido mis cavilaciones para hacer estas tarjetas; la elegante variedad de la moda las hace mudar tan rápidamente de forma, que apenas hay medio de seguirla...; luego, como yo no podía adornarlas con una corona ducal, ni con un capacete, ni con una orden m i l i t a r, como hacen otros, no sabía cómo disponerlas de modo que diesen golpe. Primero tuve tentaciones de hacerlas estampar en un pie cuadrado de cartulina y el nombre cruzado en una de las puntas en letra muy menuda; pero me hice el cargo de que ya no era nuevo. Luego quise poner las letras al revés, pero eché de ver que las volverían y quedarían al derecho. Letras góticas, alemanas, tártaras, hebreas, chinas, sirias y egipcias; todas sufrieron mi inspección, hasta que, por último, me decidí, *para mayor claridad*, por unas griegas del siglo de Pericles, y las hice estampar en cartulinas octógonas y sobre un ramaje oscuro; de manera que conseguí que no se entendiera lo que decían. Muy satisfecho de mi invención, me felicitaba de antemano por la sorpresa que iban a causar, y apartaba para las respectivas casas las doradas, las plateadas, las azules, las encarnadas y las de tinta simpática.

En esto llegué a casa de don Sinforiano y al ir a entrar me hicieron saber que él se había marchado huyendo los cumplidos; «pero pase usted a la sala, que ahí están las señoras...» Las señoras no estaban, y antes que se presentasen ya había yo tenido un buen rato para mirar los cuadros, atusarme el pelo, remover el brasero y leer el diario. Apareció en fin la mamá a medio peinar y por mitad vestida, cubriéndose

con una gran capa y dándome excusas de no haber salido antes. Yo se las dí igualmente de no haber entrado después; hasta que, conociendo por su impaciencia la mala obra que estaba haciendo, tomé el partido de retirarme. Primera visita.

Llegué a la segunda casa a eso de la una y a tiempo que entre las personas de confianza estaban ensayando un aria coreada que había de cantar la niña a la noche. Mi aparición en la sala turbó a la amable cantatriz en términos que no hubo forma de hacerla seguir mientras yo estuviese allí; con que me marché. Segunda visita.

A la otra ya me lisonjeaba de encontrar mejor acogida y no caer tan de improviso y extemporáneo; pero salió un lacayo a decirme que las señoras *no recibían*, siendo así que, por las risas y el bullicio que yo oía en las piezas inmediatas, no pude menos de conocer *que habían recibido*.

Gracias a Dios, a la otra me hallé ya con la sociedad más en regla, y desde la antesala oí la animación de la concurrencia. Entré en la sala: cortesías al frente, a derecha e izquierda. Callaron todos y callé yo; me miraron y les miré; se sentaron y me senté; por último, después de un rato de indecisión...

—¿Usted ha visto qué tiempo, señor don Fulano? —saltó una vieja que ocupaba el flanco derecho del sofá.

—Ya, ya está bueno —y sobre esto nos apresuramos todos a dar nuestro parecer, amenizando cada cual la conversación con sus observaciones particulares, hasta que al cabo de un cuarto de hora se agotó la materia, y cuando empezaba a decaer entraron otras señoras. Pasados los cumplidos y besos de ordenanza: «¿Ha visto usted qué tiempo, mi señora doña María?», dijo la más vieja, y volvió a renovar la pasada disertación; llegó ésta a su ordinaria frialdad y ya iba habiendo pausas de diez minutos cuando unas señoras se levantaron para marcharse; respondieron otras a esta señal, y luego otras y otros, y nos marchamos todos después de habernos convencido cordialmente de que *hacía mal tiempo*. Otra visita.

La siguiente era de una Pepita, bella como un ángel y elegante como la que más. Hervía la sala en jóvenes primorosos, oficiales y paisanos. Pepita, vestida muy sencillamente, aparentaba no ser el objeto de la reunión, mientras su mamá, su abuela, su tía y hermanitas, ofuscaban con sus ricos trajes y elegantes peinados. Variado absolutamente el aspecto de éstos, y habiendo sustituido toda la riqueza del orden corintio a la sencillez dórica, apenas pude reconocer al pronto a ninguna de las personas de la casa, a quien veía casi diariamente; reíanse de mis excesivos cumplimientos y me hablaban con mucha franqueza agitando los abanicos, hasta que en fin, ¡pobre de mí!, acerté a distinguir las *inveteradas* facciones entre aquellos encajes y pedrerías... Allí la conversación fue más alegre, más substancial..., se habló de la ópera; ¡oh qué cosas tan *virtuosamente diletantis* se dijeron por aquellos señores!, ¡qué de reputaciones teatrales fueron a pique!, ¡qué de otras subieron a las nubes...! Por último, convinimos todos en que *ahora no hay ópera*, con lo cual salimos tan satisfechos unos de otros.

Desde aquí me dejé caer en una casa a la antigua, cuyo amo, jefe de una oficina principal, dio punto a sus progresos en el año de 1806, en que subió a su destino, y desde entonces para él el siglo ha permanecido estacionario. En vano sus hijos y nietos le impelen a marchar en él; fijo en sus antiguos usos, sólo les opone una desdeñosa compasión. Entré en la sala y me le encontré sentado en medio de su familia con su vestido serio de rico paño, peluca nueva y pechera de encaje. Vino a abrazarme cuando me vio y me presentó a los suyos con una franqueza y amabilidad sin igual. Componíase la reunión de antiguos empleados, abogados y comerciantes, varias señoras respetables y algún otro joven, hijo de éstos o meritorio de la oficina, que se ocupaban más que ligeramente de la posteridad del señor don José; y a juzgar por las tiernas miradas de las nietecitas, me persuadí que acaso muy pronto le harían subir *legalmente* una casilla más arriba en su árbol genealógico.

La conversación era animada, alegre y varia, y distraído con ella se me pasó el tiempo, hasta que, oyendo las tres, se levantó don José para rogarme que me quedara a comer; neguéme absolutamente a ello, pero no pude excusarme al convite del refresco por la tarde ni a una entrada de Jerez y bollo maimón que circuló entre los asistentes y de la cual se me hizo doble participante. Alegre y satisfecho dejé esta amable reunión después de desear muy *felices días* al amo de la casa, *en compañía de señora y niñas*, repetir a éstas la misma canción, dar la mano a todos los concurrentes y retirarme, procurando olvidar las cortesías y las medias palabras.

De aquí datan las visitas de alto tono, las que despaché en un instante; en unas hacía desde el coche subir la tarjeta con la apostilla *en persona*. En otras sentaba mi nombre en una lista preparada por el portero; en otras entraba, hacía tres cortesías, me sentaba, me levantaba, hacía seis inclinaciones y me retiraba. En algunas terciaba un momento en la conversación general, que era siempre sobre los dos puntos consabidos: tiempo y ópera. Deseando darla pábulo, tomaba en unas la defensiva de lo mismo que había atacado en la anterior, y a lo mejor me encontraba con que el lejano interlocutor con quien cruzaba mi disputa era uno que en la visita última me sostuvo lo contrario. ¡Qué de contradicciones, qué de repeticiones, qué de invenciones oí a todos sobre lo mismo que habían dicho a mi vista! ¡Qué de críticas de las casas anteriores, qué de glosas sobre los trajes, los dichos, los hechos y los pensamientos! Estando en esto, solía entrar uno de los actores del cuadro en cuestión y todos callaban; salía poco después y allí era ella..., ¡qué complots...!, ¡qué sátiras!, ¡qué mala fe...! ¡Cielos!, ¿y es ésta nuestra sociedad...?

Conociendo, en fin, por las miradas, las sonrisas y los secretitos al oído, que me había tocado la suerte de quedar en berlina, corrí a meterme en la mía, abandonando un campo donde el más atrevido y el más hablador es el que luce a costa del hombre prudente y moderado.

En este punto dieron las cuatro y me trasladé a la última casa, adonde estaba convidado a comer. Llegué a ella cuando se iban reuniendo los convidados, lo cual no tardó en verificarse del todo. Ibame yo poniendo al corriente de los distintos caracteres que formaban la reunión, cuando anunciaron la sopa. Pasamos al comedor y... pero la comida ya pica en historia y merece por sí capítulo aparte.

(Marzo de 1832.)

LOS COMICOS EN CUARESMA

> «Y con todo esto, son necesarios en la república, como lo son las florestas, las alamedas y las vistas de recreación, y como son las cosas que honestamente recrean.»
>
> *Cervantes*. Lic. Vidriera.

«Amigo mío: hallándome comprometido a quedarme en el presente año con el teatro de esta ciudad, y conociendo la afición de usted a estas cosas, le ruego y espero de su amistad se sirva proporcionarnos una buena compañía, pues en ésa, donde se hallan actualmente la mayor parte de los actores, será cosa fácil y más para usted. No me extiendo a más, porque usted comprende mi idea, y sólo me limitaré a manifestarle que el tiempo urge y que no da ya lugar para una negativa. Adiós, amigo mío.»

Tal, punto por coma, fue la epístola con que los días pasados se me insinuó mi corresponsal de..., poniéndome con su contenido en uno de los apuros mayores en que me vi en la vida; porque si bien es cierta mi afición al teatro, también lo es que nunca ha pasado más allá de la orquesta, y que para mí sus interioridades son tan desconocidas como las islas del polo. Pero, en fin, después de haber cavilado tres cuartos de hora con la carta en la mano, hirió mi imaginativa el feliz recuerdo de *don Pascual Bailón Corredera*, el hombre más a propósito de este mundo para sacarme del empeño. Porque este don Pascual es un hombre de vara y tercia,

que entra, sale y bulle por todas partes, y tan pronto se le halla en la antecámara de un ministro, como en los bastidores de un teatro; ya paseando en landó con una duquesa, ya sentado en una tienda de la calle de Postas; ora disponiendo una comida de campo, ora acompañando un entierro; o disputando en una librería, o pidiendo para los pobres del barrio a la puerta de una iglesia.

Este era el hombre, en fin, que yo necesitaba, y sin perder momento corrí a avistarme con él; halléle componiendo su itinerario del día (del que, en gracia de la brevedad, hago gracia a mis lectores); mas luego que le hube enterado de mi negocio, varió de plan, aceptó mi encargo y, convenidos en un todo, echamos a andar para desempeñarle. Don Pascual, sin manifestarme adónde me conducía, me persuadió de que al momento encontraríamos gente conocida entre los venidos de las provincias y que de un golpe nos pondrían en el justo medio de nuestra negociación.

—Porque ya sabe usted —añadió— que durante la Cuaresma, en que se cierran todos los teatros, hasta el domingo de Pascua, en que empieza el nuevo *año* cómico, *bajan* a Madrid los *autores* o *formadores* de las compañías, los cómicos y acompañamiento, y realizados aquí los ajustes, salen para los puntos respectivos. Para formar una compañía, por lo regular, el empresario, que suele ser un actor antiguo o individuo unido al teatro por lazos de consanguinidad, reune las *partes* que le convienen y, sin más adelanto que el preciso para gastos del viaje y algunos días de asistencia a toda la compañía, cobra después durante las funciones de todo el año el veinticinco por ciento o más del capital adelantado, y para hacer el reparto del producto de aquéllas con proporción se figura a cada individuo lo que se llama *partido,* v. gr.: A, primer galán, entra con partido de 40 reales; B, con 30, y C, con 20; siendo la entrada 225 reales, tocará al primero 100 reales, al segundo 75 y 50 al tercero, a razón de *dos partes y media;* pero como el producto en las provincias es corto, por muchas causas, apenas llegan a cobrar más de *media parte* o *un cuarterón* del partido; así que no es de extrañar la miseria en que generalmente se ven los cómicos de *la legua* y aun los de las primeras capitales de provincia. Sólo en Madrid, Barcelona y a l g u n a otra ciudad pueden subsistir con decoro y dárselo también a la escena; las demás son compañías de *pipirijaña,* como ellos dicen.

—¿Y hacen ellos esa distinción?

—Esa y otras muchas, aunque ya, con el transcurso del tiempo, van olvidándose; pero si quiere usted enterarse por menor de ello, lea usted al famoso Agustín de Rojas, quien, en su *Viaje entretenido,* nos dejó una graciosísima explicación de las ocho maneras de comparsas y representantes, a saber: *Bululú, Ñaque, Gangarilla, Cambaleo, Garnacha, Bojiganga, Farándula* y *Compañía.* Léale usted, pues, que es rato divertido.

—Pero ahora no subsisten ya esas distinciones.

—Sin embargo, con poca diferencia la cosa en el fondo es la misma; no es esto decir que en el día vayan forrados de carteles, como el famoso Melchor Zapata del Gil Blas, pero también es la verdad que suelen andar sin forro de nin-

guna clase y aún empeñado el año siguiente para comer el actual. En fin, ya llegamos al punto céntrico y lo que en él vamos a ver suplirá mis explicaciones.

Al decir esto hicimos alto en la embocadura de la calle ancha de Peligros y enfilamos por medio la espaciosa puerta del parador de Zaragoza y Barcelona, que, según mi amigo, es desde tiempo inmemorial el central depósito de toda gente de teatro advenediza; atravesamos el zaguán, subimos la escalera y siguiendo lo largo de los corredores se nos ofreció a la vista una multitud de habitaciones, todas abiertas, todas disponibles y todas llenas de mujeres cantando, viejos que fumaban o chiquillos alborotadores. Acercámonos a una de donde oímos salir grandes voces y creímos asistir a una pendencia de provecho; mas toda ella se reducía a un cigarro que había faltado de cierta petaca, aunque los interlocutores, a fuer de *damas y galanes nobles,* chillaban tanto y tan de recio y accionaban con tal calor (fuerza de la costumbre), que al pronunciar una de las damas esta terrible amenaza, «dame el cigarro, o las habrás con Roque», hubimos de entrar de *partes de por medio* para terminar aquella escena que podría figurar airosamente en uno de los dramas modernos. Arrancada que fue a la lid aquella heroína, restituída súbitamente a la calma por una de aquellas transiciones rápidas que son tan frecuentes en el mundo *de cartón,* separadas las melenas nada airosas que cubrían su pronunciada faz y enjugados aquellos luceros que el coraje había eclipsado:

—¿Es usted, mi q u e r i d a Narcisa? —exclamó don Pascual, con un arrebato verdaderamente dramático.

—¡Don P a s c u a l ! Usted..., pues... ¡quién había de pensar...!

—¡Ingrata! ¡Y qué poco ha conservado usted la memoria de mi cariño!

—¡Ingrato! ¡Y cuán mal ha pagado usted mi amor!

La explicación iba siendo vehemente y yo entre tanto hube de tomar el recurso de reconocer el vestuario que pendía colgado de sendos clavos alrededor de las paredes del cuarto. Llamóme primero la atención un pantalón azul, un marsellés de calesero y una cortina de muselina blanca en forma de turbante, sobre cuyo atavío había un cartón que, en letras gordas, decía: «*Traje de Otelo y demás moros de Venecia y de otras partes*». Más allá un tonelete, una coraza y una peluca a lo Luis XIV llevaban por distintivo: «*Traje de Carlos V sobre Túnez*». Una mantilla de tafetán con lentejuelas y un vestido de percal francés: «*Traje de Dido, y también de la viuda del Malabar, con un crespón negro*». Un tontillo, una escofieta y un jubón con faldillas: «*Traje de Semíramis, de la Esclava del Negro Ponto y demás comedias de Moratín*». Un pantalón de mahón *figurando carne*, una camisa de mujer y un cinto de cuero: «*Traje de Isidoro en el Orestes*». Y por este estilo iba siguiendo todo el equipaje hasta unos ocho o diez trajes de ambos sexos. Pero en llegando aquí, escuché claramente la voz de don Pascual, quien, después de un buen rato de cuchicheo, preguntaba a Narcisa por su marido.

—No sé —contestó ella—; ya sabes (y advierta de paso el lector que se habían a p e a d o el tratamiento) que por aquella carta tuya con tu sortija, que me sorprendió, huyó de mí dejándome en Málaga, donde creo que se embarcó, y hace diez años que...

—Pues luego, ¿esos trajes de moros y cristianos...?

—Esos trajes son... son...

—¿De quién, ingrata?

—Del segundo galán.

A este punto ya creí yo poder terciar en la conversación y preguntar a entrambos cuándo podríamos empezar nuestra contrata.

—Ahora mismo —contestó don Pascual—; por de pronto, ya t e n e m o s dama.

—Fáltanos, sin embargo, el galán, a menos que usted...

—El galán —replicó Narcisa— le hallarán ustedes con todos los demás compañeros en la plazuela de Santa Ana; hablándole a usted con franqueza —añadió en voz baja a don Pascual—, él no es gran cosa, pero...

Lo demás de la explicación no lo pude oír. Levantóse de allí a un momento mi amigo y, despidiéndonos de Narcisa, emprendimos la marcha hacia la plazuela.

Hervía ésta en corrillos en el punto en que la pisamos. Hombres de todas edades, trajes y cataduras, corrían, se agitaban, se reunían, se separaban, hablaban a voces, hablaban en secreto, y de esta mezcla, de esta actividad, resultaba un espectáculo singular: aquí un grupo de cuatro, vestidos cuál con pantalón de verano, casaquilla gris y gorrita francesa, cuál con su gran capa color de corteza y sombrero calañés, trataban de formar una compañía bajo la bandera de uno de levita blanca, a quien todos agasajaban y perseguían; más allá se disolvía estrepitosamente otra; de un lado se cerraba un ajuste y ambos contrayentes corrían a firmarlo al inmediato café de Venecia; del otro se armaba una disputa entre dos interlocutores sobre su mérito respectivo. Formando el primer término de este cuadro, y entre la acera de la calle del Prado y los árboles de la plazuela, se dejaban ver en numeroso grupo los individuos de las compañías de la corte, manifestando en sus modales y en su vestido el buen tono y la elegancia. Hablaban de sus teatros, de sus empresas, encarecían sus protecciones, despreciaban sus sueldos, se lamentaban de la decadencia del arte, animábanse contra la boga de la ópera, contaban las intrigas de bastidor y cuchicheaban en voz baja sobre los que ya *habían firmado*. Por vía de sainete se reían de los pobres advenedizos y con cuestiones malignas o alabanzas exageradas contribuían a mantenerlos en su petulancia y disputas eternas, y en acabando éstas, las hacían volver a empezar.

Dos Pascual y yo nos dirigimos a los cortesanos a fin de que nos prestasen el auxilio de sus luces en nuestra ardua operación; hiciéronlo así y llamando por sus nombres a varios nos los presentaron como *galanes, barbas, graciosos, característicos y partes de por medio*. No bien corrió la voz de que éramos *formadores*, nos empezaron a sitiar, a acosarnos, a embestirnos por todos lados, y mientras un galán de cincuenta y ocho años nos explicaba su ternura tirándonos del botón de la casaca y humedeciéndonos con el rocío que salía por entre sus despobladas encías, un barba mal encarado, con voz cigarreña y aguardentosa, nos hablaba de su formalidad, y el gracioso, subido en un guardacantón, nos ensordecía a gritos para hacernos reír. Estando en esto sentí por la espalda unos golpecitos de bastón y me encontré con un hombre de mala traza que me llamó aparte.

—Pues, señor (haciéndome tres cortesías), no he podido menos de compadecerme al considerar que le ha rodeado a usted la escoria del arte, porque ha de saber usted que ésos son de los que nadie quiere y de los que llegará el domingo de Ramos y tendrán que reunirse en una compañía de *conformes*, como decimos nosotros.

Y con esto se fue extendiendo lo mejor que supo en pintarme los defectos de varios de ellos, aunque, a decir verdad, sospeché por su explicación que él debía ser el peor de todos. Los demás nos miraban con sospecha, y yo la tuve de que adivinaban nuestra conversación, en tanto que los de Madrid, con risas y señas, me daban a entender el concepto que les merecía mi oficioso interlocutor. Tratábame ya de desembarazar de él a toda costa, cuando el nombre de *Narcisa*, que pronunció, me hizo caer en la cuenta de que el tal era el suplente del marido de la dama de mi amigo, con lo cual llamé a éste y le dejé con él, mientras que yo me salvé entre los de Madrid, que me convidaron a ver por mí mismo la gracia de mi consultor en un *particular* que celebraban a la noche.

—¿Y qué es un particular? —repliqué yo.

—Llámanse así —me contestó uno de los más mesurados— las tertulias de examen que suelen celebrarse en casa de algún actor para oír a los de las provincias. El nombre se ha conservado de lo antiguo por la costumbre que había de representar en las casas de los magnates y sujetos particulares.

«Solían, con efecto —dice Pellicer—, los señores, los togados y la gente principal llamar a los comediantes a sus casas para que hiciesen en ellas algunos *pasos* y aún comedias, y cantasen, después de haber representado en los *co-

rrales*, y a esta diversión casera llamaban *un particular*.»

—Que me place —dije yo—, y acepto gustoso el convite a nombre de mi amigo y mío.

Con esto y con dejar citados a varios para el siguiente día en nuestra casa, salimos de la plazuela discurriendo alegremente sobre lo que habíamos visto, hasta que llegada que fue la noche marchamos al convite.

Ya la sala estaba henchida de damas y galanes, de literatos y curiosos, que habían acudido a aquel certamen artístico. Tuvo principio éste con varias relaciones de la *Moza del cántaro, La vida es sueño* y el *Tetrarca de Jerusalén*, repetidas con el énfasis y los manoteos de costumbre; luego siguieron varias escenas chistosas y remedos de animales (en los cuales algunos no se hacían gran violencia), y se reservó para final una escena trágica de *Otelo* entre la bella Narcisa y su compadre el galán de la plazuela. Difícil sería pintar la originalidad del modo de representar de éste: sus inflexiones, sus suspiros, sus movimientos; sólo diré que era cosa de deshacerse en lágrimas de risa; así como al contrario la dama, por su naturalidad, hacía nacer sentimientos diferentes. Brillaban, al oír los aplausos a ésta, los ojos de don Pascual, si bien alguna vez los dejaba caer con desconfianza hacia la puerta de la alcoba, donde, además, se apercibía un hombre embozado y en pie. Lleno de c u r i o s i d a d, preguntó quién era aquel sujeto misterioso, y se le contestó que un excelente actor venido de fuera, pero que no quería representar aquella noche.

En tanto la escena entre Narcisa y Roque (Otelo y Edelmira) fue animándose hasta el punto en que dice ésta:

«Todo me mata,
todo va reuniéndose en mi daño...»
«Y todo te confunde, desdichada.»

Prorrumpió un grito agudo lanzado de la alcoba. Las miradas de todos se dirigieron rápidamente hacia aquel punto, pero ya el embozado interruptor había franqueado de un salto el espacio que le separaba de su víctima, había soltado la capa y, cogiendo del brazo a aquélla,

«Mírame, ¿me conoces?, ¿me conoces?»

la dice con toda la verdad y rabiosa expresión que en tal verso animaba al célebre Maíquez. Un grito de Edelmira fue la única contestación y cayó sin sentido. Los circunstantes nos deshacíamos a aplausos y bravos, y éstos crecieron al oír al nuevo Otelo dirigir a la infeliz estas palabras:

«El cielo soberano te castiga
por un medio distinto. ¿Ves la carta?
pues mira la *sortija*, aquí la tienes.»

Pero viendo que Edelmira nada respondía, que el galán primero, amostazado con el nuevo aparecido, se disponía a recobrar su puesto, y que éste no mitigaba su encono, llegamos a sospechar que allí podría haber algo más que fingimiento, y por mi parte adiviné de plano la causa viendo escurrirse bonitamente a don Pascual, diciéndome al despedirse:

—Es él...

Apresurámonos todos a volver en sí a Narcisa y su marido —que tal era el nuevo Otelo—, y conduciendo gradualmente el negocio, vinimos al fin de media hora a una reconciliación conyugal, que terminé yo apalabrando a entrambos para mi compañía. En cuanto a Roque, desapareció de nuestra vista y es fama que aquella noche no durmió ya en Madrid.

En los siguientes días acabé de contratar la comparsa, hasta que, reunidos en número de catorce, ajusté una gran galera, donde se empaquetaron entre cofres y maletas, y escribí a mi amigo una carta de *remesa*. Al cabo de unos días me ha acusado el recibo del cargamento sin avería de ninguna especie.

(Abril de 1832.)

LA ROMERIA DE SAN ISIDRO

> «Plácenme los cuadros en narración, porque en cuanto a los de lienzo, aunque no dejo de hablar de ellos como tantos otros, confieso francamente que no los entiendo.»
>
> *Diderot.*

Así lo ha dicho un autor francés: por supuesto que lo decía en francés, porque tienen esta gracia los escritores de aquella nación, que casi todos escriben en su lengua; no así muchos de nuestros castellanos, que cuando escriben no se acuerdan de la suya; pero en fin, esto no es del caso: vamos a la sustancia de mi narración.

Yo quería regalar a mis lectores con una narración de la Romería de San Isidro, y para ello me había propuesto desde la víspera darme un madrugón y constituirme al amanecer en el punto más importante de la fiesta. Por lo menos tengo esto de bueno, que no cuento sino lo que veo, y esto sin tropos ni figuras, pero viniendo a mi asunto digo que aquella noche me acosté más temprano que de costumbre, revolviendo en mi cabeza el exordio de mi artículo.

«Romería (decía yo para darme cierta importancia de erudito), significa el viaje o peregrinación que se hace a algún santuario, y si hemos de creer al Diccionario de la lengua, añadiremos que se llamó así porque las principales se hacían a Roma.» Luego vino a mi imaginación la memoria de Jovellanos, quien considerando a las romerías como una de las fiestas más antiguas de los españoles, añade: «La devoción sencilla los llevaba naturalmente a los santuarios vecinos en los días de fiesta y solemnidad, y allí, satisfechos los estímulos de la piedad, daban el resto del día al esparcimiento y al placer.» Esto, según la ya dicha respetable autoridad, acaecía en el siglo XII, y mi imaginación se dirigía a cavilar sobre la fidelidad de los pueblos a sus antiguas usanzas.

Largo rato anduvieron alternando en mi memoria, ya las famosas de Santiago de Galicia, ya las de nuestra Señora del Pilar de Zaragoza, y parecíame ver los peregrinos con su bordón y la esclavina cubierta de conchas acudir de luengas tierras a ganar el jubileo del año santo. Luego se me representaban las animadas fiestas de esta clase, que aun hoy se celebran en las Provincias Vascongadas, y de todo ello sacaba observaciones que podrán tener lugar cuando escribiera la historia de las romerías, que no dejaría de ser peregrina; mas por lo que es ahora no venían a cuento, pues que sólo trataba de formar el cuadro de la de San Isidro en nuestra capital. En fin, tanto cavilé, tantos autores revolví en los estantes de mi cabeza, tal polvo alcé de citas y pergaminos, que al cabo de algunas horas me quedé dormido profundamente.

La imaginación empero no se durmió: afectada con la idea de la próxima función me trasladó a la opuesta orilla del Manzanares, al sitio mismo donde la emperatriz doña Isabel, esposa de Carlos V, fundó la ermita del patrón de Madrid, en agradecimiento de la salud recobrada por su hijo el príncipe don Felipe con el agua de la vecina fuente, que según la tradición abrió el santo labrador al golpe de su hijada para apagar la sed de su amo Iván de Vargas. Dominaba desde allí la pequeña colina sobre que está situada la ermita; y la desigualdad del terreno, los paseos que conducen a ella y las elevadas alturas que la rodean, encubrían a mi imaginación la natural aridez de la campiña; añádase a esto la inmediación del río, la vista de los puentes de Toledo y Segovia, y más que todo la extensa capital que se ostentaba ante mis ojos por el lado más agradable, ofreciéndome por términos el palacio Real, el cuartel de Guardias y el seminario de Nobles a la izquierda, el convento de Atocha, el observatorio y el hospital general a la derecha; al frente tenía la nueva puerta de Toledo, y desde ella y la de Segovia la inmensa muchedumbre precipitándose al camino formaba una no interrumpida cadena hasta el sitio en que yo estaba o creía estar.

Mi fantasía corría libremente por el espacio que media entre el principio y el fin del paseo, y por todas partes era testigo de una animación, de un movimiento imposibles de describir; nuevas y nuevas gentes cubrían el camino; multitud de coches de colleras corrían precipitadamente entre los ligeros calesines que volvían vacíos para embarcar nuevos pasajeros; los briosos caballos, las mulas enjaezadas hacían replegarse a la multitud de pedestres, quienes para vengarse, los saludaban a su paso con sendos latigazos, o los espantaban con el ruido de las campanas de barro. Los que volvían de la ermita, cargados de santos, de campanillas y frascos de aguardiente bautizado y confirmado, los ofrecían bruscamente a los que iban, y éstos

reían del estado de acaloramiento y exaltación de aquéllos, siendo así que podrían decir muy bien: «Vean ustedes cómo estaré yo a la tarde.» Las danzas improvisadas de las manolas y los majos, las disputas y retoces de éstos por quitarse los frasquetes, los puestos humeantes de buñuelos y el continuo paso de carruajes hacían cada momento más interrumpida la carrera, y esta dificultad iba creciendo según la mayor proximidad a la ermita.

Ya las incansables campanas de ésta herían los oídos, entre la vocería de la muchedumbre que coronaba todas las alturas, y apiñándose en la parte baja hacía sentir su reflujo hasta el medio del paseo. Los puestos de santos, de bollos y campanillas iban sucediéndose rápidamente hasta llegar a cubrir ambos bordes del camino, y cedían después el lugar a tiendas caprichosas y surtidas de bizcochos, dulces y golosinas, eterna comezón de muchachos llorones, tentación perenne de bolsillos apurados. Cada paso que se avanzaba en la subida, se adelantaba también en el progreso de las artes del paladar; a los puestos ambulantes de buñuelos habían sucedido las excitantes pasas, higos y garbanzos tostados; luego los roscones de pan duro y los frasquetes alternaban con las tortas y soldados de pasta flora: más allá los dulces de ramillete y bizcochos empapelados ofrecían una interesante batería: y por último, las fondas entapizadas ostentaban sobre sus entradas los nombres más caros a la gastronomía madrileña, y brindaban en su interior con las apetitosas salsas y suculentos sólidos.

¡Qué espectáculo manducante y animado! Cuáles sobre la verde alfombra formaban espeso círculo en derredor de una gran cazuela en que vertían sendos cantarillos de leche de las Navas sobre una gran cantidad de bollos y roscones; cuáles ostentando un noble jamón le partían y subdividían con todas las formalidades del derecho.

La conversación por todas partes era alegre y animada, y las escenas a cuál más varia e interesante. Por aquí unos traviesos muchachos atando una cuerda a una mesa llena de figuras de barro, tiraban de ella corriendo y rodaban estrepitosamente todos aquellos artefactos, no sin notable enojo de la vieja que los vendía; por allá un grupo de chulos al pasar junto a un almuerzo dejaban caer en el cuenco de la leche una campanilla; ya levantándose otros, volvían a caer impelidos de su propio peso, o bien al concluir un almuerzo rompían un gran botijo tirándolo a veinte pasos con blandos bollos, restos del banquete. Los chillidos, las risas, los dichos agudos se sucedían sin cesar, y mientras esto pasaba de un lado, del otro los paseantes se agitaban, bebían agua del santo en la fuente milagrosa, intentaban penetrar en la ermita, y la turba saliente los obligaba a volver a bajar las gradas, penetrando al fin en el cementerio próximo, donde reflexionaban sobre la fragilidad de las cosas humanas mientras concluían los restos del mazapán y bizcocho de galera. En la parte elevada de la ermita algunos cofrades asomaban a los balconcillos ostentando en medio al santero vestido con un traje que remedaba al del santo labrador, y en lo alto de las colinas cerraban todo este cuadro varios grupos de muchachos que arrojaban cohetes al aire.

La parte más escogida de la concurrencia refluye en las fondas, adonde aguardaban en pie y con sobrada disposición de almorzar, mientras los felices que llegaron antes no desocupaban las mesas. La impaciencia se pintaba en el rostro de las madres, el deseo en el de las niñas y la incertidumbre en los galanes acompañantes; entre tanto los dichosos sentados saboreaban una perdiz o un plato de crema, sin pasar cuidado por los que les estaban contando los bocados.

Desocúpase en fin una mesa... ¡Qué precipitación para apoderarse de ella! Ocúpanla una madre, tres hijas y un caballero andante, el cual, a fuer de galán, pone en manos de la mamá la lista fatal... Los ojos de ésta brillan al verla... «Pichones», «pollos», «chuletas...», ¿qué escogerá?

—Yo, lo que ustedes quieran; pero me parece que ante todo deben venir un par de perdices; tú, Paquita, querrás un pollito, ¿no es verdad?

—Venga —gritó el galán, entusiasmado.

—Y tú, Mariquita, ¿jamón en dulce?

—Pues yo a mis pichones me atengo.

—Vaya, probemos de todo.

—Venga de todo —respondió el Gaiferos, con una sonrisa si es no es afectada.

Con efecto, el mozo viene, la mesa se cubre, el trabajo mandibular comienza, y el infeliz prevé, aunque tarde, su perdición; mas, entre tanto, Paquita le ofrece un alón de perdiz, y en aquel momento todas las nubes desaparecen. La vieja, incansable, vuelve a empuñar la lista. «Ahora, los fritos y asados», dice, y señala cinco o seis artículos al expedito mozo. No para aquí, sino que en el furor de su canino diente, embiste a las aceitunas, saltando dos de ellas a la levita del amartelado; cae y rompe un par de vasos, y para hacer tiempo a que vuelva el mozo se come un salchichón de libra y media.

Tres veces se habían renovado de gente las otras mesas y aún duraba el almuerzo, no sin espanto del joven caballero, que calculaba un resultado funesto; las muchachas, cuál más, cuál menos, todas imitaban a la mamá, y cuando ya cansadas apenas podían abrir la boca, las decía aquélla: «Vamos, niñas, no hay que hacer melindres»; y siempre con la lista en la mano traía al mozo en continua agitación. Por último, concluyó al fin de tres horas aquel violento sacrificio; pídese la cuenta al mozo, y éste, después de mirar al techo y rascarse la frente, responde: «Ciento cuarenta y dos reales.» El Narciso a tal acento varía de color, y como acometido de una convulsión revuelve rápidamente las manos de uno a otro bolsillo, y reuniendo antecedentes llega a juntar hasta unos cuatro duros y seis reales: entonces llama al mozo aparte, y mientras hace con él un acomodo, la mamá y las niñas ríen graciosamente de la aventura.

Arreglado aquel negocio, salen de la fonda, llevando al lado a la Dulcinea con cierto aire triunfal; pero a pocos pasos un cierto oficialito conocido de las señoras, que se perdió a la entrada de la fonda, vuelve a aparecer casualmente y ocupa el otro lado de doña Paquita, no sin enojo del caballero pagano. Mas no para aquí el contratiempo: al poco rato el excesivo almuerzo empieza a hacer su efecto en la mamá, y se siente indispuesta; el síntoma 14 del cólera se manifiesta estrepitosamente, y las niñas declaran al pobre galán que por una consecuencia desgraciada, su mamá no puede volver a pie...

No hay remedio, el hombre tiene que ajustar un coche de colleras y empaquetarse en él con toda la familia; mas el aumento del recién venido que se coloca en el testero, entre Paquita y su madre, quedándole al caballero particular el sitio frontero a ésta, para ser testigo de sus náuseas y horribles contorsiones. El cochero en tanto ocupa su lugar, y... «¡Chas... co-mandanta...!»

Al ruido del coche desperté precipitado, y mirando al reloj vi que eran ya las diez, con lo cual tuve que desistir de la idea de ir a la romería, quedándome el sentimiento de no poder contar a mis lectores lo que pasa en Madrid el día de San Isidro.

(Mayo de 1832.)

LA EMPLEOMANÍA

... Hic vivimus ambitiosa
pauperate omnes.

Horat.

—Pues como digo a usted, el tal don Anselmo es un mayorazgo acomodado en una de las primeras villas de Andalucía; es joven, buena presencia, amable, bondadoso... Pero tiene una debilidad, cual es el afán de figurar; y no contento con la consideración que sus bienes y demás cualidades le dan en su pueblo, siempre anda buscando cargos y comisiones que, a lo que él cree, contribuyen a realzar su esplendor. ¿Quién sabe lo que él intrigó para hacerse nombrar mayordomo de la cofradía de aquella iglesia parroquial? Consiguiólo, y aquel año pagó la mayordomía bien cara; después aspiró al honor de síndico, y también se le decretaron, pero precisamente en ocasión en que los fondos de propios estaban muy atrasados, con que tuvo que suplir para el pago de contribuciones. Luego fue alcalde y cuadrillero; mas pareciéndole ya su pueblo un círculo estrecho para su importancia, se hizo comisionar por el Ayuntamiento para seguir un pleito en la chancillería de Granad: allí se olvidó de su mujer y de su casa, y sólo pensó en buscar recomendaciones, solicitar favor y derramar su dinero en encargos ajenos. Hasta entonces con el producto de sus haciendas no había necesitado un empleo: ahora ya lo necesitaba, porque aquél cada día era menor. En vano su esposa y sus amigos han procurado hacerle volver en sí, inclinándole a fomentar su patrimonio y buscar en él una subsistencia independiente y cómoda; él no oye razones, y por una plaza de oficial duodécimo de cualquiera oficina, daría su mayorazgo, sus demás bienes, y hasta creo que su mujer y sus hijos. Por último, se ha dejado de rodeos, y se ha venido a Madrid, donde permanece hace dos años gastando lo que ya no tiene, acosando los ministerios a memoriales, solicitando recomendaciones de los lacayos para los cocineros, de éstos para mayordomos y ayudas de cámara, de éstos para señoras que le venden mucha protección, y de ellas para señores que de todo se acuerdan menos de él; haciendo antesalas y cortesías, consumiendo zapatos, sombreros y papel sellado, y corriendo, en fin, tras un fantasma que se le escapa de las manos. ¿No le parece a usted un ente original?

—Esto sin duda —replicó don Fidel de la Vera-Cruz, con quien yo suelo dar mis paseos filosóficos desde la puerta de Segovia a la de Toledo—; pero por desgracia tiene entre nosotros bastantes copias.

Al llegar aquí hicimos alto como unos dos minutos; sacó don Fidel su caja, ofrecióme un polvo, tiré yo el que tenía entre los dedos, tomé otro de aquélla, él hizo lo mismo y prosiguió la conversación.

—La manía del don Anselmo es general; ni el propietario rico, ni el industrioso fabricante, ni el comerciante, ni el letrado, ni ninguna de las otras clases independientes se consideran por sí solas bastante lucidas como no vayan acompañadas *del empleíto*. Este falso raciocinio, esta terrible manía, es la que despuebla nuestros campos y nuestras fábricas, al mismo tiempo que hincha de pretendientes las antecámaras y las oficinas; la que arranca al comercio y a la industria los brazos más útiles para ocuparlos en trabajos rutinarios; la que hace de un hombre activo un intrigante, de un literato un adulador, de un afortunado un ambicioso. Esta es la que a tantos ha hecho infelices sacándoles del círculo en que pudieran haber brillado, y esta, en fin, a quien debo yo todas las adversidades de mi vida.

Volvimos a callar y paseamos un rato en silencio; pero animado con aquel exordio, y con la franqueza de la amistad, rogué al amigo que me explicase lo que él llamaba sus adversidades, a lo cual condescendió de esta manera:

—Mi padre era un comerciante acreditado de Alicante, que habiendo heredado del suyo un pequeño capital adquirido en la mercadería de sedas, supo aprovechar de tal modo su trabajo, que en pocos años logró elevar su comercio a una altura más que mediana; tranquilo en el seno de su familia y de sus negocios, disfrutaba de una vida activa sin agitación, y embellecida por la risueña perspectiva de un aumento progresivo en su fortuna. Varios negocios de comercio le trajeron a Madrid, donde alternando con personas importantes, acostumbrándose al ambiente de los salones, y ofuscado por el brillo de los bordados y el seductor lenguaje de la corte, hubo de recibir una impresión demasiado viva, con lo cual empezó a mirar con desdén su bufete, sus fábricas y sus especulaciones mercantiles.

»Su carácter amable e interesante, su talento y finos modales no tardaron en granjearle un lugar distinguido en la sociedad, y por fin un empleo de importancia vino a colmarle de placer. Este día, que él celebró como el de su triunfo, fue el primero de sus infortunios.

»Precisado a vivir en Madrid a consecuencia de su nuevo empleo, pasó a Alicante para arreglar sus negocios y transferirlos en un todo a un primo mío, volviendo a la capital con mi madre y conmigo. Yo entonces era muy niño; pero fuese adulación de padre o fuese realidad, siempre aquél ponderaba en mí, mientras estuvimos en Alicante, mi disposición para el comercio; mas la nueva carrera a que se veía llamado le hizo variar de plan. Por de pronto no se pensó más que en hacerme olvidar los resabios de provincia y constituirme un señorito a la moda. Mis padres, por su parte, se esforzaban en brillar cuanto podían. Gran casa, gran mesa, bailes, academias, abono en el teatro, nada faltaba a su esplendor; y nuestra casa fue muy pronto de las que *estaban en el mapa* de la brillante sociedad de Madrid. Entre tanto yo aprendía a bailar, tiraba el florete, montaba a caballo, leía en francés y escribía a la inglesa, a la rusa y a la italiana, con lo cual, y mi elegante persona, me veía halagado con la idea de una brillante suerte futura.

»Llegué a tener diecisiete años, y mis padres, que ya no podían soportar mis gastos, pensaron en hacerme conocer que sus productos no correspondían y que era preciso que yo trabajase y ganase algo, o por lo menos que empezase a hacerme digno de ello, con que me propusieron que dijese la carrera que quería seguir. Entonces eché mis cuentas. ¿Comercio? Yo carecía de los conocimientos necesarios, y aunque veía prosperar a mi primo, no era cosa de irme yo a poner bajo sus órdenes, y reducirme otra vez a Alicante. ¿Letras? Yo no las entendía; por otro lado, de nada sirven, no siendo las de cambio, o las de universidad. ¿Milicia? La ver-

dad. no tenía grandes ánimos, y eso de
exponerse uno a que una bala... ¿Iglesia? ¿Cómo, si me sentía inclinado a la
propaganda? ¿Medicina? ¿Artes? ¡Para
todo eso hay tanto que estudiar! «Pues,
señor (le dije a mi padre), como usted
no me coloque en alguna oficina, áun-
que sea de meritorio...» «Bravo, bravo;
no esperaba yo menos de ti», me dijo
mi padre, muy satisfecho, y desde aquel
día empezó a trabajar para ello.

»No tardó mucho en conseguirlo, porque sus relaciones eran grandes, y así
que a poco tiempo, y a pesar de mi
repugnancia natural al trabajo, pude
ascender a cuatrocientos ducados de
sueldo, con lo cual, y con mi uniforme
y real título, me consideré un personaje de la más alta importancia. Y estaba
tan fiero, que respondí en un tono bastante altivo a mi primo, que me escribió
proponiéndome asociarme a su casa y
fortuna.

»El amor vino poco después a alterar mi tranquilidad; mas por desgracia el objeto que me le inspiró no estaba conforme con mis ideas de engrandecimiento. Así lo advirtió mi padre, y
participando también de ellas, fijó su
atención en la hija única de mi jefe, y
me la propuso acompañada de un brillante empleo que se me haría obtener.
El amor luchó largo tiempo en mi corazón con la vanidad; pero el sistema de
mi educación era muy conforme a hacer triunfar a ésta; así se verificó; yo
recibí una esposa que mi alma miraba
con tedio, y sacrifiqué al destino la desgraciada víctima de mi pasión; mi arre-
pentimiento la vengó muy luego.

»Mi esposa era una mujer altiva, acostumbrada a ser obedecida, y en mí veía
un marido a quien ella había elevado a
su altura; cuya consideración la hacía
insufrible, dándola un dominio absoluto
sobre mí. Poco después de mi matrimonio faltaron mis padres, dejándome por
única herencia algunas deudas conside-
rables que contribuyeron no poco a
abreviar su vida, y quedando en un todo
a merced de los caprichos de mi esposa. Quise resistirlos; se me amenazó
con la separación y pérdida de mi empleo; cedí, y me vi hecho el juguete

de mi casa. Entre tanto, el cielo había
tenido a bien regalarme dos niños y una
niña, y mi esposa los educaba a su
modo; quiero decir, como la habían
educado a ella y a mí. Mi casa hervía
en diversiones, y mi sueldo siempre le
llevaba gastado con tres meses de adelanto; pero ella se aturdía con las músicas y festines, y yo no osaba hablar
alto de miedo de que todos me echasen
en cara mi ingratitud. ¡Miserable condición la de un marido vendido al interés!

»Mi mujer era intriganta y tenía mucho favor, y yo la perdonaba los malos
ratos, en gracia de los ascensos y mercedes que prodigaba sobre mí. Verdad
es que me los hacía pagar bien caros,
pues aún me acuerdo de un día que se
me concedió un sobresueldo de 4.000
reales y me hizo gastar 12.000 en trajes
y funciones.

»Ya los hijos iban creciendo, y yo por
más que la quería hacer sentir la necesidad de darles carrera, no lo permitía
lo que ella llamaba *su ternura maternal*, halagándome siempre con la idea
de que mediante sus conexiones los con-
seguiría a cada uno un buen empleo,
con lo cual yo dejábame dormir en estos sueños lisonjeros. Estaba del cielo
que las pobres criaturas habían de ser
víctimas de la misma manía que su
abuelo y su padre.

»Todos tres estaban ya en edad de
figurar, y apenas sabían leer; mi esposa empezaba a pensar en ellos alguna
vez, cuando la falta de uno de los personajes con quien ella contaba vino a
desbaratar sus proyectos, y a poco tiempo la arrebató la muerte también, dejándome con los muchachos sin educación y sin apoyos. Mi carácter, tanto
por el sistema de mis primeros años
cuanto por la especie de dependencia
en que siempre me tuvo mi esposa, era
para muy poco, así que estas desgracias
debilitaron en términos mi salud, que
siéndome imposible continuar trabajando, solicité y obtuve mi jubilación.

»Entre tanto, los muchachos cada día
crecían en necesidades; y habiendo gastado todos mis productos en maestros
de esgrima, de canto y de baile, me ha-

llaba con que nada sabían y que para nada eran. El mayor, altivo y presuntuoso, rechazó mis proposiciones de varias colocaciones modestas, y conducido de una en otra calaverada al juego y a la disolución, concluyó a poco tiempo con huir de mi casa y correr a probar fortuna, sentando plaza en un regimiento... Mi hija, a quien su madre reservaba para los mejores partidos de la corte, a quien yo me propuse adornar de mil habilidades, tiene que sacar hoy partido de ellas para ayudar a nuestra manutención, acudiendo a coser y bordar a un obrador; por último, el menor de mis hijos, mejor inclinado que el primero, ha consentido en pasar a Alicante, al lado de uno de mis sobrinos, como dependiente de su casa comercio...

»Tal, amigo mío, es hoy la suerte de mi familia; de esta familia a quien, sin el falso cálculo de mi padre, hubiera yo transmitido la laboriosidad y la opulencia. En prueba de ello concluiré diciéndole a usted que de los dos hijos que quedaron de mi primo, el uno sigue el comercio, y es en el día una de las primeras casas del reino; el otro, después de haber recorrido toda Europa, ha regresado a su patria lleno de conocimientos, y ha establecido varias fábricas de tejidos, en que brillan al mismo tiempo el talento, la actividad y el patriotismo de su dueño.

Al llegar aquí tuvo don Fidel que reprimir sus lágrimas, y yo poco menos conmovido traté de cambiar la conversación, sin que en todo el paseo volviésemos a tocar la de la *Empleo-manía*.

(Mayo de 1832.)

NOTA

La Empleomanía.—De todos los artículos que forman la serie de esta revista de costumbres, éste es el que menos ha envejecido por su argumento. Al contrario, la enfermedad endémica que en él se combate ha crecido con las revoluciones políticas en proporciones tan asombrosas, que el autor de las *Escenas* encuentra hoy extremadamente pálidos los colores que empleó entonces para pintarla. No lo parecieron, sin embargo, tales en aquella época al censor del periódico, el reverendo padre maestro fray Miguel Huerta, Vicario General de San Agustín, y predicador afamado, de quien, por otro lado, no tiene el autor motivo alguno de queja, antes bien, de agradecimiento por su tolerancia, ilustración y deferencia. En este artículo, sin embargo, creyó ver demasiadas alusiones a las intrigas cortesanas y suprimió párrafos y episodios que lo dejaron aún más descolorido. Si el autor los hubiera conservado, procuraría colocarlos de nuevo en su lugar propio, marcándolos bien para que fueran testimonio fehaciente de la miseria de la época, de la suspicacia y meticulosidad que infundía hasta en los hombres más ilustrados y tolerantes, como el reverendo padre Huerta. En defensa personal de este respetable religioso, arrastrado después en las revueltas políticas a los bandos militantes, y cuya existencia o paradero ignora, debe el autor decir que, así en ésta como en alguna otra ocasión en que creyó oportunas alguna corrección o supresión, llamó al autor y procuró convencerle de la necesidad a vueltas de cumplidos elogios de sus escritos; y éste, que respetaba en él la ilustración, la autoridad y el buen deseo, no tenía el menor inconveniente en suscribir a las menores insinuaciones de tan benévola censura.

UN VIAJE AL SITIO

«Comme on voit au printemps la diligente
[abeille
qui du botin des fleurs va composer son
[miel,
des sotisses du temps je compose mon fiel.)

Boileau.

Muy agradable es el viajar, pero lo es aún más el contar el viaje; mi inclinación me llamaba a lo segundo; tuve que verificar lo primero. *El viaje por mis faltriqueras* de cierto autor, el que hizo otro *alrededor de su cuarto*, y aun el de *un curioso por Madrid*, me parecieron estrecho límite y apocada resolución, si bien no me determiné como alguno a viajar por todo el universo desde mi escritorio. Quise en fin moverme en cuerpo y alma, y la primera duda que me ocurrió fue el saber adónde iría. Parecióme por de pronto conveniente el dar vuelta al globo, para cerciorarme de que su figura tiene más de oval que de esférica, y venir a dar a mis lectores tan agradable nueva; pero la dificultad de hallar carruaje de retorno me disuadió de mi intento; después pensé en atravesar de parte a parte el imperio chino, para fijar decididamente las dimensiones de la gran muralla; más tarde quise ir a buscar el paso entre América y Asia, con el objeto de establecer allí un portazgo; por último, me decidí a marchar a Aranjuez, y gracias a Dios y a mi constancia lo llevé a cabo, y estoy ya de vuelta. (Aquí el *Curioso parlante* saluda con agrado a toda la sociedad de *curiosos oyentes*, y prosigue de esta manera su narrativa.)

Prolijo sería mi discurso si hubiera de darle principio contando por menor las dilaciones que hube de sufrir para proporcionarme asiento en la diligencia; tampoco hablaré de las que me ocasionó la saca del pasaporte, y demás preparativos del viaje, antes bien dándolas todas por vencidas, me plantaré de un salto en el punto y hora de la partida.

El reloj de Nuestra Señora del Buen Suceso sonaba majestuosamente las cinco y cuarto de la mañana, cuando yo atravesaba precipitado la Puerta del Sol con dirección a la casa de postas, de donde sale la diligencia. Los viajeros y viajeras iban reuniéndose, mostrando aún en sus semblantes la impresión de la almohada, agradablemente interrumpida en algunos menos curiosos con tal cual ligera pinta de chocolate en la parte más saliente de la nariz, o algún trozo de barba menos afeitado que el resto, efectos todos de la premura del tiempo. Las maletas respectivas, las sombrereras y los sacos de noche iban siendo colocados en sus respectivos departamentos;

los mozos concluían de enganchar el tiro, y los briosos caballos

«probaban sus herraduras
en las guijas del zaguán.»

La portezuela de las tres divisiones, berlina, interior y rotonda, se abrieron en fin, y todos los interesados fuimos tomando posesión de nuestros respectivos asientos; los adioses, los encargos se cruzaban en todas direcciones, y al decir el mayoral «¿Hay más?» suena el reloj la media, ciérranse las puertas, silba el látigo, y rodando la inmensa mole, sale del patio haciendo temblar el pavimento.

Mi posición en aquel instante era la más lisonjera; hallábame en el interior del coche y en uno de sus ángulos: enfrente tenía una joven muy linda, y el otro rincón le ocupaba una señora como de treinta, hermosa y elegante; el centro de ambas damas y del testero daba lugar a un hinchado caballerito, que después averiguamos ser esposo de la primera; un señor de edad y un joven formaban conmigo el otro triunvirato.

La frescura de la mañana, la perspectiva del río y la alabanza del establecimiento de diligencias fueron los objetos de las primeras palabras; pero bien pronto la conversación se hizo más animada, más franca, y casi todos dejamos entrever los lisonjeros proyectos que hervían en nuestras cabezas. Fue la primera en tomar esta iniciativa la señora elegante, ostentando cierto aire de alta sociedad, y dando a sus palabras el giro más afectado. Los sucesos de buen tono, las intrigas, las bodas, los rompimientos entre las personas más marcadas, eran continuo pábulo a su discurso, y los nombres más estupendos salían de su boca con cierta familiaridad consanguínea o amical. Todos la saludamos en nuestro interior como duquesa, o por lo menos condesa.

No así la otra dama, que ya fuese porque la locuacidad de la primera no la dejaba meter baza en la conversación, ya porque un exceso de penetración femenil la hiciese dudar de la alta clase de nuestra amable parladora, la dirigía ciertas miradas escudriñadoras *desde el alto copete al pie pulido*, escuchaba cuidadosamente sus palabras, y de vez en cuando se descolgaba con tal cual preguntilla capciosa, sin duda con el piadoso fin de pillarla en algún renuncio; pero no la fue posible, porque la incógnita, firme en su posición, la volvía un diccionario de expresiones altisonantes, y una floresta entera de anécdotas *autógrafas* de todo lo más notable de Madrid; por último, para hacer mayor nuestro asombro, empezó a hablarnos de Londres y París con tales pelos y señales que ya no pudimos menos de convenir en que todo el mundo era suyo, y que teníamos delante una de las primeras notabilidades de la monarquía.

Nuestras atenciones redoblaban a medida que ella se encumbraba, y muy luego vino a ser la reina de la diligencia; negábala solamente el tributo de admiración la otra dama, y para hacerla sentir más su indiferencia, llevaba casi constantemente la cabeza fuera de la ventanilla; tanto prolongó esta situación, y tanto me chocaba que nunca mirase al camino que teníamos delante, y sí al que dejábamos andado, que no pude menos de asomar yo también la cabeza; pero la prudencia me hizo volver a retirarla, pues aunque ligeramente, noté una mano masculina con guante amarillo que salía de la rotonda y ayudaba a mi graciosa compañera a bajar la persiana.

El esposo, en tanto, metiendo la barba en el corbatín, rizándose el cabello, inflando los carrillos y fumando un luengo cigarro, nos contaba la calidad de las tierras por donde pasábamos, los apellidos, títulos y conexiones de los personajes a quienes pertenecían (todos, por supuesto, amigos suyos), y aún amenizaba su narración con algún rasguño de las costumbres de Getafe y Valdemoro, que podría muy bien alternar en esta relación, si ella no fuese ya de suyo harto fastidiosa.

El joven de mi izquierda, que por confesión propia supimos ser un pretendiente veterano que pasaba al Sitio con el objeto de activar eficazmente sus solicitudes, vio el cielo abierto cuando notó que le escuchábamos, y sin tomar aliento nos contó la historia de sus derrotas en todos los ministerios, nos encareció sus méritos y, fijándose en las oficinas por donde ahora pretendía, nos hizo ver casi palpablemente la injusticia que era el no haberle colocado cuando menos de jefe de alguna de ellas. El señor *del humo* escuchaba con aire importante su relación, acogía sus quejas, ayudaba sus sátiras, y ofrecíale su alta protección: seguro ya de su benevolencia nuestro pretendiente, quiso atraerse la del pacífico anciano que estaba al otro rincón, y empezó a dirigirle la palabra; pero éste sólo le contestaba con cierta sonrisa, ni bien irónica, ni bien satisfactoria, o con palabras, como *tal vez, ya se ve, puede ser*, que desconcertaron al satisfecho joven poniéndole de muy mal humor.

Por mi parte, ocupado casi exclusivamente en escuchar la brillante narración de la hermosa incógnita, oía con indiferencia todo aquél diálogo; y ella, a quien no pudieron menos de llamar la atención mis miradas, mi silencio y mi expresión, quiso persuadirme de que su corazón no era de hielo, y cesando súbitamente en su interesante parla, fió a sus hermosos ojos el oficio que hasta entonces había desempeñado tan bien su lengua. Este nuevo intérprete no era menos expresivo ni menos fuerte que el primero, y... forzoso será confesarlo, pero mi turbación creció hasta un punto indecible. La casadita fue la primera que lo advirtió, o por lo menos que dio a entender que lo había advertido, importunando nuestra misteriosa correspondencia con sonrisas y miradas; quise, pues, hacerla callar, y asomé la cabeza por la ventanilla, mirando a la rotonda y sonriéndome también, con lo cual cesó de mezclarse en nuestras relaciones, y se cuidó solamente de componer su persiana de tiempo en tiempo.

Llegados a la parada en donde habíamos de mudar por segunda vez el tiro, descendimos casi todos, y pude reconocer los demás personajes que ocupaban los distintos compartimentos del coche; yo di la mano a la hermosa para bajar, y me disponía a improvisar mi añeja

declaración, cuando otra de las señoras bajada de la berlina, y a quien oí nombrar la *marquesa*, la llamó aparte y siguieron en conversación todo el rato, con lo que ya no me quedó duda de que ella sería otra tal. La señorita casada no había querido bajar hasta que se presentó a la portezuela un joven buen mozo que la ofreció la mano, cubierta aún del anteado guante, y descendió. El mayoral llamó a poco rato a volver a ocupar el coche, y por uno de aquellos movimientos que una mujer diestra sabe dirigir, mi diosa halló el medio de ocupar el lugar enfrente del mío; y, aunque la otra quiso replicar, no se atrevió, y hubo de sentarse al otro lado.

No hay necesidad de decir que desde entonces nuestra correspondencia no era ya telegráfica, pues algunos *apartes* diestramente ingeridos a favor de la conversación general formaban la nuestra particular.

Ocurriósela en esto a mi amable interlocutora sacar el brazo para arreglar la ventanilla, y en el momento... ¡oh sorpresa!, una mano extraña la retiene... el primer movimiento fue manifestar su enojo; pero yo, que eché de ver la equivocación, la advertí prontamente y con una ligera seña todo lo comprendió, así como la interesada, que yacía en el otro ángulo del coche. Rápida comunicación que sólo cabe en una mente femenil.

La campiña, en tanto, había variado mágicamente de aspecto; a las áridas llanuras, al suelo ingrato y desnudo, habían sucedido frondosas arboledas, valles encantadores; el ruido de los arroyos, el canto de los pájaros, formaban una cadencia lisonjera; corpulentos árboles sombreaban el camino; el aroma de las flores llegaba hasta nosotros; los puentes y pilares anunciaban la proximidad del Sitio, y nuestros corazones iban ya experimentando la dulce embriaguez que el ambiente de Aranjuez inspira. El joven marido excitaba a su esposa a contemplar aquella maravilla; pero ella manifestaba con su indiferencia que la llanura pasada la había sido más grata; el pretendiente redoblaba sus atenciones con todos, menos con el anciano, que sufría con paciencia sus impolíticos movimientos, y en cuanto a mí, sólo me ocupaba del objeto que delante tenía.

Tal era nuestra situación cuando entramos en el puente sobre el Tajo; multitud de curiosos nos dirigían sus anteojos y sus saludos; y nosotros, cual otros Anacharsis, les hacíamos conocer en nuestras miradas la superioridad de recién venidos. Paró el coche para reconocer los pasaportes, y todos tuvimos que dar nuestros nombres.

—Señor don Preciso Neceser y su esposa.

—Servidores de usted —dijo el marido.

—Señor don Fulano de Tal...

—Presente —contesté yo.

—Señor don...

—Aquí está —prorrumpió el anciano.

—¡Cómo! ¿Es posible? —exclamó reprimiéndose el joven y llamándome aparte—. ¡Desdichado de mí! ¡Con quién me he ido yo a indisponer! ¡Si es precisamente el director que ha de proponerme para el empleo!...

—Vea usted —le repliqué yo— uno de los inconvenientes de la diligencia.

—Señora marquesa de... y su criada —continuó el de los pasaportes.

—Aquí —gritó la señora de la berlina—; la criada está en el interior.

¡Rayo del cielo fue a mis oídos esta voz! Todos lo conocieron; el marido sonreía, la esposa gozaba de la humillación de su antagonista, la miraba con cierto aire de triunfo, y aun la devolvió el abanico frunciendo los labios y limpiándose las manos. Hasta el pobre pretendiente se consideró con derecho a divertirse conmigo, diciéndome al oído:

—Amigo, vea usted otro de los inconvenientes de la diligencia.

En tan difícil situación seguimos hasta la fonda de la Flor de Lis, donde hicimos alto y descendimos; la criada habladora siguió a su ama, después de haber recibido saludos irónicos de todos los compañeros; el pretendiente, cabizbajo, se deshacía a cortesías con el anciano, que respondía con su natural indiferencia; yo me retiré al primer corredor de la fonda y ocupé uno de los cuartos; pared por medio dio fondo el matrimonio consabido, y más allá el caballero del guante; con lo cual pensamos todos en descansar, lavarnos, vestirnos y esperar la hora del paseo.

Sabido es que después del mediodía la reunión del buen tono es en la fuente de la *Espina* del jardín de la Isla; allí dirigí mis pasos, saboreando durante la travesía por el jardín el aire embalsamado, el canto armonioso de las aves, la hermosa vista de las flores, el ruido de las fuentes y cascadas, y la delicia, en fin, del hermoso sitio de quien decía Lupercio:

«La hermosura y la paz de estas riberas
las hace parecer a las que han sido
en ver pecar al hombre las primeras.»

Entrando en la plazuela de la fuente vi sentadas las damas bajo los templetes que la decoran, y una multitud de elegantes en pie formando grupos y dirigiendo sus miradas a las más hermosas. La conversación era poco animada, la escena nada varia, y sólo crecía un tanto cuanto en interés cuando entraban nuevas señoras en aquel recinto: fijábanse en ellas todas las miradas; las ya sentadas, se hablaban en secreto; los caballeros rodeaban a los recién venidos que las acompañaban, les hacían preguntas de cómo habían dejado la capital, qué tal había salido la ópera nueva, cómo estuvo el baile de..., y luego los nuevos preguntaban a los antiguos sobre las cosas del Sitio.

—Y bien, marqués, ¿qué vida lleváis aquí?

—Chico, nada, como ves: una vida muy *circular*.

—Pero ¿y los jardines?...

—Hermosos, pero yo no he pasado aún de aquí.

—¿El teatro?

—Insoportable.

—¿Los toros?

—¡Bah!...

—¿Las tertulias?

—Aquí no hay tertulias, ya te lo digo, esto *es secarse*.

—Por lo menos, las jiras de campo...

—Nada menos que eso; quince días ha que en casa de... pensamos en hacer una partida de campo *en borricos*, pero todavía no nos hemos determinado a madrugar una mañana.

—¡Pues yo os creía más dichosos!

—¡Ah! ¡Los dichosos sois los que estáis en Madrid!

Por supuesto, debe creerse que en aquel recinto hallaría yo a todos mis compañeros de viaje; que saludé respetuosamente al anciano; que no pude menos de sonrojarme al ver a mi brillante conquista detrás de la marquesa; que al encontrar en la plazuela al matrimonio mi vecino no tardé en mirar a lo lejos el satélite de aquel planeta.

—¿Quién es ese sujeto? —le pregunté a un amigo que había hablado al marido.

—Este es un don Nadie que en todas partes se cree indispensable porque las gracias de su esposa le atraen muchos amigos que él los toma por suyos.

—¡Cuántos hay como él, de quien nadie hablaría si no fuera por sus mujeres!

Entonces le conté todo nuestro viaje, y no pudimos menos de reír juntos.

Salimos por fin de la plazuela, y atravesando el jardín, sólo hallamos de trecho en trecho algún corro de señores mayores hablando de asuntos graves, parándose cada momento, y siguiendo a lo lejos a sus respetables consortes, que iban reconociendo lentamente los mismos sitios en que medio siglo antes habían recibido acaso el primer flechazo de amor.

Retirado a mi posada tuve que contentarme con una comida mal condimentada y peor servida, y por la tarde salí al paseo de la calle de la Reina, que era a aquella hora el punto de reunión. La misma escena que por la mañana, aunque en distinto teatro. Todas las damas sentadas a lo largo del enrejado de los jardines; las conversaciones no hay por qué repetirlas: «¿Quiénes han venido en la diligencia esta mañana?» «¿Quién es ése que ha pasado?» «¿Y por qué Fulana no va con…?» «¿Han *tronado*?» «¿Y N… tiene *plan* con esa que acompaña?» Y así de los demás. Nosotros, por nuestra parte, nos dábamos la posible importancia: hablá-

bamos más alto, con estudio, y no mirando al que dirigíamos la palabra; saludábamos con elegancia y haciendo una cuidadosa distinción según la jerarquía o *notabilidad* de la persona saludada, y si podíamos pillar del brazo a un *entorchado* o una *llave dorada*, ¡qué ufanos y qué orondos nos paseábamos entonces!

Cansado, en fin, de esta pantomima, me retiré, y después de la función del teatro, donde no tuve tampoco motivo de gran satisfacción, volví a mi posada tranquilamente. En el cuarto inmediato al mío había visto luz, y de cuando en cuando oía el ruido de las botas de alguno que paseaba por el corredor, con lo que me persuadí de que el don Preciso tomaba el fresco: convencíme más y más de ello cuando de allí a un instante miré abrirse la puerta de mi habitación y entrar al mismo; sin embargo, mi imaginación es rápida y no pude dejar de notar que no traía botas.

—¡Ah, buena maula! —exclamó alborozado al verme—. ¿Con que usted es el *Curioso Parlante*?

—¿Quién? ¿Yo…?

—Vamos, no hay que hacer la desecha, que lo sé de buen original, y además soy suscriptor a las *Cartas Españolas;* ¡ay amigo!, y ¡qué artículo tan bello me prometo ya sobre nuestro viaje, artículo *cómico*, ¿no es verdad? —y la risa interrumpía sus exclamaciones—. ¡A que sale allí a relucir aquel pobre hombre pretendiente, y aquel personaje incógnito, y usted también —¿no es así?—, con sus amores con la dama habladora, que luego salimos con que era una criada! ¿Y mi mujer? ¿Qué dirá usted de mi mujer y de mí? ¿Soy yo también persona *que hace*?

—No, amigo mío —interrumpí yo con cierta sonrisa—. Usted es la *que padece*.

Un ligero ruido en la puerta inmediata vino en este momento a llamar nuestra atención; levantámonos, salimos al corredor, vimos entreabierta la puerta, abrímosla del todo y hallamos al caballero consabido, que en aquel momento acababa de entrar, y la señora, que, sentada junto a la ventana, escuchaba sus palabras; el primer movimiento fue el de la turbación; pero recobrando el mancebo su serenidad, expresó que sólo una equivocación de la puerta de su cuarto podría haber sido causa... Entonces ella se explayó en demostrarnos lo fáciles que eran estas equivocaciones de noche, y yo defendí con tesón tan excelente idea, con lo cual el esposo se dio por satisfecho, y a guisa de hombre de buen tono hizo los debidos ofrecimientos al vecino; éste, por su parte, correspondió con toda la cortesía de un caballero, y yo, sin pensarlo, tuve que terciar en la relación de gentes que debían conocerse y apreciarse. La conversación se animó, el Adonis nos ofreció su valimiento y conexiones en el Sitio, nos invitó a ver todas sus curiosidades, aceptamos y de allí en adelante no nos separamos ya ni para ver la Casa del Labrador, ni en la de la Monta, ni en el Cortijo, ni en el Molino, ni en el Riajal.

Pero bien pronto esta vida monótona, que se repetía exactamente todos los días, comenzó a fastidiarme, y para que no concluyera por hacerlo del todo, tomé la determinación de regresar a Madrid. Subí de nuevo en la diligencia y..., mas no quiero contar lo que me pasó a la vuelta, porque sería repetir lo ya dicho, como que en situaciones semejantes las escenas se parecen unas a otras.

(Junio de 1832.)

EL PRADO

«Irás al *Prado*, Leonor
en cuya grata espesura
toda divina hermosura
rinde tributo al amor.
¡Cuántos mirándote allí
aumentarán sus desvelos!
No quieran, Leonor, los cielos,
que te los causen a ti.»

Comedia antigua.

«Hacia la parte oriental (de Madrid), luego en saliendo de las casas sobre una altura que se hace, hay un suntuosísimo monesterio de frailes Hierónimos, con aposentamientos y cuartos para recibimientos y hospedería de reyes, con una hermosísima y muy grande huerta. Entre las casas y este monesterio hay a la mano izquierda en saliendo del pueblo una grande y hermosísima alameda; puestos los álamos en tres órdenes que hacen dos calles muy anchas y muy largas, con cuatro o seis fuentes hermosísimas y de lindísima agua, a trechos puestas por la una calle, y por la otra muchos rosales entretejidos a los pies de los árboles por toda la carrera. Aquí en esta alameda hay un estanque de agua que ayuda mucho a la grande hermosura y recreación de la alameda. A la otra mano derecha del mismo monesterio, saliendo de las casas, hay otra alameda también muy apacible con dos órdenes de árboles que hacen una calle muy larga hasta salir del camino que llaman de Atocha. Tiene esta alameda sus regueros de agua, y en gran parte se va arrimando por la una mano a unas huertas. Llaman a estas alamedas el *Prado de San Hierónimo*, donde de invierno al sol, y de verano a gozar de la frescura, es cosa muy de ver, y de mucha recreación, la multitud de gente que sale, de bizarrísimas damas, de bien dispuestos caballeros y de muchos señores y señoras principales en coches y carrozas. Aquí se goza con gran deleite y gusto de la frescura del viento todas las tardes y noches del estío, y de muchas buenas músicas, sin daños, perjuicios ni deshonestidades, por el buen cuidado y diligencia de los alcaldes de la corte.»

He aquí una pintura del Prado de Madrid hecha en el siglo XVI y consignada en un librote *nuevo* de puro viejo, que, como varias personas, no tiene otra recomendación que los muchos años que sobre sí cuenta. ¿Qué diría el autor (maestro Pedro de Medina) si levantara la cabeza y fuérale permitido dar ahora un paseo desde la puerta de Recoletos hasta el convento de Atocha? Diría..., ¡qué había de decir!, que el mundo se rejuvenece como cabeza de setentona con los específicos del doctor Oñez, y que lo que ayer era blanco, suele aparecer prieto al siguiente día.

Por lo demás, si tales alabanzas prodigaba al Prado, cuando lo desigual e inculto de su inmenso término, lo espeso de sus matorrales, la oscuridad de sus revueltas, el inmundo arroyo que corría por toda su extensión, y demás circunstancias que le afeaban, hacía olvidar tal cual trozo más bello que de trecho en trecho pudiera amenizarle; ¿qué diría, vuelvo a repetir, si le atravesase hoy en toda su extensión de cerca de media legua, marchando siempre por una superficie plana y sólida, diestramente compartida en magníficas calles de árboles, cuyas ramas se entrelazan formando una bóveda encantadora? ¿Qué el contemplar en toda su extensión ocho primorosas fuentes, entre ellas la de la Alcachofa, Neptuno, Apolo y Cibeles, cuya excelente ejecución honra la memoria de los artistas españoles? ¿Qué del lindísimo Jardín Botánico, de la elegante perspectiva del Museo, del gracioso peristilo de la Real Platería, de las magníficas calles que desembocan en el paseo, y de tantos objetos, en fin, como constituyen su actual hermosura?

Verdad es que en aquellos siglos de valor y de galantería, el amor embellecía, como en éstos, los sitios más ásperos y escabrosos, pues aunque el festivo Lope de Vega, en un momento de mal humor, se dejó decir:

Los prados en que pasean
son y serán celebrados.
Bien hacéis en hacer prados,
pues hay bien para quien sean

el mismo Tirso de Molina, Calderón, Moreto y demás poetas de su tiempo, se esmeraron en encomiarle a porfía con las descripciones más interesantes y románticas. Así que el Prado, desde aquel tiempo, ha seguido ocupando un lugar privilegiado en las comedias y novelas españolas.

¡Quién no tiene en la memoria aquellas escenas interesantes, aquellas damas tapadas que a hurtadillas de sus padres y hermanos venían a este sitio al acecho de cual o cual galán perdedizo, o bien que se le encontraban allí sin buscarle! ¡Quién no cree ver a estos tan valientes, tan pundonorosos, tan comedidos con la dama, tan altaneros con el rival! ¡Aquellas criadas, malignas y revoltosas; aquellos escuderos socarrones, en fin, que el actor Cubas nos representa tan al vivo en el teatro! ¡Qué es el escuchar en estas ingeniosísimas comedias (únicas historias de las costumbres de su tiempo) aquellos levantados razonamientos, aquellas intrigas galantes, aquella metafísica amorosa, que no sólo estaba en la mente de los autores, pues que el público la aplaudía y ensalzaba como pintura fiel de la sociedad y espejo de sus acciones! ¡Qué gratas memorias no deberían acompañar a este Prado que todos los poetas se apropiaban como suyo! Pero al mismo tiempo, ¡qué de venganzas, qué de intrigas, qué de traiciones no cubrieron también su suelo! Con efecto su fragosidad, las circunstancias políticas y la inmediación a la corte del Retiro, llegaron a darle en los últimos reinados de la casa de Austria una celebridad casi funesta.

Por fortuna, en el estado actual de nuestras costumbres, el Prado sólo ha conservado la parte galante. Las damas, no ya encubiertas, sino ostentando todo el encanto de sus amables atractivos, vienen periódicamente todas las tardes a este delicioso sitio, seguras de hallar en él al galán o galanes, objeto u objetos de sus suspiros; la reunión de la parte más visible del pueblo y la franqueza que da la costumbre de verse en él, hacen a este paseo la primera tertulia de Madrid.

Figurémonos verle en una de las apacibles tardes del verano, cuando ya pasada la hora de la siesta, regado durante ella y refrescado además con las exhalaciones de los árboles y las fuentes, empieza a ser el punto de reunión general. Sea en aquel momento en que la multitud, abandonando las calles estrechas del lado de San Fermín, y las de Atocha, las del Jardín Botánico y las del paseo de Recoletos, viene a refluir en el gran Salón, centro de todo el Prado. Situémonos para el efecto de la perspectiva en la entrada de dicho Salón por delante de la fuente de Neptuno; a la derecha tendremos la calle destinada a los coches que corre a lo largo de todo el paseo. Mirarémosla henchida de carruajes de todas formas, de todos tiempos y de todos gustos, que desfilan en vuelta pausadamente, dejando, en el medio, espacio para los coches de la familia real, a cuyo paso todos paran y saludan con respeto.

Esta parte del paseo tiene un carácter de originalidad peculiar del país y de la época, y que revela la confusa mezcla de nuestras costumbres antiguas con las imitadas de los países extranjeros, verbigracia: detrás de un elegante tilbury, que Londres o Bruselas produjo, y que rige su mismo dueño desde un elevado asiento, conduciendo pacíficamente al lacayo sentado una cuarta más abajo, viene arrastrando con dificultad un cajón semioval y verdinegro, a quien el maestro Medina podría muy bien llamar carroza en el siglo XVI, y en el XIX llamamos simón, verdadero anacronismo ambulante. Síguele en pos linda carretela abierta, charolada y refulgente, con sendas armaduras en los costados y letras doradas en el pescante; hermosas damas elegantemente ataviadas a la francesa, con sombreros y plumas, ocupan el centro; el cochero, de gran librea, obliga con pena a los briosos caballos a seguir el paso del furgón que va delante, y dobles lacayos con bellos uniformes, bandas y plumeros, coronan aquella brillante máquina. Inmediato a ella sigue un coche cerrado, conducido por pacientes mulas que duermen al paso, permitiendo también gozar de las dulzuras de Morfeo al cochero, al lacayo y al señor mayor que va dentro; no lejos de él pasa el modesto cabriolé que la bondad marital de un médico dispensó aquella tarde a su esposa; ni falta tampoco almagrado y extraño coche de camino con grandes faroles, y ataviado a la calesera; ni berlina redonda, con soberbios caballos andaluces, que comprometen la pública prosopopeya; por último, unos de grado y otros por fuerza, todos se sujetan al carril trazado desde la entrada del paseo por la fuente de Cibeles hasta la puerta de Atocha, y en el mismo, aunque por entre las filas de coches, lucen su gallar-

día los elegantes jinetes, quienes solos, quienes acompañados de damas que ostentan su bizarría dominando un fogoso alazán.

Inmediato a este paseo mírase una estrecha calle que formaría parte del salón principal, sólo interrumpido por la fila de bancos de piedra, si el buen tono no hubiera hecho en ella una división más sensible. Como los carruajes van despacio, y los elegantes que no tienen coche tomarían muy a mal el ser confundidos con la multitud, eligieron este pequeño recinto como el punto más a propósito para conservar cierta correspondencia con la sublime sociedad que se pasea sentada, y aún a despecho del olor ingrato de las mulas y caballos, y del polvo que ellos y los carruajes levantan, todo lo más notable del paseo se extracta aquí: no sin graves apreturas, encontrones, distracciones y contorsiones. Cierran con los bancos este recinto multitud de sillas, ocupadas todas mediante el modesto rédito de ocho maravedís, que es al poco más o menos el valor del capital. La extensión del paseo proporciona la ventaja de volverse a encontrar varias veces durante la tarde, con un período, ni tan corto que fatigue, ni tan largo que enoje o haga olvidar.

¡Qué campo tan fecundo para el observador! Sentado en una silla, cruzados los pies sobre otra, los anteojos sobre la nariz y el bastón bajo la barba, si se inclina al lado de las fuentes en la parte principal del salón, mira desfilar delante de él la inmensa multitud; por poca que sea su penetración, muy luego descubre las intriguillas amorosas, sorprende las furtivas miradas de las niñas, las sonrisas de inteligencia de los mozos; marca los saludos expresivos: nota en los semblantes de las madres los diversos síntomas de la vanidad, del cariño maternal o del desprecio; tiembla al contemplar la imprudente seguridad del padre, que entretenido por el travieso niño, se distrae con él, mientras que su hermanita acaba de recibir un billete que un apuesto mancebo resbala en su mano; sorprende las expresiones de doble sentido y las que se dicen al paso mirando a otro lado; está en antecedentes respecto al juego de pañuelos y al lenguaje del abanico; y nada, en fin, se escapa a su vista penetrante y escudriñadora.

Si girando sobre su silla (con cuidado, por supuesto, para que no se destruya tan débil máquina con notable desmán del caballero contemplativo) vuelve la vista al estrecho y elegante recinto, advierte la misma escena, aunque más mímicamente representada. Mira a los elegantes rigoristas, afectando en su traje, en sus modales y en su habla las costumbres extranjeras; obsérvalos andar tortuosamente y sin dirección fija, ora arrimándose a los coches para ver pasar uno y recibir la grata sonrisa de alguna hermosa dama, ora volviendo rápidamente cerca de los bancos para asistir al paso de otra con quien aparece cierta inteligencia; hablar alto, formar corro, acompañar entre sí un momento a éstas y dejarlas rápidamente para dar media vuelta en sentido inverso siguiendo a otras.

Todas estas y más mudanzas habían hecho una tarde el caballero Don Tal y el caballero Don Cual, sujetos ambos cuya fama se extiende desde la Puerta del Sol hasta la Red de San Luis, desde el salón del Prado hasta el teatro del Príncipe; miran pasar un elegante landó, corren precipitadamente a situarse en paraje conveniente, mientras que una hermosa joven baja acompañada de un caballero de edad; síguenla de cerca y entablan en francés el diálogo siguiente:

—Ce mari, mon cher, est un homme bien original... toujours auprés de sa femme.

—Cela t'etonne...? Un chevalier du quinziéme siécle.

—Epoux d'une élégante du dix neuviéme.

—¿Que veux tu, mon cher? Ces vieux maris dissent que le coeur ne vieillit pas.

—Oui... et leurs petites femmes... hein? (con sonrisa irónica).

—Chut, mon cher, notre homme peut nous entendre.

—Bah! Tu oublies que de son temps on n'apprennait en Espagne que notre pauvre langue! Car, jeconviens, nos ayeux etaient des sottes gens!

—Cependant, malgré nos avantages modernes, Madame fait la creuelle... Elle ne te regarde pas, mon cher...

—Elle m'adore cependant, car elle rit toujours lorqu'elle me voit... oui, mon cher, elle rit.

—Bravó, mon cher, bravó; c'est bon signe.

A este punto pasó un quidam del lado de la pareja marital, y habiéndola saludado le cogió el esposo del brazo y siguieron andando; viendo el recién venido que ambos consortes iban riendo, no pudo menos de preguntarles la causa, y el marido, con suma cachaza, le dijo en voz alta:

—Amigo, no puede usted figurarse lo que me voy divirtiendo con esos tontos de extranjeros que vienen detrás.

(Diable, dijo uno de los dos. Tais toi, replicó el otro.)

—Porque han pasado y repasado mil veces por delante para ver a mi mujer; vuelven, se paran, y hacen, en fin, más mudanzas que los danzantes que suelen ir delante de las procesiones.

—Pero, hable usted bajo, que lo van a comprender.

—¡Qué han de comprender! Si no saben el español; nada; impunemente puedo decir que son unos majaderos.

(La esposa en este momento estrechó el brazo de su marido, como temiendo que ellos lo entendiesen.)

—No tengas miedo. ¿Te parece que esos tontos se habían de ocupar en aprender el español? Nada menos que eso. En su tiempo no se aprende tal lengua.

—Es que —replicó el amigo— pudieran ser españoles, y acaso me atrevería a apostarlo, pues en sus modales echo de ver más caricatura que carácter francés.

—¡Cómo es posible que lo sean! ¿No ve usted que no entienden lo que digo?

—Cierto, que eso me hace dudar...

(Durante esta conversación, ellos, haciéndose los indiferentes, siguieron hablando de cosas generales, siempre en francés, sin darse por notificados del contenido diálogo.)

Cerca ya del anochecer subieron en su coche los consortes y salieron del Prado. Inmediatamente corrieron a escape por la Carrera de San Jerónimo los dos elegantes ambiguos, siguiendo el duda habían descuidado aquella tarde) coche; pero el cochero (a quien sin no les tenía consideración, pues sacudiendo los caballos, obligó a los de a pie a volar y sudar, hasta que, convencidos de que con cuatro pies se va más lejos, y que ellos por la bondad del cielo no podían contar más que con dos cada uno, dieron media vuelta y regresaron al Prado, metiéndose por el medio del salón.

Todo lo observaba yo desde la fuente de Neptuno, y no siéndome indiferente averiguar el final de sus aventuras, seguílos con disimulo, y pude escuchar su conversación. Por supuesto era en español corriente, y por los nombres que mutuamente se dieron no pude menos de conocer que eran en un todo *originales*. Hablaron largo de su aventura, rieron estrepitosamente y después se lamentaron de que por haber paseado del lado de allá habían faltado a la cita con ciertas chicas que les habrían estado esperando *del lado de acá*.

—Ya ves —decía el uno—, durante la fuerza de la tarde, ya conoces que sería muy plebeyo pasear a este lado.

—Es verdad, y aunque acaso nos hubiera traído más cuenta...

—Sí, pero tú debes decirlas que hasta el anochecer no nos esperen.

—Cierto que ya al anochecer es distinto, porque al cabo esta es una intriguilla de *tercer orden*, y como si dijéramos de *entre sol y sombra*.

En esto una viejecilla con dos muchachas, frescas y francas, apretaron el paso detrás de ellos, y llegando bonitamente a su lado les insinuaron con mucha suavidad la punta de un alfiler en cada brazo. «Ah, Fulanita, Zutanita, ¡son ustedes!» Y desde este punto y hora una conversación jovial y animada se entabló entre los cinco, mientras subían graciosamente interpolados por la calle de Alcalá. Pasaron (sin entrar) por el elegante café de Solís; dejaron a uno y otro lado los concurridos de la Aduana, los Dos Amigos, la Estrella, Buen Gusto, etc., y dieron fondo en uno de los ángulos del sombrío y emparrado patio del café de Europa, calle del Arenal, donde les dejaremos por ahora para descansar un rato.

(Junio de 1832.)

NOTA

El Prado.—Además de la descripción del antiguo *Prado de San Hierónimo*, consignada por el maestro Pedro de Medina en su obra titulada *Grandezas de España*, quedan otros muchos documentos escritos para formar idea de lo que pudo ser en los tiempos de la Casa de Austria el extendido término convertido a la voz del gran Carlos III, y por la influencia de su ilustrado ministro el Conde de Aranda, en uno de los paseos más bellos de Europa. Pero nada hace concebir un juicio más exacto de aquel primitivo estado que la representación material de dicho paseo antiguo que se halla en el gran *Plano de Madrid de 1656*, en que está minuciosamente detallado, como todo el caserío de la Villa en perspectiva caballera. En él se ven tres alamedas formadas por dobles filas de árboles desde la calle de Alcalá hasta la Puerta de Atocha, por el lado de San Fermín. El barranco que corría por toda la línea del Prado (y que aún hemos conocido sin cubrir en el trozo de Recoletos) se hallaba, poco más o menos, por donde ahora el paseo de coches; y sobre las alturas cercanas al Retiro estaba el *juego de pelota*, habiendo tenido la Villa que desmontar parte de dicha altura considerablemente hacia San Jerónimo para proporcionar fácil acceso al nuevo sitio del *Buen-Retiro*. Próximamente a donde está ahora la fuente de Neptuno había una torrecilla y una mezquina fuente llamada de *el Caño Dorado*, y en ambos lados donde ahora están el Botánico, el Museo, el Tívoli y la platería de Martínez, etc., había huertas cercadas de tapias. Estas continuaban con las de los Duques de Medinasidonia (hoy de Medinaceli), y su palacio, que es el mismo que existe; luego, la casa y jardín de los Duques de Maqueda (donde hoy está el Palacio de los de Villahermosa), la del Conde de Monterrey (donde hoy la iglesia de San Fermín) y la de don Luis Méndez Carrión (que hoy es la del señor Marqués de

Alcañices). En estos tres jardines reunidos fue donde el Conde-Duque de Olivares dio a los reyes la famosa fiesta que describe Pellicer la noche de San Juan de 1631, en que se representaron dos comedias: una de Lope, y otra de Quevedo y de Hurtado de Mendoza, y hubo además bailes, músicas, cena y enramadas, y luego *rua* por el paseo hasta el amanecer. Representando este trozo del paseo y entrada de la calle de Alcalá, posee un precioso cuadro contemporáneo el excelentísimo señor don José de Salamanca, que parece ser de Velázquez o alguno de sus imitadores. Los detalles en el aspecto de dicha calle y paseo en aquella época, los grupos, trajes, coches o carrozas y sillas, entre ellas la de los reyes, escoltada por alabarderos, y el armonioso conjunto, en fin, de este precioso cuadro, le hacen sumamente interesante para el conocimiento de aquella época.

Por el lado izquierdo de Recoletos seguían las huertas y palacio del célebre Almirante Enríquez de Cabrera, cedidos después por él para ser convertidos en convento de San Pascual; la del Conde de Bornos, hoy de Medina de las Torres, y otra que hoy es de las Salesas; y por la derecha, la del Conde de Montealegre, la de Recoletos, etc.; pero ni en este trozo ni en el que media desde la puerta al convento de Atocha había alamedas, ni más adorno en este último que la ermita de San Blas sobre el cerro pelado que hoy lleva su nombre.

LAS CASAS POR DENTRO

CARTA DE UN CURIOSO PROVINCIAL AL CURIOSO MADRILEÑO

Señor *Curioso*, muy señor mío: Desde que hallándome en esa capital empezó usted a publicar sus observaciones sobre las costumbres de Madrid, en el periódico titulado *Cartas españolas*, me incluí en el número de los suscriptores a dicho periódico, lisonjeado por la idea de que aún después de mi salida de esa refrescaría en mi imaginación (con el auxilio de usted) aquellos cuadros que tantas veces habían herido mis sentidos. Otro servicio aún más importante me ha hecho usted, cual es el de haberme relevado de la insoportable precisión de responder a tantas preguntas como al regresar de mis correrías me hacían siempre mi mujer, mis hijos y mis amigos; precisión a la verdad más dura que lo que parece, pues ya sabe usted que el hacer descripciones no es para todos, y más si han de reunir las circunstancias de verdad, chiste e interés. Así es que vi el cielo abierto con la oferta de usted, y desde entonces cuando alguno me importuna con sus dudas sobre tal o cual objeto de la corte, siempre le remito al momento en que a usted se le ponga en las mientes hablar de él.

»Pero es el caso, señor *parlante*, que como quiera que es más fácil preguntar que responder, casi siempre me encuentro atrasado de contestaciones con estas gentes, y Dios sabe lo que usted me hace penar hasta que llega la suya. Pero llega, y entonces es el pavonearme yo, reunir la asamblea, desplegar majestuosamente el papel, correr la vista en silencio por las primeras líneas, sonreirme un tanto cuanto, gozándome en la impaciencia de mis oyentes, y empezar, en fin, mi lectura con todo el énfasis de un poeta novel.

»Mas la exigencia de los demandantes rara vez se da por satisfecha con la ración que usted nos concede; quisieran ellos en pocos momentos ponerse al corriente de lo que sin duda habrá costado a usted muchos años de observación; y si bien esta ansiedad me parece injusta e irreflexiva, no dejo, sin embargo, alguna vez de convenir con ellos en ciertos extremos. Por ejemplo, no pudo menos de hacerme fuerza la reflexión de una de mis niñas, que decía días pasados: «¿Por qué ese señor Curioso casi siempre nos habla de los objetos públicos como calles y paseos, y nada nos ha dicho aún del interior de las casas? ¿Pues qué, nada hay que decir de ellas en Madrid?» «Calla, niña, la contesté yo, que todo se andará si el palo no se rompe, y trazas lleva el tal señor de no dejarlo tan pronto.» Mas si bien es cierto que la hice callar, no así calló mi imaginativa, que me inclinó a pensar que la chica podría tener razón, y que si en lo sucesivo habíamos de juzgar con acierto de los dramas que nos presente en sus cuadros familiares, era indispensable ante todas cosas hacernos tomar conocimiento exacto del lugar de la escena.

»Fue tanta la fuerza que me hizo esta consideración, que me determiné a escribirle a usted, y para más empeñarle en mi objeto, y sin que sea visto querer introducirme en su terreno, me ha parecido conveniente hacerle una ligera descripción de la casa en que yo viví en Madrid, por si en ella encuentra alguna o algunas circunstancias que pueden aplicarse cómodamente a las demás.

»Pero antes de dar principio a mi bosquejo, será bien enterar a usted de que mi marcha a Madrid fue convidado por los veraces ofrecimientos de un antiguo amigo, sujeto de consideración en la corte, el cual exigió de mí la circunstancia de haber de habitar en su casa, con el objeto de no apartarnos un punto en mis correrías por el pueblo; la posición social de mi amigo y sus más que medianas facultades me convencieron de que sus ofertas no le serían molestas, y acepté el convite.

»Di fondo en una de las cinco grandes calles que desembocan en la famosa Puerta del Sol, y delante de un luenguísimo caserón. La multitud de sus balcones y ventanas, la elegancia de su pintura, aún reciente, y las demás circunstancias que constituían su adorno exterior, me afirmaron en la idea de que iba a habitar en un palacio y en el seno de las comodidades; pero puse el pie en el portal y desapareció la ilusión, echando de ver por mi desgracia que este era el primer petardo que se me ofrecía en Madrid.

»Por de pronto, el tal portal era medianamente estrecho, oscuro y prolongado, y la mitad de su espacio hallábase acotado por un remendón de zapatos, que a falta de portero ejercitaba no mal el oficio de despertador; la otra mitad se hallaba interrumpida por el doble y repugnante depósito indispensable en los portales de la corte; por manera que para ganar la escalera era forzoso atravesar entre ambos escollos; es verdad que en logrando pillar ésta, ya podía uno olvidarse de aquéllos, para ocuparse exclusivamente en las revueltas, desniveles y tortuosidades de tan ingeniosa arquitectura; sólo tenía una contra tan prolijo examen, y era que si por casualidad se oían resonar en la parte más alta las rotundas pisadas del aguador asturiano, no había más remedio que volver a bajar, o hacer que él volviese a subir, por la imposibilidad de hallar paso simultáneo. El adorno de tan magnífica escalinata era correspondiente, y consistía en una barandilla de hierro, enemiga natural de todo guante de color; unas ventanas que daban a un patio, cubiertas con vidrios verduscos y enegrecidos por las moscas (a excepción empero de algunos, más claros que los de Venecia, por donde se transmitía no sólo la luz, sino el aire y el agua), y en lo alto de toda la fábrica, un tragaluz, que propiamente se la tragaba, y aun también a una numerosa cohorte de bichos centípedos que habitaban aquellas regiones.

»Delante de la meseta principal, un vaso de vidrio enclavado cerca de una ventanilla prestaba su escasa luz durante las primeras horas de la noche. Por último, en cada descanso había dos o tres o más puertas que indicaban otras tantas habitaciones separadas, y al lado de cada una colgaba un pedazo de cordel, un hilo de alambre o una cadena tosca de hierro para llamar. Exceptúanse, sin embargo, algunas puertas del piso tercero, donde, sin necesidad de llamar, solían abrir al menor ruido de botas.

»Mi amigo, según pude averiguar a duras penas, ocupaba una de las habitaciones principales. No puedo negar a usted que la primera vista de ella me causó mucha extrañeza, no acertando a encontrar la más mínima analogía entre las circunstancias del sujeto y las de la habitación; pero poco a poco me fui convenciendo de que todo consiste en los nombres de las cosas más que en las cosas mismas, y que tal podría yo tomar por estrecha y mezquina venta, que no fuese sino espléndido y cómodo castillo.

»Después de una antesala, que por lo breve podría pasar por esdrújulo, se entraba en el gran salón, que consistía en un *cuadri* no más *longo* que de unos veinte pies por quince de ancho. Compartían la pared de fachada dos balcones, dejando en el medio un espacio suficiente para un espejo, una mesa con un reloj y dos quinqués. La pintura de toda la sala era sencilla, de color de caña, interrumpida en las esquinas por fajas de otros colores; un sofá, una docena de sillas, cuatro chucherías en las rinconeras, seis vistas de la Suiza en sendos marcos de caoba, una modesta lámpara pendiente del techo, y un velador colocado debajo concluían el adorno del salón principal; el gabinete inmediato jugaba por el mismo estilo, si bien ostentaba dos muebles más, a saber: el indispensable brasero y una jaula dorada cerca del balcón. La alcoba principal no tenía más relieve que la cama lisa, llana y limpia de colgaduras y garambainas. Pasábase después a unos dormitorios a guisa de camarotes de fragata, tan espaciosos que el durmiente podía muy bien formarse una perfecta idea de su última mansión. En seguida me ostentó mi amigo sus galerías, que eran dos corredores, cuyas inevitables paredes se iban desgastando en los codos de los transeúntes. Estas estaban adornadas con colecciones muy entretenidas de mapas de las provincias de Valaquia y Moldavia.

«También tenemos aquí nuestro jardín», me dijo, asomándose a un estrecho patio, donde campeaban hasta unos ocho tiestos, y cuya elevada altura, cruzada en todas direcciones de cuerdas llenas de ropas puestas a secar, le daban cierta semejanza al interior de un buque empavesado. Luego me llevó al comedor; verdad es que entonces estaba haciendo de sala de baño; después me mostró su estudio, cuyas vistas agradables sobre un tejadillo le hacían muy a propósito para el caso. «¿Y el tocador de tu esposa?», le dije yo. «Ya le hemos dejado adelante, en aquella pieza donde tengo mi biblioteca.» «¿También ésa?» «También ésa.» En efecto, luego pasamos por la biblioteca, y vi sobre una mesa dos legajos de diarios de avisos, una guía de forasteros, un calendario, un tomo cuarto del *Quijote* y una novela sentimental que el maestro de baile había prestado a la señorita. Por último vimos la cocina, que era ancha como cañón de chimenea, y tan clara como las *Soledades* de Góngora; no tengo necesidad de advertir que se hallaba adicionada con el estrecho recinto que más lejos de ella debía colocarse, porque ya se sabe que esta es circunstancia indispensable en las cocinas de Madrid. De allí se pasaba a una despensa, lo suficientemente húmeda para prestar cierto saborete a todos los bastimentos en ella apiñados; y por último, se bajaba a los sótanos y bodegas, cuya extensión era tal que había que mirarlos desde la escalera siempre que estaban surtidos de un carro de carbón o dos arrobas de vino.

»Tal, amigo mío, era la habitación principal de esta casa; juzgue usted ahora de las demás. Pues siendo cual era, tenía dos tiendas, y en ellas vivían un sombrerero y un ebanista; el zapatero del portal dormía en un chiribitil de la escalera; un diestro de esgrima, en el entresuelo; un empleado y un comerciante, en los principales; un maestro de escuela y un sastre, en los segundos; una ama de huéspedes, una modista y una planchadora, en los terceros; un músico de regimiento, un grabador, un traductor de comedias y dos viudas, ocupaban las buhardillas; y hasta en un desvancillo que caía sobre éstas había encontrado su asiento un matemático, que llevaba publicadas varias observaciones sobre las principales alturas del globo.

»Por lo que a mí toca, bien pronto empecé a suspirar por las comodidades a que estaba acostumbrado; y así es que a los cuatro meses abandoné aquella mansión y volví a esta provincia; pero júrole a usted que no pude hacerlo sin notable deterioro de mis sentidos; pues gracias a la escasa luz que el patio empavesado nos suministraba, perdí algunos grados de vista; mi olfato llegó casi a neutralizarse con las continuas exhalaciones de los pozos, albañales, comunes y vertederos de la tal casa; por una consecuencia inmediata vino a resentirse el gusto, que siempre tuve delicado; el oído perdió su natural fineza con la bataola del zapatero, del ebanista, del esgrimidor, de los chicos de la escuela y del músico; y sólo el tacto llegó a sutilizárseme hasta un punto tal, que atajaba en su camino en el punto y hora que quería a las antropófagas chinches que paseaban mi persona en aquellas fementidas alcobas durante la hora de la siesta.

»He aquí, curiosísimo señor, la pintura fiel de mi habitación en Madrid; ignoro si las demás (hablo tan sólo de las de la clase media) se le parecen, y en este caso, no puedo menos de compadecer a ustedes porque pagan a precio de oro tantas inconveniencias, mientras aquí disfrutamos habitaciones cómodas y aun regaladas por lo que ahí cuesta una buhardilla. De todos modos espero que me conteste para desengañarme, y que reconozca desde ahora uno de sus apasionados en *El provinciano*.»

Y *El Parlante*, poco deseoso de decidir tamaña cuestión, deja por hoy a sus lectores la propiedad de inclinarse al partido que bien quieran, y al *provinciano* la posesión de ejercitar su despiadada sátira contra las casas de Madrid.

(Julio de 1832.)

NOTA

Las Casas por dentro.—Desde que se escribió este artículo en 1832, hasta el día, ha cambiado de tal modo el caserío de la capital a consecuencia del sinnúmero de construcciones nuevas y la reforma de las antiguas, que ya, afortunadamente, puede decirse que carece en general de exactitud aquella pintura que entonces tenía toda la que exige la verdad. La reconstrucción de Madrid puede decirse que había empezado, sin embargo, lentamente en 1815, después de restablecida la paz general; y aprovechando el interés individual los beneficios de ésta, y hasta los mismos destrozos y demoliciones llevadas a cabo por el gobierno intruso, empezó a dar este giro a los capitales y a despertar en los habitantes de Madrid mayores exigencias de comodidad y de buen gusto. Por desgracia, éste no hacía, puede decirse, más que germinar, y los arquitectos encargados de la dirección de las nuevas construcciones tampoco se hallaban a la altura necesaria para darle impulso y hacerle desarrollar rápidamente. Combinada, pues, esta poquedad de ideas artísticas con la mezquindez mal calculada de los dueños, dio por resultado en aquella primera época de restauración muchos edificios comunes, mal combinados y repartidos, habitaciones estrechas y desnudas de adorno y comodidad, que, sin embargo, parecieron entonces un prodigio de lujo a los vecinos de Madrid, acostumbrados a las habitaciones del Barquillo y Maravillas, a las escaleras de la Plaza, a los inmundos portales de toda la población. Como punto de partida para señalar el grado de comodidad y aparato con que por entonces se daban por satisfechos los madrileños, citaremos la casa de la calle del Carmen, esquina a la de la Salud, que hizo construir hacia 1816 el escribano don Casimiro Antonio Gómez, y que entonces fue mirada como el *non plus ultra* de la ostentación.

Siguió en este sentido la nueva fabricación, construyéndose en 1815, 13 casas; 37 en 1816; 28 en 1817; 35 en 1818; 37 en 1819; 42 en 1820; 25 en 1821; 42 en 1822, y 22 en 1823. Entre éstas, las más notables por su importancia y regularidad fueron las ocho que forman manzana conocidas por las de *Santa Catalina*, sobre el sitio donde estuvo el convento de monjas, entre la carrera de San Jerónimo y el Prado. Estas, por lo menos, cuando no lujo y elegancia de construcción, tienen cierta regularidad y desahogo.

La creación en 1822 de la importantísima Sociedad de Seguros y la estabilidad y orden material que reinaron en la última década del reinado anterior, favorecieron singularmente la construcción, que fue creciendo proporcionalmente en estos términos: en 1824, 36 casas; 41 en 1825; 44 en 1826; 51 en 1827; 52 en 1828; 48 en 1829; 48 en 1830; 87 en 1831; 82 en 1832, y 73 hasta octubre de 1833. En esta época fue cuando se levantaron las calles nuevas a la izquierda de la plaza de Oriente. la acera de la de Santiago y muchas otras casas en las del León, Fuencarral, Hortaleza, Príncipe. Atocha, Caballero de Gracia y plaza Mayor. Todas ellas, empero, son construcciones comunes, distribuidas en habitaciones diminutas y desnudas de adorno exterior e interior. A todas pudo apropiarse en general la sátira del artículo que motiva esta nota.

La revolución política verificada a la muerte de Fernando VII, la desamortización y venta de los cuantiosos bienes del clero, la demolición de la mayor parte de los conventos, la acumulación de capitales concentrados durante la guerra civil en la capital; el desarrollo de las ideas de buen gusto, y las importantes mejoras establecidas en la policía de la villa por una autoridad activa, celosa e inteligente, todas estas causas, en fin, reunidas a las crecientes exigencias de una capital populosa, empezaron a dar nuevo y más elevado giro a las construcciones; siendo ya notables, entre las de la otra década hasta 1844, las casas de los señores Mariátegui y Matheu, en el solar del convento de la Vitoria; las del señor Cordero en el de San Felipe el Real; el pasaje y mercado de San Felipe Neri, y el del Caballero de Gracia, y la elegante casa-palacio del señor Marqués de Casa Irujo en la calle de Alcalá. Pero cuando la construcción ha llegado a un punto verdaderamente sorprendente, tanto en el número de edificios cuanto en el brillante aspecto, comodidad y lujo de su decoración, es en el sexenio que concluye en 1850, llevando trazas de continuar en lo que va del año actual. En dicho sexenio se han construido de nueva planta más de seiscientas casas, muchas en solares, huertas y cercados, y otras sobre los sitios en que existían casuchas ruinosas o mezquinas, renovándose casi del todo las calles principales de la población: Alcalá, Montera, Carretas, Mayor, San Jerónimo, Fuencarral, Hortaleza, Arenal, Jacometrezo, etcétera. A todas aquellas causas anteriormente enunciadas, al extraordinario progreso del buen gusto, a las exigencias del lujo, a la moda, en fin, de dedicar a esta aplicación los capitales, vino por fortuna a reunirse la circunstancia de la aparición de jóvenes arquitectos, ilustrados y entusiastas por lo bello, conocedores de las buenas construcciones en el extranjero, deseosos de gloria y enemigos declarados de la antigua rutina o manera. Preciso es también convenir en que los anteriores no se hallaron en circunstancias tan favorables para desplegar su fantasía; antes bien, se vieron limitados por la exigüidad de las miras de los dueños a construir casas comunes en sitios reducidos y combinadas de modo que pudieran dar en alquiler el mayor interés posible; mientras que los actuales han visto a su disposición solares inmensos y bien situados, dueños espléndidos, un gusto y una exigencia creciente en la población, e infinitos adelantos en la fabricación de los objetos de construcción. De este modo, pues, los señores Colomer, Alvarez (don Aníbal), Alvarez (don José Alejandro), Aguado (don Martín), Gómez de Lafuente, Zabaleta, Mesa y otros que no recordamos, han podido verificar una verdadera revolución en el caserío de Madrid y elevar los palacios de los señores duques de Riánsares, Salamanca, Gaviria, Sevillano, Santa Marca, Las Rivas, Soto Mayor, Pérez, Murga y otras mil elegantes casas que hoy hermosean lo principal de la población. Este movimiento de vitalidad y de buen gusto queda hoy en progresión ascendente; y baste decir que actualmente se hallan en construcción, y quedarán corrientes en todo el año 51, unas 120 casas, la mitad, por lo menos, en sitios solares en que no las había, como en la plaza de Oriente y de los Ministerios, calles del Turco y la Greda, Magdalena, Constantinopla, Cárcel de Corte y calle del Barquillo; y ellas vendrán a aumentar en más de 1.000 el número de habitaciones cómodas, elegantes y aún magníficas que ya cuentan los vecinos de Madrid.

1802 Y 1803

Etas parentum, pejor avis, tulit
nos nequiores, mox daturo
progeniem vitiosorem.

Hor od.

El termómetro de Reaumur señalaba puntualmente 30 grados sobre cero, y el reloj del Carmen acababa de dar las cuatro de la tarde. Todo reposaba en torno de mí; dobles persianas y cristalería impedían la entrada en mi mansión al aire abrasador que destruye las fuerzas y a la acción aún más terrible del sol canicular; toda la casa presentaba el aspecto de una verdadera noche, y sus habitantes todos yacían entregados a las dulzuras del sueño; ningún ruido de carruaje ni de paseantes interrumpía el silencio de las calles, donde según la expresión de cierto viajero, «sólo se encontraba a tales horas algún francés o algún perro». Los cafés, las tiendas, los establecimientos de todas clases, cerrados herméticamente; los portales, llenos de mozos que dormían; todo, en fin, reposaba en armonía perfecta, procurando recobrar en brazos de Morfeo las fuerzas que el calor había debilitado.

Brava ocasión para que un extranjero nos hiciese una bella disertación pretendiendo demostrarnos los incalculables perjuicios que esta segunda noche nos proporciona. ¡Con qué exactitud mate- mática nos ajustará la cuenta de las horas de trabajo que roba a nuestras manufacturas, haciendo subir excesivamente el precio de sus productos! Luego se empeñará en probarnos que inutilizamos la mayor parte del día, suspendiendo todos los trabajos para comer precisamente a la hora en que más calor hay y menos apetito; de aquí sacará la consecuencia de que sin esta costumbre la siesta no sería necesaria; después pasará a demostrarnos lo perjudicial que es a nuestra salud el sueño después de la comida, por la acumulación del calor a la cabeza en el momento en que más falta hace en el estómago para operar la digestión; en seguida nos amenazará con el entorpecimiento de nuestros sentidos, con las plétoras, accidentes y parálisis; y, en fin, nos dirá tanto..., tanto... Nosotros, sin embargo, bien sea porque la acción del clima pueda más que aquellos argumentos, bien porque una invencible costumbre nos arrastre a ello, marcharemos sin responderle una palabra a *dormir la siesta*. ¿Cómo resistir a este impulso general, ni qué hacer donde todos duermen? Dormir, como todos.

Mas como quiera que el señor Morfeo es un sujeto a quien no se puede pedir cuentas de sus acciones, que reparte su beleño, cuando le place y sobre quien le place, y por lo visto se hallaba a aquella sazón a algunas leguas de mis sentidos, ello es lo cierto que yo velaba como novia en vísperas, hasta que cansado de volver y revolver sobre mi desvencijada persona, y de dar tormento a la acalorada imaginación, resolví en fin abandonar el lecho, abrir un balcón y asomarme a él.

Entonces fue cuando hice las reflexioncillas arriba dichas; y estando haciéndolas, sentí en la cabeza un chinarrito bajado de la vecindad..., alzo la vista y miro... No sé si acaso se acordarán ustedes, señores lectores, de un mi vecino don Plácido, de quien creo haberles hablado ya. Pues éste ni más ni menos era el que en tal guisa y a tales horas interrumpía mi amostazado soliloquio, para contarme un desvelo como el mío y una resolución idéntica. Y como el silencio de la siesta nos convidaba a cruzarnos de razones, subí a su habitación para hacerlo cómodamente, y medio tendidos en dos sofás entablamos nuestra sabrosa plática.

Por de pronto discurrimos acerca de los sucesos del día; pero como mi vecino es algo viejo, y a los viejos les sucede con la imaginación lo que con la vista, esto es, que ven mejor los objetos distantes que los más cercanos, muy luego encontró medio de enderezar ingeniosamente la conversación hacia aquellos tiempos en que él brillaba en Madrid, y en que por sus buenos modales, su instrucción y sus conveniencias era tenido por el *hombre a la moda*.

—Desengáñese usted —me decía—, el transcurso de treinta años y los extraordinarios acontecimientos que en ellos han mediado, han sido bastantes para alterar nuestras costumbres en términos que a uno que hubiera dejado nuestra capital en 1802 le sería imposible reconocerla en 1832. Es cierto que en la época actual la hallaría más decorada y brillante, observaría más actividad en nuestra industria, admiraría los progresos de las artes, vería con placer los muchos establecimientos destinados a difundir los conocimientos útiles, notaría los adelantos que el buen gusto ha introducido en las habitaciones, en los trajes, en los monumentos públicos, y quedaría al pronto seducido con esta erudición *a la violeta*, que hace a la juventud del día lucir y brillar aun delante de la experiencia y la senectud. Todo esto, no hay duda, ocurriría al forastero de treinta años, y por de pronto confesaría avergonzado los progresos de la actual generación; pero, en cambio de aquellas ventajas, ¿no hallaría muy luego la ausencia de otras más sólidas y duraderas? ¿No echaría de ver muy pronto la alteración que ha experimentado nuestro carácter? ¿Adónde encontraría ya aquella ingenua virtud, aquella probidad natural que eran el distintivo de nuestros mayores? ¿Dónde el sólido saber, que aunque patrimonio de pocos, ofrecía a la posteridad obras clásicas e inmortales? ¿Dónde aquella franqueza sencilla que daba a los placeres inocentes su verdadero colorido, y al trato general comunicaba la alegría y confianza? ¿Dónde, en fin, aquella cómoda repartición de fortunas, aquel bienestar general que ahuyentaba las ideas de ambición y permitía a todos ostentar sus respectivas facultades, sin pretensiones ni cálculos? En lugar de esto ¿qué hallaría? Desdén de las virtudes pacíficas y sólidas; el vicio embellecido con todos los recursos del entendimiento, fortunas desiguales y rápidas; reputaciones usurpadas; confusión grosera de todas las clases; ficción en el trato exterior; cábala e intrigas interesadas en el interior; la amistad hecha una pura palabra; el amor un juego de ellas; la coquetería convertida en gracia; la pedantería en ciencia, y el charlatanismo en virtud. Esto, desengáñese usted, esto y no más vería el forastero en nuestros magníficos salones, nuestros refinados espectáculos, nuestros elegantes cafés, tiendas y paseos.

—Paréceme, sin embargo —le contesté yo algo mohíno—, que la prevención con que usted mira las cosas le hace verlo todo con colores demasiado fuertes, y, en cambio, podría yo oponerle cuadros en que resultase todo lo contrario de lo que usted afirma.

—No hay regla —me replicó el vecino—, por general que sea, que no tenga sus excepciones, y no podré negar que acaso serán numerosas las de ésta; mas, sin embargo, creo poder asegurar que lo general inclina más bien al bosquejo que llevo trazado. Acaso me pretenderá usted negar las ventajosas circunstancias que yo concedo a nuestra sociedad antigua; pero para convencerle con un ejemplo, le presentaré el espectáculo de una casa adonde yo concurría diariamente en 1802.

»El amo de ella, hombre como de cuarenta años, franco, amable y lleno de conocimientos, había seguido su carrera de empleado hasta llegar a un destino que le proporcionaba un buen sueldo y consideración en la corte. Su esposa, digna de él por su amabilidad y juicio, dirigía el gobierno de la casa con aquella inteligencia e interés propias de quien reúne a una buena educación un constante deseo de hacer felices a su esposo y a sus hijos, y los dos que tenía, varón y hembra, eran el objeto continuo de sus cuidados maternales. El muchacho asistía a las escuelas, y fue puesto en un colegio a los diez años; la niña aprendía cerca de su mamá aquellas labores y conocimientos propios de una mujer que algún día ha de dirigir una casa y hacer la dicha o la desdicha de un hombre. ¡Cuántas horas, contemplando la ventura de ambos esposos, hube de convenir en la felicidad conyugal! En ellos no había más que un pensamiento, que era el de amarse y hacerse más placentera la existencia; el sueldo del esposo y el producto de algunas haciendas bastaban de tal modo a sus necesidades, que después de sostener su casa con esplendor, todavía la económica compañera encontraba medio de hacer algunos ahorros en beneficio de sus hijos.

»La sociedad que frecuentaba tal casa era digna de ambos; amigos francos y leales, jóvenes bien educados, mujeres amables y virtuosas; yo solía asistir a su mesa ciertos días al mes; era abundante, pero sin ostentación; franca, sin grosería; después solíamos irnos al teatro o a paseo; volvíamos a casa, y a poco rato empezaba la tertulia. Por supuesto, la primera operación era refrescar y tomar chocolate; luego entraba la partida modesta de mediator o de dominó, en tanto que los jóvenes hacían *juegos de prendas* bajo la inspección de las madres. Todo era allí animación, alegría, franqueza; el amor no temía manifestarse; seguros todos de las buenas cualidades mutuas, no dudaban en entregarse a sus puras sensaciones, y yo asistí a más de tres bodas que resultaron durante el tiempo de nuestra tertulia; la amistad no temía comprometerse, las opiniones se debatían riendo, las disputas concluían con un cigarro, y las pérdidas del juego nunca daban lugar a cambiar un doblón. Daban las once, y todos nos retirábamos satisfechos unos de otros, sin sospechar que hubiera en el mundo otra clase de placeres y deseando que pasasen las horas para volver a reunirnos. Tal, amigo mío, era el espectáculo que presentaba la casa de don Melchor del Vallecillo; búsqueme usted ahora muchas por este estilo.

—¿Cómo dice usted que se llamaba? —repliqué yo precipitado.

—Don Melchor del Vallecillo. Pero ¿qué tiene usted que se ha inmutado? ¿Acaso le ha conocido o...?

—No, señor, no le he conocido; pero ciertamente no podía usted haber escogido otro ejemplo más a propósito para apoyar su idea. Y va usted a verlo.

»Yo frecuento en el día una de las casas más elegantes de Madrid. Todas las circunstancias que deberían embellecer la existencia de un hombre se habían reunido en el amo de ella; salud, fortuna regular, un buen empleo, una mujer con quien se casó enamorado, dos hermosos niños, consideración en Madrid, todo se le ofrecía para hacer su dicha; pues este hombre, por seguir el sistema de la moda, ha hallado el medio de ser infeliz.

»Llegado a una edad regular, habiéndose casado y obtenido por su buena suerte el mismo destino que ocupó su padre, empezaron a desenvolverse en

él la ambición y la vanidad, y le sujeta-
ron a su carro de tal modo, que dejó de
gozar en el momento que debía empezar a verificarlo. Por de pronto, no pareciéndole bien el cuarto en que su
padre había vivido, se trasladó a una
habitación magnífica, y menospreciando
los antiguos muebles que formaban el
adorno de aquél, alhajó ésta con todo el
refinamiento de la moderna elegancia;
su esposa, cuyo carácter débil es muy a
propósito para seguir las impresiones
que la quieran comunicar, se dejó seducir, como es natural, al aspecto del lujo
y la magnificencia; secundó grandemente las ideas de su esposo; ayudóle a derramar su dinero, y creciendo en necesidades superfluas, llegó a poner su casa
en un tren que compite con las primeras
de la corte.

»Con tan bellos elementos, ¿quién re-
siste a la tentación de tener sociedad?
Tuviéronla, en efecto, y desde el principio vieron llenos sus salones de gentes
de varias esferas; desocupados, seducto-
res, damas de fortuna, maridos tolerantes, esposas ligeras, jugadores, músicos
y danzantes. El marido, que como todo
hombre de gran tono empezó por hacer un viaje de dos meses a París, volvió
a su casa tan lleno de aquellas *maneras*,
que quiso iniciar en ellas a su esposa.
Esta no tardó en aprenderlas y exage-
rarlas, y muy luego fue citada como el
modelo de las damas a la moda. Entretanto, el gasto de la casa se ha hecho
exorbitante, como puede usted creerlo;
el sueldo del destino, los productos de
las haciendas, y aun sus mismos capitales, todo desapareció como el humo; y
nuestro hombre se ha visto precisado a
recurrir a la intriga y a la bajeza con
el objeto de prosperar más en su carrre-
ra y proporcionarse medios de bastar a
su disipación. Su casa, desde entonces,

quedó abierta a ciertos personajes, protectores gratuitos, y a ciertas damas de
corte a quienes adula y encomia, no sin
notable burla del resto de la tertulia,
que conoce sus miras. Uno de aquéllos,
hombre de mundo y de las peores ideas,
le tiene seducido por su protección, y
mientras tanto obsequia a su mujer;
ella tal vez no le escucharía; pero el
mismo marido..., ¡qué infamia!, la
obliga a contemporizar y no ponerle
mala cara. Entre tanto, él se encierra
en su sala de juego, aventura allí el resto de su fortuna, se aficiona a ciertos
manejos indecentes, y aturdido con sus
pérdidas y ganancias, y con el ruido del
baile que suena en el salón, no advierte
que han dado las dos de la mañana...

»Pues esta casa que le acabo a usted
de describir es la de don Melchor del
Vallecillo, y este hombre el mismo don
Melchor.»

—¡Dios mío! —exclamó mi interlocutor—. ¿Será posible? El hijo de mi
buen amigo, el joven criado en el seno
de la virtud ¿habrá degenerado hasta
ese extremo?

—¡Ay, don Plácido! Que no es sino
demasiado cierto.

—¿Lo ve usted, lo ve usted? ¿No le
aseguraba yo antes que hoy día...?

—¿Y qué sirvieron los buenos ejemplos, la excelente educación?

—¡Qué han de servir —me contestó
don Plácido— contra la influencia de la
moda y treinta años de diferencia!...

A este punto llegábamos de nuestra
plática, cuando los gritos de los ligeros
valencianos que pregonaban sus refrescos, y la animación de las calles, nos
hizo conocer que era pasada la hora de
la siesta y, cogiéndonos afectuosamente
las manos, nos separamos sin hablar
más.

(Agosto de 1832.)

LOS AIRES DEL LUGAR

«¡Qué horror! A Madrid me vuelvo;
que allí hay más comodidades
si los vicios no son menos.»

Bretón.

—No hay remedio, amigo don Tal: usted está malo, y es preciso desterrar ciertos humores que *nosotros* los físicos llamamos *humores acres, proclives, espontáneos* y *corrumpentes*; y para ello nada encuentro tan acertado como el que vaya usted a *tomar aires* fuera de Madrid.

—Si usted me lo ordena...

—Sí, amigo, y con toda la autoridad de la ciencia; su imaginación de usted, demasiado ocupada de trabajos mentales, necesita distracción y desahogo; al mismo tiempo le es a usted conveniente el respirar un aire libre y puro, no como este mefítico que nos rodea en la capital; en fin, la vida del campo volverá a usted sus fuerzas y ensanchará su pecho, ofreciéndole placeres sencillos e inocentes que no ha experimentado aún.

—Y ¿hacia dónde parece a usted que dirija el rumbo?

—Adonde usted quiera, con tal que sea un pueblo sano y a bastante distancia de Madrid.

—No entiendo esa última circunstancia.

—Pues créame usted y sígala aunque sea sin entenderla.

Mi doctor (que es algo brusco de modales) tomó a este punto su sombrero y me dejó sin más preámbulos, cavilando sobre el nuevo proyecto que me indicaba. Inmediatamente corrí a rodearme de los ciento y tantos cuadernos que van publicados del Diccionario Geográfico Universal; ídem, del Atlas que le acompaña, con el objeto de escoger sitio adonde dirigirme en busca de la salud y de los placeres puros e inocentes. Todo se me volvía tomar y dejar mamotretos, consultar v i a j e s pintorescos, contemplar estampas de paisajes y marinas, recitar églogas pastoriles y reunir, en fin, un copioso número de materiales para el nuevo género de vida que iba a seguir durante algún tiempo. Pero por más que cavilaba nada decidía, hasta que resolví salir a la calle y consultarlo con el primero que la suerte me deparase.

La casualidad a veces sabe más que un libro, y ella y mi buena suerte hizo que me dirigiese a casa de *don Melquíades Revesino*, cuya familia es para mí de la mayor franqueza. Por qué tanto la hallé cuidadosamente ocupada en discutir un proyecto semejante al que a mí me desvelaba; quiero decir, en salir *a tomar aires a un lugar.*

Motivaba esta improvisa determinación (a lo que supe después) cierto amorío de la niña de la casa con el joven *don Luisito del Parral,* mozo brillante, no por su elevada cuna, no por la superioridad de sus talentos, no por la abundancia de sus riquezas; no, en fin, por su perfecta persona, sino por un cierto aire de extranjerismo aprendido en un viaje que hizo a Bayona; por un tono decisivo y abierto, hijo natural de la calle de la Montera, y por cierta elegancia en el vestir debida a la sabia tijera de *Rouget;* mozo, en fin, a la moda, muy versado en la chismografía corriente, y tan poco conocedor de los sucesos pasados como nada cuidadoso de los futuros.

Pues este tal era el que, inflamando el corazón de *Jacinta* (que tal era el nombre de mi heroína), alteraba la paz de aquella casa y destruía la salud de la niña, cuya palidez y tristeza se aumentaban desde el día en que al celoso don Melquíades se le ocurrió privar a aquél la entrada en su casa. Desde tal momento, la niña era el objeto de los más solícitos cuidados; se la mimaba cuidadosamente, ya ofreciéndola manjares delicados, ya tomándola maestros de canto y de dibujo, ya llevándola del Prado a la ópera, y de ésta al baile; pero nada era suficiente a borrar la impresión que el mancebo había hecho en su alma, y toda la facultad matritense, convocada al efecto, había declarado solemnemente que la chica adolecía de una melancolía que acabaría con ella si por el pronto no se tomaba la determinación de sacarla de Madrid. Tal era el apuro de esta familia, que no titubeó un momento en llevar a efecto tan sabia determinación, y he aquí que yo llegué cuando estaban discutiendo el punto de dirección.

Nada les podía servir mejor que mi llegada, pues viniendo, como v e n í a, lleno de la misma idea, y cargado además de erudición geográfica, estaba en el caso de contribuir grandemente a fijar la cuestión. Seducido con la idea que me propusieron de acompañarles en la partida, hablé larga y asombrosa-

mente sobre los diferentes países conocidos; cité lugares célebres, atravesé montañas, salté ríos y dejé a todos pasmados con lo mismo que acababa de leer (costumbre harto frecuente en ciertos sabios del día); pero a todo se me contestaba con esta pregunta: «¿Y cuántas leguas está eso de Madrid?», y en pasando del espacio que ellos determinaban, ya no había forma de reducirles. Por fin, después de largos y acalorados debates y comparaciones topográficas, históricas y críticas, determinaron de común acuerdo que el viaje sería... a *Carabanchel,* célebre lugar situado donde acaso más de un geógrafo ignora, y en cuyas ventajosas circunstancias convino toda la sociedad.

Una sonrisa de Jacinta fue la señal de la aprobación general, y desde aquel momento ya no se pensó más que en los preparativos del viaje, que se fijó para de allí a ocho días. Don Melquíades salió a contratar el carruaje, la mamá y la niña al almacén de *Carrillo* a comprar trajes y adornos de camino, a consultar de paso con *madama Adela* la forma de los sombreros y a despedirse de todos sus conocidos; otro se ofreció a sacar el pasaporte, aunque luego nos ocurrió que hasta pasadas seis leguas de Madrid no teníamos necesidad de él; otro se encargó de preparar casa; un poeta de surtido que frecuentaba la tertulia corrió a componer una despedida *cantábile,* y yo me volví a empaquetar mis efectos, mi biblioteca de campo, mis mapas, mis anteojos y catalejos, y a comprar un libro en blanco para escribir las observaciones histórico-críticas del viaje.

En tan complicadas operaciones, llenos de las ideas y proyectos más lisonjeros, y saboreando de antemano los placeres que íbamos a disfrutar, pasaron aquellos ocho días, hasta que lució la suspirada aurora, y antes que el sol iluminase el horizonte ya nos hallábamos reunidos en casa de don Melquíades con todo el tren y aparato de marcha. Los abrazos, las lágrimas, los suspiros, se prolongaron largo rato; los respectivos utensilios, cofres, maletas, sacos de noche, colchones y demás, fueron colocados en el coche, y subiendo en él el papá, la mamá, la niña y yo, con dos criadas, empezamos nuestro camino escoltados de algunos buenos amigos de la casa, a quienes íbamos dejando, ya en la puerta, ya en el puente de Toledo, ya en la antigua ermita de San Dámaso, ya, en fin, a la vista de Carabanchel de abajo.

Entre tanto, nosotros gozábamos del aspecto de la campiña, marchando entre dos filas de futuros árboles recién plantados, y animando a Jacinta (que nunca había pasado del Canal) a regocijarse con la vista de aquellas tierras de pan llevar, o de tal cual colina de arena que interrumpía la uniformidad del paisaje. Por fin, después de varias preguntas de cuántas leguas habríamos andado ya, después de informarnos de los nombres de los lugares cuyos campanarios alcanzábamos a ver a lo lejos, después de disertar largamente sobre las incomodidades de los viajes, llegamos sin ocurrencia notable a Carabanchel sin necesidad de hacer noche en el camino, gracias a la agilidad de nuestras mulas.

Echamos pie a tierra en una calle de *cuyo nombre no quiero acordarme,* y ocupamos la casa que se nos tenía preparada; componíase de una salita baja con dos rejas a la calle, una alcoba y varias piezas y dormitorios interiores que daban a las eras; y si bien el adorno, compuesto de una mesa de pino, ocho sillas de Vitoria, dos cornucopias y cuatro estampas de la prisión del Maragato, no correspondía en nada al precio que se nos había exigido, ni a la elegancia y porte de nuestras damas, al menos, le encontramos muy en armonía con los modales y disposición de los amos de la casa; de suerte que no tuvimos que quejarnos en este punto de la menor discordancia.

Por de pronto nos examinaron bien, rieron de nuestros sombreros y casquetes, franquearon su puerta a una caterva de muchachos en camisa que nos perseguían con el epíteto de *lechuguinos de Madrid,* y permanecieron sentados, tranquilos espectadores del descargo de nuestros efectos, sin aproximarse a ayudarnos en nada. Pedimos agua para lavarnos, nos trajeron una jofaina sucia y ordinaria que pusieron sobre una silla, y para hacer que mudaran el agua a cada uno, tuvimos que sostener tantas cuestiones como individuos éramos; pedimos pan, no lo había hasta de allí a una hora; quisimos vino, nos lo trajeron bastante malo; por último, tuvimos necesidad de descansar, y los colchones no nos lo permitieron; hubo, pues, que repartir económicamente los que traíamos, y aun así no fue posible dormir, porque una plaga de moscas, moscones y mosquitos formaban a nuestros oídos un alegre terceto, interpolado de sendas embestidas sobre nuestros rostros; esto, unido a la algarabía que traían las gallinas en el corral, y al calor y la luz que entraban por las puertas y ventanas que no cerraban bien, nos hizo pasar un ratito agradable, parecido a los varios que después tuvimos ocasión de disfrutar. ¿Pero para qué me canso en ir siguiendo metódicamente el orden de los acontecimientos? Basta indicar con rapidez el método de vida a que por necesidad tuvimos que acomodarnos, y haciendo la pintura de un día, puede servir de molde para los demás.

Nos levantábamos tarde, porque no nos acostábamos temprano, porque ningún objeto nos excitaba a madrugar, porque el día se nos hacía más largo e insoportable, porque los bichos voladores nos disputaban el sueño durante la noche, por otras mil y una razones que sería prolijo explicar. Durante el fementido almuerzo, mal condimentado y peor servido, escuchábamos las novedades del pueblo de boca del sobrino del patrón, *Ferminillo,* mozo travieso y decidor, cuyas novedades se reducían a saber tal cual familia que había llegado de Madrid, con todos los ribetes y circunstancias de lo que traían, lo que gastaban, lo que comían, etc.; luego solía amenizar la relación con alguna que otra paliza dada durante la noche, tal o cual multa o encarcelamiento; y acostumbraba concluir con acompañarse a la guitarra unas infames seguidillas de malignos conceptos y alusiones harto claras.

Cansados de Ferminillo, nos dirigíamos a alguno de los jardines y huertas particulares, donde (previa una esquela del dueño, un permiso del mayordomo, un empeño del portero o una recomendación del estercolador) podíamos pasearnos en dos fanegas de sembradura debajo de un emparrado, hasta que solía venir el conde o el marqués propietario y, o teníamos que abandonar el campo, o que deshacernos a cumplidos y cortesías. Salíamos de allí cuando el Dios de los tabardillos ejercía ya su poderosa influencia, y por las amenas calles de aquella brillante población (interrumpidas por algunos grupos de muchachos que reían de buena fe al mirar el sombrero de Jacinta, o al verme a mí llevando su sombrilla), nos dirigíamos a visitar a algunas de las familias compatricias, a las cuales encontrábamos, o bien entregadas a un profundo sueño, o bien ocupadas en echar de comer a las gallinas; ya jugando al asalto, ya leyendo la «Gaceta de Madrid»; y todos, en general, quejándose de que el día en Carabanchel tenía cuarenta y ocho horas. En fin, después de proyectar algún paseo para la tarde, nos retirábamos a nuestra casa a despachar la parca comida, siempre compuesta de los mismos artículos de pollo y tortilla, al menos que algún *propio* enviado de Madrid no nos trajese algo nuevo; dormíamos luego cuatro horas de siesta, y salíamos al paseo de las eras, o bien al otro Carabanchel, en unión de alguna otra familia, formando luego en cualquiera casa nuestra tertulia de tresillo hasta las once o las doce.

Tal era la vida agreste que llevábamos, y no hay que decir que cada día nos parecía más necia; la salud de Jacinta empeoraba; la mía no ganaba nada, y ni médico ni botica nos inspiraban confianza para consultarlos; el ejercicio que hacíamos en un país árido e ingrato nos cansaba el cuerpo y nos entristecía el alma; todos los objetos que nos rodeaban inspiraban tedio y desazón: la mezquindez de la habitación y los muebles, la grosería de sus dueños, las chanzas pesadas de Ferminillo, la etiqueta de las gentes que llegaban de Madrid, la monotonía de nuestras acciones, el aspecto mísero del lugar, la privación de toda clase de conveniencias, las intrigas y enemistades ridículas que Fermín nos contaba, todo era muy a propósito para acabarnos de fastidiar, y al cabo de quince días (de los cuales, según mi cuenta, pasamos durmiendo los diez y medio) se empezó a tratar de volver a Madrid. Un incidente imprevisto vino a precipitarlo.

Hacía dos o tres noches que yo había visto por las ventanas que daban a las eras pasar un hombre a caballo con aspecto misterioso, y haciendo salir a Fermín a reconocerle, vi que se hablaban, y que se despidió de él el caballero; con lo cual, y con decirme Fermín que era un conocido de Madrid que estaba en el pueblo, cesaron mis sospechas, a pesar de que otras noches a la misma hora solía verle rondar la casa.

Ya nuestra partida estaba señalada para de allí a dos días, cuando, reuniéndonos una mañana al desayuno, notamos que Jacinta no venía: llamamos a su criada, no respondió; pasamos a su cuarto y vimos que habían desaparecido una y otra, ítem más, el Ferminillo, director de toda la intriga, y sobre la mesa encontramos un billete concebido en estos términos:

«Amados papá y mamá: El estado infeliz a que me ha reducido una pasión violenta, y el convencimiento que tengo de mi pronta muerte si me empeño en resistirla, me han obligado a dar un paso atrevido y ajeno de mis ideas; pero creo que el amor que ustedes me tienen les inclinará a perdonármelo. Yo huyo de la casa paterna, pero huyo bajo la protección de las leyes, y huyo con el esposo que mi suerte me ha destinado. Voy con Fermín y Manuela, y quedo depositada en Madrid en casa de D..., su amigo de ustedes, mientras espero allí la aprobación paternal. Perdón, papá y mamá: no me aborrezcan ustedes, y compadézcanme por haberme visto precisada a este extremo. *Jacinta*.»

No hay que decir el pasmo que en ambos consortes se manifestó con esta ocurrencia; sin embargo, en la mamá noté más serenidad, como si hubiese tenido algún antecedente. Yo me encargué de convencer al padre, y llegado que hubimos a Madrid, viéndose invitado por la autoridad a prestar su aprobación, y fuertemente instado por todos sus amigos, cedió por fin a nuestras súplicas, y el matrimonio se celebró ayer con alegría y satisfacción, sin más nubes ni contratiempos.

La niña Jacinta parece satisfecha de haber salido *a tomar los aires,* y no dudo que curará de sus males; en cuanto a mí, si no bastasen los que tomé en Carabanchel, continuaré tomándolos en el Retiro, o me alejaré sesenta leguas de Madrid, donde la sencilla ignorancia de la aldea no se halle mezclada con la malicia del pueblo bajo de la corte, y donde la campiña más varia ofrezca mayor novedad y desahogo. Esto fue sin duda lo que quiso decir mi médico.

(Agosto de 1832.)

EL PASEO DE JUANA

«Debajo desas ropas y jubones
imagino serpientes enroscadas,
uñas de grifos, garras de leones.»

Lupercio.

A electrizar muchos cuerpos
y a cautivar muchas almas
una noche de verano
salió Juana de su casa:

Juana, la que en Avapies
goza por su noble fama
los galanes por docenas,
las palizas por semanas;

la que con su vista sólo
turba la paz de las casas,
la que las mujeres temen,
la que los maridos aman.

Un airoso zagalejo
sus perfecciones señala,
y a la media pierna llega,
y de allí, traidor, no pasa.

¡Ah, zagalejo paciente,
qué de aventuras contaras
si fueras enriquecido
con el don de la palabra!

De sarga rica mantilla
con terciopelo de a cuarta
deja Juana por los hombros
colgar casi descolgada,

y en recoger las dos puntas
la mano diestra empleaba.
Con la izquierda juguetona
un blanco pañuelo arrastra.

Apenas pisa la calle,
en marcha oblicua y taimada
sigue a babor y estribor
con un meneo que encanta;

nada, nada la detiene;
al cruzar las calles salta,
y en gracia de la limpieza
alza el vestido una cuarta;

todos la dejan la acera,
todos vuelven a mirarla,
y ella a todos los desdeña
y sigue alegre su marcha.

Algunos más atrevidos
la dicen «Pase, mi alma»;
pero ella alza su cabeza,
tuerce el labio, escupe o canta;

y va dejando plantones
por las calles donde pasa
que hasta perderla de vista
permanecen como estatuas.

¡Qué es ver al señor don Bruno,
el abogado de fama,
quedarse petrificado
sin saber lo que le pasa,

andar dos pasos atrás
mirando si le reparan,
hasta que más reflexivo
sigue su camino y marcha!

Y a don Cosme el mercader,
de la hambre fiel estampa,
¿no es una risa el mirarle
que al ver a Juana se para,

se envuelve en su capotillo,
y se va tras la muchacha,
y tropezando y cayendo
hasta que llega a alcanzarla?

Dala entonces con el codo,
y entre toses y entre babas
la dice cuatro chocheces
con voz trémula y cascada;

Juana le mira y se asusta
al ver su figura extraña,
hasta que rompe a reír
y le deja... ¡cual quedaba!

Un cadete en este instante
al lado de Juana pasa;
mírala, vuelve, y la sigue;
al cabo una cadetada.

Formando iba mil proyectos,
y contemplando con ansia
la belleza de Juanilla,
que ya cuenta por lograda.

Tienta primero el bolsillo
para escuchar si sonaba,
que esta clase de conquistas
no se hacen con otras balas.

Avanza luego atrevido,
y sin mirar más que a Juana,
con palabras de grajea
sus deseos le declara.

Juanilla, a quien el pudor
(como es natural) ahogaba,
sigue su paso; y camina
sin responderle palabra;

y el cadete, conociendo
que otorga todo el que calla,
marcha al lado, y tanto dice
que al fin le responde Juana.

Arman, pues, conversación.
y yo no sé de qué hablaban,
pero es cierto que el cadete
iba que lástima daba.

Su paso era acelerado,
mas la compañera maula,
que conoce del mancebo
las no disfrazadas ansias,

quiere probar su paciencia,
y a un vecino que pasaba
haciendo el desentendido
y evitando el saludarla,

Le para, y empieza a darle
conversación más que larga
sobre no sé qué diabluras
que hicieron noches pasadas.

Rabiando estaba el cadete
y pelándose las barbas
al mirar todo este paso
desde una esquina inmediata,

hasta que compadecida
de su situación la Juana,
se despide del vecino
y hacia el cadete ya marcha.

Este, viéndola venir,
olvida sus amenazas,
vuelve a expresar su contento
vuelve a la dicha turbada.

Llegan después de un buen rato
de la tal niña a la casa,
y en un oscuro portal
entran en dulce compaña.

Una escalera de torre
no es más peligrosa ni alta
que la que el pobre cadete
tuvo que subir tras Juana.

El que se miró en lo oscuro
corre en pos de la muchacha,
y como iba tan turbado
y la escalera era mala,

13

no subía un escalón
sin que un susto le costara,
porque en el que no caía
por lo menos tropezaba.

Llegan al alto por fin,
y a la puerta Juana llama:
ábrese, pues, y una vieja
asquerosa y remendada

(de estas viejas que su oficio
llevan pintado en la cara)
es el objeto primero
que adelante se les planta.

Un torcido candelero
con media vela, en la sala
coloca, y muy cuidadosa
dispone no falte nada;

pone sillas, las cortinas
desplega, espanta la gata,
y hace, en fin, lo que hacer suele
toda mujer de su casta;

vase despacio, y los deja
en libertad... pero calla,
que quiero tomar aliento
para describir la sala.

Erase un cuarto pequeño,
las paredes sombreadas;
las bovedillas mugrientas,
las arañas las poblaban.

Juana era caritativa,
y así vivir las dejara,
consiguiendo con sus telas
tener la casa colgada.

Una mesita de pino,
un San Antonio de talla,
y a su lado en simetría
dos tiestecitos de albaca;

un espejo sin azogue,
del dos de Mayo una estampa,
y un pandero en una esquina
enfrente de una guitarra;

tres desvencijadas sillas
concluían de la sala
el adorno, y en verdad
que estaba bien adornada.

¿Pero... adónde está Juanilla?
¿Y el cadete? ¡Ah, buenas maulas!
Mas silencio, que a la puerta
en este momento llaman,

—¿Quién es? (pregunta la vieja)
—Abra usted, señora Claudia.
—¡Ay Juanita! Que es el Zurdo:
Por Dios, que no sienta nada.

Abre la vieja, y un majo
de sombrero de calaña,
de chaquetilla redonda,
y de garrote y navaja,

entra y toma posesión
pacífica de la sala;
y en cuanto que la Juanita
sale a ver su buena alhaja,

el cadete de puntillas
se va por la puerta falsa
agarrado de la vieja
bajando a oscuras la escala;

y al encontrarse en la calle,
su razón ya despejada
le hace ver su desvarío,
y mil temores le asaltan.

Pero no sólo en temores
pararon, que poco tarda
en conocer los efectos
de pasearse con Juana;

y entoces diz que el cuitado
a sus solas exclamaba:
¡Oh, placer, cuán poco duras,
y qué de penas arrastras!

(Agosto de 1832.)

NOTA.—Este romance, aunque publicado
por primera vez en 1832, fue escrito por el
autor en 1824, cuando sólo contaba veinte
años de edad. Esta circunstancia puede servir de disculpa de su incorrección, y más
aún de la libertad de la pintura.

EL DIA 30 DEL MES

> «Reveses de fortuna
> llamáis a las miserias:
> ¿por qué, si son reveses
> de la conducta necia?»
>
> *Samaniego.*

Pared por medio de mi casa vive don Homo-bono Quiñones, jefe de mesa de cierta oficina, y uno de los caracteres más originales que he conocido. Fenelón aseguraba que «el hombre más dichoso es aquel que cree serlo»; y si este dicho es exacto, como debemos sospecharlo, hay motivos para pensar que el don Homo-bono sea aquel mortal privilegiado. Y si no se me creyese sobre mi palabra, créase al menos la pintura que de él haré.

La satisfacción y la alegría parecen haber escogido su mansión en aquel semblante que los años procuran en vano arrugar; ningún achaque destruye su físico; ninguna pena halla el camino de su corazón; ninguna sensación violenta obra fuertemente sobre su alma. Los movimientos del dolor le son desconocidos; su estado habitual es el de la alegría, pero no una alegría ardiente y bulliciosa que haga trabajar a su imaginación, sino un placer tranquilo y bonancible que le inclina a ver las cosas por el lado más favorable. V. gr., su mujer es altiva, gastadora, y ejerce sobre el esposo un dominio más que conyugal; ¿pero qué importa? Es alegre,

graciosa, se da tono en la sociedad, hace hablar de sí y de su casa, y esto le basta a su esposo; la niña es caprichosa, mal criada, y sin ninguna de las inclinaciones que descubren un fondo de virtud; ¡pero es tan bonita, tan juguetona! ¡Canta tan bien! ¡Baila con tal gracia!, que su papá se pasma mirándola; el muchacho es un calaverilla contrahecho, frívolo, enredador y pedante; ¡pero tiene unas ocurrencias tan graciosas!, ¡se burla con tal agudeza de sus maestros! Es tan diestro para hacer sus travesuras, que nadie (y menos su padre) se atreve a reprenderle; los amigos de la casa son demasiado francos, se toman hartas libertades, frecuentan sobradamente la mesa, y ayudan a caer a aquel ruinoso edificio; pero si no fuera por ellos, ¿quién había de resistir la monotonía y el fastidio? Por último, los criados son habladores y rayan en insolentes, roban y malgastan lo que pueden, trabajan poco y mal, comen mucho y bien, y duermen mejor. ¿Pero quién tiene valor para meterse con ellos en contestaciones de esta especie? *«Il faut que tout le monde vive»*, decía Luis XVIII: *«Es preciso que todos vivamos»*, traduce don Homo-bono.

Sólo hay doce días en el año en que este buen señor *(bonus vir)* suele hacer alguna reflexioncilla de distinta naturaleza, y son los días 30 de cada mes, época fatal, en que vienen a reducirse a maravedís todos los placeres y contentos de las tres décadas anteriores. Pero aquella sombra que por un momento quiere oscurecer su imaginación desaparece al instante, cual ligera nubecilla en un cielo tranquilo y sereno. Sin embargo, en las cortas horas que dura la extraña lucha de sus inclinaciones con su razón, ofrece un espectáculo tan grotesco, que el difunto Goya tomaría en él original para un nuevo *capricho*.

Llega por fin, después de veintinueve, la suspirada aurora en que el cuerno de Amaltea va a destaparse y verter sobre mesas y bufetes su argentada preñez. Mi funcionario, por su calidad de jefe de mesa, debe dar buen ejemplo; el barbero, el peluquero, el chocolate y las demás ocupaciones matutinas, adelantan aquel día media hora al sistema ordinario; y no bien han sonado las ocho y media de la mañana, sale de su casa, no sin grave agitación de los artesanos y tenderos, que viéndole pasar gritan «*las nueve*»; expresión natural y espontánea que honra más la puntualidad de este empleado que cuantos discursos pudiera yo escribir.

Llega a la oficina... ¡Qué exactitud en todo el mundo! ¡Qué soltura para el trabajo! ¡Qué valentía de pulsos para rubricar la nómina! ¡Qué combinación para repartir metódicamente los cartuchos de municiones de boca! Uno de los de grueso calibre toca, por supuesto, a don Homo-bono, y su imaginación se espacia considerando su longitud, que le promete una serie de goces no interrumpidos hasta el fin del mes siguiente. Mas ¡oh imperfectibilidad de las cosas humanas! ¿Quién había de decir que esta agradable ilusión había de durar tan poco? Yo lo diré, y también la causa, y es que don Homo-bono *había echado la cuenta sin la huéspeda*, y la huéspeda era su mujer.

De vuelta a su casa, una horita más temprano que de costumbre (por el sabio sistema de las compensaciones), vie-ne cargado dulcemente con aquel amable fruto de sus tareas públicas, y ya le mira convertido en sendos jamones, nutridas empanadas, robustos pavos e ingeniosos ramilletes, y también en palcos de toros y comedias, coches y tiros, merendonas y algazaras; tan armónicamente organizado está su cerebro. Mas ¡oh desgracia!, al doblar la esquina de su calle, sale un fementido tendero y con obligantes cortesías le pregunta por su salud; don Homo-bono cambia de color, y pasa a la otra mano el pañuelo de la mesada; pero del opuesto lado ábrese la puerta de la modista, y *Madama Cotillón* le hace tres cortesías a la francesa y le presenta un papel en español. (Aquí don Homo-bono guarda el pañuelo en la solapa del frac, remedando en este juego el de Bartolo con la bota en *El Médico a palos*.) Recibe, pues, el papel con la misma seriedad que un ministro los memoriales, y entra bruscamente en el portal; pero un vinatero manchego, sentado en la escalera, se quita cortésmente la monterilla y sube detrás de él, ganando por la mano al tendero y a la modista. Entra en su casa; cierto caballero muy elegante se le presenta y hace cincuenta cortesías; contéstale don Homo-bono con otras tantas, y preguntada su gracia, le dice ser Mr. Battement, maestro de baile de *Mademoiselle*; más allá se inclina profundamente un viejo mal vestido, que se da a conocer por el maestro de gramática del señorito; y no lejos de él *il signor* Gorgorini, *professore di musica e allievo del Conservatojo di Milano*, hace presente que es el encargado de la garganta de la *Signorina*.

Don Homo-bono conoce, aunque tarde, lo efímero de sus ilusiones; pero resuelto a quedar con el honor correspondiente, entra solemnemente en su despacho y, colocado con majestad, *sede pro tribunale*, manda abrir con estrépito entrambas hojas de la puerta y empieza la audiencia y pago. Concluida la operación con los que van relatados, se dispone a poner a cubierto de la derrota las medallas existentes, cuando un fuerte campanillazo le hace conocer que aún hay enemigos que aplacar. En efecto, era el casero, y todos saben la clase de gesto tan repugnante que esta gente tiene, especialmente en ciertos días; gesto inevitablemente mensual, trimestral, semestral o anual, que recuerda las apariciones periódicas de los cometas de gran cola, previstas tristemente por los astrólogos agoreros.

Fue preciso sacrificar a aquel fantasma terrible una buena parte del remanente de los 30 días, y otra no corta porción repartieron entre sí el sastre *geómetra*, el zapatero *galán*, el fondista *son argent*, el almacenista de géneros *carillo*, el calesero *de antaño* y el peluquero *de hogaño*, que todos fueron llegando como llamados a son de campana comunal.

Pero la más decisiva de las visitas faltaba aún, y era la de la amable compañera, la caritativa costilla de don Homo-bono, que venía a notificarle cómo de allí a dos días era el cumpleaños de la niña, y que había determinado tener unos cuantos convidados, y un poquito de función. En vano Quiñones se afanó en manifestarla que se quedaba sin un cuarto, y con un mes delante de sí; su carácter no era tampoco para grandes reflexiones, ni ella las admitía; y así fue que a dos por tres quedó en manos de la última el resto de la mesada, y don Homo-bono libre de cuidados. Entre tanto aquella noche, para empezar la función, hubo música y baile, y el esposo fue el primero que en tales momentos se entregó al exceso de su felicidad.

Sin embargo, así pasó un mes, y otro, y otro; y vino un año, y se juntaron doce déficits que don Homo-bono no pudo pagar; y a los dos años ya serán veinticuatro, y así sucesivamente; y se tendrá que empeñar, y luego no podrá satisfacer, y luego vendrá la vejez, y luego se jubilará, y luego, luego..., en la calle de Atocha, última casa a la derecha, acaso darán razón.

(Agosto de 1832.)

N O T A

El día 30 del mes.—El tipo del empleado antiguo, consecuente, asiduo y rutinero, que trata de describirse en este artículo, se reproduce más adelante en otros, bajo sus diversas fases de *Cesante y Pretendiente*, en que hubieron de colocarle las revueltas políticas, y los ensayos de otros hombres y de otras ruedas en la complicada máquina de nuestra administración. Hoy, aleccionado ya por la desgracia y las contradicciones, convencido plenamente de su insuficiencia para luchar con la marcha del siglo, *don Homobono Quiñones* es un personaje casi fabuloso o, por lo menos, inverosímil, y que está próximo a desaparecer de entre nosotros. Reducido, pues, a pasear su asendereada persona por la Fuente Castellana o Chamberí, a leer todas las mañanas *el Diario*, y a regalarse todas las noches con *La Esperanza*, limita sus escasas necesidades a las diez mesadas de cesantía (¡y gracias cuando éstas son *diez*!), paga su modesta mansión en los barrios apartados de Daoiz o de Leganitos, asiste a las cuarenta horas: reza novenas a Santa Rita y a Santa Filomena, y figura en las zarzuelas del circo como uno de los personajes de *La Paga de Navidad*.

EL AMANTE CORTO DE VISTA

> «¡Ay cielos!, sueño despierto,
> pierdo cuando estoy ganando,
> soy lince y a oscuras ando,
> y en fin, apunto y no acierto.»
>
> *Tirso de Molina.*

«¡Cómo! —exclamará con sorpresa algún crítico al leer el título de este discurso—. ¿Tampoco los vicios físicos están fuera del alcance de los tiros del *Curioso*? ¿Ignora acaso este buen señor que no le es lícito particularizar circunstancias que quiten a sus cuadros las aplicaciones generales? ¿Y quién le ha dicho tampoco que sea razonable presentar el ridículo de un vicio físico, por lo menos sin que vaya acompañado de otro moral?»

Paciencia, hermano, y entendámonos, que quizá no es difícil. Venga usted acá; cuando ciertos vicios físicos son tan comunes en un pueblo, que contribuyen a caracterizar su particular fisonomía, ¿será bien que el descritor de costumbres los pase por alto sin sacar partido de las varias escenas que deben ofrecerle? Si hubiese un pueblo, por ejemplo, compuesto de cojos, ¿no sería curioso saber el orden de la marcha de sus ejércitos, sus juegos, sus bailes, sus ejercicios gimnásticos? ¿Pues por qué no se ha de pintar el amor *corto de vista* donde apenas hay amante que no lo sea? Por otro lado, ¿quién le ha dicho a usted que esta enfermedad *de moda* no presenta su aspecto moral? ¿Tan difícil sería probar su origen de la depravación de costumbres, de los vicios de la educación, o de los excesos de la juventud? Con que ya ve usted, señor crítico, que este asunto entra naturalmente en la jurisdicción de mi benigna correa; con que ya usted conocerá que no hay inconveniente en hablar de él... ¿No? Pues manos a la obra.

Los ejemplos me salen al paso, y no tengo más que hacer que la elección de uno. Tóquele por hoy la suerte a Mauricio R., y perdone si le hago servir para desarrugar la frente de mis amables lectoras. «¿Y quién es el tal?» El tal, señoras mías, es un joven de veintitrés años, cuya figura expresiva y aire sentimental descubre a primera vista un corazón tierno y propenso al amor; no es, por lo tanto, extraño que encontrase gracia cerca de ustedes. Así ha sucedido, pues, y algunas aventurillas en calles y paseos previnieron al joven Mauricio de sus ventajosas circunstancias; mas por desgracia el pobre mancebo tiene un defecto capital, y es el ser corto de vista, muy corto de vista; lo cual le contraría en todos sus planes.

Alto, señoras, no hay que reírse, que mi héroe no lo toma a risa, ni sabe sacar partido como otros muchos de este mismo defecto, para ser más atrevido y exigente, para ostentar sobre su nariz brillantes gafas de oro, o para sorprender con su *inevitable* lente las miradas furtivas de las damas. Nada menos que eso. Mauricio es sensible, pero muy comedido; y más bien quiere privarse de un placer que causar un disgusto a otra persona. Bien hubiera deseado ponerse anteojos perpetuos, como hacen otros sin necesidad y sólo por petulancia, ¡pero dicen tan mal unos espejuelos moviéndose al precipitado compás de la *mazurca*! Y Mauricio, a los veintitrés años, no podía determinarse a dejar de bailar la *mazurca*. Buen remedio era, por cierto, el lente colgante; pero además de la prudencia con que le usaba, ¿cómo adivinar las escenas que iban a suceder para estar prevenido con él en la mano? Si la hermosa Filis volvía rápidamente hacia él sus bellos ojos, o dejaba caer su pañuelo para darle ocasión de hablar con ella, ¿quién lo había de prever un minuto antes? Si creyendo sacar a bailar a la más hermosa de la sala se hallaba con que se había ofrecido a una momia de Egipto, ¿de qué le servía el lente un minuto después? Vamos, está visto que el lente no sirve de nada, y Mauricio, que conocía esto, se desesperaba de veras.

El amor, que por largo tiempo se había complacido en punzarle ligeramente, vino por fin a atravesar de parte a parte su corazón; y una noche, en el baile de la marquesa de..., Mauricio, que bailaba con la bella Matilde de Laínez, no pudo menos de espontanear una declaración en regla. La niña, en quien sin duda los atractivos de Mauricio hicieron su efecto, no se determinó a reprenderle.

«*Faute d'avoir le temps de se mettre en courroux.*»

Y he aquí a mi buen mancebo en el momento más feliz del amor, el de mirarse correspondido por la persona amada. Ya nuestros amantes habían hablado largamente; tres rigodones y una galop no habían hecho más que avivar el fuego de su pasión; pero el sarao se terminaba y el rendido Mauricio renovaba las protestas y juramentos, tomaba exactamente la hora y el minuto en que Matilde se asomaría al balcón, la iglesia donde acudía a oír misa, los paseos y tertulias que frecuentaba, las óperas favoritas de la mamá; en una palabra, todos aquellos antecedentes que vosotros, diestros jóvenes, no descuidáis en tales casos. Pero el inexperto Mauricio se olvidaba en tanto de reconocer puntualmente a la mamá y a una hermana mayor de Matilde que estaban en el baile; no hizo alto en el padre de ésta, coronel de caballería, y por último, no se atrevió a prevenir a su amada de la circunstancia fatal de su cortedad de vista. El suceso le dio después a conocer su error.

No bien llegó la hora señalada, corrió al siguiente día a la calle donde vivía su dueño, repasando cuidadosamente las señas de la casa. Matilde le había dicho que era número 12, y que hacía esquina a cierta calle; mas por cuánto la otra esquina, que era número 72, parecióle 12 al desdichado amante, y fue la que escogió como objeto de su bloqueo.

Matilde, que le vio venir (ojos femeniles, ¡qué no veis cuando estáis enamorados!), tiró su almohadilla, y saliendo precipitada al balcón ostentó a su amante todas las gracias de su hermosura en el traje de casa; pero en vano, porque Mauricio, situado a seis varas, en la otra esquina, fijos los ojos en los balcones de la casa de enfrente, apenas hizo alto en la belleza que se había asomado al otro balcón. Este desdén inesperado picó sobremanera el amor propio de Matilde; tosió dos veces, sacó su pañuelo blanco; todo era inútil; el amante dolorido la miraba rápidamente y la volvía la espalda para ocuparse en el otro objeto. Una hora y más duró esta escena, hasta que desesperado el buen muchacho y creyéndose abandonado de su dama, sintió fuertes tentaciones de aprovechar el rato con la otra vecina que tan inmóvil se mostraba. No pudiendo, en fin, resistirlas, y viendo que de lo contrario perdía la tarde del todo, se determinó al cabo (aunque con harto dolor de su corazón) a hacer un paréntesis a su amor, y hablar a la airosa vecina. Dicho y hecho; atraviesa la calle, marcha determinado bajo el balcón de Matilde, alza la cabeza para hablarla, pero en el mismo momento tírale ella a la cara el pañuelo que tenía en la mano (al que durante su furor había hecho unos cuantos nudos), y sin dirigirle una palabra, éntrase adentro y cierra estrepitosamente el balcón. Mauricio desdobló el pañuelo, y reconoció en él bordadas las mismas iniciales que había visto en el que llevaba Matilde la noche del baile... Miró después la casa, y alcanzando a ver *Visita general, número 12* (*), ¿cómo pintar su desesperación?

Tres días con tres noches paseó en vano la calle; el implacable balcón permanecía cerrado, y toda la vecindad, menos el objeto amado, era fiel testigo de sus suspiros. A la tercer noche se daba en el teatro una de las óperas favoritas de la mamá; colocado en su luneta, con el auxilio del *doble* anteojo, recorre con avidez el coliseo y nada ve que pudiera lisonjearle; sin embargo, en uno de los palcos por asientos cree ver a la mamá acompañada de la causa de su tormento. Sube, pasea los corredores, se asoma a la puerta del palco; no hay que dudar..., son ellas... Mauricio se deshace a señas y visajes, pero nada consigue; por último, se acaba la ópera, espéralas a su descenso, y en la parte más oscura de la escalera acércase a la niña y la dice:

—Señorita, perdone usted mi equivocación; si sale usted luego al balcón la diré... Entre tanto, tome usted el pañuelo.

—Caballero, ¿qué dice usted? —le contestó una voz extraña, a tiempo que un menguado farolillo (de los farolillos que alumbran pálidamente las escaleras de nuestros teatros) vino a revelarle que hablaba a otra persona, si bien muy parecida a su ídolo.

(*) No hay necesidad de advertir que este artículo se escribió antes de la nueva numeración de Madrid, que por su orden y claridad favorece a los amantes cortos de vista.

—Señora...
—¡Calle!, y el pañuelo es de mi hermanita.
—¿Qué es eso, niña?
—Nada, mamá; este caballero, que me da un pañuelo de Matilde.
—¿Y por dónde tiene ese caballero un pañuelo de Matilde?
—Señora..., yo..., dispense usted...; el otro día..., la otra noche, quiero decir..., en el baile de la marquesa de...
—Es verdad, mamá; el señor bailó con mi hermana, y no es extraño que dejase olvidado el pañuelo.
—Cierto, es verdad, señorita, se quedó olvidado..., olvidado...
—A la verdad que es extraño; en fin, caballero, damos a usted las gracias.

Un rayo caído a sus pies no hubiera turbado más al pobre Mauricio, y lo que más le apesadumbraba era que en una punta del pañuelo había atado un billete en que hablaba de su amor, de la equivocación de la casa, de las protestas del baile, en fin, hacía toda la exposición del drama, y él no sabía qué suerte iba a correr el tal papel.

Trémulo e indeciso siguió a lo lejos a las damas, hasta que entraron en su casa y le dejaron en la calle, en el más oscuro abandono. En balde aplicaba el oído por ver si escuchaba algún diálogo animado; la voz lejana del sereno, que anunciaba las doce, o la sonora marcha de los sucios carros de la limpieza, era lo único que hería sus oídos, y aun sus narices; hasta que, cansado de esperar sin fruto, se retiró a su casa a velar y cavilar sobre sus desgraciados amores.

Entre tanto, ¿qué sucedía en el interior de la otra casa? La mamá, que tomó el pañuelo para reprender a la niña, había descubierto el billete, se había enterado de él, y pasados los primeros momentos de su enojo, había resuelto, por consejo de la hermanita, callar y disimular, y escribir una respuesta muy lacónica y terminante al galán con el objeto de que no le quedase gana de volver; hiciéronlo así, y el billete quedó escrito, firmado de letra de mujer (que todas se parecen), cerrado con lacre y oblea, y picado por más señas con un alfiler. Hecha esta operación se fueron a dormir, seguras de que a la mañana siguiente pasaría por la calle el desacertado galán. En efecto, no se hizo de rogar gran cosa, pues no habían dado las ocho cuando ya estaba en el portal de enfrente, sin atreverse a mirar. Estando así oye abrirse el balcón : ¡oh felicidad!, una mano blanca arroja un papelito; corre el dichoso a recibirle y encuentra... el balcón se había cerrado ya y la esperanza de su corazón también.

En vano fuera intentar describir el efecto que hizo en Mauricio aquella serie de desgracias; baste decir que renunció para siempre al amor; pero, en fin, era mancebo, y al cabo de quince días pensó de distinta manera y salió al Prado con un amigo suyo. Era una de aquellas noches apacibles de julio que convidan a gozar del ambiente agradable bajo los frondosos árboles, y sentados ambos camaradas empezaron la consabida conversación de sus amores. Mauricio, con su franqueza natural, contó a su amigo su última aventura, con todos los lances y peripecias que la formaban, hasta la amarga despedida que sus adversas equivocaciones le habían proporcionado; pero al acabar esta relación sintió un rápido movimiento en las sillas inmediatas, donde entre otras personas observó sentados a un militar y a una joven; arrímase un poco más, saca su anteojo (¡insensato! ¿Por qué no le sacaste desde el principio?) y conoce que la que tenía sentada junto a él oyendo su conversación era nada menos que la hermosa Matilde. «¡Ingrata...!», fue lo único que pudo articular, mientras el papá llamaba a un muchacho para encender el cigarro. «Yo no he escrito ese billete.» (Esta respuesta obtuvo al cabo de un cuarto de hora.) «¿Pues quién...?» «No sé... Llévelo usted; a las doce estaré al balcón.»

La esperanza volvió a derramar su bálsamo consolador en el corazón del pobre Mauricio, y lleno de ideas lisonjeras aguardó la hora señalada; corre precipitadamente bajo el balcón. En efecto, está allí; ya mira brillar sus hermosos ojos, ya advierte su blanca mano, ya... Mas ¡oh, y qué bien dice Shakespeare que *cuando los males vienen no vienen esparcidos como espías, sino reunidos en escuadrones!* Aquella noche se le había antojado al papá tomar el fresco después de cenar, y era él el que estaba repantigado en la barandilla, no sin grave agitación de Matilde, que le rogaba se fuese a acostar para evitar el relente.

—Bien mío —dijo Mauricio, con voz almibarada—, ¿es usted?

—Chica, Matilde —la dice el padre por lo bajo—, ¿es contigo eso?

—Papá, conmigo, no, señor; yo no sé...

—No, pues estas cosas, tuyas son o de tu hermana.

—Para que vea usted —continúa el galán amartelado— si tuve motivo de enfadarme, ahí va el billete.

—A ver, a ver, muchacha, aparta, aparta, y trae una luz, que voy a leerle...

Dicho y hecho; éntrase a la sala mirando a su hija con ojos amenazadores, abre el billete y lee... «*Caballero, si la noche del baile de la marquesa pude con mi indiscreción hacer concebir a usted esperanzas locas...*

—Cielos, ¡pero qué veo! Esta es letra de mi mujer...

—¡Ay, papá mío!

—¡Infame! A los cuarenta años te andas haciendo concebir esperanzas locas...

—Pero papá...

—Déjame que la despierte, y que alborote la casa.

En efecto, así lo hizo, y en más de una hora las voces, los gemidos, los llantos, dieron que hacer a toda la vecindad, con no poco susto del *galán fantasma*, que desde la calle llegó medio a entender el inaudito *quid pro quo*.

Su generosidad y su pundonor no le permitieron sufrir por más tiempo el que todos padeciesen por su causa, y fuertemente determinado llama a la puerta; asómase el padre al balcón.

—Caballero, tenga usted a bien escuchar una palabra satisfactoria de mi conducta.

El padre coge dos pistolas y baja precipitado, abre la puerta.

—Escoja usted —le dice.

—Serénese usted —contesta el joven—; yo soy un caballero, mi nombre es N., y mi casa bien conocida; una combinación desgraciada me ha hecho turbar la tranquilidad de su familia de usted, y no debo consentirlo sin explicársela.

Aquí hizo una puntual y verdadera relación de todos los hechos, la que apoyaron sucesivamente la mamá y las niñas, con lo cual calmó la agitación del celoso coronel.

Al siguiente día la marquesa presentó a Mauricio en casa de Matilde, y el padre, informado de sus circunstancias, no se opuso a ello.

Desde aquí siguió más tranquila la historia de estos amores; y los que desean apurar las cosas hasta el fin pueden descansar sabiendo que se casaron Mauricio y su amada, a pesar de que ésta, mirada de cerca, a buena luz, y con anteojos, le pareció a aquél no tan bella, por los hoyos de las viruelas y algún otro defectillo; sin embargo, sus cualidades morales eran muy apreciables, y Mauricio prescindió de las físicas, no teniendo que hacer para olvidar éstas sino una sencilla operación, que era... quitarse los anteojos.

(Septiembre de 1832.)

LAS TIENDAS

¿Quién nos dirá (dejadas sus cautelas
mayores) lo que cuestan sus encajes,
sus cadenetas, randas y arandelas?
¿Quién las ciegas mudanzas de los trajes?

B. de Argensola.

Eran las once en punto de la mañana, y yo no debía hallarme hasta las doce en cierta parte del mundo adonde la obligación me llamaba. Quiero decir, que tenía sesenta minutos delante de mí para disponer de ellos a mi sabor. Encontrábame a la sazón en medio de la Puerta del Sol, mansión natural de todo desocupado, y yo en aquella hora lo estaba a más no poder. Lánguido e indiferente, dejábame llevar en simétrica alternativa ya a una esquina ya a otra, y mientras nada hacía, recreábame en mirar los estimulantes anuncios literarios que decoran aquellos eruditos postes, admirando su profusión y la variedad de nombres clásicos que denuncian a la posteridad. En estas y otras cavilaciones me asaltó de improviso la idea de que si «para dormir no es menester luz», para pensar tampoco se necesita estar en pie, y esto diciendo, enfilé por lo más ancho de la famosa calle Mayor, huyendo de los encontrados pasos de diligencias, coches, ciegos, aguadores, borricos e importunos; y dejando a un lado las gradas de San Felipe, tan animadas en tiempo de Quevedo, tan solitarias hoy, di fondo en uno de los elegantes almacenes de géneros que se encuentran sobre la izquierda.

Era cabalmente en un momento en que los cuatro jóvenes que regentaban el mostrador se encontraban sin pedidos; quiero decir, que no había más gente en la tienda que ellos y yo, que entraba.

—Felices días, señores.

—Adiós, señor don Tal (*le nom ne fait pas a l'affaire*).

—¿Cómo así tan desocupados? ¿Habrá acaso entrado la economía de Dupin o de Bergery en el sistema de los madrileñas? ¿Qué es esto?, vuelvo a decir: ¿Qué soliloquio es este? ¿Ha invadido el cólera morbo nuestra capital o ha dejado de venir el *Journal des Modes?* Porque sólo causas tan graves pudieran hacer a esas varas castellanas estar paradas a tales horas.

—Es la verdad —me contestó el más almibarado—, pero no hay que extrañarlo, pues en el Diario de hoy se hacen tales anuncios que habrán llamado la concurrencia hacia el Sur, hasta que desengañada por la milésima vez venga antes de una hora como de costumbre.

Y no había acabado de decir esto,

cuando vimos entrar por la puerta a una dama muy elegante seguida de su lacayo, y saludando con aire marcial a los jóvenes, que la contestaron con el nombre de marquesa, se sentó en un confidente, compúsose la mantilla mirándose al espejo que tenía enfrente, quitó sus guantes, abrió su bolsita y, entre mil dijes y chucherías, sacó algo arrugado el número 89 del *Petit Courrier*. Entonces abrió un lentecito de oro, miró por encima de él y leyó un rato, después ojeó otro poco, luego recapacitó, miró el figurín, volvió a leer y pidió *gros-grains*.

—No tenemos —le contestó el más próximo de los mancebos.

—¿Cómo que no? —interrumpió vivamente otro que desde el principio no había quitado ojo del figurín—. ¿No te acuerdas de aquella tela... (aquí bajó tanto la voz que no le pude oír).

—¡Ah!, sí, es verdad —le contestó el primero—. Ve por ella.

En efecto, entró en la trastienda, y del rincón de un armario que yo sólo divisaba desde mi asiento, sacó la pieza (que tuvo buen cuidado de sacudir de un polvo inveterado de tres años), y la puso satisfactoriamente sobre el mostrador; la risita de los demás mancebos me dio a sospechar que si no era la prevenida en el número 89 de este año, podía muy bien ser del de 1826. Pero la dama, seducida con la semejanza del color, y sin duda por no tener a mano una definición académica de lo que quiere decir *gros-grains*, no dudó un instante en que fuese lo mismo que buscaba. Pidió un cierto número de varas, preguntó el precio; los mancebos hicieron entre sí una pequeña consulta para responder; nada regateó; abrió su bolsita y sacó... una tarjeta muy elegante, con yo no sé cuántas armaduras y jeroglíficos, que indicaba su título y señas de la habitación, diciendo al mancebo principal que podría enviar por el importe el lunes; verdad es que no designó cuál. No pude menos de sonreírme de esta salida; y no bien se hubo marchado y mientras lo sentaban en el libro a continuación de otras cinco o seis partidas pendientes, di un poco de broma a los mancebos sobre el

estreno que habían tenido; pero habiéndome explicado todo el negocio de la tela, me convencieron de que no era tan fuerte el engaño como yo creí.

Aún reíamos de ello cuando una mamá y dos niñas, éstas en un interesante *negligé* y aquélla en una espantosa *toilette*, entraron en la tienda, y empezaron tal demanda de *rasos*, *gros de Nápoles*, *popelines*, *organdís*, *crespones*, *barés*, *moirés*, *paliacats*, *cotepalis* y demás, que los cuatro mancebos eran pocos para tomar y dejar escaleras, subir y bajar piezas, desdoblar paquetes, abrir cajas y enseñar muestras. Ellas entre sí armaron una algarabía singular: cuál se inclinaba a una tela, cuál a otra; ésta se ponía un pañuelo al espejo y nos parecía muy bien, luego se lo ponía la mamá y nos parecía muy mal; después disertaban sobre las cualidades, si aquel era más fino que este, si este más alegante que este otro,

si el tafetán de Florencia
abulta más que el de España.

Preguntaban de dónde eran aquellas telas; se les respondía que de Lyon, y yo estaba viendo una punta no bien cortada que decía *Barcelona*; por fin apartaron no sé cuántas cosas y empezaron a pedir precios. Allí fue el hacer admiraciones, el entablar comparaciones con otras tiendas, el despreciar los géneros, y, en fin, hacer las indiferentes; después hablaron aparte y de repente tomaron un aire de broma, diciendo a los mancebos que eran unos picarillos, que no hacían gracia a las parroquianas, con que los pobres iban ablandando un tanto cuanto; pero una severa mirada del más mal encarado les impuso en su deber y respondieron unánimes: «No podemos», con lo cual se marcharon las damas y ellos se quedaron ocupados en volver a doblar las piezas.

No tardó en presentarse otra señora, que, a juzgar por su aire, sus modales y vestido, califiqué desde luego de una gran persona; entró con mucha solemnidad, y al ver la premura con que los mancebos corrieron a servirla, despejando el mostrador, no pudo menos de picarme la curiosidad de saber quién era; dirigíme para el caso a uno de ellos y no sin admiración supe que era la esposa de un empleado muy subalterno a quien yo conozco; pero creció de todo punto mi asombro cuando, habiendo escogido un velo de blonda, abrió su bolsillo y tiró sobre la mesa seis onzas (que eran, al poco más o menos, el sueldo de tres meses de su esposo), hecho lo cual, cargó de otras varias telas, que pagó tan generosamente y marchó dejándome en el mayor éxtasis; por fortuna una dama que había presenciado todo el paso me sacó de él diciéndome:

—Cómo luce la Fulana las onzas que ganó anteanoche en casa de... Valiérala más pagar al casero.

Ya a la sazón ocupaba un ángulo del mostrador cierta graciosa y esbelta modista, que había venido a buscar un pedazo de percal como la muestra, y el mancebillo listo la hacía rabiar enseñándola piezas enteramente opuestas, y amenizando este juego escénico con tal cual chanzoneta medianamente disparada, si bien mejor recibida; por último concluyó con darla lo que pedía; item más, con la galantería de no quererla cobrar el importe.

No bien se había acabado esta escena, empezó otra, en la cual tuve el honor de figurar, y fue la que produjo la entrada de cierta señora conocida mía, la cual me tomó por asesor de su gusto; yo, deseoso de darla la mejor idea del mío, nunca me inclinaba a lo peor; por otro lado, era preciso mirar por los intereses del amo de la tienda, así que, en fuerza de mis observaciones, le hice reunir una partidita más que mediana. Llegó el caso de echar la cuenta, y por cuánto no hizo el diablo que faltase dinero para unos pañuelos y no sé qué otras frioleras, con lo cual la dama apareció ruborizada. ¡Qué había yo de hacer! La ocasión no era para rechazada; volvíme a ella y la dije:

—Paquita, no pase usted cuidado por ello, que está en tierra de amigos, y hallándome yo aquí...

—¡Oh, no! ¡Cómo tengo de permitir...!

—Es que yo tengo en esta casa ciertas cuentas pendientes, y cabalmente hace falta para arreglarlas un pequeño pico como ése.

En vano me replicó dulcemente; yo insistí con más dulzura, y dulcificando más y más nuestros tiros, quedé por fin vencedor, y la hermosa Dulcinea llevó los pañuelos. Verdad es que prometió pagármelos a domicilio.

La tienda entre tanto se iba llenando de gente, y eran tan rápidos los movimientos que no podía enterarme de ninguno; sólo llamó mi atención una pareja joven, tan e x i g u a y acaramelada que no pude dudar que se hallaba todavía en el primer mes del matrimonio. Con efecto, era así, y un conocedor no podía menos de adivinarlo al ver las excesivas blondas, follajes y perendengues de la dama, los cuidados y complacencia del galán. Por de pronto hizo sentar a la esposa con cierta solicitud que me dio a conocer sus esperanzas paternales; empezaron a pedir, y todo era poco para aquella exigencia de alfeñique femenil, y nada demasiado para el provisto bolsillo del marido. Parecíame ver ya hechos los trajes de aquellas brillantes telas, agotada la imaginación de las modistas en crear con ellas forma humana donde no la hay, y casi me daban tentaciones de repetir al marido un gracioso dicho de Tirso:

Dad al diablo la mujer
que gasta galas sin suma,
porque ave de mucha pluma
tiene poco que comer.

Pero luego conocí que unos cuantos meses de matrimonio se lo dirían mejor que yo. En fin, fastidiado y enojoso despedíme de los muchachos y salí de aquel recinto.

Pero como todavía no eran más que las once y media, me dirigí por el pronto a una de las tiendas conocidas de la calle de la Montera, y me senté delante del pequeño mostrador, coronado de relojes, lamparillas, templos góticos, escaparates y quinqués; pero no era yo sólo el concurrente, pues ya otros tres elegantes abonados ocupaban los demás asientos.

Queriendo emplear en algo el tiempo, pedí bastones, para escoger uno; al momento todos empezaron a aconsejarme el que debía tomar, alabarme su belleza, asegurarme que era igual al que llevaba el duque de..., y, en fin, a hacer los demás oficios propios del mercader; yo, que di poca importancia a sus expresiones, tomé el que me pareció, y aún estaba contemplándole, cuando llegó otro camarada que lo cogió en sus manos, empezó a blandirle y a probar su elasticidad con tal brío, que a los cinco minutos tuve el consuelo de verle dividido en dos. Luego otro de ellos fue a dar una vuelta rápida y rompió el fanal de un reloj; verdad es que quiso pagarlo; pero el dueño no lo permitió; después se levantaron todos y se pusieron a la puerta, y en entrando alguna señora, entraban detrás, y haciendo los mismos elogios de todo lo que ponía en precio; con esto y con algunas palabras más o menos ligeras, noté que las ahuyentaban, en términos que el dueño de la tienda iba poniendo un gesto bastante expresivo. En esto acertó a parar un coche delante de la tienda, y todos ellos se colocaron como en el juego de las cuatro esquinas; bajó una mamá y una hija muy bien parecida, entraron en la tienda y puso aquélla en ajuste un reloj. Al momento uno de ellos hizo tocar la música, y mientras la madre con una sonrisita placentera llevaba el compás con la cabeza, pie y abanico, la niña en el extremo contrario hablaba disimuladamente con uno de ellos, en términos que me hizo sospechar que aquel en-

cuentro no era casual, antes bien, tenía todo el carácter de una verdadera conspiración. La mamá volvió rápidamente a buscar a la niña; pero ya ésta había visto su movimiento en un espejo que tenía delante, y con la mayor sinceridad se puso a preguntar si estaba vivo el pajarito que cantaba sobre una torrecilla del monasterio de Santa Amalverga... ¡Oh inocencia digna de la edad media...! La mamá tuvo trabajo en persuadirla que era fingido, y el galán entre tanto probaba unos anteojos con disimulo, no sin grave susto del amo de la casa, que ya preveía su próxima disolución.

Yo reía de veras de toda esta escena, y por tener un pretexto para dilatar mi permanencia, compré una lamparilla que servía de pedestal a Napoleón meditando los planes de la batalla de Marengo, y un juego de bolos representando todos los varones célebres de Plutarco, y me dispuse a observar el desenlace; mas, ¡oh fatalidad!, estando en esto dieron las doce y tuve que echar a correr sin ver el final de aquel suceso, preguntándome, impaciente, qué es lo que yo había hecho en una hora. Y no pudiendo menos de convenir con Moreto:

Que de aquí para allí
y de allí para aquí,
de allá para acá
y de acá para allá,
el tiempo se va.

(Septiembre de 1832.)

EL BARBERO DE MADRID

«Pronto afar tuso
la notte e il giorno,
sempre d'intorno
in giro stá.»

Aria de Fígaro.

¿Sabe usted, señor público, que es un compromiso demasiado fuerte el que yo me he echado encima de comunicarle semanalmente un cuadro de costumbres? ¿Sabe usted que no todos los días están mis humores en perfecto equilibrio, y que no hay sino obligarme a una cosa para luego mirarla con tibieza y hastío? A la verdad que nada hay que acorte el ingenio y mengüe el discurso como la obligación de tenerles a tal o tal hora determinada. Y no dígolo por el mío, pues éste claro está que de suyo es apocado y exiguo, sino véolo en otros mayores y de marca imperial, de lo cual infiero y saco la consecuencia de que el genio es naturalmente indómito, y repugna y rechaza los lazos que le sujetan.

Pero al fin y postre, y viniendo a mi asunto (puesto que maldita la gana tenga de ello), preciso será sentarme a escribir algo, si es que mañana he de responder con papel en mano al cajista de la imprenta. Paciencia, hermano; sentémonos, preparemos la pluma, dispongamos papel, y... Pero entiendo que antes de empezar a escribir, bueno será pensar sobre qué... Así lo recomienda el célebre satírico francés:

Avant donc que d'ecrire apprenez a penser.

Mas no hay por qué detenerse en ello; sino imitar a tantos escritores del día que escriben primero y piensan después. Verdad es que también *piensan* los jumentos.

Repasemos mis memorias a ver cuál puede hoy servir de materia al entendimiento... Esta..., la otra..., nada, la voluntad dice que nones; pues, señores, medrados quedamos. (Aquí el *Curioso* da una fuerte palmada sobre el bufete, tira violentamente la pluma y permanece un rato con la mano en la frente haciendo *como el que piensa*. La mampara del estudio se abre en este momento, y el barbero se anuncia sacando al autor de su éxtasis.)

—Hola, maestro, ¿es usted? Me alegro, con eso hablará usted por mí.

Mi barbero es un mozo de veintidós, alegre como Fígaro, aunque con diversas inclinaciones; verdad es que aquél le retrató Beaumarchais, y a éste le pinto yo; ¡no es nada la diferencia! Pero, en fin, como todo en este mundo se hace viejo, el barbero de Sevilla también; además de que ya lo han ofrecido cantado y rezado y aún en danza, y nos lo sabemos de coro. Vaya otro barbero no tan sabio, no tan ingenioso, pero más del día; no vestido de calzón y chupetín, sino de casaquilla y corbata; no danzarín, sino *parlante* como yo; no... Pero, en fin, maestro, cuéntenos usted su historia, porque yo ni de hablar tengo hoy gana.

—Yo, señor, soy natural de Parla, y me llamo Pedro Correa; mi padre era sacristán del pueblo, y mi madre sacristana; yo entré de monaguillo, así que supe decir amén; de manera que con el señor cura, mis padres y yo componíamos todo el cabildo; en mi casa se tenía por cosa cierta que yo había de llegar a ser fraile francisco, porque así lo había soñado mi madre, y ya me hacían ir con el hábito y me enseñaban a rezar en latín; pero por más que discurrían no podían sujetar mis travesuras. Ni en las vinajeras había vino seguro, ni las cabezas de los muchachos tampoco donde yo estaba; y cuando se me antojaba alborotar el lugar me colgaba de las cuerdas de la campana, y con pies y manos las hacía moverse, ni más ni menos que si fuesen atacadas de perlesía. En suma; tanto me querían sujetar y tanto me recomendaban la santidad de la carrera a que me destinaban, que una mañana, sin decir esta boca es mía, cogí el camino por lo más ancho, y no paré hasta la carrera de San Francisco de esta heroica villa, en casa de un primo mío, y habiéndome dicho el nombre de la calle, di por realizado el ensueño de mi madre, y a mí por desquitado de mi estrella.

»Mi primo era cursante de cirugía y llevaba dos años de asistencia al Colegio de San Carlos, con lo cual siempre nos andaba hablando de vísceras y tegumentos; y era tan afecto a la anatomía, que se empeñó en disecar a su mujer. Así que yo, luego que perdí el miedo a las terribles expresiones de fisiología, higiene, terapéutica, sifilítico, obstetricia y otras así de que abundaban aquellos librotes que él traía entre manos, no hallé mejor salida para mi ingenio que seguir aquella misma profesión; y por el pronto aprendí a afeitar, haciendo la experiencia en un pobre de la esquina a quien siempre andaba conquistando para que se dejase afeitar *de limosna*.

»Luego que ya me encontré suficientemente instruído en el manejo del arma, y matriculado además en el colegio, dejé a mi primo y me puse en otra barbería, donde había una muchacha con quien disertar sobre mis lecciones de anatomía; pero el diablo (que no duerme) hubo de mezclarse en el negocio, y nos condujo a practicar no sé qué experiencias, con lo cual hicimos un embrollo que todos mis libros no supieron desatar en algunos meses. En fin, salí como pude, y de la casa también, marchando a seguir en otra mis estudios, aunque por entonces me limité a la parte teórica, dejando la práctica para mejor ocasión. Al cabo de algunos años y de otros sucesos menores, me hallé con que sabía tanto como mi maestro, y que sólo me faltaba un pedazo de papel para poder abrir tienda; pero es el caso que este pedazo de papel cuesta un examen y muy buenos maravedís, y si bien por lo primero no paso cuidado, lo segundo me aflige en extremo, por la sencilla razón de que no los tengo.

»Desde entonces sigo buscando la buena ventura, ayudado de mis navajas y de tal y cual enfermo vergonzante que suele caerme; y si no mirase al día de mañana, créame usted que la vida que llevo no es para desear mudarla. Porque yo me levanto al romper el alba, y después de afilar los instrumentos, barrer la tienda y afeitar a algún que otro aguador o panadero, salgo alegrando todo el barrio, y por costumbre inveterada corro al colegio a asistir en clase de oyente, o a ver a mis antiguos camaradas. Súbome muy temprano, y al pasar por las plazas nunca falta alguna aventurilla galante que seguir, algún cesto que quitar de las manos de tal linda compradora, algunos cuartos que ofrecer a tal otra, o alguna tienda de vinos que visitar. Empieza después la operación de la rasura, y en las dos horas siguientes corro todos los extremos de Madrid, convirtiendo rostros de respetables en inocentes y de buen comer; entre tanto, en casa de una marquesa me sale al paso el señorito, que está haciendo su aprendizaje en el vicio, y me encarga traerle ungüentos y brebajes; en otra casa, el señor don Cenón, que ha sido atacado del reúma, me obliga a ponerle dos docenas de sanguijuelas; en otra, don Críspulo, el elegante, quiere que le corte los callos, y en la de más allá, una niña me explica los síntomas de una enfermedad parecida a la que yo no pude curar en la que estudiaba conmigo.

»Por todas partes ya se deja conocer que llueven sobre mí las propinas y los obsequios; pero de ninguna me resulta mayor complacencia como de los que recibo en cierta casa, prodigados por cierta fregona con quien el sol no pudiera competir. Porque ella me entretiene con su sabrosa plática entre tanto que el amo se viste y reza sus devociones; ella me auxilia vertiendo en la bacía, al tiempo que el agua, ya el robusto chorizo, ya la extendida magra, ya la suculenta costilla con una destreza admirable; y ella, en fin, entretiene mis envejecidas esperanzas, haciéndome entrever seis grandes medallas que tiene guardadas para mi examen, con la condición *sine qua non* de casarnos el mismo día.

»Concluídas, por fin, mis operaciones matutinas, vuelvo a la tienda tan contento de mí, que no me trocaría por el mismo maestro; y con esto, y con asistir a alguna operación quirúrgica, rasurar tal o cual escotero, o rasguear mi vihuela, se me pasa insensiblemente el día. Llega la noche, y como caiga algún enfermo que cuidar, o que velar algún muerto, salgo con mi guitarra bajo el brazo, y entre caldo y caldo, o entre responso y gemido, hago mis escapatorias a colgarme de la ventana de mi Dulcinea, a quien despierto con los tiernos acentos de mi voz. He aquí mi vida tal como pasa, y si usted conoce otra mejor, para mi santiguada que yo no.

Aquí calló Pedro Correa, y yo, que me sentí aliviado, me disponía a proseguir pensando en mi artículo, pero nada bueno me salía, por lo cual tuve que dejarlo hasta la noche; vino ésta y acordándome de la narración de mi

barbero, asaltóme la idea de que diciendo lo que él habló, tenía coordinado mi discurso, supuesto que es de costumbres, si no de las más limpias.

Hícelo en efecto así, y me fui a acostar muy satisfecho; mas no bien había cerrado los ojos cuando un ruido extraño me despertó. Parecióme oír puntear una guitarra, y así era la verdad, que la punteaban del lado la calle, mas diciendo como don Diego en *El sí de las niñas*: «Pobre gente, ¿quién sabe la importancia que darán ellos a la tal música?», volvíme del otro lado con intención de dormir; pero en esto algunos pasos cercanos, y el rechinar de una imprudente puerta, me hizo conocer que el enemigo se hallaba cerca, con lo cual, y la ventana abierta, oí distintamente una voz que cantaba esta seguidilla:

> *Aunque los males curo*
> *de las heridas,*
> *amor no me permite*
> *curar las mías.*
> *Que sus saetas*
> *tienen más poderío*
> *que mis recetas.*

No me pareció del todo mal el concepto barberil, y por ver si continuaba o yo me había equivocado, dejéle echar el preludio de la segunda copla, mientras el cual la hermosa Maritornes se acercaba a la ventana a pocos pasos de donde yo me había colocado. La guitarra concluyó el preludio, y la voz volvió a cantar:

> *Abandona ya el lecho,*
> *querida Antonia,*
> *para oír los suspiros*
> *de quien te adora.*
> *Depón el miedo,*
> *que todo el mundo duerme*
> *menos tu Pedro.*

—Y yo tampoco duermo, *señor rapista*, porque las voces de usted no me lo permiten—dije con voz gutural, asomándome a la ventana—. ¿Parécele a usted que aquí somos de piedra como el guardacantón de la esquina? ¿O qué horas son estas para venir a alborotar el barrio? Por mi fe, señor Monaguillo Parlanchín, que así vuelva usted a tomar mi barba como ahora llueven lechugas, y que la Maritornes que está a mi espalda no le tornará a colar más chorizos en la bacía.

Y diciendo esto cerré estrepitosamente la ventana, y me fui a acostar. Pero a la mañana siguiente se me presentó el compungido galán; luego la trasnochada dama, y jugándola ambos de personajes de comedia, se pusieron ambos a mis pies pidiéndome licencia para matrimoniar. ¡Qué había yo de hacer! Soy tierno, y el paso era no sé si diga *clásico* u *romántico*; alcélos con gravedad, y después de un corto y mal dirigido sermón, les dispensé mi venia; item más, me ofrecí al padrinazgo y aun a completar los gastos del título. De tal modo les pagué el haberme proporcionado materia para este artículo.

(Septiembre de 1832.)

LAS FERIAS

Este mundo es una gran feria, en que todos traficamos, aunque con materias diferentes y de un valor convencional. Hay quien da su mesa a cambio de cortesías; quien paga su amor a precio de cuatro suspiros; dos *ergos* y unos buenos pulmones suelen comprar un grado de doctor; la importunidad adquiere empleos; la desdicha suele a veces comprar el talento, y el talento cambiarse por desdicha; el vestido vale generalmente tanto como la educación, y la figura corre en ocasiones a más subido precio que las cualidades del alma. Cada cual, en fin, valiéndose de las circunstancias de que puede disponer, suele adquirir con ellas las que le faltan; pero sin necesidad de tanto trabajo hay una materia positiva con la cual puede obtenerse todo, y esta materia es el *dinero*; con ella se logran las comodidades, los halagos, el amor..., el inestimable amor..., la sabiduría, los honores y hasta la hermosura física.

—Alto ahí, señor Provinciano, que ya estoy cansado de tanta filosofía, y aun no sé si diga de tanta sutileza. ¡Hombre de Barrabás! ¿Adónde va usted a parar con ese discursote, que no parece sino arrancado de algún manuscrito árabe del Escorial? Ya sabemos lo que sucede en el mundo en los tiempos ordinarios; pero aquí sólo hablamos de lo que pasa en tiempo *de feria*: ¿qué tiene que ver lo uno con lo otro?

—Quiere decir —me replicó el Provinciano— que si una circunstancia cualquiera pone en más rápida acción todos los ejes de la gran máquina social, esta época será sin duda un panorama que nos presentará a un solo golpe de vista los esfuerzos de los hombres para engañarnos unos a otros.

—Vaya, déjese usted de ejes y panoramas, y supuesto que ha llegado a Madrid en la temporada de feria, sepa ante todas cosas que la de esta villa, que empieza el día de San Mateo, 21 de septiembre, fue concedida por privilegio del rey don Juan el II en 8 de abril de 1447, y que esta feria, que llega hasta el día de San Miguel, y otra que empezaba en el mismo y duraba quince días, se han reunido en una, que concluye en 4 de octubre, y he aquí sin duda la razón de que aún hoy se diga en Madrid *las ferias* en plural, como que realmente eran dos.

—Mil gracias, señor Madrileño, por el trozo de erudición histórica, aunque si va a decir verdad, no le encuentro más oportuno que mi exordio filosófico.

—Tiene usted razón, señor Provinciano, pero por algo habíamos de empezar a hablar.

Aquí callamos los dos y proseguimos largo rato nuestro camino, hasta que pasando por la calle de Atocha:

—Venga usted acá —dije al Provinciano—, que me parece que en este puesto hemos de hallar algo bueno.

Y en efecto era así, porque una multitud de muebles y vestidos del mejor gusto dejaban ver, aunque en modesta prendería, su reciente fecha. Preguntamos los precios de varios, y como a todo nos contestase la mujer que los vendía: «Esto se da en tanto, y ha costado cuanto hace seis meses», entramos en curiosidad de saber qué desgracia repentina había obligado a su dueño a desprenderse de ellos, a lo cual nos satisfizo la prendera, diciéndonos que pertenecían a una cantatriz italiana que había concluído su contrata; estando en esto vimos llegar a una joven, acompañada de un caballero que los puso todos en precio; y al ver su resolución, sus modales, y más que todo la condescendencia del caballero, no pudimos menos de conocer que aquella empezaba entonces *su contrata*, aunque de distinto género.

Más allá, en otro gran depósito, observamos una colección de catres de todos los gustos, desde Felipe II acá, los cuales recordé haber visto ya cuando iba a la escuela, sin que en las distintas *exposiciones* que desde entonces han mediado hayan mejorado de suerte. Mas por cuánto, y no en aquel momento, mi Provinciano hubo de prendarse de uno, y determinó llevarlo a su pueblo para regalárselo a cierta sobrina casadera, y he aquí que este olvidado mueble, mudo testigo de la fidelidad conyugal de seis generaciones, lo será aún de la séptima.

En un portal inmediato campeaban multitud de vestidos, de los que en otros tiempos figuraron en los bailes serios, y ahora lucen en los de máscara; ¡cie-

los, qué profanación...!, en el bolsillo de una casaca muy bordada de sedas encontré un sobre antiguo que decía: «Al Excelentísimo Sr. Marqués de la Ensenada, Ministro de Su Majestad Fernando VI...», ¡y yo la compré para llevarla a los bailes de Carnaval...!

Pero nada nos entretenía tanto como el mirar algunos puestos tan desmantelados que parecían la verdadera efigie del retablo de Maese Pedro después de la descomunal batalla sostenida por el héroe manchego; v. gr., uno que dejamos a la derecha en la calle de la Magdalena, consistía ni más ni menos en los siguientes efectos: media tinaja, un espejo sin azogue, dos puertas rotas, una escopeta cubierta de orín, seis alcarrazas sin suelo, y sobre una mesa de dos pies y medio arrimada a la pared, hasta unos seis o siete clavos romanos sin cabeza, dos cabezas sin clavo, una campanilla sin badajo, y una rodela vieja; y aún nos estábamos riendo de contemplar todo aquel aparato, cuando llegó a colmar nuestro asombro un hombre que después de haberlo considerado todo detenidamente lo puso en ajuste y lo compró por tres pesetas. No pude contenerme, y sin más preámbulos me determiné a preguntarle para qué podría servirle todo aquello, a lo que el pobre con la mejor voluntad me contestó:

—Señor, soy maestro de obras, y hace diez años que formé el proyecto de hacer una casa en mi barrio del Ave-María; desde entonces voy aprovechando para ello todo cuanto ladrillo y cascote puedo de las obras que manejo, y ya tengo suficientes materiales para empezar, Dios mediante, el verano que viene. Así que vi este puesto, consideré que la media tinaja podía servirme para el fogón, el espejo para la claraboya de la escalera, las puertas rotas para ventanas, la escopeta para el cañón de la chimenea, las alcarrazas para bajada de aguas, los clavos para los adornos, menos uno que servirá de badajo a la campanilla, y la rodela agujereada para tronera de la cueva. Con que ya ustedes ven que todo puede servir en este mundo.

Pasmados nos dejó el buen maestro, y hablando de ello largo rato, hasta que vino a distraernos un gran puesto cubierto de cuadros que llamaba la atención de los inteligentes. Allí era el verlos considerar las pinturas largo rato y a todas luces, arquear las cejas, adivinar el autor (después de haber leído la firma que estaba al pie), hablar de *frescura* y de *matices*, de *claro-oscuro* y *encarnaciones*, con toda la demás retahila de voces científicas. El hombre que los vendía no estaba tan al corriente como ellos; así que, para él, era el mejor el que tenía mejor marco, con lo cual mis aficionados le fueron llevando los buenos por poco dinero, y dejándole una colección de brillantes mamarrachos. Parado estaba yo delante de un retrato muy parecido, de cierta señora bien conocida por su belleza, y no pude menos de escandalizarme de que viviendo todavía, y aún durante su buena época, se la hiciesen ya los honores de la feria. El mismo asombro causaba en todos los que la veían, hasta que habiéndolo verificado un joven que acertó a pasar, manifestó con tales veras su descontento, que no pudimos menos de sospechar que fuese uno de sus adoradores, y tomando un aire de reto, preguntó quién vendía aquel cuadro. Contestósele que el pintor, como propiedad suya, por no habérsele pagado después de mandárselo hacer; a lo cual mi galán, algo abochornado, lo rescató sin reparar en el precio, y sólo exclamó:

—¡Oh dulces prendas por mi mal halladas!

Con lo demás que se sigue, mientras nosotros quedamos riendo del epigrama del pintor.

Mas en ninguna parte bullía tanta multitud ni se reproducían más escenas que alrededor de los puestos de libros, y no hay necesidad de decir que el Provinciano y yo, como aficionados, tardamos poco en engolfarnos en ellos. Y mientras cogíamos éste, abríamos aquél, hojeábamos el otro, o tirábamos el de más allá, no podían menos de distraer nuestra atención algunos de los episodios que pasaban a nuestro lado; por ejemplo: llegó un pedantón de estos que hablan poco y gesticulan mucho; de estos que todo lo desprecian y nada hacen; de estos, en fin, que se suponen superiores al mundo entero, porque el mundo entero no se ha querido tomar el trabajo de desmentirles; caló sus anteojos, apartó a todo el mundo, pidió un libro en griego y otro en alemán; pero mientras le contemplábamos con gran respeto, no pudimos menos de observar que estaba muy entretenido en mirar las láminas, sin hacer la menor seña de entender el texto. Otros estaban con la nariz en el suelo rebuscando en el montón de *Artes de cocina*, formularios, guías atrasadas, *Bertoldos*, *Soledades* y secretos raros, que se daban a cuatro reales chico con grande; y todos alargaban la mano a un tomo del Diccionario de M... porque tenía un forro muy bonito, y luego, en leyendo la portada soltábanle, ni más ni menos que si se hubieran quemado los dedos. ¡Oh, y cuántas producciones clásicas de nuestros días, cuyos recientes anuncios ablandan aún las esquinas de la capital, yacían en aquel *osario* heridas de prematura y no sospechada muerte! Allí las nobilísimas *Historias* y *Compendios* abreviados; allí los *Retratos* y *Discursos*; allí las sensibles parejas Fulano y Zutana; los *Amantes* desgraciados, y los dichosos; los castillos góticos, los *espectros* y *fantasmas* en galería, las Artes para todo que de nada sirven, los tratados breves, las memorias y folletos, las enciclopedias que pueden ir en carta, las traducciones, las imitaciones, las refundiciones, las visiones y las aberraciones. ¿Quién al mirar tal destrozo no había de temblar por sí? Yo al menos hice mis *Mementos*, y por si también me alcanzaba el castigo, exclamé con fervor: «*¡Domine, pecavi, miserere mei!*»

Apartámonos de aquel sitio, y llegamos a la plazuela de la Cebada, teatro un tiempo de las ferias de Madrid, y hoy destinado a más terribles escenas. Intentando atravesarla, fuimos detenidos por una multitud de curiosos apiñados en rededor de una máquina óptica, dirigido por un ciego con un tamborcillo, que enseñaba por dos cuartos *tutti li mondi.* Y al pasar a su lado hirieron mis oídos estas voces, interrumpidas por el tamborcillo: «*Tan tan…*»

—Ahora van ustedes a ver la gran calle de Alcalá en tiempo de ferias.

Paréme un poco, y consultando con el amigo, convinimos en que si habíamos de atravesar todo Madrid para verla, era más cómodo mirarla pintada por dos cuartos: pagámoslos, aplicamos la vista al cristalejo y el ciego empezó a decir:

—«Aquí verán ustedes qué grande y qué hermosa es esta calle de Alcalá, y la multitud de puestos y almacenes ambulantes que la adornan: *tan tan…*

»Van ustedes a ver la famosa feria de Madrid… Avellanas y nueces, dominguillos y cortejos… *Tan tan…*

»Miren ustedes cuántos muebles, chicos y grandes, malos y buenos, nuevos y viejos; pues todos sirven, aunque no sea más que de estorbo… *Tan tan…*

»¡Cuántos muñecos parados y cuántos que andan, y qué tiernos y qué delicados…! *Tan tan…*

»¡Cuántas muchachas, figuritas de barro, y cuántas de carne y hueso! ¡Ay, y qué pintaditas y qué compuestitas…! *Tan tan…*

»¡Cuántos platos y pucheros, y qué poco que comer, cuántos servicios, y qué pocos méritos; cuántos libros, y qué pocos que lean…! *Tan tan…*

»Miren ustedes qué apretones, y qué confusiones, y qué resbalones, y qué te… entones… *Tan tan…*

»Observen ustedes ahí a la derecha, conforme vamos, qué pareja tan acaramelada, seguida por un criado; pues ese que va detrás no es el criado, que es el marido… *Tan tan…*

»Vean ustedes qué elegante va esa niña, y cuántas blondas y cuánto raso; pues su trabajo le ha costado el ganarlo, que a su padre no… *Tan tan…*

»Atención; miren ustedes esos lechuguinos que siguen a esas niñas; ¡ay, que se paran delante de las mesas a ver los muñecos! y ellos también se paran enfrente: «¿Qué queréis hijas mías?» «Ay, mamá, férienos usted un muñequito…» *Tan tan…*

»A ese otro lado vean ustedes un militar buen mozo, que se estira los bigotes; y cómo le gustan los de ese pimpollo que va delante, y la llega al oído y la dice: «Mi alma, ¿quiere usted que la ferie?» Y ella dice: «¿Y por qué no?» Y la compra avellanas y azofaifas, y acerolas, y nueces, y… ¡Ay, pobrecito, mira no te ferie ella a ti…! *Tan tan…*

»Vean ustedes esotro elegante que hace parar un coche, y les alarga a los niños que van dentro tantos juguetes…, pues no es por ellos, que es por la mamá, que no hay como adorar al santo por la peana… *Tan tan…*

»Vamos, señores, que se va haciendo tarde: ¿he dicho algo? Pues aún queda lo mejor; pero otro día será; esto se acabó, y la feria también; hagan ustedes cuenta que llegamos al día de San Francisco… *Tan tan…*»

Y tapó el cristalejo y nos dejó a buenas noches.

(Octubre de 1832.)

GRANDEZA Y MISERIA

«No son todas las leyes generales,
que muchas excepciones hay en ellas,
ni las cosas del mundo son iguales.»

L. de Argensola.

Hallándome en Zaragoza durante mi primera juventud contraje amistad íntima con el hijo del marqués de... joven amable, franco y bullicioso, como yo lo era también entonces, y cómo me pesa no serlo ahora : nuestras relaciones no eran de aquellas superficiales que las circunstancias o la casualidad suelen combinar, antes bien, tenían el carácter de una verdadera amistad ; así que, viviendo juntos, y no separándonos ni en aquellos ratos que dedicábamos al estudio (que eran los menos), ni en los que dábamos a la distracción y los placeres (que eran los más), llegamos a ser citados en la ciudad como modelo de amistosa fidelidad.

Ricardo (que así se llamaba el hijo del marqués) unía a una bella figura la elegancia en el vestir, la destreza en la danza y la bizarría para dominar un alazán, con lo cual era tenido por el primer caballero de la ciudad ; pero al mismo tiempo, preciso es confesarlo, los estudios de Ricardo se habían limitado a esto solo, y los maestros de filosofía, de ciencias y de idiomas no tenían los motivos de alabanza que los de equitación y de baile. En vano procuraba yo hacerle sentir lo equivocado de su conducta, la obligación en que su elevada cuna le ponía de adquirir una instrucción poco común ; hablábale de la necesidad de corresponder a su noble apellido, los graves cargos y responsabilidades que algún día pesarían sobre sus hombros, y le ponía delante la consideración de que tanto mayor es el yerro cuanto mayor es el que yerra. Todo esto lo escuchaba con la bondad natural de su carácter, pero la adulación llegaba muy pronto a destruir mi obra, y no faltaban labios fementidos que le hacían creer que el estudio no era ocupación digna de un caballero y sí sólo de aquellos que le necesitan para elevarse ; que supuesto que él era ya marqués y poderoso, de nada más necesitaba ; que se dejase de cálculos y de vigilias y sólo se ejercitase en aquellos juegos propios del valor o de la destreza, que tan bien sientan en las personas bien nacidas, con lo cual y la aprobación de unos ojos negros, seducían al pobre marqués en términos que hube de dejar a que el tiempo obrase lo que yo no podía.

Desde entonces nuestra casa fue la mansión de la disipación y de los placeres; los festines, las músicas, las partidas de caza, se reproducían sin cesar; las damas más bellas de Zaragoza se disputaban los favores del señorito; los jóvenes imitaban sus modales y vestido; las modas de París y de Londres, los coches de Bruselas, los caballos normandos, todo le era presentado por diestros corredores que hallaban el secreto de cuadruplicar su valor y, sin haber salido de Zaragoza, afectaba ya los usos de un *fashionable* de Londres, y hablaban mal de nuestras cosas, con lo cual, y fiándose de mercaderes extranjeros, muy pronto se vio asaltado de acreedores y chalanes.

La suerte me separó por entonces de mi amigo, y durante mi larga ausencia recibí algunas cartas suyas en que manifestaba sus ahogos y compromisos, que llegaron al extremo; pero la muerte de su padre vino a poner término a ellos, y el nuevo marqués, al noticiármela al mismo tiempo que su casamiento con una señora de su misma clase, me manifestaba que había variado la vida, arreglado sus negocios y establecido un plan conveniente para lo sucesivo. Poco después me escribió su marcha a la corte, adonde le llamaban sus deseos hacía muchos años, y desde entonces nada volví a saber de él, hasta que habiendo venido yo a Madrid le visité como a un amigo antiguo, pero ya no encontré aquel Ricardo compañero de mis primeros años, sino al marqués de... uno de los hombres más visibles de la corte, y cuyo tren y magnificencia oía ponderar por todas partes. Recibióme con atención, pero sin cordialidad; me enseñó con una distracción afectada su palacio, sus elegantes adornos, su jardín, sus caballos y carrozas, y aún me presentó a la marquesa como un amigo *de su niñez*; pero en todos sus modales noté una reserva, una pretensión, que me obligó a mantenerme a cierta distancia, sin que ni él ni yo pareciéramos acordarnos de nuestra antigua familiaridad.

Sentílo ciertamente, aunque no tanto como si le hubiera necesitado; pero me propuse no volver a visitarle, y en este estado se corrieron algunos años, hasta

que días pasados atravesando la calle de Alcalá me oí llamar desde un coche y conocí al marqués, mi antiguo camarada. No dejó de sorprenderme esta demostración, pero aún más me sorprendieron sus instancias para que al siguiente martes le acompañase a almorzar, por tener, según dijo, que consultar conmigo cosas del mayor interés, y sin dejarme acción para producir mis escusas, me hizo darle palabra terminante.

Llegado el martes me encaminé a casa del marqués, preparando de antemano mi amor propio contra todo evento. Entré en el portalón, y a fuer del precepto de «nadie pase sin hablar al portero», escrito en enormes caracteres sobre la pequeña casilla de éste, me dirigí a él para darle mi nombre; pero fue en vano, porque el buen inválido prosiguió en su ocupación, que era enseñar el ejercicio a un perro de aguas; bien es la verdad que con la mano me indicó gravemente la escalera. Pero el diablo y mi poca memoria hizo que entrase por la primera puerta que encontré, donde vi tres hombres alrededor de una mesa, que jugaban a los naipes, y, sin alzar los ojos a mí, ni informarse de a quién buscaba, tiraron de una cuerda desde su asiento y abrieron una mampara que daba entrada a un salón cubierto de dobles filas de bufetes, todos ocupados por varios caballeros.

Disputaban a la sazón fuertemente sobre si eran ocho o nueve mil duros, si se contaba desde tal o tal mes, y otras condiciones, con lo cual no dudé que se trataba de algún arrendamiento de las posesiones del marqués; pero el nombre de una artista italiana que pronunciaron me hizo caer en la cuenta de que su conversación era cosa de interés público. No la interrumpieron por mi llegada, antes bien, me hicieron partícipe de ella, hasta que habiéndose enterado de mi deseo de ver a S. E., y de la equivocación que me había hecho entrar en las oficinas, uno de ellos tuvo la bondad de acompañarme para ir a buscar otra escalera, lo cual hicimos atravesando unas cuantas salas, todas igualmente ocupadas que la anterior, y sobre cuyas puertas había rótulos como «Secretaría», «Contaduría», «Archivo», «Tesorería», etcétera.

Las ocupaciones de aquellos señores eran varias: cuál se adiestraba en hacer rúbricas y letras góticas, cuál leía la «Gaceta» con los codos sobre el bufete y meneando los labios, quién tomaba el sol cerca de una ventana, quién dormía en un sillón con las manos metidas en los bolsillos del pantalón, y luego entraron los porteros y traían sendas botellas y vasos, acompañados de panecillos, con lo cual todos se apresuraron a tomar *las once* para cobrar nuevas fuerzas con que servir a S. E.

Compadecíme del marqués, a quien una antigua preocupación obligaba a mantener aquella cohorte, y subí a la habitación principal. No había nadie en ella; atravesé la segunda sala en la misma soledad; pero a la tercera me encontré con un grupo de lacayos que me hicieron aguardar hasta que llegase el *portero de estrados*. Apareció éste al cabo de buen rato con toda la autoridad de un conserje y, dudando de pasar a tal hora recado a S. E., díjele que era llamado; entonces, sin dejar de mirarme de arriba abajo con una curiosidad desconfiada, envió a llamar a un ayuda de cámara, el cual me dirigió a otro, y éste a otro que me hizo dar con el *secretario particular*, quien ya tenía antecedentes de mi visita.

Abrióse por fin la mampara que ocultaba a S. E., y entrando en el gabinete me encontré al marqués que acababa de dejar el lecho y se había recostado en el sofá por precaución para no fatigarse, mientras se entretenía en formar varias figuras con pedacitos de marfil pintados. No bien me vió, tiró todas las fichas y corrió a abrazarme, en lo cual, y en su expresión amable y sincera, volví a reconocer a mi amigo Ricardo; los criados dispusieron el almuerzo, y al concluir de él cogióme el marqués del brazo y descendimos al jardín, donde empezó la conversación de esta manera:

—Sin duda, amigo mío, que mi proceder te habrá parecido extraño, ya por la pasada indiferencia, ya por la cor-

dialidad presente, y no dejo de confesar que en efecto lo es.

—Ni yo debo ocultarte que me ha sorprendido tu llamada más que tu indiferencia, pues conozco muy bien que el aire de la grandeza no sienta bien con la franqueza de la amistad.

—Sin embargo, yo no debí olvidar la nuestra; mas por desgracia no es el remordimiento que debía inspirarme mi proceder contigo lo que me hace recurrir a tu amistad, es más bien un sentimiento de egoísmo.

—¿Cómo?

—Sí, amigo mío, necesito de ti.

—¿De mí? ¿Y en qué puedo yo servir al poderoso marqués de...?

—¡Poderoso...! ¡Ay...! No lo soy, pero aunque lo fuera, siempre me serán oportunos los consejos de un amigo verdadero. Juzga tú cuánto más necesarios me serán en la desgracia.

—Habla, mi querido marqués; si mi amistad puede aliviarte en algo, desahógate con tu mejor amigo.

Un momento de silencio y un estrecho abrazo del marqués interrumpieron por algunos instantes nuestro diálogo.

—Ya te acordarás —continuó— de que a poco tiempo de tu salida de Zaragoza heredé por muerte de mi padre los títulos y rentas de mi casa, con lo cual y mi casamiento traté de mudar enteramente la conducta que hasta allí había seguido. Empecé, pues, por arreglar mis negocios, y yo mismo me asombré de los inmensos sacrificios que mi pasada disipación me ocasionaba; pero dueño de una fortuna cuya renta anual se eleva a dos millones de reales, me costó poco trabajo el cubrir aquéllos, y aún me lisonjeé de comprar con ellos mi escarmiento. Mas mi venida a Madrid, con objeto de entrar en palacio, llegó a reproducir mis ideas favoritas de ostentación y a lanzarme de nuevo en el gran mundo. Mis rentas al principio bastaban a todo y aún me parecía imposible que el capricho me hiciera inventar medios bastantes a consumirlas; pero ¡ay de mí! ¡Cómo me engañé! ¿Querrás creerlo, mi buen amigo? Tú ves mi casa, mi tren y mis criados; oyes sin duda hablar de mis funciones y festines, considérasme el mortal más feliz de la tierra; crees que la abundancia reina en torno de mí; sí, amigo mío, reina, pero es para los que me rodean; el más miserable de mis colonos es más feliz y más poderoso que yo.

—Creo haberlo adivinado.

—¿Ves esa legión de criados que pueblan mi casa y mis dependencias? Pues de nada me sirven, mientras que mis rentas les sirven a ellos para gozar de una vida regalada. ¿Miras ese secretario que me manifiesta tanto interés y afección? Pues ese publica mis debilidades, desacredita mi conducta, y me impide con sus consejos caminar al arreglo de mi casa. ¿Ese mayordomo tan fiel, tan desinteresado, que a una ligera insinuación mía corre a buscarme fondos con que satisfacer mis invencibles caprichos? Pues ese me presta a un interés enorme los productos de mis mismas posesiones. ¿Esos administradores avaros que hacen que los tristes colonos maldigan mi nombre bajo el cual se ven acosados sin piedad? Pues esos son otros tantos señores con quienes yo mismo tengo que transigir para cobrar lo que quieren pagarme. ¿Esos ayudas de cámara que se inclinan ante mi paso con el más profundo respeto? Pues míralos un momento después; veráslos vestidos con mi ropa, parodiando mis acciones, exagerando mis vicios y haciéndome el juguete de sus malas lenguas. Por último, mis haciendas, mis rentas, mis casas, mis salones, mis graneros, mi cocina, mis cuadras, todo es presa de esas plantas parásitas que se alimentan de lo que es mío, sin que pueda yo evitarlo por no chocar con la costumbre y aun con las ideas que recibí en la educación.

—Pero al menos —le repliqué yo— tienes el consuelo de que tu casa sea citada como el modelo de la buena sociedad, y que todo el mundo te envidie y ensalce tu ostentación.

—¿Y de qué me sirve este concepto equivocado? Esa turba de aduladores y de egoístas que me aplauden ¿me ofrecen acaso un amigo sincero y desinteresado con quien desahogar mi corazón? Mi esposa misma y mis hijos, alejados de mí por la etiqueta y el buen tono, ¿me brindan por ventura las caricias y la afección que encuentra en los suyos hasta el más infeliz artesano? Mis enormes rentas ¿me permiten disponer a cualquier hora de una cantidad, por mínima que sea? ¿No he vendido ya mis fincas libres, gravado enormemente las vinculadas, acudido a los usureros, que primero me prestaban sobre mi palabra, luego sobre mi firma, después sobre alhajas y posesiones, y a falta de éstas han llegado a no prestarme por nada? Los criados me piden sus sueldos, mi mujer su dote, mis hijos su fortuna, y la memoria de mis abuelos el lustre de su nombre. ¿Qué hacer, mi querido amigo, en tal ahogo, ni cómo remediar tamaños males?

—Con la filosofía y la virtud, mi querido marqués. Tú hubieras evitado tal abismo si siguiendo mis consejos hubieras cultivado tu buen carácter en la educación y dado a tus inclinaciones el giro conveniente. El ocio, causa de todos tus desastres, te hubiera parecido insoportable, y para evitarle hubieras buscado mil recursos que tu fortuna te permitía: los viajes útiles, las empresas nobles, el deseo de verdadera gloria, que en otros países, y en nuestra misma España, ostentan varios de tu ilustre clase, no desdeñándose de proteger la industria, cultivar las artes y las letras o brillar en el campo del honor. Pero quisiste más bien formarte para la holganza, y te rodeaste de una corte de holgazanes; quisiste servirte de ellos, y ellos se han servido de ti; pensaste no necesitar de nadie, y no reflexionabas que un hombre inútil necesita de todo el mundo. Pero, en fin, mi querido Ricardo, todavía estás a tiempo; por fortuna tu corazón ha sufrido sin dañarse tamaño combate; pero tu debilidad no te permite permanecer en el puesto para sufrir nuevas asechanzas. Huye, pues, de este centro de corrupción y de placeres; huye, y en su apacible quinta de las orillas del Ebro, lejos de la disipación y del bullicio, encontrarás la paz del alma, que sólo puede proporcionar una conciencia tranquila. Tus rentas, bien distribuídas, sirvan después de satisfacer tus empeños, a proteger al genio y al trabajo; tu casa, purgada de bajos aduladores, sea el asilo de la franqueza y de la honradez; tus hijos, educados bajo otros principios que tú, aprendan de tu boca las desgracias que el ocio proporciona; tu esposa, compañera de tu prosperidad, ayúdete a remediar tu desgracia: y tus súbditos mirándote de cerca, lleguen a conocerte y amarte... Huye, mi querido Ricardo, muéstrate hombre una vez....

Un nuevo abrazo, interrumpido con los sollozos del marqués, puso fin a esta vehemente conversación.

Quince días después he recibido una carta de mi amigo, fechada en su quinta cerca de Zaragoza, y su contenido me proporciona el placer de pensar que no han sido inútiles mis consejos.

(Octubre de 1832.)

EL CAMPOSANTO (*)

> «No se engañe nadie, no,
> pensando que ha de durar
> lo que espera,
> más que duró lo que vio,
> porque todo ha de pasar
> por tal manera.»
>
> *Jorge Manrique.*

Muy pocos serán —hablo sólo de aquellos seres dotados de sensibilidad y reflexión— los que no hayan experimentado la verdad del dicho de que *la tristeza tiene su voluptuosidad.* Con efecto ¿quién no conoce aquella dulce melancolía, aquella abnegación de uno mismo que nos inclina en ocasiones a hacernos saborear nuestras mismas penas, midiendo grado por grado toda su extensión, y como deteniéndonos en cada uno para mejor contemplar su inmensidad? ¡Cuán extraño es en aquel momento el hombre a todo lo que le rodea! ¡Cuál busca en su imaginación la sola compañía que necesita! ¡Y cuál, en fin, elevando al cielo su alma, encuentra en él el único consuelo a sus desventuras! Huyendo entonces el bullicio del mundo, quiere los campos, y su triste soledad le halaga más que la agitación y la alegría.

Tal era el estado de mi espíritu una mañana en que tristes pensamientos me habían obligado a dejar el lecho. Acompañado de mi sola imaginación, me dirigí fuera de la villa, adonde más libremente pudiese entregar al viento mis suspiros; una doble fila de árboles que seguí corto rato desde la puerta de los Pozos, me condujo al sitio en que se divide el camino en varias direcciones, y habiendo herido mi vista la modesta cúpula de la capilla que preside al recito de la muerte, torcí maquinalmente el paso por la vereda que conduce a aquél. A medida que me alejaba del camino real iba dejando de oír el confuso ruido de los carros y caminantes que hasta allí habían interrumpido mis reflexiones, y un profundo silencio sucedía a aquella animación. Sin embargo, un impulso irresistible me hacía continuar el camino, deteniéndome solo un instante para saludar a la cruz que vi delante de la puerta; pero esta se hallaba cerrada, y nadie parecía alrededor; fuertes eran mis deseos de llamar; mas ¿cómo osar llamar en la morada de los muertos?...

Desistía ya de mi proyecto, apoyado sobre la puerta, cuando una pequeña inclinación de esta me dio a conocer que no estaba cerrada; continué entonces el

(*) El suceso a que se refiere este discurso es exacto; las personas y palabras también, según todo me lo reproduce mi memoria aun después de algunos años.

impulso, y girando sobre sus goznes me dejó ver el Camposanto.

Entré, no sin pavor, en aquella terrible morada; atravesé el primer patio, y me dirigí a la iglesia que veía enfrente, mirando a todas partes por si descubría alguno de los encargados del cementerio; pero a nadie vi, y mientras hice mi breve oración tuve lugar para cerciorarme de que nadie sino yo respiraba en aquel sitio. Volví a salir de la iglesia a uno de los seis grandes patios de que consta el cementerio, y siguiendo a lo largo de sus paredes, iba leyendo las lápidas e inscripciones colocadas sobre los nichos, al mismo tiempo que mis pies pisaban la arena que cubre las sepulturas de la multitud.

Esta consideración, la soledad absoluta del lugar, y el ruido de mis suspiros, que repetía el eco en los otros patios, me llenaban de pavor, que subía de todo punto cuando leía entre los epitafios el nombre de alguno de mis amigos o de aquellas personas a quienes vi brillar en el mundo.

—¡Y qué! —decía yo—. ¿Será posible que aquí, donde al parecer estoy solo, me encuentre rodeado de un pueblo numeroso, de magnates distinguidos, de hombres virtuosos, de criminales y desgraciados, de las gracias de la juventud, de los encantos de la belleza y la gloria de saber? «Aquí yace el excelentísimo señor duque de...» ¿Será verdad?

Al que de un pueblo ante sus pies
[rendido
vi aclamado, en la casa de la muerte
le hallo ya entre sus siervos confun-
[dido.

¿Pero qué miro? ¿Tú también, bella Matilde, robada a la sociedad a los quince años, cuando formabas sus mayores esperanzas? ¿Y tú, desgraciado Anselmo, a quien el mundo pagó tan mal tus nobles trabajos y fatigas por su bienestar?... Mas ¿de qué sirven todos estos títulos y honores que ostenta esa lápida, para quien ya es un montón de tierra?... ¡Adulación, adulación por todas partes!... «Aquí yace don..., arre-

batado por una enfermedad a los 87 años...» ¡Lisonjeros!, escuchad a Montaigne, y él os dirá que *a cierta edad no se muere más que de la muerte*... Pero allí veo sobre una lápida un genio apagando una antorcha; sin duda, uno de nuestros hombres grandes... ¡Insensato!, un hombre oscuro: ¿y cómo podía ser otra cosa? El cementerio es moderno, y en el día escasean mucho los hombres verdaderamente ilustres, o no se entierran en su patria... Y si no, ¿dónde se hallan Isla, Cienfuegos, Meléndez, Moratín?... Si acaso nos queda alguno, busquémosle en el suelo, en las sepulturas de la multitud.

Pero entremos a otro patio, por ver si se encuentra alguien... Nadie... La misma soledad, la misma monotonía; ni un solo árbol que sombree los sepulcros, ni un solo epitafio que exprese un concepto profundo; el nombre, la patria, la edad y el día de la muerte, y nada más..., y de este otro lado aún no está lleno... Multitud de nichos abiertos que parecen amenazar a la generación actual... ¡Cielos! Acaso yo... en este..., pero ¿qué miro? ¿Aquel bulto que diviso en el ángulo del patio no es un hombre que iguala la tierra con su azada?... Sí, corro a hablarle.

—Buenos días, amigo.

—Buenos días —me contestó el mozo como sorprendido de ver allí a un viviente—. ¿Qué quería usted? —añadió con el aire de un hombre acostumbrado a no hacer tal pregunta.

—Nada, buen amigo; quería visitar el cementerio.

—Si no es más que eso, véale usted; pero algo más será.

—No, nada más; ¿acaso tiene algo de particular esta visita?

—Y tanto como tiene. ¡Ay, señor! Nuestros difuntos no pueden quejarse de que el llanto de sus parientes venga a turbar su reposo.

Esta expresión natural, salida de la boca de un sepulturero, me hizo reflexionar seriamente sobre esta indiferencia que tanto choca en nuestras costumbres.

—¡Qué quiere usted! —contesté al sepulturero—. Todavía no se ha desterrado la preocupación general contra los cementerios.

—A la verdad que es sin razón, pues ya conoce usted, caballero, cuánto mejor están aquí los cuerpos que en las iglesias; esta ventilación, esta limpieza, este orden... Recorra usted todos los patios, no encontrará ni una mala hierba, pues Francisco y yo tenemos cuidado de arrancarlas; no verá una lápida ni letrero que no esté muy cuidado; ni, en fin, nada que pueda repugnar a la vista; mas por lo que hace a las gentes, esto no lo ven sino una vez al año, y es el primer día de noviembre; pero entonces, como dice el señor cura, valía más que no lo vieran, pues la mayor parte vienen más por paseo que por devoción, y más preparados a los banquetes y algazara de aquel día, que a implorar al cielo por el alma de los suyos.

Admirado estaba yo del lenguaje del buen José, que así se llamaba el sepulturero; y así fue que le rogué me enseñase lo que hubiese de curioso en el cementerio; seguimos, pues, por todos los patios, haciendo alto de tiempo en tiempo para contemplar tal o cual nicho más notable; después llegamos a un sitio donde había varias zanjas abiertas, y en una de ellas...

—¡Qué lástima! —me dijo José—. Yo nunca reparo en los que vienen; hoy he sepultado seis, y apenas podré decir si eran mujeres u hombres; pero esta pobrecita, ¡qué buena moza!... —y urgando con su azada me dejó ver una mujer como de veinte años, joven, hermosa, y atravesado el pecho con un puñal por su bárbaro amante... Volví horrorizado la vista, y mientras tanto José repetía—: ¡Ay, Dios mío! ¡Líbreme Dios de un mal pensamiento!

Esta exclamación enérgica me hizo reparar en mis cadenas y reloj, y por primera vez temblé por mí al encontrarme en aquel sitio y soledad al borde de una zanja y un sepulturero al lado con el azadón sobre el hombro.

Sin embargo, la probidad de José estaba a prueba de tentaciones, y asegurado por ella me atreví a declararle un deseo que me instaba fuertemente desde que entré en el cementerio: este deseo era el encontrar la sepultura de mi padre...

—¿Cómo se llamaba?

—Don...

—¿En qué año murió?

—En 1820.

—¿Ha pagado usted renuevo?

—No; ni nadie me lo ha pedido.

—Pues entonces es de temer que haya sido sacado del nicho para pasar al depósito general.

—¿Cómo?

—Sí, señor, porque no pagando el renuevo del precio del nicho cada cuatro años se saca el cuerpo.

—¿Y por qué no se me ha informado de ello?

—Sin embargo, no se lleva con gran rigor, y acaso puede que... pero entremos en la capilla y veremos los registros.

En efecto, así lo hicimos; pasamos a la pieza de sacristía, sacó el libro de entradas del cementerio, abrió al año de 20 y leyó: «Día 5 de enero; don... número 261.»

Un temblor involuntario me sobrecogió en este momento; salimos precipitados con el libro en la mano, buscamos el número del nicho... ¡Oh, Dios! ¡Oh, padre mío! Ya no estabas allí..., otro cuerpo había sustituido el tuyo; ¡y tu hijo, a quien tú legastes tus bienes y tu buen nombre, se veía privado por una ignorancia reprensible del consuelo de derramar sus lágrimas sobre tu tumba!... Entonces José, llevándome a otro patio bajo de cuyo suelo está el *osario* o depósito general, puso el pie sobre la piedra que le cubre diciendo: *«Aquí está»*, a cuya voz caí sobre mis rodillas como herido de un rayo.

Largo tiempo permanecí en este estado de abatimiento y de estupor, hasta que levantándome José y marchando delante de mí, seguíle con paso trémulo y entramos por una pertecilla a la escalera que conduce sobre el cubierto de la capilla; luego que hubimos llegado arriba hizo alto, y tendiendo su azada con aire satisfecho:

—Vea usted desde aquí —me dijo— todo el cementerio... ¡Qué hermoso, qué aseado y bien dispuesto! —y parecía complacerse en mirarle...

Yo tendí la vista por seis uniformes patios, y después sobre otro recinto adjunto, en medio del cual vi un elegante mausoleo que la piedad filial ha elevado al defensor de Madrid no lejos del sitio en que inmortalizó su valor (*). Después, salvando las murallas, fijó los ojos en la populosa corte, cuyo lejano rumor y agitación llegaba hasta mí... ¡Qué de pasiones encontradas, qué de intrigas, qué movimiento! Y todo, ¿para qué?... Para venir a hundirse en este sitio...

Bajamos silenciosamente la escalera; atravesamos los patios; yo me despedí de José agradeciéndole y pagándole su bondad, y al estrechar en mi mano

---

(*) El sepulcro del marqués de San Simon, erigido por su hija en un sitio cercado e independiente del cementerio. Napoleón condenó a muerte a aquel benemérito general por el tesón que manifestó en la defensa de la puerta de Fuencarral en los primeros días de diciembre de 1808, y su hija alcanzó del emperador la conmutación de esta pena por la de encierro perpetuo en Francia.

aquella que tal vez ha de cubrirme con la tierra,

«Mihi frigidus horror
membra quatit gelidusque coit formidi-
[ne sanguis.»

Abrimos la puerta a tiempo que el compañero Francisco, guiando a cuatro mozos que traían un ataúd, nos saludó con extrañeza, como admirado de que un mortal se atreviese a salir de allí. Preguntéle de quién era el cadáver que conducía, y me dijo que de un poderoso a quien yo conocí servido y obsequiado de toda la corte... ¡Infeliz! ¡Y no había un amigo que le acompañase a su última morada!...

Seguí lentamente la vereda que me conducía a las puertas de la villa, y al atravesar sus calles, al mirar la animación del pueblo, parecíame ver una tropa que había hecho allí un ligero alto para ir a pasar la noche a la posada que yo por una combinación extraña acababa de dejar.

(Noviembre de 1832.)

NOTA

El Campo Santo.—Desde que en el reinado del señor don Carlos III, y por real cédula de 3 de abril de 1787, se mandó la fabricación de cementerios extramuros de las ciudades con el objeto de sepultar los cadáveres que hasta entonces se enterraban en las iglesias, con grave detrimento de la salud pública, pasaron muchos años —todos los que formaron el reinado de Carlos IV— sin que la capital del reino tratase de dar el ejemplo de esta importantísima reforma y de cumplir lo preceptuado por la ley. Siguióse, pues, la perniciosa costumbre inmemorial de los enterramientos, en las bóvedas y templos, hacinando en ellos los cadáveres sin precaución alguna, y siguieron también de tiempo en tiempo las repugnantes e indecorosas mondas o extracciones de aquellos restos mortales, de que recordamos haber oído a algunos ancianos tan animadas como nauseabundas descripciones, especialmente de la que se hizo en la parroquia de San Sebastián por la calle inmediata en 1805, y que, según nuestros cálculos y noticias, llevó envueltos en ella los preciosos restos del gran Lope de Vega. Para destruir aquella inveterada costumbre, y para reducir al silencio la terrible y obstinada oposición que la hipocresía, las preocupaciones o el interés egoísta presentaban a la construcción de cementerios, fue necesario que el gobierno de José Napoleón tomase a su cargo la conclusión del primero de los generales (el de la puerta de Fuencarral) y verificada ésta en 1809, y poco tiempo después el de la puerta de Toledo, prohibióse enérgicamente todo otro enterramiento que no fuese aquéllos; y en obsequio de la verdad y de aquel ilustrado aunque intruso gobierno, debe reconocerse que no fue ésta sola la mejora que logró establecer en nuestra policía administrativa.

Por desgracia, la construcción de los cementerios, según los planes del arquitecto Villanueva, adoleció, a nuestro entender, desde el principio, de una mezquindez y prosaísmo sumos; siendo tanto más de lamentar, cuanto que estos primeros Campos Santos, imitados después en otros puntos de las afueras de Madrid y en las capitales y pueblos notables de España, han servido, puede decirse, de modelo o pauta de esta clase de construcción entre nosotros, estableciéndose en consecuencia la ridícula costumbre, no de enterrar, sino de emparedar los cadáveres en los muros de cerramiento alrededor de grandes patios desnudos de todo adorno y de vegetación. No tuvo tal vez presente Villanueva el reciente ejemplo de la capital francesa, que en los primeros años del siglo dedicó a este objeto el extendido jardín conocido por el del *P. Lachaise*; ni los demás de esta clase que se admiran en otros pueblos extranjeros; o no pudo disponer de terreno suficientemente extenso, bien situado y con agua abundante para la plantación; la idea exagerada, a nuestro entender, de que había de construirse precisamente en las alturas al norte de la capital, el gusto demasiado clásico y amanerado de dicho arquitecto, y la estrechez de miras o indiferencia del Ayuntamiento de Madrid, fueron tal vez las causas de semejante construcción; y, sin duda, el no querer perjudicar a los fondos de las iglesias en los derechos que percibían por la custodia de los cadáveres, dio lugar a que la Villa de Madrid no tomase, como hubiera debido, a cargo suyo el establecimiento de los cementerios con toda la amplitud y decoro que exigen la religiosidad y la cultura del vecindario. El clero, por su parte, que nunca miró con buenos ojos su establecimiento, no cuidó de decorarlos ni engrandecerlos, a pesar del inmenso producto que obtiene del alquiler de aquellos mezquinos corrales, producto que raya en una suma considerable y que hubiera podido servir no sólo a la formación de grandes y aún magníficos cementerios, sino que en otros pueblos bien administrados se aplica también al sostenimiento de hospitales y establecimientos de caridad.

A tanto llegó el abandono y desidia de la visita eclesiástica y fábricas parroquiales, y era por los años de 1832 tan mezquino el aspecto de este cementerio y del otro general de la puerta Toledo, que varias cofradías o congregaciones religiosas pensaron en emprender por su cuenta la formación de otros parciales. Así lo habían hecho ya anteriormente las sacramentales de San Pedro y San Andrés, y la de San Salvador y San Nicolás, y fueron imitadas luego por las de San Sebastián, San Luis y San Ginés, San Miguel, San Martín, San Justo, etc. Y mejorando algún tanto las condiciones de construción y adorno (aunque siempre siguiendo el mezquino sistema de emparedamientos), han conseguido la preferencia de la parte más acomodada de los feligreses; y disponiendo y tolerando algún mayor adorno en los frentes de las sepulturas, en los panteones y galerías, y aún en el centro de los patios con plantaciones, aunque escasas de arbustos y flores, han empezado a dar a los suyos (especialmente al de San Luis y San Ginés) aquel aspecto decoroso e imponente que, a la par que convida a la oración y al ruego por las almas de los que fueron, da una idea más noble de la cultura y de la religiosidad de la generación actual.

PRETENDER POR ALTO

> *«Il n'est guère moins nécessaire*
> *de voir ce qu'il faut éviter*
> *que de savoir ce qu'il faut faire.»*
>
> Mme. Deshouliers.

> *«Tan útil es saber lo que debemos*
> *evitar como lo que debemos hacer.»*

En un pueblo como Madrid, donde las propiedades adquieren un v a l o r enorme reduciendo a un corto número la clase de propietarios; donde la consideración de esta clase desaparece casi del todo ante el brillo seductor de los honores y del poder; pueblo que por su posición no ofrece al comerciante empresas grandes; cuya industria tiene que ser limitada a cubrir las necesidades del mismo, por la escasez de primeras materias y el subido precio de los jornales; pueblo, en fin, donde el orgullo cortesano hace necesario el lujo, al paso que limita los medios de producción, ¿cómo extrañar que una gran parte de sus habitantes se vea acometida de aquella enfermedad endémica conocida con el nombre de *empleomanía*?

Sobre tales consideraciones giraba mi imaginación una mañana que me hallaba sentado entre la inmensa multitud de postulantes en un rincón de cierta antesala, adonde me había conducido, no la ambición propia, sino la exigencia ajena; esto es, aquella obligación tácita que a juicio de los amigos de provincia contraemos los habitantes de Madrid de tener siempre nuestro tiempo y nuestras relaciones a disposición suya; y era por entonces el que me lanzaba en el campo de los solicitantes cierto pariente de un pariente mío, que espontáneamente me había encargado de una pretensión suya fulminada desde las orillas del Segura.

No es por ahora mi ánimo el bosquejar un cuadro crítico-filosófico de aquella antesala, ni menos hacer reír a mis lectores a costa de las distintas caricaturas que conmigo la poblaban. No hablaré de la pretensión y el entonamiento de los unos, del rendimiento y humildad de los otros; huiré de presentar grupos de entrantes y salientes, porteros y lacayos, damas y caballeros; como igualmente de explayar las reflexiones, si bien graves, si bien burlescas, que retozaban en mi cabeza; todo ello podrá tener lugar en otro discurso, si algún día me vinieren deseos de hacerle; mas lo que es por hoy bastará para inteligencia de mi narración el manifestar que al cabo de catorce semanas de periódica asistencia a la susodicha antesala, después de ponerme al corriente de las innumerables fisonomías demandantes de la capital, y después, en fin, de hallarme medianamente versado en el lenguaje de oficio, pude conseguir en obsequio de mi protegido un decreto de N., esto es, «*Negado*»; con lo cual conocí que no era la voluntad de Dios el que yo le sirviera, y escribí al amigo que buscara otro conducto para sus pretensiones.

El trascurso de dos meses me había hecho ya alvidar de ellas, persuadiéndome de que al interesado le hubiese sucedido lo mismo, y que un primer revés le habría curado de su enfermedad: pero hube de desengañarme del todo, cuando una mañana me le encontré en mi habitación y me explicó su designio de continuar *personalmente* sus pretensiones en la corte.

Este *personalmente*, r e p e t i d o con cierto énfasis y mirándose a un espejo, me dio a conocer a primera vista la sobrada confianza que le merecía su persona, así como también la explicación de su plan me hubo de convencer de que desaprobaba el mío; en vano le di a entender que yo no conocía otros caminos que los marcados por las leyes, pues los otros más bien los creía derrumbaderos; él se rió de mi pobreza de espíritu, y me declaró solemnemente que su intención era *pretender por alto*; tal fue su expresión.

Confieso a la verdad que se me pasaron ganas de entrar en contestaciones con él sobre el sentido de esta frase: pero no me dejó lugar, pues todo se le fue en hablarme de sus méritos, encarecer sus conocimientos y ponderar sus modales, en términos que quedé firmemente persuadido de que tenía que adquirir en Madrid méritos, conocimientos y modales. Por último, para prueba de su buena estrella, y de aquel *no sé qué* que según él le acompañaban, me contó la notable adquisición que había hecho la tarde anterior, a saber, la amistad íntima contraída con un *don Solícito Ganzúa*, que *por casualidad* se había hallado presente en la posada a la hora en que él llegó.

Este personaje, hasta ahora incógnito, prendado sin duda del buen talle de mi pretendiente, y acaso también de su equipaje nada modesto, entró en conversación con él, le habló largamente de sus relaciones en la corte, escuchó con atención la benévola confesión del recién venido, y aconsejándole con el mayor desinterés la más completa desconfianza de todo el que intentase seducirle, se dignó tomar los negocios del provinciano bajo su poderosa protección, sin mediar (por ahora) otro interés que el de la simpatía con que habían simpatizado. Esto, unido a una prolija explicación de los ardides de que podría ser víctima en la corte (excepto el de los protectores aparecidos), dejó a mi buen hombre tan encaprichado en la idea de que algún espíritu benévolo se encargaba de su prosperidad, que no me pareció oportuno pensar en desengañarle por entonces. Aconséjele sí que midiese los pasos, que desconfiase de todos, empezando por su misma persona, y que tuviese presente que la ciencia de la corte no se aprende sino en la corte misma, con lo cual no pondría reparo en matricularse como estudiante en ella. Todo lo escuchó con atención, y aun prometió observarlo, pero lo hizo de una manera que consideré que sólo el escarmiento podía curarle; así que me limité a vigilar sus pasos (lo que pude hacer con más comodidad por haberse venido a vivir conmigo), y afecté una completa indiferencia, dejándole tanta cuerda cuanta consideré que necesitaba para acercarse al precipicio sin perecer en él.

Don Solícito desde entonces se hizo gran amigo de la casa, entraba y salía en ella, cuándo con una lista de vacantes, cuándo con otra de mudanzas en pronóstico; ya con borradores de memoriales, ya con esquelas recomendatorias; y luego para diferenciar le proporcionaba a mi pariente permisos para ver palacios y museos, y billetes de baile y festines: cuyos obsequios y actividad le hacían a él hallarse más complacido y a mí más receloso.

Yo guardaba el dinero de mi amigo, y esto me tenía seguro de que sin mi noticia pudiesen engañarle, y aunque observé que sus gastos iban en aumento más que regular, nada le dije, considerando que acaso su buen porte podría contribuir al logro de sus pretensiones, pues bien se me alcanzaba que en la corte el que pretende en coche tiene ya medio lograda su solicitud; y confirmábame en ello cuando le veía acompañado de personas de gran tono, o ya sentado en un palco entre seda y plumas, o tuteándose con un duque en una partida de *ecarté*. En fin, su seguridad y satisfacción eran tales, que me hacían dudar a mí mismo.

Una mañana en que mi huésped no estaba en casa vino Ganzúa, y en su semblante y preguntas creí notar cierta agitación, no disimulando lo que le contrariaba el no encontrar en casa al otro, y sí a mí; preguntóme si sabía por casualidad si mi amigo había ido a casa de doña *Melchora Tragacanto*; díjele que no sabía, tanto más cuanto que era la primera vez que el dicho nombre llegaba a mis oídos; con lo cual, y una mirada escrutadora que le dirigí, no pudo disimular su turbación, ni reparar la indiscreta falta que había cometido.

Aumentáronse mis sospechas con la llegada de un agente de cambio que venía a entregar el producto de una letra de dos mil pesos que mi pariente, sin noticia mía, había girado contra su casa y aquél había negociado. Recogí el dinero, y sólo pensé ya en buscar el hilo de aquel nudo en que se intentaba al parecer envolver a mi amigo; pero no lo h u b i e r a conseguido fácilmente si la suerte no me hubiera ayudado, y he aquí el cómo.

Un coche que paró a la puerta a corto rato, me hizo sospechar si acaso la dama vendría en persona a visitarnos, pero sólo se presentó un caballero bien portado a quien por la ventana de la escalera vi ponerse en el ojal de la casaca una cinta de honor; esta evolución no me gustó gran cosa; pero ¡cuál fue mi sorpresa cuando, saliendo a su encuentro, reconocí en él a *Perico*, mi antiguo amanuense, cuyas repetidas travesuras me habían causado en otro tiempo bastantes disgustos!

No pude contenerme, habléle con la mayor extrañeza pidiéndole explicaciones de aquella farsa, y aprovechando el anegamiento en que le había constituido

mi inesperada aparición, le pregunté con resolución quiénes eran doña Melchora Tragacanto y don Solícito Ganzúa, amenazándole con mis procedimientos si no me descubría la verdad, y ofreciéndole una buena recompensa en caso contrario.

Entonces, sin poderse contener, y mientras me pedía perdón de sus enredos, me entregó una carta abierta dirigida a mi amigo, y concebida en estos términos:

«Amiguito mío: según lo que acordamos anoche, y a fin de cumplir con quien conviene, le envío a nuestro don Judas con el pagaré que usted me dejó, para que se sirva entregarle la suma consabida, de que le dará recibo, y antes de la noche tendrá usted en su poder el resultado; rompan ustedes esta carta, y hasta la noche, que venga por acá a que le demos una enhorabuena. Su fiel amiga y desinteresada servidora, *Melchora Tragacanto.*»

Acabada que fue la lectura de la carta, Perico me refirió por menor las circunstancias de la tal señora, que eran singulares. Porque ella vivía con lujo, sosteniendo sus grandes necesidades, sin más que aparentar una protección de que absolutamente carecía, para lo cual había tomado muy bien sus medidas con los pobres pretendientes que llegaban a la corte. Entre otras tenía varios comensales distribuidos en las puertas, posadas y casas de huéspedes, los cuales, introduciéndose con los recién venidos, les brindaban su protección, adquiriéndose su confianza; luego les presentaban en la casa, y allí se ostentaba rodeada de una comparsa, a la cual repartía los papeles que la convenían, para que el pobre forastero seducido cayese en el lazo y soltase prenda.

—Podría contarle a usted —continuó Perico— varios lances sucedidos en mi tiempo, pero sólo me limitaré a decirle que su pariente es el objeto del día, y que yo era el encargado de engañarle, y de terminar esta farsa cogiéndole una cantidad que él debía negociar hoy. Pero ya que la suerte lo dispone de otro modo, ordene usted lo que yo debo hacer para complacerle y enmendar mi delito.

Grande fue mi indignación durante el discurso de Perico; pero después de reflexionar bien, parecióme que no era tiempo de desahogarle, antes sí de sacar partido de la feliz combinación que me hacía dueño del secreto de aquellos malvados; y así, dejando de tomarlo por el lado serio, combiné con el astuto Pedro una salida que pudiera castigar a la protectora y al protegido, y divertirnos al mismo tiempo.

No tardó en llegar mi buen huésped, al cual le dije que, habiéndome entregado el agente los dos mil pesos de la letra que había hecho negociar, y presentándoseme luego un caballero con aquella firma suya, se los había entregado; al mismo tiempo puse en sus manos un pliego, que supuse que el mismo sujeto me había dejado. Abriólo con precipitación, y sus ojos brillaban de alegría, entonándose y mirándome con aire satisfecho; yo afectaba la mayor indiferencia, y luego que le vi cambiar de color y conmoverse al leer el pliego me escurrí bonitamente al gabinete inmediato; pero no bien lo había hecho, cuando entró por la sala doña Melchora Tragacanto con el rostro encendido, y vertiendo contra mi amigo las más horribles imprecaciones; seguíanla don Solícito y Perico, el cual se vino a reunir conmigo al gabinete. El pintar los mutuos reproches, las invectivas que se dijeron y la bulla que armaron, sin llegar a entenderse, fuera negocio largo de referir; y ¿por qué todo ello? (Travesuras que me sugirió Perico.) Que mi huésped había encontrado en el pliego que yo le entregué, escrito en letras enormes, el siguiente motete:

De un pretendiente novicio
castigando la ambición,
le hago un notorio servicio,
pues por corto sacrificio
recibe buena lección.

Y doña Melchora, en el talego que yo la

había remitido, se encontró hasta unos cincuenta reales en monedas de a dos cuartos, nuevas y relucientes, como recién fabricadas que eran con el cuño de Segovia, y atravesada entre ellas la coplilla que aquí campa:

De una astuta cortesana
pago la faliz intriga
dándola una lección sana:
desnude a otro oveja, amiga,
que yo vuelvo con mi lana.

Después que Perico y yo nos cansamos de reír y ellos de gritar, salí de mi escondite, y dirigiéndome a ellos:

—Señores míos —les dije—. Ustedes habrán de disimularme la burleta que me he permitido hacerles, conociendo y apreciando como no podrán menos los motivos que a ello me han movido. Usted, mi señora doña Melchora, a quien hasta ahora no tuve la dicha de conocer, conserve la memoria de este suceso, tratando de buscar otros medios con que acudir a sus necesidades, sin abusar del infeliz forastero que viene a la corte, el cual, si en ella encontrara muchas como usted, creería haber entrado en una cueva de vicios y de horrores; mas por fortuna no es así, pues la vigilancia del gobierno sabe descubrir las estafas y castigarlas menos festivamente que yo lo hago, y a usted, señor pretendiente por alto, o más bien por bajo medio, sírvale de escarmiento lo pasado; y si sus merecimientos y servicios son algunos, hágalos conocer por los medios que la razón y el honor aprueban, teniendo entendido que el verdadero mérito se coloca él mismo a la altura de los honores, sin elevarse a impulso de una bajeza. En cuanto a ustedes, señores subalternos de tan pérfida intriga...

Iba a continuar, pero al volver mi cabeza a uno y a otro lado, eché de ver que me había quedado sin oyentes, pues todos habían desaparecido confusos y avergonzados.

(Noviembre de 1832.)

NOTA

Pretender por alto.—Varios de los artículos que forman la presente obrita, aunque desnudos de interés y pobres en argumento, han dado pie a tal cual autor vergonzante de comedias para enjaretar algunas, tales como *El amante corto de vista*, *Los Paletos en Madrid*, *Los Románticos*, etcétera; pero en el presente artículo sucede todo lo contrario, a saber: que él es el hijo legítimo de una pieza teatral que el *Curioso Parlante* escribió en los primeros años de su juventud (1827), y que gracias a la meticulosa censura de aquellos tiempos no logró verse representada. Titulábase, pues, dicha pieza teatral *La Señora de Protección y Escuela de Pretendientes*, y fue la primera y única tentativa dramática del autor de las *Escenas*. Como obra de un joven inexperto, y de una imaginación limitada y prosaica, adolece aquella composición de una palidez extremada, de una escasez de intriga que contrasta con lo pretencioso del argumento; a pesar de eso, el censor dramático de aquella época, don José Caballer Muñoz, en medio de su tolerancia, benignidad e ilustración, creyó descubrir en ella alguna alusiones o retratos que no convenía presentar en la escena, y llamando al autor con una deferencia y amabilidad muy propia de su carácter, procuró convencerle de la necesidad de ciertas modificaciones; pero éste tuvo el buen sentido de no convenir en ellas por el temor de dejar aún más descolorido un cuadro que ya reconocía por tal, y aún el de retirar y condenar definitivamente una obrilla que le parecía a él mismo insignificante. Hoy, llegado a la edad madura y con algún mayor estudio literario, al leer aquella débil producción, no puede menos de reconocer y agradecer el servicio que le prestó aquel ilustrado censor, no dejando correr un trabajo pueril y que hubiera en adelante avergonzado a su autor; y éste, renunciando en consecuencia al teatro, dio una prueba de prudencia y convicción de la escasez de sus medios literarios. Por lo demás, para muestra de la extremada suspicacia de la censura de aquella época, véase aquí una de las escenas que indicaba el censor como *sospechosas* o atrevidas. Hablan dos pretendientes, el uno osado y vanaglorioso, y el otro tímido y apocado.

ACTO 2.º — ESCENA 6.ª

Don Luis.—Don Sinforiano.

LUIS.   Aquí le tenemos ya.
SINF.   No hay remedio, de esta hecha
        (*paseando con entusiasmo*)
        atrapo mi señoría,
        mi uniforme, mi venera,

y me elevo a grande altura.
¡Qué placer cuando me vea
por paseos y por calles
deslumbrando de una legua,
con mi casaca bordada,
sortijada cabellera,
el sombrero bajo el brazo,
guante blanco, rica media,
y mis gafas de oro! (mueble
en tal caso de primera
necesidad). Quizás luego
de secretario me vea
de una Embajada; muy bien.
Veré a París, Londres, Viena,
volveré, como hacen todos,
hablando una nueva jerga,
preguntando si en España
se vive sin chimeneas,
qué quiere decir *caramba*,
si aún hay quien duerma la siesta,
y admirando que en París
hasta los chicos de escuela
hablen el francés... ¡Si luego
alcanzo a ser excelencia!...
¡Ah, si llego a ser ministro!
Entonces..., ¡oh!, ¡qué *maneras*
de ministro tan sublimes
tendría yo!... Con presteza
entrara en secretaría,
y con desdén y tibieza
oiría las relaciones
estudiadas y compuestas
de este y aquel pretendiente
hasta que en el medio de ellas...

*Hace lo que indican los versos sin mirar
a don Luis, que se acerca.*

LUIS.   Señor mío..., ¿no me oís?
SINF.   «Y bien..., ¿qué queréis vos?..., sea
        pronto... ¿Traéis memorial?»
LUIS.   Yo nada os pido.
SINF.   «Bien, ea, está al despacho...»
        (*Reconociendo a Luis.*)
        ¡Ay, amigo!,
        perdonad a mi cabeza;
        no os había conocido;
        ya se ve, está descompuesta,
        las malditas pretensiones...,
        y vos, ¿qué tal de las vuestras?
LUIS.   Yo, amigo, ni bien ni mal.
        Porque como las vi lentas
        y sin ninguna esperanza,
        procuré recoger velas
        y me he retirado al puerto.
SINF.   ¡Disparate!; tal flaqueza
        nunca un hábil marinero
        debe hacer; sufrir la fiera
        borrasca, vencer escollos;
        medir los abismos; esta
        debe ser su mayor gloria
        hasta ganar la ribera.
LUIS.   Ya veis, eso va en los genios,
        y el mío no se violenta.

La vida del pretendiente
es una vida perversa;
siempre sufriendo antesalas,
siempre esperando respuestas,
siempre haciendo cortesías,
siempre besando correas.
Hoy dan audiencia en Estado,
mañana se da en Hacienda,
voy a ver si a la salida
logro hablar a Su Excelencia.
«Ya salió. ¡Mala fortuna!
Mañana volver es fuerza».
Y torna a hacer memoriales
y vuelve a entregar esquelas,
siempre sembrando esperanzas
y siempre cogiendo penas;
sale mal la pretensión
y...

SINF. ¿Pero y si sale buena?
¡Qué placer puede igualarse
al que ufano experimenta
un pretendiente aguerrido
curtido por la aspereza,
cuando mira ya en sus manos
el título por que anhela!
¡Oh, fortuna!, ¡cómo entonces
le lee, le deletrea,
le besa, y contra su seno
estrechamente le estrecha!...
Yo, amigo, os puedo decir
que si en tal caso me viera
no creo me contentaba
sin bailar con Su Excelencia.

LUIS. Sí; pero eso es tan remoto...

SINF. Luego el retintín que suena
sin cesar en sus oídos
por doquier que se presenta
en paseo, en el teatro,
en misa, de «enhorabuena
enhorabuena».

LUIS.   Es verdad...

SINF. Todos vuelven la cabeza
para admirar las facciones
del ente a quien privilegia
la fortuna, y todos sienten
una emulación secreta
unida al deseo curioso
de saber quién es.

LUIS.   Bien, sea
todo como lo decís;
pero, ¿y los sustos, las penas,
que sufrió para llegar?...

SINF. ¿Quién en eso entonces piensa?
Todo se olvida... ¡Ay, amigo!,
nunca el azúcar recrea
el labio como después
de un vaso de quina buena.

LUIS. Y ahora, ¿qué pretendéis?

SINF. Ved aquí media docena
de pretensiones pendientes;
tomad, la última es ésa.
Leed.

LUIS. No, basta, no hay tiempo;
¿a ver la súplica?

SINF.   Vedla.
¿Qué tal?

LUIS.   Muy bien pretendido,
sólo falta se conceda.

SINF. Sí señor; no podrá menos,
pues digo: ¿acaso se encuentran
pretendientes del calibre
que yo presento?

LUIS.   ¿De veras
lo decís? Si a lo que creo
nunca dejasteis la aldea...

SINF. ¿Y el mérito acaso está
solamente en correr tierras?
¿Es poco servicio el mío
en llevar siempre las tierras
de los propios de la villa?
¿Haber presidido a ella
diecisiete procesiones
del Corpus y de Minervas?
¿Haber dado de mi propio
peculio nueve pesetas
para el mozo-veredero
que trajo al pueblo la nueva
del casamiento del rey?
¿Picar... desde la barrera
los novillos que corrimos
aquel día y...?

LUIS.   Todas esas
son prendas de gran valor...

SINF. Sin contar con las que quedan.
(Toca el bolsillo.)

LA POLITICO MANIA

> «Traten otros del gobierno
> del mundo y sus monarquías,
> mientras gobiernan mis días
> mantequillas y pan tierno,
> y las mañanas de invierno
> naranjada y aguardiente;
> y ríase la gente.»
>
> *Góngora.*

Pero señor, ¿todo ha de ser gravedad? ¿Todo ha de ser proclamas, y discursos, y notas, y discusiones, y cálculos, y proyectos? ¿Y no habrá de sufrir-
se que yo, menguado de mí, que no conozco al filósofo ginebrino más que de
oídas en un sermón, ni al presidente de
Burdeos más que de vista en la comedia
de la *Llave falsa*, intente colocar mis
p o b r e s razonamientos aunque sea al
abrigo del cañón de la ciudadela de Amberes? ¿O habré de estar siempre sujeto
a que mis discursos salten a cada paso
de la prensa para ceder su lugar a cualquiera disertación política que impolíti-
camente venga a tomarme la delantera?

—Sí, señor, preciso será que usted lo
sufra: no faltaba más, sino que ahora
que el aspecto guerrero de la Europa
ofrece al discurso tantas combinaciones,
ahora que los periódicos (crónicas más
o menos parciales del tiempo presente)
deben esforzarse para tenernos al tanto
de lo que ocurre desde Cádiz al Japón,
nos viniese usted con tres o cuatro columnas de observaciones crítico-filosófi-
cas sobre nuestros usos y costumbres;
eso, amigo, desengáñese usted, era muy
bueno allá en los tiempos de antaño,

cuando los epigramas de la Crónica o
los versos de Rabadán formaban acontecimientos importantes; pero ahora es
otra cosa, y no hay ya lector, por festivo
que sea, que quede satisfecho si no se
desayuna cada mañana con media docena de protocolos de la conferencia de
Londres.

—Sin embargo, señor don Zoilo, parecíame a mí que esto de la política no
es, o a lo menos no debía ser, para todas
las cabezas, así bien como ciertos ali-
mentos no son digeribles por todos los
estómagos; y, por otro lado, estaba persuadido de que el *útile dulci* del poeta
latino, y el *per troppo variare* del toscano, emblemas ambos tan manoseados de
los autores, se dirían con algún motivo.
Creía yo, ¡qué no cree la ignorancia!,
que las altas cuestiones de la política
eran tan difíciles de comprender como
de tratar, y que sólo una disposición natural y un estudio profundo podían conducir tal vez al descubrimiento de sus
arcanos.

—Pues, señor mío, debe usted convencerse de todo lo contrario, y si no,
e s c u c h e usted las conversaciones de
hombres y mujeres, de viejos y de ni-

ños, de grandes y pequeños: escuche sus reflexiones, sus discusiones y sus conclusiones; y por resultado de ellas adquirirá el convencimiento de que la política es una ciencia natural que se da espontáneamente en nuestras cabezas sin más preparativos ni sementeras; y que el gusto dominante del siglo, desarrollando en nosotros aquella natural facultad, hace de cada uno un improvisador de leyes capaz de disputas con el mismo Solón Ateniense.

—Así será bien que lo crea, pues que el inapelable dictamen de usted me lo afirma; sin embargo, y sin que sea visto contradecir en un punto su opinión, ¿me permitirá usted que le entretenga con un *verbi gratia*, que, o yo soy un bobo, o viene aquí de molde? ¿Sí? Pues óigale usted.

»Yo tenía un tío llamado don Gaspar, el cual tío era natural de Navarra, y siéndolo, podrá usted venir en conocimiento de que era navarro; quiero decir un navarro verdadero; honrado y testarudo, generoso y determinado. Los estudios de este buen señor se habían limitado a las primeras letras y algo de contar, con lo cual, y su buena suerte, tuvo la fortuna de hacer prosperar su comercio, primeramente en su provincia, y después en la corte, donde fijó al fin su residencia. Casado en ella, y con una posteridad correspondiente, había llegado en paz a la cuarta decena de su vida, pronosticando seguir el resto del mismo modo; pero la revolución de 1808 vino a alterar su tranquilidad, mudando completamente su carácter.

»Enemigo irreconciliable del invasor de España, y declarado desde luego acérrimo partidario de aquel «*no importa*» que por tantas veces ha hecho triunfar a nuestra patria de sus enemigos, no hubo en él un instante de incertidumbre, tanto sobre la verdad de su opinión, como en el indispensable triunfo de ella. Guiado por sus patrióticas ideas convirtió su casa en un receptáculo general de todos los noticiosos de Madrid; los cuales, reunidos día y noche, se complacían en tejer fábulas análogas a sus esperanzas, que a pocos instantes de concebidas pasaban por axiomas a los ojos de los

mismos que las habían formado. Y era lo más gracioso de esta escena el oírles glosar los papeles y boletines franceses, siempre por el lado favorable; v. gr., decían aquéllos:

«*En la batalla de tal, perecieron quinientos franceses.*»

»Al instante, no faltaba uno que replicaba:

»—Algunos más serán.

»Continuaba luego el boletín diciendo:

«*... y cien mil de los españoles*», y todos prorrumpían exclamando:

»—¡Ya se ve; ellos, qué han de decir!

»Asegurábase que tal plaza había sido ocupada por los enemigos.

»—Imposible.

»—Hombre, que lo dicen las cartas.

»—Se equivocan las cartas.

»—Que lo dan de oficio los periódicos.

»—Mienten los periódicos.

»Pero al fin las semanas y los meses pasaban, la noticia se confirmaba, y entonces mi tío solía decir con aire misterioso y satisfecho:

»—No tengan ustedes cuidado, eso es un ardid del Lord; tanto mejor, dejarlos que se internen.

»Y estando en esto solía entrar algún otro, a quien, dirigiéndose el saludo ordinario de: «¿Qué hay de nuevo?», no dejaba nunca de responder:

—Hombre, yo no sé; dicen que se van; dicen que vienen los nuestros.

»Con lo cual las esperanzas de toda la reunión se fortificaban, y mi tío, con el mapa delante, solía lucir entonces sus conocimientos geográficos y estratégicos, haciendo maniobrar la caballería en la cumbre del Moncayo, o acampar la artillería en medio del Guadalquivir.

»Pero, en fin, aquella época pasó, y mi tío vio realizadas sus esperanzas, si no por efecto de sus planes y combinaciones, por resultado del heroísmo de la nación entera. Parecía, pues, natural que, restituida la calma, y restablecida en Europa la paz general, tornaría mi don Gaspar a su tranquilidad primitiva, y haría prosperar su comercio con el mismo interés que en otros tiempos. Pues nada menos que eso; el demonio de la política (que debe ser un personaje principal entre los demás espíritus infernales) se había agarrado tan bien de él, que ni aun la voluntad le dejó de escaparse de sus uñas, antes bien atormentándole con sus continuas inspiraciones, le hacía correr aquí y allí buscando alimento con que satisfacerlas. Desde aquel punto y hora no hubo lugar público ni secreto de la capital que no fuese testigo de sus eternas disputas, ni bóveda que no resonase con su agudo chillido provincial.

»Levantábase al amanecer, y su primera operación era rodearse de todos los periódicos nacionales y extranjeros que podía procurarse; los primeros los leía sin entenderlos, y los segundos los entendía sin saberlos leer; quiero decir, que como ignoraba otras lenguas que la suya, sólo podía adivinar aquellas palabras que presentaban alguna analogía; con lo cual, y con los nombres propios de los generales y de las plazas, hacía su composición de lugar para formar luego su opinión; y solíale acontecer a veces tomar el nombre del comandante de un sitio por el de la ciudadela, o hacer maniobrar a un río creyéndole general de división.

»Pero luego que bien penetrado de estos antecedentes se creía en estado de poder fijar todas las cuestiones, salía a la calle, y sin más rodeos se dirigía a la Puerta del Sol, donde siempre tenía dos o tres tiendas en que ya se le esperaba con gran ansiedad para oír de su boca los proyectos ulteriores del ruso, o los secretos recónditos del inglés. Allí era el oírle disertar y argüir con sus contrincantes, haciendo trizas el mapa con más garbo que un sastre opera en una pieza de tela; allí el verle saltar montañas, adjudicar ríos, firmar tratados, pasar notas, expedir correos, reunir congresos, publicar manifiestos y manejar, en fin, la política universal desde una t i e n d a de sombrerero, teniendo por oyentes a un prestamista sobre alhajas, a un corista de la ópera, dos mozos de cuerda y tres aprendices de almacén.

»Luego pasaba a los cafés, y allí, rodeado de oficiales a medio sueldo, y de paisanos sin sueldo ninguno, ocupaba su conocido lugar, y su primera opera-

ción era pedir la Gaceta para volverla a repasar; después, tomando por base cualquiera de sus párrafos, empezaba la discusión, unos en pro y otros en contra, asegurando todos que los motivos en que fundaba su opinión los sabían *de muy buena tinta*, citando autoridades tales, que cualquiera hubiera creído que habían cenado la noche anterior con el rey de Francia o con el emperador de Rusia; hasta que cansados de estragos y mortandades, se separaban en distintas direcciones, encaminándose unos al patio del correo a ver si era cierta la salida del extraordinario, otros al gabinete de lectura a cielo raso de la calle de la Paz, cuál a las tiendas de la calle de la Montera, cuál, en fin (y este era mi tío), a la escalera de Palacio, a ver subir y bajar los magnates; y agurar por las arrugas perpendiculares o transversales de sus semblantes lo que pasaba en lo interior del gabinete.

»Verificadas todas aquellas correrías, se retiraba a comer a su casa, y ni la tierna solicitud de su esposa ni las gracias amables de sus hijos le conseguían sacar de aquella abnegación, de aquella cavilosidad que constituían ya su estado favorito. Tal vez, sin embargo, entraba en su casa abatido y lánguido; su familia, sobresaltada, le preguntaba la causa de su tristeza, y no le dejaba hasta que había declarado que la motivaba el rompimiento de la guerra entre la Rusia y la Persia. Otras veces volvía lleno de alegría, y averiguada la causa, sabíamos que era nada menos que la mudanza del ministerio dinamarqués.

»Por la tarde salía rodeado de dos o tres amigos de su mismo carácter, y paseaban por sitios extraviados y solitarios, parándose a cada momento y disputando a voces sobre la navegación del Escalda o sobre las fronteras de Hungría. De allí venían a nuestro país y hacían caer a su antojo todos los magnates, sustituyéndolos inmediatamente por otros; luego decían en confianza los proyectos de decretos de todo el año corriente y toda esta máquina continuaba después en el café, sazonada con un bol de ponche, o en la tertulia, entre jugada y jugada del ajedrez.

»No hay que decir que los negocios particulares de mi tío decayeron a medida que se había ido ocupando de los negocios públicos, siendo tanto más chocante cuanto que, a pesar de que su mujer, en vista de su debilidad, quiso sacar partido de ella excitándole a pretender algún empleo, él nunca vino en ello, porque decía que no quería sujetar su opinión ni depender de ninguna influencia. Mas por de pronto aquello que él llamaba independencia y franqueza le valió tres o cuatro delaciones, en virtud de las cuales tuvo que saltar de un punto a otro sin que en ninguna parte dejase de perseguirle su inconcebible manía. Por último, agotadas sus fuerzas morales y físicas con tanto discurrir y tanto sufrimiento, adquirió una enfermedad cerebral que dio con él en el hospital de Toledo, adonde se entretuvo hasta su muerte en componer un periódico para uso de los demás locos, que si he de decir verdad, podía pasar por cuerdo al lado de algunos que alcanzamos a ver hoy.

»Quedé, pues, por tutor de sus hijos menores, y haciendo el inventario de los bienes, encontré una larga relación de acreedores, y un sistema completo de amortización de la deuda pública; dos o tres papeles sobre la paz interior y un pleito de divorcio con su mujer; tres o cuatro libros de filosofía y una pistola, que, según él repetía, era para cuando se hubiese cansado de vivir; un tratado general de educación pública y cuatro muchachos que no sabían leer; un...

—Basta, basta —interrumpió vivamente don Zoilo, con el rostro encendido y la voz trémula—; basta que usted me haya bosquejado las principales escenas de mi vida; no se complazca usted en presentarme las que sucederán después de mi muerte.

—Yo, amigo, no intenté...

—Conozco la sana intención de usted, estoy convencido de que de ninguna manera fue la de retratarme; pero, ¡ay, amigo mío!, me ha presentado usted un espejo y me he mirado en él: ¿quiere usted más?

—Pues si ello es así, debo felicitarme por la conmoción que usted manifiesta, y que no dejará de producir su resultado.

—Sí, amigo, desde este momento veo que mis ideas toman otro giro, y si bien no renuncio al interés que todo ser bien organizado debe sentir por la felicidad de su país y del mundo entero, trataré de apartarme de cuestiones ajenas a mi obligación y a mi capacidad, procurando aplicar los buenos principios al gobierno de mi familia, y contribuyendo de este modo al orden y la felicidad pública.

—Entonces no pude contenerme, y abrazándole arrebatado exclamé:

—¡Ay, amigo mío, si todos me entendieran como usted!

(Diciembre de 1832.)

NOTA

La Político-manía.—Queda dicho en una de las notas anteriores que la serie de estos artículos de costumbres, comprendida desde el primero hasta el del Campo Santo inclusive, fue publicada en la única revista literaria de la época (1832) y titulada Cartas Españolas. La grave enfermedad del rey Fernando VII, en septiembre de aquel año, y la caída del ministerio de los diez años, la amnistía y la gobernación temporal de S. M. la Reina, inauguraron en España la nueva era política que, tomando después tan rápidas y diversas faces, cambió completamente los hábitos y condiciones de nuestra sociedad. En esta época de agitación febril y de bruscas transiciones en las costumbres y usos populares, le tocaba describir éstos y procurar corregir aquéllas al festivo y poco profundo autor de estos cuadros; y no sabiendo o no queriendo matizarlos con los colores fuertes de la época, y ni aún darlos a luz en periódicos que tenían ya el carácter de publicaciones políticas y de partido, se dispuso a suspender su agradable tarea; así que en 1 de diciembre de dicho año 32 se convirtieron en Revista Española las antiguas e inofensivas Cartas, renunciando espontáneamente no sólo a la mayor publicidad de sus escritos, sino al interés material que de ellos podía prometerse. Este sistema ha seguido el autor con tan rara constancia, que no ha querido jamás pertenecer a ninguna redacción política, prefiriendo publicar sus escritos en periódicos como el *Diario de Madrid*, el *Semanario Pintoresco* u otros así completamente extraños a las circunstancias. Sin embargo, no pudo separarse de la *Revista* tan pronto como deseaba, y aunque limitándose a esta sección literaria, consiguió en ella algunos artículos que son los que van comprendidos desde el de *Pretender por alto* hasta el de la *Casa de Cervantes* inclusive, publicado en abril de 1833; y ya en ellos se nota alguna mayor libertad en sus tendencias, aunque procurando huir de las agitadoras de la época. Pálido es, sin duda, por ejemplo, el argumento del titulado *La político-manía;* pero a vueltas de su palidez se descubre ya en él la fisonomía que tomaban las costumbres, a par que la meticulosidad del autor, y su disgusto por hallarse en las columnas de una publicación política, «*al abrigo del cañón de la ciudadela de Amberes, o entre media docena de protocolos de la conferencia de Londres*», sucesos ambos que por entonces llamaban la atención de la Europa política y llenaban, por consecuencia, las páginas de los periódicos. Por lo demás, ¡qué diverso aspecto ofrecía aún una sociedad donde este vicio naciente podía combatirse con paños templados y suaves emolientes como el presente artículo, y quién le había de decir al autor que en el transcurso de pocos años había de cambiar aquélla hasta el punto de producir la incisiva sátira de *Fígaro*, la penca de *Fr. Gerundio*, los dardos del *Jorobado*, del *Mundo* y la *Posdata*, y los rayos y centellas del *Guirigay* y del *Huracán*!

EL AGUINALDO

«*Omnia tempus habent,
et habet sua tempora tempus.*»

(Traducción suelta:)

«Cada cosa en su tiempo,
y los nabos en adviento.»

El erudito Mr. de Jouy consagró un capítulo de su preciosa obra de *El Ermitaño* a describir la costumbre de los estrenos *(etrennes)* o regalos de año nuevo que tan en boga está en Francia y en otros países, y razonando sobre ello con su profunda erudición, pretende probar que aquel uso viene de Tacio, rey de los sabinos, a quien en un día de año nuevo se había hecho el presente de algunos ramos consagrados a Strinuo, diosa de la fuerza, lo que parece que aquel señor hubo de tomar a buen agüero. Por qué tanto aquel año fue para él muy dichoso, y en justo agradecimiento autorizó la usanza de los dichos regalos en lo sucesivo llamándolos *strenoe*, de lo cual positivamente viene la voz francesa *etrennes*, y la castellana *estrenos*, que han usado en igual sentido nuestros autores.

Pero esta voz ha perdido entre nosotros su uso casi del todo, sin duda porque la costumbre a que se refería ha caducado también, pues si bien es cierto que aún se conservan algunos regalos de principio de año, a consecuencia de la burlesca ceremonia, aún bastante generalizada en las tertulias, de sacar a la suerte en la víspera de año nuevo parejas de hombre y mujer, sin embargo, puede considerarse como desacreditada semejante costumbre (especialmente en Madrid, donde hablamos), si bien en su lugar tenemos otra ocasión de lucir nuestra generosidad pocos días antes, en las dádivas llamadas de *aguinaldo*, con que solemos endulzar la memoria del nacimiento de nuestro Redentor.

Que sea uno mismo nuestro *aguinaldo* que *les etrennes* franceses, lo asegura por mí un autor acreditado cuando dice: «*Y por ser a cuatro días de mi llegada día de año nuevo, cobré mi aguinaldo de los señores de aquella corte.*» Mas si la costumbre es la misma, la palabra tiene distinto origen. Tal lo siente el famoso Covarrubias cuando la hace venir de la voz arábiga *guineldun*, que significa regalar, o de la palabra griega *gininaldo*, que vale tanto como regalar en el día de natalicio. Mas sea de ello lo que quiera, es lo cierto que con la voz *aguinaldo* (o *aguilando*, como dicen en algunas provincias) designamos generalmente todos los presentes que se hacen desde la víspera de Navidad hasta la Epifanía, y que esta es costumbre bastante general para haberla de pasar por alto.

Ahora bien, ¿cómo se verifica esta costumbre? ¿Consiste acaso como en Francia (según nos la describe el ya dicho Ermitaño) en un cambio mutuo de todo lo que la perfección de las fábricas, el genio de los artistas o el buen gusto de los literatos ostentan a porfía en ocasión semejante? ¿Invéntanse para ello nuevas telas, alhajas y muebles primorosos, libros llenos de ingenio y agudeza? ¿Pónense en movimiento grandes capitales destinados a vivificar las artes y el comercio, o a hacer florecer la literatura y las ciencias? ¿Amenízase el todo con sales epigramáticas, composiciones sublimes o cartas llenas de ternura y sensibilidad? Vamos a verlo.

En el año de 1824 tenía yo en mi casa un alojado francés, oficial de la guardia real, el cual, por razón de cierta herencia habida de una tía suya casada en Alicante, permaneció en España más tiempo que el ejército, lo bastante para poner en claro la testamentaría (cosa que no era tan fácil como parece), y con este motivo, y siendo además de un natural amable y amigo de la sociedad, hizo relación con muchas personas de todas clases que le recibían en su casa con la mayor complacencia. Las aventuras particulares de este francés son cosa de que más de una vez he querido hacer partícipes a mis lectores, y que servirían ahora de clave para entender mejor este discurso; pero como de esas cosas me faltan que decir y hallarán su colocación cuando menos se piense. Mas contrayéndome por ahora al objeto del día, sólo diré que acercándose el fin de aquel año, y deseando mi parisién corresponder con aquellas personas a quienes debía obligaciones o amistad, de un modo relativo a su clase y circunstancias, consultó conmigo sobre *les etrennes* que debería regalar, y como él desconfiaba de saber hacer por sí las compras, vino a proponerme sus intenciones, a saber.

En primer lugar, a cierto personaje a quien él debía singular protección y benevolencia, le destinaba una primorosa colección de clásicos de la literatura francesa; a una señora, cuya influencia le había servido de notable recomendación, le ofrecía un precioso artificio de pájaros disecados sobre flores y frutas trabajadas en cera; a su abogado defensor, dedicábale una caja de ébano que contenía los códigos franceses e ingleses; al agente de sus negocios, le brindaba un semanero con registro de agenda para todos los días del año; a la esposa del escribano, media docena de cuadros copias de Vernet, con sendos marcos de relumbrón, y, por último, a la causa de su tormento, un primoroso libro encuadernado en mosaico que contenía las poesías más sentimentales de Lamartine.

No pude dejar de sonreirme al escuchar tales propuestas; mas sin replicarle una palabra, parecí conformarme con su idea y me encargué de la compra.

Por supuesto pueden venir en conocimiento mis lectores de que en vez de dirigirme a fábricas y librerías hice rumbo hacia los portales de la plaza y calle Mayor, tocando, empero, al paso en ciertas tiendas de ultramarinos adonde sabía poder encontrar lo necesario para mi objeto. Y verificados que fueron mis ajustes, torné a mi casa, donde ya me esperaba el oficial con seis o siete cartas redactadas en el interín, cuáles en prosa a la Chateaubriand, cuáles en verso a la Víctor Hugo; y todas alusivas a los diferentes objetos que remitía. Verbi gracia, empezaba la del personaje: «La voz de la sabiduría busca los oídos del sabio; permitid, señor, a los autores clásicos de nuestra literatura que vayan a acogerse bajo la superior inteligencia de usted.» Y en esto entraban ya por la sala tres mozos cargados con seis barriles de Peralta, Pedro Jiménez, Manzanilla y otros diferentes autores.

Seguía la de la dama diciendo:

Símbolo de ternura y de amistad,
ellos, señora, al dirigirse a ti,
de un corazón sensible a tu bondad,
la gratitud expresarán por mí.

Y a este tiempo ocuparon la sala media docena de pavos y otra media de capones cantando un *tutti* parecido al final de un primer acto.

Empezaba la del abogado diciendo: «La ley de todas las naciones...», y sin dejarle proseguir le presenté un precioso bolsillo que contenía una cincuentena de escudos. Proseguía la del agente: «Trescientos sesenta y cinco días bien empleados...», y a este tiempo hice sacar de las alforjas del conductor treinta docenas de chorizos; pero éste me hizo ver que me había equivocado en la cuenta, pues faltaban cinco piezas para todo el año. Venía después la carta de la mujer del escribano, y lo mismo fue ver que se hablaba en ella de cuadros, que al instante hice salir una colección de ellos capaz de guarnecer la más amplia despensa. Por último, al prorrumpir con la carta de la querida en la mano: «¿Qué podré yo dedicar a la virgen de mis primeros amores que reúna en más alto punto la sensibilidad y el gusto más delicado?» «Una caja de mazapán de Toledo», exclamé yo, con entusiasmo, poniéndola sobre la mesa.

Hasta aquí pudo llegar el sufrimiento de mi buen francés, el cual, saltando en medio de la sala, y con voz estentórea, apoyada por el bajo continuo de los pavos, exclamó:

—¿Cómo? ¿Qué es esto? ¿Usted pretende ponerme en ridículo?

—Nada menos que eso, amigo mío —le contesté yo con gran calma—: antes bien, trato de evitárselo a usted; además que yo creo haber cumplido con sus intenciones. Usted me encargó una colección de autores clásicos, ¿y no lo son Pedro Jiménez y demás? Unas aves disecadas, ¿pues qué les falta a ésas para serlo? Un código de leyes; yo le ofrezco un bolsillo lleno. Un semanero, ¿y cuál más a propósito que una cuelga de chorizos? Una colección de cuadros, ¿y no lo son también los del tocino? Una obra de ingenio: pues bien, según mi dictamen, pienso que lo es una caja de mazapán. Pero dejando a un lado las chanzas, amigo mío, ¿parécele a usted que estamos aquí en París? ¿O piensa que en circunstancias semejantes nos pagamos por acá de libros y de monadas? No, sino eche usted un pedazo en el puchero, y verá qué caldo sale. Nada de eso, no, señor; todas esas son ideas románticas que aquí no pegan, porque nosotros (a Dios gracias) estamos por el género clásico. Estas obras y artefactos son muy santos y muy buenos, sí, señor; pero no podrían sacar a un hombre del apuro del día, y así lo agradecerían los regalados como por los cerros de Úbeda. Y si no, véngase un par de horas por esas calles de Dios, y verá cómo todos piensan de este modo; recorra usted esas confiterías, y observarálas preñadas de obeliscos y templetes (pruebas felices de nuestra arquitectura); verá en las diversas piezas de dulces y mazapanes la imitación de la naturaleza tan recomendada de los artistas; desengáñese usted; estos y no otros cuadros necesitamos en nuestras galerías. ¡Estatuas! ¡Pinturas! ¡Producciones raras de los tres reinos! ¡Bravo! Asómese usted a ese balcón y verálas cruzar en todos sentidos, pero sólo del reino animal y algunas pocas del vegetal para la colación de Nochebuena; en cuanto a piedras, ¡fuego! Cómaselas quien las quiera. Mire usted, mire usted todos esos mozos qué cargados van; pues todo lo que llevan es producto de nuestras fábricas; vea usted: chocolate..., longanizas..., confitura..., turrón..., ¡y luego dirán que no hay industria! Pero acabemos de una vez; venga usted conmigo, y observe lo que sea digno de observar. —Y no hubo más, sino que agarrándole del brazo di con él en medio de la plaza Mayor.

Pasmado se hallaba el bravo oficial al considerar toda aquella provisión de víveres capaz de asegurar a la población de Pekín, y bien que acostumbrado al redoble del parche o al estampido del cañón, todavía se le hacía insoportable el espantoso clamoreo de los vendedores y vendedoras de dulces y frutas; el pestífero olor de los besugos *vivitos de hoy*; el zumbido de los instrumentos rústicos, zambombas y panderos, chicharras y tambores, rabeles y castañuelas; el monosílabo canto de los pavos y las escalas de las gallinas, que atados y confundidos en manojos cabeza abajo, pendían de los fuertes hombros de gallegos y asturianos; el rechinar de las

carretas que entraban por el arco de Toledo henchidas de cajones, que en enormes rótulos denunciaban a la opinión
pública los dichosos a quien iban dirigidos; la no interrumpida cadena de aldeanos y aldeanas, montados en sus pollinos, que se encaminaban a las casas
de sus conocidos de la corte a pasar las
pascuas a mesa y mantel, en justa retribución de una cantarilla de arrope o
una cestita de bollos que traían de su
lugar; el eterno gruñir de los muchachos, cuál porque un mal intencionado
le había picado el rabel, cuál porque
un asesino le había llevado de un em-
bión entrambas piernas del pastor del
arcabuz, o de la charrita de Belén; y,
en fin, el animado canto de los ciegos
que entonaban sus villancicos delante de
las tiendas de beber.

—¿Cómo —exclamaba el extranje-
ro—, y es esta la nación sobria y taci-
turna?

—Esto sin duda, pero *dolce è dissi-
pare in loco,* y algún día en el año habíamos de hacer traición a nuestro *inevitable* puchero y nuestra eterna prosopopeya.

—¿Mas cómo puede llegar a consu-
mirse toda esta provisión, que parece
destinada a sostener un sitio de cuatro
meses?

—Yo le diré a usted. Dedicándose todos a la gastronomía durante las vaca-
ciones; reproduciéndose casi todos los
días los convites de familia; poniéndose unos a otros en contribución de aguinaldo para sostenerlos; aumentándose
notablemente la población de Madrid
con el refuerzo de los lugares circunvecinos, y dando rienda suelta para comer
y cenar a soldados y muchachos. ¿Y
en tales momentos pretende usted que
se aprecien los obsequios que usted
preparaba? No, amigo mío, sea usted
romano en Roma; expida desde este
central depósito aves y turrones; omi-
ta el acompañarlos con elegantes misi-
vas; que si ellos fueren de ley, ellos
hablarán por usted, y si son malos, todas las epístolas de Cicerón no basta-
rían a hacerlos buenos. Recorra después
las casas de los obsequiados, y verá que
toda la alegría del licor malagueño se
ha trasladado a los semblantes, y toda
la dulzura del mazapán se ha comuni-
cado a los labios.

(Diciembre de 1832.)

LAS TRES TERTULIAS

«Con estas cosas que digo
y lo que paso en silencio,
a mis soledades voy,
de mis soledades vengo.»

Lope de Vega.

Yo no sé si fue el temor de la niebla que cubría nuestro horizonte, o de la más espesa aún que la etiqueta y el fastidio extienden sobre nuestras sociedades cortesanas, lo que me determinó noches pasadas a subir a visitar a mi vecino don Plácido Cascabelillo, de quien ya tienen conocimiento mis lectores. Y como para ello no tenía que aguardar a que diesen las once, ni que ocuparme durante dos horas en el pulimento y adorno de mi persona, no hubo más, sino que a cosa de las siete, y según me encontraba vestido, pillé la escalera y me presenté en casa del vecino.

No fui, sin embargo, el primero, pues que ya se hallaban sentados en agradable círculo en derredor del brasero casi todos los individuos que componían la tertulia, de los cuales fui recibido con grandes muestras de contento, haciéndome el amo de la casa los honores de recién venido, escarbando la lumbre, en tanto que los demás estrechaban su formación para darme asiento dentro de la rueda.

No se puede negar que un brasero defendido por diez o doce personas, to-

das alegres, todas amables, y sin grandes pretensiones, es una de las cosas que inspiran mayor confianza, y dan rienda suelta al natural ingenio para desenvolverse sin aquellas trabas que la afectación, el orgullo y el falsamente llamado *buen tono*, suelen imponerle. Todas las palabras (excepto algunas justamente proscritas en cualquiera sociedad) son allí buenas para expresar los conceptos; los chistes familiares, los modismos del lenguaje esmaltan a cada paso la conversación, prestándola un carácter nacional y sin el desdichado sabor de extranjerismo de que adolece en el gran mundo; en una sociedad de esta clase, los melindres desaparecen, las exageradas obligaciones de la moda tienen un aspecto ridículo, los sentimientos naturales se manifiestan sencillamente, y el amor, la amistad y la alegría se ostentan con franqueza sin temor de la censura ni del sarcasmo.

Tal era el cuadro que presentaba la reducida tertulia de mi vecino; ni allí una dama se sentía *vaporosa*; ni a un caballero se le permitía *secarse*; ni para designar aquella reunión se la llamaba *soirée*, ni *círculo*, ni a la sala *salón*;

ni nadie se avergonzaba de hablar español; ni de no conocer a París más que en el mapa; ni de dejar su sombrero a la entrada, ni de tomar la mantilla a la salida; todo eran franqueza y alegría; y como la coquetería y la envidia no habían podido aún penetrar en aquel modesto recinto, los amantes se consideraban felices, y el espectáculo de sus sencillos amores divertía a los demás.

Una hora había ya que yo permanecía en aquella agradable escena cuando acertó a entrar doña Dorotea Ventosa, viuda joven de cincuenta años (cumplidos en 1825), señora de gran tono y de numerosos adoradores, que suspiran por los bellos ojos de su bolsillo; señora cuyo crédito se extiende desde el Salón del Prado hasta la misma puerta de la Vega, y señora, en fin, muy de mi conocimiento, y cuya historia sabrá el lector algún día.

Entró con aquel aparato con que una *prima donna* suele presentarse a cantar su aria después del coro que la precede; toda la sociedad se dispuso en alas para recibirla; y la recién llegada, previa la ceremonia de dejar su capa y su pelliza, y de arreglar su chal y su sombrero, se adelantó a recibir aquellos homenajes, dispensando a la media rueda de señoras sendos besos en las mejillas y dedicando a los caballeros una afectada cortesía y sonrisa.

Instalada aquella nueva interlocutora, tomó de derecho la palabra, y nos habló de los sucesos del gran mundo (que eran para ella el Salón del Prado, la ópera italiana y dos o tres casas de juego); y cuando ya creyó que había excitado la admiración y la envidia general, propuso una partida hasta las diez, hora en que tenía que marchar a otras tertulias. Inmediatamente don Plácido hizo poner la mesa en el gabinete, y principiaron un tresillo a cuarto el tanto, no sin oposición de doña Dorotea, que jugaba con guantes para no ensuciarse los dedos.

Mas el germen de discordia que la viuda había arrojado en nuestra plácida reunión no se separó con ella, antes bien, manifestándose en voz baja, empezaron unos a censurar su afectación y vanidad; otros, a reír de sus flores y dijes; cuál, a contar anécdotas picantes de las sociedades a que ella dijo concurrir; cuál, en fin, a manifestar desdén por ellas. Por último, nuestra inocente conversación se convirtió en amarga sátira, y esto empezó a desagradarme, tanto más, cuanto que públicamente acababa de aceptar la propuesta de doña Dorotea de presentarme aquella noche en casa de la baronesa de..., por lo cual no dejaron de darme broma.

Aquella nube desapareció sin embargo muy luego, y la calma volvió a restablecerse, con lo cual, y con unos cuantos juegos de prendas, cuyo único interés consistía en decirse secretos al oído, tornó a renacer la alegría y el contento en todos los corazones.

Mas para que se vea que no hay dicha en este bajo mundo sin su poco de azar, por qué tanto una de las viejas hubo de tener la mala tentación de invitar a cierto don Calixto, de menguada memoria, a que luciese un poco sus habilidades a la guitarra; y he aquí a toda la sociedad pendiente de aquellas mal templadas cuerdas y peor dirigidos dedos, y aguzando los oídos para no perder un punto de aquella maravilla.

El nuevo *Sor* ocupó media hora larga en retocar clavijas, probar bordones y saltar primas, de las cuales por dicha fue a parar una a los ojos de la vieja, su apasionada, entre la mal reprimida risa de todos los circunstantes; después nos obsequió con tres escalas en *sol* y una en *fa*, cuatro arpegios y tres ejercicios de mano izquierda; hasta que colocándose bien en la silla y marcando con el pie los compases, improvisó un vals del *Barbero de Sevilla*, otro conocido por *el de las Fraguas* en *La pata de cabra* y un rondó obligado (música del célebre maestro *Paquete*) capaz de arrancar lágrimas de desesperación; pero subió de todo punto nuestro entusiasmo cuando, después de otro repique general de clavijas y de dos o tres hondas toses, entregó su voz al viento con unas seguidillas intermediadas de matraca, y luego, pasando al estilo patético en las dos canciones de *Horror me da el día* y *La sombra de la noche*, aca-

16

bó de arrancar largos y pronunciados aplausos de manos y pies.

Sin embargo, yo, satisfecho de tan buen ratito, me escurrí sin ser notado a mi cuarto para vestirme convenientemente, a fin de acompañar a doña Dorotea; hícelo así, y como luego me manifestase ésta que era muy temprano para ir a casa de la baronesa, y que antes debíamos tocar en cierta tertulia donde no faltaría campo a mis observaciones, nos despedimos de aquella amable reúnión, y tomando el coche de doña Dorotea nos dirigimos a la otra sociedad.

Era ésta en casa de un personaje de alta importancia, a quien mi viuda compañera intentaba recomendar cierto pretendiente joven, del que hablaremos en tiempo y lugar. La multitud de caballeros, excesiva respecto al número de señoras, me hubieron desde luego dado a conocer una tertulia de cálculo, así como la deferencia y respeto gradual de los concurrentes me impuso al momento de quiénes eran el amo de la casa, su señora, hijos, parientes y confidentes.

El primero, sentado cerca de la chimenea, se hallaba rodeado de tres o cuatro graves personajes, los cuales aguardaban a que él hablase para sentirse exactísimamente del mismo parecer, y aun comentar sus discursos citando a cada paso algunas de las palabras del señor; si tal vez éste se levantaba a recorrer la sala, todos se alineaban para abrirle paso, haciéndole una cortesía los más viejos, los jóvenes componiéndose el cabello, las niñas regalándole una sonrisa, e interrumpiendo por un momento su conversación *de ordenanza* con los oficiales de la guardia, y éstos ostentando un continente marcial. El buen anciano se detenía un momento en cada grupo, tomaba parte en las conversaciones, animaba a todos con su benevolencia, y todos se lisonjeaban de haber fijado exclusivamente su atención.

Algo más allá, la señora de la casa presidía una mesa de *ecarté*, con gran aplauso del triple círculo de mirones, que encomiaban a cada paso su destreza y generosidad. Las señoritas, en otro lado, recibían los homenajes de los brillantes jóvenes, que se esmeraban en ostentar su gallardía como un título de recomendación para inclinar a papá en favor de sus pretensiones; las amigas y amigos de la casa hablaban aparte con los presentados, los introducían en el círculo del señor o de la señora, referían en público sus gracias y los colocaban en posición de lucirlas.

Con tan delicada intención procedió doña Dorotea con su recomendado, buscando el modo de hacerle cantar una magnífica aria del *Mahometo*; luego haciéndole tocar una sinfonía de Meyerbeer, y después promoviéndole sus conversaciones favoritas, para que luciese la expedición de su lengua y el brillo de sus grandes ojos árabes, con lo cual toda la tertulia quedó prendada del mancebo; el señor se informó de sus cualidades; la señora alabó sobremanera su hermosa voz; las jóvenes felicitaron a doña Dorotea, no sin algunos asomos de malicia, y ésta aseguró al galán que más había ganado aquella noche que en tres años de antesalas y audiencias.

Serían las doce dadas cuando, concluída la misión de doña Dorotea, determinó que pasáramos a la otra tertulia, y con efecto, no tardamos en verificarlo. Mi presentación se verificó en debida forma; mi introductora y yo atravesamos el salón, y dirigiéndonos a la señora de la casa, pronunciamos las simultáneas palabras de estilo, interpoladas con las cortesías propias del ceremonial, con cuyo brevísimo introito quedé instalado solemnemente, y pude dirigirme adonde me pareció.

La elección no era dudosa: guiado por aquella inclinación natural hacia las hijas de Adán, propia y común a todos los hijos de Eva, empecé mi reconocimiento por aquéllas, dando una vuelta disimulada en derredor de la sala, y pude, con auxilio de mi doble anteojo, ponerme al corriente de las diversas fisonomías y sus fechas respectivas; luego me introduje (siempre con la misma precaución) en los grupos de los jóvenes que formaban en el centro del salón; y de las conversaciones de los unos y de las sonrisas y cuchicheos de las otras, formé mi cuadro general, al cual iba prestando episodios según la casualidad me los iba ofreciendo. Pero a corto rato de recogerlos eché de ver que todos eran idénticos, y que no había por qué tomarse aquel trabajo.

Por ejemplo: uno de los jóvenes del grupo general flechaba su anteojo hacia donde le parecía bien, y apartándose luego de sus compañeros, se adelantaba con cierto aire de satisfacción, ya jugando con los sellos del reloj, ya con entrambos pulgares pendientes de las bocamangas del chaleco; poníase delante de cualquiera señorita, y mirándose de paso a un espejo que solía caer perpendicular sobre el peinado de ésta, la dirigía con aire distraído e indiferente cuatro palabras (no las más puras por cierto, ni las mejor escogidas), y mientras aguardaba la respuesta, continuaba su operación de arreglarse el cabello o la corbata, o bien se hacía aire con el abanico de la niña. Persuadíame yo de que ésta, ofendida de aquella grosera presunción, respondería con altivez a las altiveces del galán; pues nada menos que eso; la mayor amabilidad, el mayor gracejo, la más encantadora sonrisa, y si aquél, animado por ella, prorrumpía en un concepto atrevido, sólo se le interrumpía con un «¡qué malo es usted…!», mas pronunciado con cierta indulgencia que no movía a lástima del hablador.

Pero ya éste, embriagado con el triunfo de aquella escena, se incorporaba al círculo de sus camaradas para recibir sus aplausos, o bien se dirigía al otro extremo de la sala, y colocándose al lado de otra joven la dirigía, ¡qué falacia!, las mismas expresiones que a la anterior; mas como en este mundo todo se halla compensado, mi indignación cesaba al escuchar que aquélla estaba dando las mismas respuestas a otro interlocutor que ocupó el lugar del primero. Esta regla de conveniencia general presidía en toda la tertulia, y solamente se exceptuaba de ella alguno que otro joven, o más tímido o menos petulante, que dejaba ver en su semblante las emociones del verdadero amor; pero éstos eran por lo regular el objeto de los secretitos burlones o de las risas improvisadas de las niñas; así bien como algunas de éstas, menos determinadas, yacían en los rincones, sin que ninguno las dirigiese la palabra.

Todo lo observaba yo en silencio; mas como las observaciones no son agradables hasta el punto en que se comunican, no pude resistir al deseo de hacerlo, y dirigiéndome a un caballero que tenía al lado le hice partícipe de ellas, y hablé tanto, que apenas le dejé manifestar su opinión. Después, suponiéndole antiguo en la tertulia, le fui preguntando los nombres de algunos y algunas de los que más me habían llamado la atención; pero de todos respondía no conocerlos, con lo cual quedé penetrado de que era allí tan novicio como yo; mas estando en esto, un lacayo que vino a comunicarle una orden de la señora me dio a conocer que era nada menos que el amo de la casa.

Castigado, pues, con este suceso, me replegué al lado de doña Dorotea, la cual con su natural locuacidad me disipó ciertas dudas que me habían asaltado durante la noche; ella me hizo ver que aquello que yo llamaba atrevimiento y grosería no era otra cosa que aire de mundo y de gran tono; que el amor que yo creía aún vendado, hacía ya tiempo que veía muy bien, y sabía por dónde iba; ella disipó mis temores respecto a las incautas jóvenes; ella me convenció de que la ficción sistematizada era una de las perfectibilidades sociales; que el ardor de las pasiones y la animada expresión de la alegría eran propios de las almas comunes, y de ningún modo convenientes en las reuniones de buen tono; que para lucir en ellas sólo eran necesarios una buena dosis de presunción y el correspondiente desenfado; que hoy día, para no parecer ridículo, es preciso serlo; que la moda había autorizado algunas que yo llamaba descortesías, tales como dejar solas en la sala a las señoras; negarse a bailar; permanecer sentados afectando indiferencia; equivocar las contradanzas; llevar siempre una misma pareja; y otras muchas cosas, a las cuales llamaba doña Dorotea *darse tono*.

—Pues si es ello así —repliqué yo—, ¿cuál es el aliciente que puede atraer a una diversión donde nadie se divierte; a un baile donde no se baila; a una sociedad donde apenas se habla; donde todo es aparente, y donde ni los genios, ni las figuras, ni la clase, ni las palabras representan su valor positivo? ¿Qué encanto, pues, es el que reúne a esa sociedad?

—Ahora lo verá usted —me dijo doña Dorotea tomándome de la mano, y llevándome a una salita inmediata. La dificultad que experimentamos para penetrar en ella, me hizo conocer que allí estaba la sección central de la tertulia, y que lo que había visto hasta allí no eran sino las subalternas. Y, en efecto, después de un largo y sostenido ataque, llegué a penetrar hasta una mesa circundada por numerosos grupos de cabezas, verdadera caricatura de Boilly, en cuyas expresivas facciones reconocí toda la colección de mamás y de maridos, ciegamente ocupados en correr tras una sota o un caballo, en tanto que hijas y esposas se esforzaban en la sala a salir al paso de los caballeros en un *baile ruso*, capaz de hacer sudar a las orillas de Neva, o en una *galopada*, más propia de un camino real que de un salón.

Todos estos antecedentes, unidos al consiguiente de ser ya las dos de la mañana, sin que nuestras desmayadas fuerzas tuviesen otra perspectiva de socorro que seis vasos de agua pura y serenada que campaban en la antesala, empezaron a alterar mi humor, y me obligaron a invitar a doña Dorotea a que diésemos la vuelta; hicímoslo así, y por colmo de mi pesadumbre tuve la desgracia de medio reñir con ella, porque la dije que de las tres tertulias *de confianza, de respeto* y *de gran tono* que habíamos visitado, ninguna me había ofrecido reunidas aquella franqueza delicada, aquella finura verdadera, aquel encanto irresistible que sólo se encuentra en la reunión de personas amables e instruidas, exentas a un mismo tiempo de una exagerada pretensión, de un bajo interés, y de una nulidad insustancial.

(Enero de 1833.)

EL EXTRANJERO EN SU PATRIA

> «La cántara conserva largos días el gusto y el olor del primer licor de que se llena, y la primera edad decide casi siempre de nuestro carácter y afecciones.»
>
> *Meléndez Valdés.* - Disc. forenses.

Preparábame a sentarme a la mesa a la hora acostumbrada, cuando de repente un fuerte campanillazo hirió mis oídos. Abrese la puerta, y un caballero muy elegante se dirige a mi habitación a largos pasos, y en llegando a ella, y delante de mí:

—¿Es á Mr. de... —me dijo— a quien yo tengo el honor de dirigir mi palabra?

—Fulano de Tal, para servir a usted —le contesté yo, levantándome con atención.

—C'est egal; vos sin duda no me reconoceréis; ello es posible; eh bien, yo seré obligado a deciros quien yo soy.

—A la verdad que no caigo.

—¡Ah, mon cher! Ello no es difícil; los años y los viajes han cambiado mucho de mi forma primera, a la manera que yo no reconozco en mi patria de hoy a mi patria de otro tiempo.

—¡Cómo! ¡Usted es español?

—Oui, desgraciadamente; bien entendido, español por nacimiento, mas no por inclinación ni por carácter.

—Cierto que ese aire, esos modales, ese acento y lenguaje me habían persuadido...

—Son, señor, las nobles maneras del gran mundo que yo vengo de dejar. ¡Hélas! Mas ello es bien cierto, pourtant, que yo soy nacido a Madrid (lo cual sea dicho entre nosotros), y que yo he tenido el honor de ser muy vuestro antes de mi partida en Francia.

—Pues señor mío, dicho se está que si usted no tiene la bondad de declararse, nunca vendré en conocimiento...

—¡Oh, mon Dieu! ¿Est il possible? ¿O hacéis semblante de ello? ¡Parbleu! El gran amigo y camarada de mi papá, el hombre de su confianza, ¿habrá olvidado aquel hijo de quien los primeros pasos dirigió? ¿Al joven hombre que le fue redevable de tantas buenas amistades?

—Me hace usted dudar...

—¡Ah! no lo dudéis, señor: es monsieur de Reveseint que es mi padre.

—¿Cómo? ¿El hijo de don Melquiades Revesino?

—A la bonne heure, yo soy ese hijo, moi.

—¡Ah, querido amigo!

—¡Oh, mon cher!

El público lector no tiene obligación de acordarse ya de la familia de don

Melquiades Revesino, de quien le hice tomar conocimiento con motivo de los amores y boda de la niña Jacinta y de su viaje a Carabanchel*; y como allí no lo dije, habré de decir ahora que el dicho don Melchor, además de aquella niña, cuyo amoroso drama supimos entonces, es también padre del joven Camilo Revesino, a quien hacía nombrarse Mr. de Reveseint la misma manía que al italiano Signor Giovani Trotini, que viajando por Francia se hacía llamar monsieur Trotein, en Inglaterra míster Trotam, en Rusia Trotonoff, en Polonia, Trotinski, en España don Juan de Trotinos, y en Portugal o senhor Troutiñu.

Pero viniendo a mi Camilo, este joven, después de aprender la gramática en los Escolapios, hubo de seguir el precepto de su padre, el cual, seducido con las continuas relaciones de los viajeros, llegó a persuadirse de lo conveniente que sería que su hijo, el heredero de su nombre, y a quien pronosticaba brillantes destinos, continuase su educación en la capital de Francia, donde podría adquirir, al paso que unos conocimientos superiores, los modales y porte de gran tono; y pudiendo en él más esta persuasión que el sentimiento de separarse de su hijo, envióle a París bien recomendado. El joven Camilo, que contaba a la sazón doce años, fue instalado desde luego en un colegio, donde aprendió ante todas cosas a olvidar la lengua patria, trocándola por la del país, y consiguiéndolo de tal modo, que a la vuelta de dos años pasaba por un verdadero francés, y aun él mismo llegó a persuadirse de que lo era.

Sus conocimientos, es verdad, crecían en proporción de sus estudios; y los diversos premios adquiridos en los exámenes de historia, matemáticas, física, química, dibujo y demás, mientras permaneció en el colegio, eran para su padre otros tantos argumentos en apoyo de su resolución. En vano algunos amigos intentaron hacerle ver lo perjudicial que podría ser a su hijo tan prolongada separación de su país natal, y que pa-

sando en el extranjero la edad más decisiva de su vida, era muy posible que adoptase costumbres e inclinaciones que le harían parecer luego una planta exótica en su mismo suelo; además de que no faltaban en éste los medios de recibir una esmerada educación, pudiendo después viajar, cuando se hallara en estado de poder adoptar sólo lo conveniente para mejorarla. Todo fue en vano, y el bueno de don Melquiades, seducido con la idea de tener un hijo que, según él decía, había de llegar a ser la envidia de todo Madrid, persistió en su obstinación, negándose a llamarle hasta que cumpliese los veinte y cuatro años.

Llegó por fin aquella época tan suspirada de toda la familia, que tuvo la satisfacción de recibir en su seno un mozo brillante por sus conocimientos, sus modales y su figura. Por todas partes resonaban los elogios del recién venido; sus acciones y palabras eran repetidas por los otros jóvenes en tiendas y tertulias; sus trajes formaban el objeto de los continuos desvelos de los sastres afamados; la narración animada de sus aventuras servía para reunir en torno de él un círculo de admiradores y aun de envidiosos, y las más altivas notabilidades femeninas se daban por contentas con fijar por un momento las miradas del español parisién.

Na hay que decir el contento que todo esto inspiraría a los suyos; pero como todas las ilusiones duran poco, no tardaron en echar de ver que en medio de aquella felicidad aparente, nada de lo que le rodeaba era conforme a su carácter y costumbres. Por ejemplo, la distribución de sus horas era diametralmente opuesta a la de la familia; pues él se desayunaba a medio día, comía de noche, no dormía hasta las dos de la mañana; su conversación era siempre en francés; llamaba a sus padres de tú, y de vos a los criados; bailaba al espejo aunque fuese delante de personas de gran prosopopeya; besaba a su hermana y reñía con las visitas porque no le dejaban hacer otro tanto; tocaba el violín o tiraba el florete los ratos que no cantaba en alta voz; y, en fin, tenía toda la vivacidad propia de un francés y de un joven de veinticuatro. Por otro lado, se hablaba de comida:

—Oh, las fondas de Veri o Rocher de Cancale!

Iba al teatro:

—¡Ah, que teatros los de París!

Se le convidaba a los toros:

—¡Bárbaro espectáculo!

Salía a la calle:

—¡Peste de país!

Volvía a su casa:

—¡Oh, *mon hotel garni*!

Con estas y otras cosas, con desaprobar abiertamente todo lo que se apartaba de los usos franceses, al mismo tiempo que ridiculizaba las imitaciones de ellos, llegó a hacerse de tal modo insoportable hasta en su misma casa, que todos los días daba lugar a cuestiones, y aun en la visita que el presente me hacía, me dio a entender una que acababa de tener con su padre, con motivo de proponerle un matrimonio que repugnaba a su corazón. No pude dejar de extrañarlo, conociendo bien el carácter de don Melquiades; y aunque por la misma conversación del joven creí penetrar en la causa de su aversión, suspendí el juicio hasta averiguarla por mí mismo.

Entre tanto hícele presente con franqueza, que siendo ya cerca de las cuatro de la tarde, había retrasado una hora mi comida, y convidéle a participar de ella. No aceptó por ser demasiado temprano para él, pero se entretuvo en probarme mientras comía que a aquella hora no había apetito (sin embargo que yo demostraba en la práctica todo lo contrario), y luego que vio salir la fuente con todo lo interior de la olla castellana, lanzó una filípica fulminante para demostrarme que aquel alimento era indigesto y malsano, a lo que por única respuesta le contesté que sin duda debía surtir tales efectos muy a la larga, por cuanto no me acordaba de haber padecido una indigestión. Por último, subió de todo punto su encono cuando acabada la comida, llegó a entender que era mi costumbre el dormir media horita de siesta. A esto ya no pudo sufrir más y, saludándome con el nombre de

«español incorregible», se separó de mí, menos contento que a su llegada.

A la mañana siguiente pasé a pagarle la visita. No le hallé en casa y, encontrándome solo con su padre, le felicité por la llegada de su hijo y por las bellas cualidades que ostentaba; pero muy luego pude conocer que su satisfacción se hallaba mezclada con algún disgusto, como en efecto no tardó en declararme.

—¿Tiene usted presente —me dijo en voz lastimera—, cierta disputa que tuve con usted en este mismo gabinete acerca de las ventajas de la educación en Francia?

—Sí, señor, y por cierto que me acuerdo de la viva defensa que usted sostuvo.

—Pues ¿qué diría usted si la experiencia me inclinara hoy a sostener lo contrario?

—Es imposible; las relevantes cualidades que adornan a su hijo de usted, el aplauso que lo rodea y la satisfacción interior que de ello debe resultar a un buen padre, son causas bastantes para afirmar a usted en su primitiva opinión.

—¿Y qué me sirven esas cualidades y ese aplauso, y qué le sirven a él tampoco, si van emponzoñados con un tedio invencible, una aversión inexplicable a todo lo que le rodea, bastante a hacerle resistir mis proyectos para su felicidad?

—Quizás esos proyectos no estén bien meditados, y acaso en ellos no haya usted consultado el corazón de su hijo.

—¡Y qué más puedo hacer para ello? Yo le he querido hacer obtener un buen destino de la administración; se me ha opuesto a ello bajo el pretexto de no conocer bien las leyes de nuestro país, y por temor de no desempeñarle cumplidamente.

—Ha dicho muy bien, y pocos a quienes se ofreciera un empleo contestarían del mismo modo. Conócese bien que no está al corriente de nuestras costumbres.

—Le he indicado después la carrera militar; me ha respondido que como las vicisitudes del mundo pudieran acaso algún día obligarle a dirigir sus armas contra el país en que ha recibido su educación, no le permite su honor obligarse bajo el juramento militar.

—En eso me manifiesta su virtud y su agradecimiento.

—Le he hablado después del comercio, que no tiene ninguno de esos inconvenientes; me ha manifestado otros que dice que suele tener entre nosotros esta profesión.

—Puede que no esté equivocado.

—Las carreras de la iglesia o del foro no he podido siquiera indicárselas, porque en efecto no ha hecho los estudios que a ellas conducen; mas por último, le he propuesto que viviendo tranquilamente de las rentas de nuestro mayorazgo, imitase a tantos de su clase como pasan la vida sin hacer nada, y ha rechazado con violencia mi proposición, diciéndome que él ha nacido y ha estudiado para hacer algo.

—Y tiene mucha razón.

—Ahora bien, pasando después al punto de su matrimonio, le he presentado a varias personas dignas de llamar su atención; pues ninguna de ellas ha llenado sus ideas: la una carece a su vista de modales elegantes y *de buena compañía*, como él dice; la otra ignora hasta los primeros rudimentos de la geografía y la historia; otra piensa muy en español; otra... En suma, ¿qué partido tomar con una persona para quien nada hay a propósito y cuyos conocimientos y circunstancias no pueden aplicarse en la sociedad en que ha de vivir?

—Ello es, en fin —le interrumpí yo—, que su hijo de usted ha renunciado a su patria, y que la educación extranjera, dando otro giro a sus inclinaciones y sus deseos, le ha sacado fuera del círculo en que nació, para colocarle en otro muy distinto del que usted imaginaba; fácil era prever semejante resultado, pues es bien sabido que la educación es una segunda naturaleza, acaso más fuerte que la primera. ¿Y quién sabe también si otras causas se habrán mezclado al mismo tiempo en destruir los planes de usted? Su hijo de usted es joven y ardiente; ¿quién nos responde de que haya podido resistir al amor?...

—Usted ha encontrado lo justo —ex-clamó en este momento Camilo, abrien do repentinamente la puerta del gabine te—; el amor..., un amor volcánico irresistible, ha prendido mi pecho, y si hasta ahora he podido hacer traición a mis sentimientos, ya no me es posible ocultarlos. Dos años ha que una señorita de París es el objeto de mi amor.

Suspensos nos dejó por largo rato tan súbita declaración, hasta que volviendo en sí don Melquíades intentó reprender severamente a su hijo; pero tomando yo la palabra:

—No es ya tiempo —le dije— de reparar un daño de que usted fue la causa principal; sufra usted, amigo mío, que se lo diga: usted, separando a su hijo de su país en los años más decisivos de su vida, ha dado lugar a que este joven apreciable se vea, a pesar suyo, hecho un extranjero en la patria que le dio el ser; educado en ella, hubiera sabido conocer y apreciar sin violencia las eminentes cualidades que la son peculiares, y hubiera pagado con sus conocimientos y su trabajo el tributo que todos la debemos; no anhelaría otros placeres que los nuestros, y ellos habrían bastado a su felicidad y la de usted. Llore usted ahora el haber renunciado a esta dicha, robando al mismo tiempo a la patria uno de sus hijos; pero no intente remediar una violencia con otra violencia, y deje seguir al suyo la determinación a que le llama la suerte.

Camilo, al oír esto, se arrojó a los pies de su padre y le pidió su permiso para fijarse en París; y éste, con la voz ahogada en lágrimas de dolor, tuvo que dar un consentimiento que ya no podía evitar.

Volvió, en efecto, nuestro joven a la capital de Francia, donde contrajo matrimonio con su amada, y ha establecido su casa-comercio, que sin duda acreditará con su talento y honradez. El padre, en tanto, llora el error de haber él mismo arrojado de su país su nombre y su descendencia... ¡Cuántos así!

(Enero de 1833.)

LA CAPA VIEJA Y EL BAILE DE CANDIL

... Del Rastro a Maravillas,
del alto de San Blas a las Bellocas,
no hay barrio, calle, casa ni zahurda
a su padrón negado.

Jovellanos.—Sát.

—¡Bravo título! ¡Digno asunto! Por cierto que el señor Curioso nos promete hoy un discurso de gran tono.

T a l e s o semejantes exclamaciones zumban ya en mis oídos, proferidas por ciertos críticos de salón, de estos que afectan desdeñar todo lo que no sea sublime... ¡Pobres gentes! ¡Como si ellos lo fueran!

—Pero señores —les respondo yo—: ¿todo ha de ser primores y filigranas? ¿Ignoran que el secreto del arte consiste en oponer los contrastes de lo alto y de lo bajo, de lo pulido y de lo grosero? ¿Y por qué habré yo de renunciar a esta ventaja si he de hacer formar idea general de las costumbres de todas las clases? En un mismo cuartel, en una misma calle, ¿no existen usos e inclinaciones diferentes? ¿Pues cuánto mayor no será esta diferencia tratándose de toda una capital? No hay remedio, señores míos; si han de conocer la fisonomía particular de las clases que no habitan el centro de esta villa, fuerza será que le abandonen conmigo por un momento, y que si no lo han por enojo, me sigan adonde me cumpliere llevarles.

Revolviendo la esquina de la calle de la Ruda para entrar en la plazuela del Rastro (¡taparse bien las narices, señores críticos!), íbame entreteniendo agradablemente en reconocer los diversos almacenes ambulantes, restos de veneranda antigüedad, qua ya decoran armoniosamente la angosta entrada de un chiribitil, a quien llaman tienda, ya figuran airosos a campo raso tendidos sobre un trozo de estera en medio del ámbito de la calle. A la vista, pues, de tantos despojos de la moda, que en otro tiempo decoraron estudios y salones, íbame llenando de aquel supersticioso respeto con que más de un anticuario suele colocar en su gabinete tal cuarto segoviano, roñoso y carcomido, juzgándole moneda del Bajo Imperio; y considerando, por otro lado, que todos o gran parte de aquellos objetos podrían haber sido conquistados en buena guerra, me disponía ya a dirigirles una alocución romántica, cual si fuera espada del Cid o escudo de Carlomagno. Pero mi monólogo pasó a ser diálogo, cuando, volviendo la cabeza, me hallé detrás de mí al amigo *don Pascual Bailón Corredera*, a quien no había vuelto a ver desde el lance de la hermosa Narcisa, que, si mal no me acuerdo, conté en el artículo de *Los cómicos en Cuaresma*. Llenóme de placer este encuentro, y proseguimos juntos nuestro paseo escrutador, cuando al pasar por una vieja prendería, paróse don Pascual como herido súbitamente, dándome lugar a un mediano susto; mas sin reparar en él, corre a la tienda, alcanza una capa vieja que pendía a la puerta, reconócela prolijamente broches y vivos, embozos y costuras, puertas y ventanas, y alzando cuanto pudo su voz...

—Ella es —exclamó con ademán doliente—: la compañera de mi juventud, la encubridora de mis extravíos, ella es.

Y la abrazaba enternecido, y la regaba con sus lágrimas.

—Pero, don Pascual, ¿qué locura es esta?

—Déjeme usted, amigo mío; déjeme usted que pague este tributo a un mudo acusador mío; déjeme usted recobrarle después de largos años de separación.

Y diciendo y haciendo pagó a la mujer que la vendía el precio de la capa, y poniéndola debajo de la que llevaba, continuamos nuestro paseo; pero como yo insistiese en que me explicara el misterio de aquel astroso mueble, tomó la palabra don Pascual y me habló de esta manera:

—Creo a usted sabedor, amigo mío, de que en mi juventud fui lo que se llama un calavera completo, y que la crónica escandalosa de Madrid ofrecía en aquel tiempo pocos lances en los cuales yo no figurase, haciéndome mi vanidad buscar los más comprometidos por el solo placer de que todos se ocupasen de mí. Mientras permanecí en el círculo de la alta sociedad, tuve intrigas amorosas más o menos complicadas, casos de honor más o menos problemáticos, y de todos salí sano y salvo, como está admitido entre personas de cierta educación. Pero el mal demonio, que no duerme, me hubo de fastidiar de aquel género de vida y de placeres, y ofreciendo un ejemplo más a aquella regla de que los extremos se tocan, pasé por una brusca transición desde el orgullo aristocrático a los modales más groseros de la plebe. Cesaron, pues, mis galas y mis tocados; olvidéme de teatros y salones; renuncié a mis antiguas amistades y adopté el traje y los modales de un *manolo* verdadero.

»Armado con mi calzón y chaqueta, corbata de sortija y sombrero calañés, y embozado sobre todo en mi gran capa, echéme a buscar aventuras por Lavapiés y el Barquillo, con más determinación que el héroe manchego por el campo de Montiel. Mi generosidad, mi buen humor y mi determinación para todo me hicieron, desde luego, célebre entre aquellos habitantes, y ya se sabía que no había función en que no se contara con don Pascualito, y hombres y mujeres me festejaban a cual más, con lo cual tenía yo cierta superioridad parecida a la de un cacique en una tribu de araucanos. Contribuía en gran manera a ello mi capa azul, que, aunque vieja, era aún superior a las que me rodeaban; pero como yo no quería distinciones, acerté a tratarla tan mal, que en muy pocos días logré hacerla equivocar con todas, con lo cual me creí ya protegido del escudo de Minerva, y todo lo vencía y nada me arredraba. Con ella frecuenté tabernas y figones, buhardillas y burdeles, palomares y azoteas, y sin ella nada de esto hubiera podido hacer; tal era la confianza que este disfraz me inspiraba.

»Una tarde (de San Antón, por cierto) salí envuelto en mi encubridora capa al paseo o romería de *las vueltas*, como es uso y costumbre en tal día. Ignoro si usted, como Curioso, habrá observado el espectáculo grotesco que en semejante ocasión presentan las dos calles de Hortaleza y Fuencarral, accesorias a la iglesia del santo anacoreta; la inmensa multitud de fieles que impulsados de su devoción se acercan por la mayor parte a la puerta de la iglesia sin entrar en ella; la exposición pública de caballos y mulas de alquiler, adornados con cintas, que guiados por inexpertos jinetes, corren al trote por el arroyo o lodazal, y van a gustar la cebada bendita; la multitud de tiendas de panecillos del Santo para pasto de los fieles; los coches y calesas prodigiosamente henchidos de mujeres y muchachos, y el sofoco de la concurrencia, que son plácido espectáculo a la multitud de espectadores de rejas y balcones; las sales del ingenio chisperil y demás circunstancias, en fin, que hacen aquel cuadro tan original en su clase.

»Servía yo de breve episodio en él. marchando con el sombrero hasta las cejas y el embozo a las pestañas, puestos en jarras bajo la capa entrambos brazos, y abriéndome paso con los codos a derecha e izquierda. Andaba, pues, titubeando sobre cuál de aquellas estrellas había de tomar por norte, cuando al atravesar la bocacalle de San Marcos vi venir haciendo alarde de su desenvoltura a una manola, para cuyo retrato necesitaría yo la pluma de Cruz o el pincel de Goya. Acompañábanla otras tres mozas, que si la desmerecían en hermosura, la igualaban por lo menos en desvergüenza, y a pocos pasos las seguía un grupo de majos de chaqueta y vara, a quienes ellas tiraban panecillos por cima del hombro.

»Confieso a usted que la vista y la razón se me turbaron al contemplar aquella belleza, y sin ser dueño del primer movimiento, bajéme un poco más el sombrero y me interpuse entre el planeta y sus satélites; pero un mediano garrotazo que sentí en el hombro derecho me hizo volver en mí, y siguiendo el camino de dicho palo hasta encontrar el brazo que le blandía, encontré, no sin sorpresa, que estaba pegado a un mozo que yo conocía de varias aventuras anteriores. Esto fue hallarme como quien dice en tierra de amigos, y muy luego lo fueron todos los individuos de ambos sexos que componían aquellas guerrillas, merced a algunas oportunas estaciones que mi bolsillo permitió donde convino.

»La niña retozona llevaba la vanguardia, y a cada paso nos comprometía en quimeras y reconvenciones, ya insultando a los paseantes, ya espantando los caballos o cogiendo las ruedas de las calesas, o tirando cáscaras de naranja a los que iban en los coches. Crecía mi amor a cada una de estas barbaridades, y no perdía una ocasión de expresárse-

lo, a lo cual ponía ella mejor cara que uno de los acompañantes, que era el galán, mientras el marido, que también era de la comparsa, todo se volvía condescendencias y atención.

»Vino la noche, y habiendo manifestado aquella honrada gente que en casa de cierta amiga había baile, nos dimos todos por convidados, y yo el primero me dirigí con más apresuramiento a aquel *baile de candil*, que si fuera *soirée* parisiense o *raout* inglés.

»Pasamos desde luego a la calle de San Antón, y en una de sus casas, cuyos pisos eran dos, el de la calle y el del tejado, llamamos con estrépito, y salieron a recibirnos hasta dos docenas de personajes parecidos a los que entrábamos. Por de pronto, hubo aquello de negarnos la entrada, amenazas y palos; pero, en fin, asaltamos la plaza, y griegos y troyanos, olvidando resentimientos mutuos, improvisamos unas *manchegas* que hubieran llamado la atención de toda la vecindad, si toda la vecindad no hubiera estado ocupada en otras tales. Siguiéronlas en ingeniosa alternativa *boleras* y *fandangos*, intermediados con los correspondientes refrescos trasegados del almacén de enfrente, y a favor de la algazara que el mosto infundía en la concurrencia, creía yo poder formar con mi consabida pareja la conspiración correspondiente; pero otra más sorda dirigida por el amostazado galán se formaba a mis espaldas, no sin grave peligro de ellas. Por último, para abreviar, el baile se fue acabando, cuando una patrulla que pasaba hizo cerrar el almacén de lo tinto, a tiempo que éste empezaba ya a obrar fuertemente sobre las cabezas, y ya se trataba de retirarnos, por lo cual echamos el último fandango con capa y sombrero, cuando un fuerte palo, disparado por el furioso Otelo al candilón de tres mechas, que pendía colgado de una viga del techo, hízole saltar en tierra, dejándonos a buenas noches. Aquí la consternación se hizo general; las mujeres corrían a buscar la puerta y encontrándola atrancada daban gritos furibundos; los hombres repartían palos al aire; rodaban las sillas, estrellábanse las mesas y voces no estampadas en ningún diccionario completaban este cuadro general.

Sit licet exemplis in parvo -grandi-
[*bus uti*
Hœc facies Trojœ cum caperetur, erat.

»Pero el blanco de la refriega éramos, por desgracia, el matrimonio y yo, en cuya dirección disparaban los conjurados sus alevosos golpes, hasta que un agudo grito del marido, que vino al suelo al lanzarle, dio lugar a que la puerta se abriese y todos se precipitasen a salir, quedando solamente el ya dicho tumbado en el suelo, sin sentido, y yo con el suficiente para ver que mi pérfida Elena, apoderándose de mi capa y envolviéndose en ella, huía alegremente con sus raptores. A mis voces y lamentos llega una ronda, reconoce al hombre que estaba a mi lado bañado en sangre: «¡Cielos! ¡Está muerto!», y yo, sin más pruebas que mi dicho, disfrazado vilmente, niego mi nombre, me turbo de vergüenza, y, haciendo concebir sospechas de mí, soy conducido a la cárcel pública.

»¡Qué noche, amigo mío! ¡Qué noche de desengaños y de amargas reflexiones! Entonces maldije mi indiscreción, me horroricé de mi envilecimiento, conocí, aunque tarde, todo lo criminal de mi conducta, y lamenté mi futuro destino. Pero la Divina Providencia quiso darme sólo un fuerte aviso, pues el hombre a quien creíamos muerto sólo estaba herido, y declaró mi inocencia, con lo cual logré, al cabo de algunos días, recobrar mi libertad. Mas esta lección, impresa indeleblemente en mi memoria, me hizo renunciar para siempre a aquel género de vida, volviéndome a la sociedad a que pertenecía; y tan fuerte es aún la impresión que en mí dejó aquel suceso, que no he podido disimularlo a la vista de este cómplice de mis extravíos, que rescato hoy para eterna vergüenza mía.

—Un traje grosero —repuse yo para aplicar la moraleja del cuento— suele inspirar ideas villanas. Usted, señor don Pascual, tiene hijos que no tardarán en ser mancebos; inspíreles usted la misma saludable aversión que usted ha cobrado; procure que su traje sea siempre correspondiente a su clase, para que les haga apartarse de aquellos sitios en que teman comprometerla, y sobre todo, créame usted, no les permita en ningún tiempo usar una *capa vieja.*

(Enero de 1833.)

LAS NIÑAS DEL DIA

«Las solteras no me prenden,
porque se andan ya tan sueltas
que ellas se mueren por todos;
¿quién se ha de morir por ellas?»

Comedia de D. F. de Leiva:
El socorro de los mantos.

Paseábase Diógenes con una luz en medio del día por la plaza de Atenas buscando un hombre. Si Diógenes hubiera vivido en Madrid quizá habría buscado una mujer. ¿La hubiera encontrado? ¿O cansado de inútiles pesquisas tornaríase mohino a su tinaja? ¡Atención, vosotros, celibatos de veinte a cuarenta, los que a manera de nube pobláis calles y salones de esta heroica capital, y sin ser Diógenes ni conocer el código de su filosofía tenéis la suficiente para no hallar una mujer en el Salón del Prado; con vosotros hablo, y vuestra causa es hoy la que defiendo! Daos prisa a aprovecharos de mis argumentos; pues quizá otro día, volviéndolos ingeniosamente en contra vuestra, a guisa de abogado veterano, defenderé con tesón los derechos de vuestra parte contraria, presentándoos por causadores de sus flaquezas. Entre tanto, oíd, y callad.

Y vosotras, amabilísimas criaturas, perdonadme si el inevitable giro de mis discursos me conduce hoy al atrevido intento de bosquejar vuestra incomprensible imagen; perdón os demando, si mi tosca y desaliñada pluma se atreve a delinear algunos de vuestros rasgos característicos. ¿Cómo remediarlo? Vuestra importancia en el orden social es tal, que un escritor célebre ha dicho con razón: «Los hombres hacen las leyes; las mujeres forman las costumbres», por cuya consecuencia, mal podría yo proseguir en la pintura de éstas, sino colocándoos en primer término de mis cuadros. Empero si alguna punta de amargo se deslizase hoy en mi tintero, cuyo inocente licor compongo para este caso con arabesca goma y azúcar cristalizada; si mi anteojo escrutador acertase, por desgracia, a encontrar en vuestro cielo alguna nubecilla, sed tolerantes y no os enojéis, sino reíd conmigo de vuestras propias debilidades.

Háganse a un lado, señoras viudas, alegres o plañideras, en flor o en conserva, con tocas y lutos, o con paletina y chal; háganse a un lado, digo, que por hoy no son el blanco de mi pensamiento; y ustedes también, señoras esposas, Lucrecias o Helenas, ensanchen el pecho y sigan su camino, que tampoco a ustedes tocan hoy los puntos de mi sermón. Empero vosotras —no culpéis la llaneza del estilo—, niñas en esperanza, fruta temprana de 1833, las que, salvando vuestro tercer lustro, os mecéis alegremente en los felices límites del cuarto, rodeadme aquí todas y miradme frente a frente, por ver si mi pincel, animado con vuestra presencia, consigue trasladar al papel vuestra copia original.

Más privilegiadas que vosotras, las que os precedieron en juventud y gracias en los siglos anteriores, fueron el objeto de las delicadas plumas de Lope y Calderón, las cuales supieron embellecer hasta sus mismos defectos. Si el teatro es el espejo fiel de las costumbres, y los autores cómicos los más ciertos historiadores de ellas, no puede menos de sorprendernos el espectáculo que presentan aquellas damas heroicas hasta en sus mismos extravíos, sublimes hasta en los yerros de su amor. Aquella contradicción de orgullo y rendimiento, aquella mezcla de flaqueza y de virtud, aquel amoroso desdén, aquella generosa venganza, aquel sistema de amor, sugerido por la unidad del sentimiento y por la más natural filosofía para cultivar la admiración y el entusiasmo del afortunado galán, son cosas que infunden asombro, y ponen en fuego al alma más helada e indiferente. Pero (me diréis) la temeridad de sus pasos, el olvido de sus más sólidos intereses, el atrevimiento de sus disfraces, la libertad de sus palabras, la... Tenéis razón, queridas mías, tenéis razón; todo esto pudo pasar sin riesgo en aquellos tiempos, porque los galanes del siglo XVII merecían también más amor, más talento y menos egoísmo que los insignificantes y ligeros mancebos que os rodean.

Un siglo después, diversas causas, que sería prolijo relatar, obraron notable diferencia en el sistema mujeril. Consideradas como demasiado peligrosas a la luz del día, delante de padres y tutores celosos que podrían muy bien ser ofuscados por ellas, fueron encerradas tras las altas murallas de un convento, o tapiadas en la casa paterna entre rejas y celosías; el *Desiderio* y *Electo*, y las *Soledades de la vida* eran las únicas lecturas que se les permitían; la estameña y muselina, sus galas; la costura y el bordado, su única ocupación; mas al través de estos obstáculos, el incorregible amor hallaba medios de flechar aquellos incautos corazones, y cuando sus guardias vigilantes abrían los cerrojos para dar entrada al hombre a quien la autoridad paterna designaba para esposo, ya no era tiempo, pues el amor se había adelantado, y «amor que entra por la ventana —dice Marmontel— es más peligroso que el que entra por la puerta».

El filósofo Moratín, en sus dos mejores comedias, nos ha dejado una pintura fiel de las consecuencias de esta educación violenta y suspicaz, presentándonos en una la terrible obediencia, pronta a sacrificar su vida al capricho paternal, y en otra la industriosa resistencia y el fingimiento más refinado para burlar su vigilancia. Pero ya doña Paquita y doña Clara no son personajes de esta época, y sus retratos deben ser considerados más bien como modelos del arte y como documentos históricos, que no como traslado de nuestras niñas actuales, que así se apartan de las aventureras damas de Calderón y de Tirso, como de las desventuradas y oprimidas de Moratín.

Escuchadme aquí todas, Adelaidas, Carolinas, Julias (que hasta los nombres habéis embellecido), escuchadme aquí todas, que con vosotras y de vosotras voy a tratar. Pero quisiera ante todo que me dijérais qué premio me señaláis si llego a adivinar el sistema de cada una. ¿Mudarlo? No, hijas mías, no creáis que es mi intento ser corrector vuestro... ¿Pues qué premio ha de ser...? Ea, daréme por contento con solo que me toleréis el que os conozca.

No extrañéis que empiece la rueda por la seductora Amalia, la de los ojos dormidos y el labio desdeñoso. Miradla atentamente; su marcha desigual y fingidamente penosa, su mirar oblicuo y descendente, hacen descubrir en ella la costumbre de dejarse arrastrar en su carroza; su afectada sonrisa, su estudiado saludo, ese aire de pretensión y de superioridad que la distingue, revelan la elevada sociedad a que pertenece, y haríanla traición si pretendiese ocultarla.

Así es la verdad; Amalia es una rica heredera de la primera nobleza, y este pensamiento que en ella domina se comunica también a los que la miran. Desde sus primeros años fue el objeto de la adulación asalariada; separada casi constantemente por la etiqueta de la vista de sus padres, rodeada de gentes inferiores a ella, desconoce los sentimientos tiernos y el lenguaje de la verdadera amistad; dirigida por maestros a quienes siempre miró como criados, para ella el genio no tiene ninguna superioridad; y éstos por su parte, convencidos de la inutilidad de sus lecciones, sólo la explicaron lo suficiente para alargar su enseñanza, y para llenar su cabeza de palabras sin ideas, pero bastantes a deslumbrar a su papá. Primeras letras, gramática, geografía, lenguas, dibujo, música y baile, de todo recibió lecciones; y por resultado de esta enseñanza, que costó un considerable capital, sabe hoy escribir un billete sin puntos ni comas, cantar una cavatina en italiano o bailar una mazurca en ruso; lo cual es suficiente saber para los tiempos que corren. Agrádala la lisonja y la cortesía de los jóvenes que la rodean, y quisiera tal vez responder con menos altivez a sus suspiros; pero aún no es tiempo; fiel a su dorada cuna, tiene empeñada su mano desde antes de nacer a un cuarto primo, con cuyo enlace conseguirá añadir al escudo de su casa dos osos trepantes y una serpiente en campo de plata. Con tales antecedentes, preguntaréisme: ¿le hará feliz o desgraciado? Lo ignoro, amigas; sólo sé decir que le hará marqués...

Pero saltando de flor en flor, como mariposa, ¿me negaréis que os hable de las festivas gracias y del mirar maligno de la risueña Flora? Esa marcialidad y ese despejo que formaban mientras estuvo en el colegio la envidia de sus compañeras y el encanto de sus parientes, me hicieron más de una vez temer por los pobres amantes que algún día habían de intentar rendir un corazón dispuesto a burlarse de todo. Mas ya se ve, ¡es tan graciosa una niña revoltosa y pizpireta! Sienta tan bien la risa a una cara infantil, que todos nos apresurábamos a hacerla mil lisonjas. Yo la vi en los solemnes exámenes del colegio llevar siempre los premios en la música y la danza, dejando desdeñosamente a sus compañeras los menos brillantes de

la aguja y el pincel. Yo la vi salir de la enseñanza y poner en movimiento a toda la sociedad elegante de Madrid; yo la vi seducir por la ostentación de sus gracias, por el primor de sus adornos, por la riqueza de sus galas, por el torrente amable de su conversación. ¿Quién es el dueño de su corazón? (pregunté). Todos creían serlo, y ella no creía que lo fuese ninguno; más de un alumno de Marte gimió arrestado una quincena por renovar *il posto abbandonato*; más de un expediente quedó sin despachar por visitarla un joven empleado; más de un soneto hirió sus oídos, plañido por la musa de soporífero poeta; más de una espada desnuda brilló ante sus ojos. Gozosa desde su balcón, recibía estos tributos como otros tantos trofeos de su beldad, cual si los viera representados en el teatro desde su palco; mas, ¡oh venganza!, los jóvenes llegan por fin a conocerla y a entenderse: promesas falaces, prendas débiles de su cariño, sortijas y emblemas misteriosos, cartas novelescas, bucles ingeniosamente tejidos, todo depone su volubilidad y mala fe; todo lo recibe en un día devuelto por sus desengañados amantes. Desde entonces su moda pasó, sus gracias quedaron eclipsadas, las mujeres sonrieron a su presencia, los hombres hablaron con ironía, y por colmo de su desgracia, el desdén ajeno vino a castigarla del suyo, viéndose hoy despreciada de un hombre a quien ama con frenesí, y el cual es también el menos meritorio de sus amantes.

¡Qué diferencia de la sensible Eloísa! Un corazón hecho para el amor; un semblante formado por las gracias; un mirar lánguido y penetrante; una cabeza dulcemente inclinada; una boca suspirante que parece decir al que la mira: «Amadme, y yo os amaré.» ¡Cuántos encantos en una sola persona! Habla de amor; su pecho se inflama con la pintura del hermano de Saladino o la huérfana de Underlach. Se sienta al piano o al arpa; ¡qué precisión en los toques, qué afinación en los sonidos! Luce su hermosísima voz; ¡qué profunda sensibilidad! ¡Qué expresión tan sublime y animada! Los suspiros quejosos de Bellini no tuvieron nunca intérprete mejor. Un movimiento eléctrico se comunica a toda la concurrencia, y la sala resuena con estrepitosas y unánimes aclamaciones. ¿Quién no ha de amarla? ¿Quién no ha de rendirla su albedrío? Una nube de incienso la rodea; pero ¡ay!, que esta misma nube que lisonjea su corazón, formada por los ecos de falsos amantes, la impide tal vez la vista del verdadero, que adorándola en secreto, teme que tanto incienso trastorne su cabeza, y repite con Castillejo:

La cumplida en cualquier cosa
y acabada,
menos que todas me agrada,
porque según mi pensar
tiene mucho que aguardar
la de todos deseada.

Mas volved la vista a ese otro lado; veréis venir, crujiendo sedas y descubriendo su beldad por entre el celaje de finísima blonda, a la hermosa Serafina; ¿Quién al ver su equipaje no la tendrá por alguna marquesa? Pues nada menos que eso; tal como la veis, es hija del empleado don Homo-bono Quiñones, mi vecino, cuya mesada no equivale a la mitad de lo que ha costado ese velo. ¿Cómo se verifica tal milagro?, me preguntáis. Hijas mías, si no tenéis memoria, mirad el artículo de «El día 30 del mes». Serafina, seducida con la idea de un casamiento brillante, exagera el adorno de su persona como para alejar a los que no estén en estado de sostener su esplendor: y en efecto, consigue verse rodeada de multitud de pretendientes de su belleza, que no de su mano; pero ella escucha indiferente sus solicitudes, y para disponer de su voluntad sólo espera que la hablen de matrimonio, diciéndoles en buenas palabras como la condesa que pinta Regnard:

«Je ne donne mon coeur que par-devant notaire.»

Que viene a significar en nuestro romance español:

Yo no doy mi corazón
sino delante del cura.

Con lo cual consigue renovar constantemente la concurrencia de acreedores, sin que ninguno se dé por notificado del contenido de aquel emblema. Seis años hace que Serafina es estrella fija en nuestro cielo, y todas las noches se la ve aparecer en bailes y tertulias, pero en vano; y ya estaba casi determinada a entregar su mano a un joven rico y amable que la pretendía, y a quien ella no podía perdonar el no tener un mal uniforme ni el menor sueldo por el gobierno, cuando, ¡oh desgracia!, el joven, calculando por una proporción matemática los quilates a que subiría la ostentación de su elegante novia después del matrimonio, y temiendo ver su caudal en manos de modistas y joyeros, se retiró con tiempo. Por último, se presentó cierto meritorio de oficina, el cual ha logrado enamorarla, y con quien se espera haga un brillante casamiento.

¿Pero qué es esto? ¿Todas vais desfilando, ingratas oyentes? ¿Os fastidia mi oración o teméis que llegue vuestra vez? No, no, queridas mías, nada temáis. Mudaré de conversación por complaceros; hablaremos de revistas en el Prado; de injusticias en el reparto de galones y charreteras; os alabaré vuestras galas y tocados; os traduciré la leyenda de los figurines y del *Journal des modes*. No me aborrezcáis; pediré prestado el resto a un amigo mío para componer una sátira contra la aguja y el dedal; haré una disertación para probar que un moderado recogimiento y un trato reducido, son antiguallas, y solamente propios de aquellas oscuras bellezas no destinadas a hacer el encanto de nuestra sociedad matritense. No me abandonéis, y os serviré para ayudaros a hacer cordoncitos y petacas; seré de vuestra opinión en cuanto a óperas y dramas; os leeré a Walter Scott y D'Arlincourt; os prestaré la *Revista Española* para que leáis mis artículos de costumbres, y riáis a placer cuando no os toquen a vosotras; y, en fin, os haré uno laudatorio, pintando una niña perfecta como yo la he soñado; y diré que todas sois así, aunque vosotras os esforcéis en desmentirme y dejarme mal.

(Febrero de 1833.)

EL DOMINO

Sería en vano que yo pretendiera ocupar en los presentes días la atención de mis lectores con otro objeto que no sea el Carnaval y sus amables disipaciones. Ninguno querría escucharme; y mi discurso, por muy moral y filosófico que fuera, aparecería desabrido, y miraríase desdeñado por aquella máxima del *non erat hic locus.* Por el contrario, si vestido y engalanado a la moda del día, acierto a ofrecerle como el figurín moral de la semana, no me será difícil cautivar la atención de mis leyentes, en gracia de la oportunidad; y he aquí la razón que me decide a presentarle en *dominó.*

No se crea por ello que al tratar de máscaras sea mi intención hablar de aquellas con que suelen cubrirse habitualmente los vicios y debilidades humanas para imitar el aspecto de la virtud, del patriotismo, de la amistad, del amor, de la modestia y del desinterés. Semejantes máscaras, por comunes y continuas, no llaman ya nuestra atención, y entran en la línea de aquellas *conveniencias sociales* contra las cuales sería ocioso declamar. Yo, por lo menos, huyendo de tan espinoso argumen-

to, limito hoy mi narrativa a tratar de aquella diversión festiva, y en cierto modo filosófica, que igualando todas las edades, todas las clases y condiciones por medio de un pedazo de tela sobre el rostro, presta al Carnaval su verdadero carácter de originalidad y de alegría.

Si deseoso de ostentar erudición (lo cual es harto fácil con una buena memoria y una regular voluntad) anduviese aquí a caza de autores para repetir lo que ellos hayan dicho relativo a esta diversión, haciéndola unos derivar de los romanos y otros de la *muscara* (bufonada) de los árabes cordobeses y granadinos, sería componer mi razonamiento de retazos, lo cual equivaldría a vestirle de arlequín, siendo así que ya he dicho el traje en que hoy le quiero. Con que no hay sino abandonar aquellos tiempos remotos, y dejarme caer en medio de mi auditorio, quiero decir, en el Carnaval de 1833.

¡Oh quién fuera ahora Vélez de Guevara o Lesage para tener a mis órdenes un diablillo Asmodeo, aunque fuese cojo, que me ayudase a levantar los techos de las casas de Madrid para presentar su interior a los que aún se empeñan en caracterizarnos a su antojo! Verían si es, como ellos dicen, sombrío y taciturno un pueblo que a la hora en que escribo olvida alegremente sus cuidados, moviéndose a compás; dijéranme si es miserable este mismo pueblo que tan crecidas sumas gasta en magníficas funciones, ostentando en todas ellas la riqueza y el buen gusto; verían, en fin, si son tan celosos nuestros maridos, tan altivas nuestras mujeres, tan intratables nuestros padres, tan rendidos nuestros amantes, tan espesas nuestras celosías, tan temibles nuestros puñales.

Semejantes reflexiones se agolpaban a mi imaginación, vivamente afectada por el interesante espectáculo que acababa de dejar en cierto café de esta capital. Era la hora en que suelen concurrir a este Lloyd danzómano todos los demandantes y cambiantes de billetes de las diversas sociedades de suscripción que se reparten en tales noches la concurrencia; y aunque al principio hube de estudiar aquel lenguaje mercantil, viendo ofrecer dos *Sartenes* por una *Corona*, un *Solís* por dos *Fontanas*, un *San Bernardino* por una *Santa Catalina*, una *Paz* por una *Alameda*, un *León* por dos *Jardines*, y otras a este tenor, no tardé en ponerme al corriente de aquel vocabulario, y aún pude graduar la importancia respectiva de tales documentos por el boletín de cotización que uno de los mozos me dijo al oído. Por último, animado con el ejemplo y favorecido por la buena suerte, acepté un billete (no diré para cuál baile, por sólo dar a mi narración este aire de misterio), y marché a recorrer prenderías y almacenes en que alquilar un traje a propósito para envolver mi persona. Mas como no era mi intención figurar, sino desfigurarme, parecióme conveniente abandonar mantos y bordados, y eclipsarme en un sencillo dominó, cuyo agradable color y no afectada modestia, llamó mi atención entre un «Genghiskan» y un «Saladino», que alquilaron delante de mí un ropero de la calle Mayor y un barberito de Puerta Cerrada.

De vuelta a mi casa, queriendo aprovechar el calor de mi fantasía, me puse a escribir el principio de este discurso; mas disgustado de la pobreza de mi pensamiento concluí por envidiar a don Cleofás su Asmodeo y, tirando la pluma, cogí mi dominó con ánimo de pasarle y ceñirle en derredor a mi cuerpo. Cuando ¡oh sorpresa! al ir a poner el capuchón, hállome en el fondo de él un papel; cójole, le desdoblo, y veo escrito en él... ¿qué creerán mis lectores que vería? Pues era nada menos que la *Historia de este dominó contada por él mismo.*

Figúrense las almas piadosas cuál sería mi contento con este hallazgo; no hay cómo explicarlo; sólo, sí, que, enajenado por él, suspendí mi vestido, calé mis anteojos, espabilé la luz y leí de esta manera:

«Amigo lector: cualquiera que tú seas, en cuyas manos me haya deparado la suerte para encubrir por horas contadas tu triste o alegre figura, suspende, te ruego, la operación de tu disfraz y tómate el trabajo de leer mi historia, si es que a trabajo tienes el saber aventuras de suyo peregrinas, que podrán servirte de gran provecho. Y pues cuento desde luego con tu benevolencia, escucha por ahora, y préstame atención.

»Yo nací en el Carnaval de 1822 en manos de una corista de la ópera, la cual con poco cariño maternal me arrojó entre los otros trajes expósitos, entregando las primicias de mi inocencia al primero que llegase a alquilarme.

»Era la noche del 3 de febrero de aquel año, y había baile de máscaras en ambos teatros, con lo cual no tardó en cargar conmigo un criado que, conduciéndome a una elegante casa, me puso en las manos de un señor de edad y grave aspecto, cuya clase y circunstancias me dieron mucho que pensar.

»Al observar su seriedad y su entonamiento, no pudo menos de asaltarme el temor de que iba a pasar una noche muy triste; pero me engañé completamente, pues envolviendo en mí su añeja persona, salió silenciosamente y se dirigió al Teatro del Príncipe, donde ya a la sazón se había empezado el baile; y asegurado por la libertad que yo y la careta le dábamos, verificó tan repenti- no descenso desde la más alta prosopo- peya a la más cordial alegría, que no fue posible dejar de felicitarme por este mágico talismán, que al parecer se en- cerraba en mí, capaz de causar la feli- cidad momentánea de una persona a quien su clase o sus deberes imponían tal vez una perpetua contracción de es- píritu.

»Mas entre tanto que yo hacía estas y otras reflexiones, mi buen señor se agitaba corriendo tras una rapaza que acababa de arrojar una careta de ochen- tona, quedándose con la más fresca y bien cortada de diecinueve que imagi- narse pueda; y si bien mi conductor y yo hubimos de notar que aquella es- trella parecía ya completamente obser- vada y reconocida por los jóvenes astró- logos, según la seguridad y confianza con que la miraban, sin embargo, ani- mado aquél con las benévolas respues- tas de tan linda boca, endulzaba la suya lo mejor posible, procurando ocultar en sus conceptos el estilo escolar y argu- mentante, aunque más de un «audi pre- cor» vino a confirmarme en la idea que desde luego había formado. La niña, sin embargo, poniendo en limpio aquel bo- rrador, leía corrientemente en el pecho de mi escondido, y deseosa de compla- cerle prestándole atento oído, habíase retirado con él a uno de los extremos del teatro, donde sentados mano a mano entregábanse mutuamente al sabor de tan peregrina plática..., cuando ¡oh suerte fatal!..., estando ambos en esta agradable situación huyendo los vaive- nes de la multitud, los maderos que sos- tenían parte del tablado teatral, sobre- cargados enormemente, crujen con es- trépito y, abriendo un ancho boquerón, húndese en él una buena parte de la concurrencia*.

»¿Cómo pintar —continuaba el do- minó— aquella escena viva e inespera- da? Hágalo el filósofo espectador, que más feliz que los demás se encontró del lado del teatro sin dignarse interrumpir su contradanza al mirar nuestro «mal paso»; en cuanto a mí, comprendido

en la fatal desgracia, sólo tuve sereni- dad para agarrarme de un clavo, donde permanecí un instante debilitando el ímpetu de la caída de mi dueño, la cual, sin embargo, se verificó, sacando él por resultado una fuerte contusión, y yo un girón de vara y media. Pero la vergüen- za de aquél y el temor de ser reconoci- do, pudo más que su dolor; y, rebuján- dose en mí más fuertemente que nunca, salió conducido por los mozos, sin osar destaparse hasta su casa, donde quedé prisionero en premio de mi servicio, como sucede de ordinario a los que ter- cian en las debilidades de los grandes señores.

»Doce meses justos yací escondido en un armario, en compañía de otros tra- jes y ropas, al cabo de los cuales cierta sobrina del señor, mi compañero de des- gracia, me hubo de hallar, y compade- cida de mi triste situación, me compuso y arregló a su lindo cuerpo, tal que di por bien empleado mi anterior desmán.

»Era por entonces el Carnaval de 1823 y todo Madrid estaba ocupado de las máscaras; el amo de la casa, aún con un resto de cojera, oía con horror las conversaciones y hablaba a su sobrina de aquella función con una acrimonía que ella atribuía a la elevación de su alma, y yo a la caída de su cuerpo. La muchacha, que rayaba en los dieciséis, y era resueltilla y despierta como la que más, oía con cuidado todas las asechan- zas que según el tío se tienden a la vir- tud en tales funciones, y rabiaba de de- seos de experimentarlas, tanto más, cuanto que no faltaba cierto alférez, pri- mo suyo, que siempre la estaba convi- dando. Por último, ¿para qué cansar? las prohibiciones del tío, las invitacio- nes del sobrino y mi vista más que todo, fueron causas suficientes a despertar la curiosidad de la niña, la cual, cediendo a las instancias de su amante, cogióme silenciosamente cierta noche, y se fue al teatro fiada de mi defensa; mas ¡ay! que... (Aquí el manuscrito estaba bo- rrado, sin duda por las lágrimas del do- minó, y luego proseguía) ¡Muchachas, las que tenéis primos amantes, o aman- tes aunque no sean primos, no os dejéis

(*) Histórico.

conducir por ellos a las máscaras y creed a un dominó experimentado!...

»Eran pasados cuatro años desde que saliendo de la casa de mis dueños por medio de una criada que se escapó conmigo, me hallaba arrinconado entre otros compañeros de desgracia en el desván de un prendero de la calle del Prado, y ocupábame con ellos en la narración de nuestras aventuras respectivas, cuando un nuevo Carnaval (1827) vino a procurarnos salida, si bien con más precauciones que si fuéramos tabaco de la vuelta de abajo, o moneda española acuñada en Gibraltar. Y era la razón cierta ley no sé cuántas de la Novísima, que hace trescientos años prohibió según parece las máscaras y disfraces*.

(*) «Es la ley 7, lib. 8 del título *de los levantamientos y asonadas de gente armada*, promulgada a petición de las Cortes de Valladolid en 1523. Su época y su título abren su interpretación. La autoridad pública era entonces insultada por gentes asociadas para malos fines, que usaban alguna vez de máscaras y disfraces para lograrlos más de seguro. No se trata, pues, de prohibir los inocentes disfraces de personas reunidas para divertirse en lugares cerrados señalados por el magistrado público, y protegidos y velados por él, sino de que los enmascarados vagasen día y noche por las calles y plazas, cosa que podía provocar a delito cubriendo sus autores.» (Jovellanos, *Memoria sobre las diversiones públicas*.)

Después de la opinión de tan respetable magistrado, sólo se podrán traer por apoyo los hechos, los cuales demuestran que en los reinados posteriores al de los Reyes Católicos, en que se promulgó aquella ley, fueron permitidas y autorizadas las diversiones de máscaras, como lo acreditan las historias de aquellos tiempos, pudiéndose citar, entre otras varias ocasiones, las que se celebraron en Madrid en 1637 con motivo de haber sido elevado al imperio el rey de Bohemia y Hungría, cuñado de Felipe IV. Además, léanse las comedias de Calderón, Moreto y otros, donde se habla siempre de las máscaras como cosa corriente.

Posteriormente, en 26 de enero de 1716, dio S. M. Felipe V una ley (que es la segunda, título 13 del lib. 12 de la Nov. Recopilación) prohibiendo las máscaras bajo severas penas, la cual reprodujo y agravó en otra de 27 de febrero de 1745. Mas a pesar de todo fueron permitidas pocos años después, y puede verse sobre ello la *Instrucción para la ocurrencia de los bailes de máscaras dados en el teatro del Príncipe en el Carnaval de* 1767, que es un papel muy curioso por su minuciosidad. También han sido permitidas en otras ocasiones y reina-

Mas como los hombres, siguiendo el ejemplo de nuestra primera madre, somos por desgracia tan inclinados a dar más valor a las cosas prohibidas, de aquí nació la manía de enmascararse, en términos que a despecho de escribanos y corchetes inundábamos calles y salones.

»Entre las infinitas aventuras que me proporcionó la circunstancia de servir por mi cómoda hechura para damas y galanes, llamaré tu atención sobre una que me aconteció cierta noche de aquel año, en la cual salí alquilado por un joven que formaba parte de una comparsa mascaril. Figuraba en la misma cierta deidad a cuya mano aspiraba el mancebo, y lleno de amor y rendimiento, al salir de la tertulia, incorporado con los demás para dirigirse a las casas del baile, íbase a precipitar a ofrecer su brazo a la niña, cuando la mamá —que ya empezaba a ejercer los rigores de suegra— le llamó para sostenerla, entre tanto que otro galán más dichoso ocupó el lado de su amada.

»Rabiando iba mi pobre mozo con tan desdichada ocurrencia; lo cual conocía yo por sus contorsiones y movimientos mal reprimidos; y agobiado además por el medio siglo que pesaba sobre su diestro brazo, dejábase arrastrar lentamente, haciendo más y más sensible la distancia que la ligera pareja delantera les llevaba. Y ya iban a enfilar la calle Angosta de Peligros, cuando el linternón de una ronda, haciendo reflejar las lentejuelas del turbante de sultana que cubría las canas de la mamá, vino a destruir nuestros planes. Fuimos, pues, descubiertos y detenidos con todas las parejas que venían detrás, en tanto que los dichosos delanteros llegaban sin novedad a la sazón a la casa del baile.

»¡Oh lector, si no eres duro pedernal, contempla y compadece la situación de mi galán interior, viéndose conducir a la presencia judicial en compañía de una sultana vieja, un Enrique IV y una Raquel, Julio César y la Vallière, Marco Antonio y Cleopatra, Elisa y Claudio

dos en la corte, y casi constantemente en Barcelona y otras ciudades principales del reino.

y otras parejas más o menos dichosas! Pero, sobre todo, lo que le sacaba de juicio era el sospechar que su abandonada Adriana podría consolarse de la pérdida de su Teseo con el Baco que delante tenía, y este pensamiento no le abandonó en el menguado recinto adonde tuvo que pasar la noche. En cuanto a mí y los demás trajes, como cuerpos del delito, corrimos unidos bajo una cuerda al proceso que se formó, y sacados en consecuencia a pública subasta, quedamos entregados al mejor postor, que lo fue por cierto otro prendero de la calle de Atocha.

»Varias y muy graves aventuras podría seguirte refiriendo de aquel tiempo en que fui contrabando; pero como todo debe tener sus límites, mi narración también, y así sólo me permitirás que te hable del lance que me ocurrió en la última salida verificada una de estas noches.

»Fue, pues, el caso, que cierto marido joven, previa la venia conyugal para ir a las máscaras, vino a alquilarme a poco de haberse llevado una dama a otro compañero mío que estaba a mi lado. Llegados al baile, divisé entre muchos a este compañero, y obligando ambos a nuestros dueños a llegar a hablar —sin duda por la simpatía del traje— tuvimos ocasión de entablar también nuestra conversación escuderil y, al comunicarnos las señas de la casa de donde habíamos salido, no pudimos menos de reírnos a dúo. Entre tanto, nuestros dueños habían comenzado una plática amorosa que nos tenía edificados, y ya la niña iba manifestando su corazón de algodón cardado, que no de agudo pedernal, cuando por un efecto de mi previsión, y deseoso de servirla de despertador dejé caer mi capuchón y descubrí la cabeza del marido (que tal era el que me llevaba), con lo cual la discretísima criatura pudo conducir su conversación en términos, no tan sólo de evitar un compromiso, sino también de quedar bien puesta para regañar después al esposo, que se convenció más que nunca del amor de su consorte!...»

Aquí acababa el manuscrito del dominó sin que yo tenga necesidad de decir que durante su lectura la interrumpí varias veces con mi risa; y lleno de contento por poder figurar en adelante en tan curiosa crónica, me apresuré a cubrirme con él y a trasladarme al baile; pero aquí quiero hacer un punto y coma a mi narración, para tomar un ligero descanso antes de ofrecer a mis lectores un cuadro fantástico de tal baile.

Figúrense, pues, allá en el interior de su mente un gran salón capaz de quinientas personas, ocupado por mil, que con sus anchos disfraces y exagerado movimiento habían menester el espacio correspondiente a mil quinientas. Fórmense una temperatura a treinta y seis sobre cero, ocasionada por el inmenso número de luces y de concurrentes; añadan a esto para el sentido del olfato, la mucha confusión de buenas y malas exhalaciones naturales y artificiales; diviertan la vista con el deslumbrante reflejo de aderezos y bordados, gorras y turbantes, mantos y capacetes; amenicen el tímpano con el temple continuo de las voces disfrazadas, y con los rotundos compases de una «galope» infernal ejecutada por dos docenas de músicos, y obligada de pandereta y látigo; encomienden al tacto la violenta ondulación que por un principio físico obliga a la mitad de la concurrencia a marchar impelida por la otra mitad; y satisfagan, por último, el gusto con una perdiz petrificada y solicitada en pie por espacio de tres horas en la sala de descanso. Con todos estos antecedentes podrán formarse una idea en miniatura de los goces que un baile semejante proporciona a los sentidos. ¡Felices los que pillando una silla podrían entregar a ella sus fatigados miembros! Mas ¿cómo lograrla? Las desdichadas mamás y las parejas dichosas las habían tomado por asalto al principio de la noche para no desocuparlas hasta el amanecer.

Envuelto en mi amigo dominó, y apoyado en el quicio de una puerta de paso, hallábame contemplando aquel animado espectáculo con la comodidad que dejo pensar; mas si mis sentidos se daban por quejosos, menos satisfecho aún quedé del lado del espíritu, pues apuntando cuidadosamente en mi memoria todos los dichos, preguntas, respuestas, réplicas y argumentos que escuché, me convencían de una de dos cosas, o que era falso el dicho de que «es menester tener muy poco talento para no tenerlo con la careta», o que yo tenía orejas de Midas.

Luego me ocupé en seguir las intrigas juveniles, sorprender combinaciones y armar peripecias, con lo cual mi dominó azul llegó a infundir tal pavura en aquel género volátil, que a mi llegada huían en grupos cual bandada de palomas a la vista del milano: quién me tomaba por un marido celoso, quién por un amante desdeñado; cuál me daba satisfacciones, cuál me pedía cuenta de agravios. Y como la circunstancia de conocer las intrigas anteriores de mi dominó me ponía desde luego en el medio de las cuestiones, pasé alternativamente por a m a n t e, por padre y por marido de todas, y por último convinieron en que era brujo, hasta que arrancándome por fuerza la careta se encontraron más admiradas viendo que no me conocían y yo sí a ellas.

¡Que no pueda yo presentar aquí de lleno el fruto de aquella noche de observación y movimiento! Mas no me es lícito, por tres causas: la primera, porque ofrecí a mis amables descubridoras que no las descubriría; la segunda, porque de hacerlo corría peligro de estar hablando de máscaras hasta el miércoles de ceniza; y la tercera y principal, por no tener permiso de mi dominó para continuar la narración de sus aventuras, por aquella sabia regla de que «la historia no se ha de escribir al tiempo que se verifica».

(Febrero de 1833.)

LA COMPRA DE LA CASA

> «No todo lo que es brillante
> riqueza al avaro ofrece;
> oro la alquimia parece,
> vidrio hay que imita al diamante.»
>
> *Tirso de Molina.*

Nada hay tan lisonjero para un honrado almacenista de esta villa como la idea de invertir en una casita propia el resultado de sus cálculos y combinaciones sobre el queso de Rochefort y los barriles de Málaga. Mientras éstos sólo le produjeron el ahorro de un millar de pesos, limitó sus proyectos a enriquecer su almacén y dar mayor ansanche a sus negociaciones; lisonjeado por el éxito de éstas, alquiló una espaciosa tienda y la embelleció con cristales y columnas, al paso que abandonó la antigua manía de tener siempre el mejor género : los hombres son niños grandes y pagan más caro lo brillante que lo bueno.

Este cálculo se hizo nuestro almacenista, y una continua lluvia de plata y cobre, cayendo armoniosamente en el cajón del mostrador, fue transformada por él con el mayor sigilo en sendas onzas de Carlos III, escudos y doblones de nuestro monarca actual.

¿Qué plenitud de contento equivale al de aquél, cuando, cerrada la tienda y despachada la familia a una merienda en el Canal, se entregaba los domingos a sus anchuras al arqueo de su caja?

¡Qué invenciones tan peregrinas para ponerla a cubierto, no tan sólo de la vista de los extraños, sino de las sospechas de los propios! Porque a nuestro hombre no se le ocultaba que los enemigos domésticos son los temibles para el caudal, y que las necesidades o exigencias de su esposa y de sus hijos podrían crecer al compás de sus talegos. Así que él mismo se los cosía y recortaba, colocándolos luego en los sitios más excusados; y hubiera deseado que existiese moneda equivalente al valor de todos ellos para llevarla siempre consigo con el mayor disimulo. Pero ya que esto no podía ser, las había reducido al menor número posible de fracciones, todas de ley y peso conveniente, y de sonido más grato a sus oídos que romance de Bellini cantado por la *Meric Lalande.*

Satisfecho, pues, con su incógnito monetario, aparentaba con todos la mayor escasez, negando siempre tener el menor fondo de reserva, si bien, por otro lado, no dejaba de calcular que su dinero así arrinconado nada le producía, y se hallaba además expuesto a un caso fortuito de incendio, robo o cosa tal.

Así que, después de muchas noches de desvelo, vino a resolver que sería lo más conveniente emplear su capital en una casita *asegurada de incendios* en el casco de esta villa, con lo cual se proporcionaría multitud de goces y privilegios, amén de un cinco o seis por ciento líquido de su principal.

Vivamente afectado por tan feliz idea, se levantó una mañana, y su primera diligencia fue correr a suscribirse al *Diario de Avisos* con el objeto de ponerse al corriente de todas las ventas a pública subasta, ya en *virtud de providencia*, ya *a voluntad de sus dueños*. Embebido desde entonces en esta grata lectura, solía pasar los dos tercios de la mañana; luego se ponía su sombrero, y envuelto en su astrosa capa, dirigíase a la casa en venta, y la miraba con disimulo desde el portal de enfrente; después subía la escalera y llamaba en todos los cuartos con cualquier pretexto para reconocer lo que podía del interior; en seguida iba a la escribanía por donde se verificaba la subasta a ver el expediente, y desde allí pasaba a la contaduría de aposento a reconocer los planos de Madrid; con cuyas noticias, malas o buenas, no dejaba de consultar a un aprendiz de arquitecto, corredor de ventas, el cual siempre le daba las mejores ideas de la casa, aunque no fuese más que por cobrar su tanto por ciento de comisión; pero al tratarse de tocar a sus monedas faltábale a nuestro hombre la resolución, y dilataba el plazo para ocasión más oportuna.

Por último, llegó un día en que el anuncio de una venta en la calle de la Palma Alta vino a despertar sus ideas adquisidoras: la sola consideración de poseer una casa en la calle en que había nacido bastaría a decidirle, si las seguridades de su arquitecto, las invitaciones del escribano y los respetuosos homenajes de los inquilinos, que desde el primer día le saludaron como a su casero, no hubieran añadido a sus deseos una fuerza irresistible.

La casa se vendía en virtud de mandamiento judicial y para pago de acreedores, los cuales en vano habían esperado postores que hiciesen subir su va-

lor; si hubiera estado situada en la calle de Carretas, de Alcalá, o cosa tal, millares de comerciantes ricos, americanos emigrados, o compañías revendedoras, se hubieran apresurado a doblar su tasación; pero como era en la calle de la Palma Alta, todos la desdeñaban, y solamente nuestro tendero tenía empeño en poseerla.

No dejó de conocerlo el escribano, el cual lo transmitió a los acreedores, manifestándoles el único medio de sacar partido del entusiasmo de nuestro comprador; y con efecto, llegado el día de la subasta, verificada en el piso bajo de las Casas Consistoriales ante la presencia judicial, el honrado tendero, que creía hallarse solo, vio con sorpresa un banco entero de oposición, cuyos individuos se empeñaban en pujarle siempre *mil reales más*; y en los intermedios de los pregones hablaban entre sí ponderando las cualidades de tal casa y manifestando su empeño en llevarla; pero mi tendero, rascándose la frente y tentándose el garguero, pujaba más, y ya la mayor parte de aquéllos se iban retirando fingiendo sentimiento por la derrota; sólo quedaba uno más obstinado que todos, el cual, fijo en sus mil reales más, hizo desconfiar al pujante tendero de vencerle y, por fin, con harto sentimiento, se determinó a cederla; pero no bien habían salido de la subasta, cuando llamándole el nuevo dueño de la finca le hizo presente que él había hecho la puja por encargo, pero que si tenía fuertes deseos de la casa, estaba resuelto a cedérsela aunque hubiera que dar algunos *guantes* a su principal, pues no podía ver padecer al prójimo; el buen hombre, que oyó que por un par de guantes tendría la casa, al momento iba a darle los suyos (que eran por cierto de punto de estambre azul con ribetes blancos); pero el otro le hizo ver lo que él llamaba guantes, y no hubo más remedio que transigir con él en media docena de medallas de pelucón.

Después de esto vinieron los gastos de escritura, alcabala, hipotecas, arquitecto consultor, reconocimiento de títulos, etcétera, etc., lo cual iba haciéndose sentir terriblemente en el archivo numismático del tendero. Pero todo lo dio por bien empleado cuando con toda la solemnidad legal se vio investido con la autoridad de propietario, dándosele a reconocer a los inquilinos como *único dueño de la finca, a quien debían acudir con el pago de sus alquileres*; y en seguida *abrió y cerró puertas, y paseó las habitaciones, echando fuera las gentes que dentro estaban, y haciendo otros actos de dominio no turbado ni contradicho*, con lo cual se le dio la posesión *en forma*.

Al siguiente día abrió su tribunal en la trastienda de su almacén para oír y juzgar las reclamaciones de los inquilinos, las cuales estaban reducidas a pedir rebajas en los precios y varias obras de comodidad; sin embargo, el tendero, por un sistema de compensación tuvo por más prudente desestimar las obras, y sólo proveer la subida de precios con arreglo al presupuesto de productos que él se había formado al comprar la casa. En vano los inquilinos intentaron reclamar aquella violación de su derecho: la autoridad de un dueño nuevo es terrible, y nada pudieron lograr; pero deseosos de vengarse del todo, fueron tomando la determinación de dejar la casa, quedando a deber dos, tres o más meses de alquiler, con lo cual tuvo el propietario que entablar tantas demandas como inquilinos eran; y luego otras tantas como plazos les señalaron para pagar, con cuyos gastos vino a duplicar el importe de las deudas. Por otro lado, los vecinos esparcidos por aquellos barrios del Montserrat y el Hospicio desacreditaron la casa *vieja* y el casero *nuevo*, en términos que en vano éste había gastado ya cinco cuadernillos de papel para poner las señas del alquiler, y diez pesetas en anuncios de *Diario*, porque nadie parecía a pretenderla, con lo cual su autoridad dominal venía a quedar puramente nominal.

Nada de esto sabía bien el nuevo propietario, tanto más cuanto que el pago de la contribución de frutos civiles, regalía de aposento, farol y sereno, censos y demás cargas, eran invariables, ya estuviese alquilada, ya no; y, por otro lado, los actuales inquilinos —que eran

los ratones—, además de habitarla gratis minaban los cimientos y destruían el edificio; así que, convencido por estas circunstancias, por el ejemplo general de refundición, por las invitaciones de su esposa, y más que todo por los cálculos moderadísimos de su arquitecto, determinó reformar su casa dándola el aspecto de la novedad y de la frescura.

Dicho y hecho; plan de tintas de colores, licencia, cálculo de ganancia, presupuesto de gastos, todo se formó en un instante, y la obra empezó bajo la dirección del consabido. Abajo el tejado, piso tercero, cuarto, buhardillas... Pero ¡qué desdicha! A los primeros golpes, húndese una viga y el pavimento del segundo se desploma detrás; el principal, como si hubiese aguardado esta señal, verifica la misma operación. Pues señor, ya nos encontramos en la tienda sin necesidad de bajar escaleras: ¿qué se hará, qué no se hará? Y estando en esto, los cimientos flaquean, la fachada se inclina, y por mucha prisa que los obreros se daban para aligerar, una nube de polvo deshaciéndose en las nubes dejó ver al segundo día el ancho boquerón en que *fue la casa*, cubierto de vigas y de cascotes.

Ya tenemos a mi *señor de obra* en el caso de edificar una casa de nueva planta, cuando sólo pensaba en reformar la antigua, para lo cual contaba con los fondos suficientes. Estos quedaron consumidos en sacar los nuevos cimientos; en vano acudió a la enajenación de efectos y alhajas; todo ello bastó para elevar el primer piso; empeñado en su empresa, recurre a los prestamistas, los cuales le adelantan lo suficiente para edificar el segundo, bajo la garantía o hipoteca del principal; por último, una comunidad de monjas se le opone a la elevación del tercero por sobreponerse a las paredes de su huerta. No le queda más arbitrio al nuevo propietario que subdividir en muchas habitaciones los dos mil pies de terreno que posee, y siguiendo la regla del sastre de las monteras, asigna a cada uno lo estrictamente necesario para poder vivir inquilinos *liliputienses*, si bien gastando en

puertas y ventanas más de un año de
alquiler.

Pero concluida que fue la casa, y colocada en el caballete del tejado la cruz
de siete brazos y siete banderas, empezó
a disfrutar los placeres consiguientes a
la calidad de dueño que tanto había deseado.

Entonces observó la puntualidad y
buenos modos de los vecinos para pagarle su alquiler; la tolerancia de las
contribuciones; las multas improvisadas; la sencillez y la moderación de las
cuentas de los albañiles y vidrieros, car-
pinteros y soladores; la entretenida historia de las demandas de despojo; las
divertidas comparecencias judiciales;
los términos *por equidad*; los manda-
mientos *de amparo*, y tantos otros incidentes como dan grata ocupación a los
caseros y campo al ingenio de los inquilinos de Madrid.

Mas lo peor del caso fue que la señora tendera y las niñas, luego que se vieron con casa propia, dijeron con resolución: «*No más mostrador*»; y fue tal
su energía, que consiguieron determinar
al amo de casa a trasladarse a vivir al
cuarto principal de la propia. Con todas estas bajas, los empeños contraídos,
lejos de disminuirse, fueron en aumento
con los intereses anuales, en términos
que, a vuelta de algunos años, el hipote-
cario, observando que su crédito ascen-
día ya al valor de toda la finca, la recla-
mó judicialmente y le fue adjudicada.

De esta manera desapareció el tesoro
del almacenista, cual precioso monumento extraído sin precaución de las
ruinas de Herculano, que se deshace y
evapora a la sola impresión del aire.

(Marzo de 1833.)

pito la mampara y se adelanta el triunvirato olmedino, ofreciendo el anacronismo más disonante de aquel primoroso *tocador Psiché*.

Sin embargo, los jóvenes cortesanos disimularon su extrañeza; pero no así los paletos, los cuales rieron a carcajadas al mirar el ajustado talle de Carlos y el elegante prendido de Luisita, mortificando a éstos con sus preguntas y algazara, no menos que al padre, que se presentó después; pero no hubo más remedio que hacerse una fuerte violencia y acompañarlos a paseo.

Pongo en consideración de mis lectores la extravagante caricatura que ofrecerían las tres parejas, así como también dejo considerar el efecto que en los recién venidos produciría la vista de tantos objetos extraños. Este, a la verdad, era singular e incomprensible; v. gr., pasaron sin hacer alto por delante del hermoso edificio de la Aduana, y les llenó de admiración la fuente de la Puerta del Sol; vieron sin entusiasmo el Salón del Prado, y en las fuentes de Cibeles, Apolo y Neptuno, lo que más les admiraba era la anchura del pilón. Cada coche que pasaba era para ellos un suceso: las mujeres, madre e hija, agarraban a sus parejas respectivas, temiendo que las atropellasen, aunque fuesen a treinta varas de distancia, y el mancebo se quitaba cortésmente el sombrero, creyendo que los que iban dentro eran todas personas reales. A cada lugareño que pasaba iban a hablarle, tomándole por paisano suyo, y la vista de cada elegante les producía risas convulsivas y dichos nada corteses. Su marcha en la confusión del Prado era oblicua y desigual; quejábanse de las apreturas; distraíanse mirando atentamente a las caras de los paseantes; dejaban caer el abanico, los guantes, el pañuelo, y a cada objeto que les chocaba llamaban la atención de los demás señalándole con el dedo. Mas, en fin, cansados a la segunda vuelta, quisieron sentarse, no sin grave alivio de los acompañantes, que vieron disimulada por un momento su enfadosa publicidad.

De vuelta de paseo manifestaron deseos de beber, y don Teodoro, venciendo su repugnancia, les hizo entrar en un café, donde pidieron limón y leche, y luego chocolate con bollos; y habiendo querido obsequiar Carlitos a Feliciana con un queso helado, ésta pidió al mozo un cuchillo para partirle.

Pasaron después al teatro a ocupar un palco, tomado de antemano; allí se echaron de brazos en la barandilla, y dejaron caer un anteojo perpendicular encima de la cabeza de un alguacil, con lo que llamaron la atención de toda la concurrencia, no sin grave bochorno de los dos jóvenes madrileños, que se escondían lo mejor posible.

La desgracia hizo que aquella noche acertasen a hacer la ópera de *L'ultimo giorno di Pompei*, y si bien al principio la vista de las decoraciones y el ruido de la música y de los coros los tenía agradablemente entretenidos, no tardaron en empezar a bostezar, y al caer el telón al final del primer acto cayeron también sus párpados, permaneciendo en tan envidiable estado hasta que la erupción del Vesubio, al concluirse la ópera, les hizo despertar asombrados, y figurándosela verdadera, corrieron a la puerta temiendo ser víctimas de aquella catástrofe.

Sería nunca acabar el ir refiriendo una por una las escenas grotescas que ofrecía la naturalidad de nuestros paletos, contrapuesta a la afectación de los cortesanos; por mi parte, tuve motivo de ser testigo de algunas de ellas, por haberles acompañado, en calidad de amigo de la casa, a ver las curiosidades de Madrid, y preguntándoles después qué era lo que más les había gustado de ellas, me respondieron que, en el Palacio, la pieza de porcelana; en el Museo, el cuadro del *Hambre de Madrid*; la vajilla de plata, en el Casino; la campana china, en el Gabinete de Historia natural; en el Retiro, el ídolo egipcio de la fuente del estanque, y en la Armería, el espejo para curar la ictericia. En cuanto a paseos dieron la preferencia a la Ronda, y de funciones teatrales ninguna les agradó como la *Pata de Cabra*; lo demás todo lo hallaron mediano, y de ningún modo preferible a las bellezas de Olmedo.

No hay necesidad de decir que la ilusión de nuestros jóvenes madrileños había ido desapareciendo a medida que observaban estas cosas; pero dudosos sobre su futura suerte, y aun confiados en que la permanencia en la corte obligaría a los otros a mudar de inclinaciones, formaron empeño en inspirarles otras ideas; inútil intento; la sencillez de los naturales venía a descomponer todos sus planes. En vano los sastres y modistas acomodaron a sus cuerpos todos los caprichos de los figurines parisinos: la cabeza erguida y los brazos caídos, dábanles el aspecto de un maniquí sin animación; en vano les enseñaban a pronunciar bien las palabras; su lengua, no sujeta, les hacía traición a cada momento.

Por último, un día en que todos manifestaban su mutuo descontento por lo inútil de estas lecciones, saltó la señora Aldonza, y dando rienda suelta a su mal reprimido disgusto:

—No os canséis, chicos —les dijo—, que pa golver en ca e vuestro padre Patricio Mirabajo con los mismos pecaos que trujisteis, eso me da que igais aches como que igais erres, y Dios en mis adrentos, que lo demás son sotilezas; con que no hay sino dejallo y no andarme con aquí te la puse, que lo mejor sólo Dios lo sabe, y como esas cosas podría yo contarles a los de Madril cacaso no entienden... ¡No sino úrguenme un tantico, y verán como todos tenemos nuestro aquel!... Y dígolo porque yastoy cansáa de tanto pedricarles de la pulítica, y dale con las cortisías, y torna con los filís, que así Dios me perdone como parecen saltarines de los cantaño bajaron a mi puebro. ¿Sus parece, chicos —añadió, encarándose con los madrileños—, que los mi mochachos pa casarse necesitan deprender toas esas es-tilaciones de la corte? Pues náa menos queso; porque ellos mientras Dios dé vida y salú a Aldonza Cantueso y Patricio Mirabajo, no han de apartarse dellos, agora se casen, agora no, que pa eso les himos parió y criao a nuestros pechos, pa que tengan cuidiao de nosotros desque lleguemos a viejos, y si lo contrario hicieren, para esta —y besó la cruz— que no habían de llevar un chavo, casí es nuestra última y pestrimera veluntá. Y esto mismo cuento de icirle a vuestro padre, y que o herrar o quitar el banco; y vosotros ya sabéis el camino de Olmedo, con que allí aguardamos la respuesta.

Corridos y confusos quedaron los dos jóvenes con aquella inesperada *proclama*, y luego que quedaron solos empezaron a reflexionar sobre su suerte, vieron cuán ilusorios eran sus proyectos de enseñar a sus amantes el aire de corte, cuando ellos mismos se verían precisados a olvidarle si habían de casarse y vivir en Olmedo; preguntáronse mutuamente sobre el estado de sus corazones, y hallaron que no quedaba en ellos una chispa del amor primero; observaron la tibieza de su padre en recordarles el empeño contraído; y, por último, llamaron en su auxilio las gracias de la señorita de Yerba-vana y del alférez de la Guardia, que acertaron a entrar en aquel momento. Don Teodoro, por su parte, acalorado por las reconvenciones de Aldonza, no tuvo reparo en anular el contrato, y los jóvenes renunciaron con gusto a una renta de diez mil ducados por no verse precisados a salir de Madrid, así como los aldeanos resolvieron olvidar un amor que les ponía en peligro de tener que alejarse de Olmedo.

(Marzo de 1832.)

LA FILARMONIA

> «La dulzura de la música es el único hechizo permitido que hay en el mundo.»
>
> *Feijóo.*

> «*La música compone los ánimos descompuestos y alivia los trabajos que nacen del espíritu.*»
>
> Cervantes.

El entusiasmo melómano producido a principios de este siglo por la fecunda lira del Cisne de Pésaro, halagaba las imaginaciones europeas, harto fatigadas por las combinaciones de la política y los desastres de la guerra. Las artes encantadoras, que sólo crecen a la sombra de la paz, tornaban a ejercer su influencia en los corazones generosos, y el privilegiado *Rossini*, aún no bien salido de la infancia, acababa de fijar la atención general presentando en la escena veneciana en el Carnaval de 1813 su famoso *Tancredi*. A los acentos del nuevo Orfeo respondieron todos los corazones: «desde el Dux hasta el último gondolero repetían involuntariamente su armonía, y las orillas del Adriático resonaban a todas horas ''*mi rivedrai, ti rivedró*''». Ni paró aquí —añadían los periódicos de aquella época— el triunfo del compositor boloñés: en menos de un año, su magnífica producción dio la vuelta a Europa; sus cantos se hicieron populares y admirados en todas partes; así se oían en la capilla Sixtina como en las revistas de Hyde Park, en los conciertos de Petersburgo como en los bailes de París.»

Desde entonces, los teatros líricos de Europa quedaron como avasallados al sublime genio que incesantemente les alimentaba con nuevas producciones, llenas de riqueza y de armonía; y si bien el nuestro, aún no restablecido de los efectos de una guerra devastadora, no pudo ofrecernos tan pronto una producción del compositor del día, no por eso su música era desconocida en esta capital, en cuyos salones resonaba con el merecido aplauso.

El ajuste de las señoras *Moreno* y de otros artistas españoles para los teatros de Madrid vino a ofrecer la posibilidad del espectáculo lírico, y aun de la ópera rossiniana, siendo *La italiana en Argel* la primera de éstas que oyó el público madrileño en la noche del domingo 29 de septiembre de 1816, con motivo del augusto enlace de nuestro soberano con la reina doña María Isabel. El entusiasmo inexplicable que aquella brillante producción causó en esta capital fue un anuncio de los gratos momentos que el público matritense podía esperar del autor del *Barbero de Sevilla*; mas por entonces hubo de contentarse con algunas óperas de otros maestros, porque la escasez de la compañía lírica no permitía funciones de gran desempeño. Esta misma razón sin duda fue la que motivó que la señora *Lorenza Correa*, que acababa de contribuir en los teatros extranjeros a la gloria de Rossini, no se determinase a dar en Madrid ninguna de sus óperas, contentándose con hacernos conocer el *Di tanti palpiti* y *Una voce poco fa*, que colocó en las óperas tituladas *Los pretendientes* y *No se compra amor con oro.*

Sin embargo de la escasez del espectáculo, no fue perdido para un público naturalmente filarmónico, y a medida que aquél iba adquiriendo vigor, veíase desterrar entre los aficionados el estilo monótono y amanerado de la antigua escuela, para dar lugar al sentimiento y vida de la nueva. La afición del público iba creciendo al par que sus conocimientos, y era menester complacerle si se quería dar calor a aquel movimiento. La empresa teatral de 1821 hubo de pensar sin duda de este modo, decidiéndose a volver a presentar a los madrileños el espectáculo de la ópera italiana, de que aún se conservaban reminiscencias, aunque remotas. Para ello contrató una compañía, compuesta de profesores distinguidos, tales como *Mari*, *Capitani*, *Vaccani*, etc., y a ésta fue a quien debió Madrid el conocimiento de las obras más escogidas de Rossini y demás célebres compositores modernos, cuyas bellezas acabaron de fijar su natural predilección por la música, y le fueron un manantial de placeres. Muchos años pasarán sin que olvide el delirio que la infundía *Tancredo* en la peregrina voz de la señora *Adelaida Sala*, o *García de Paredes* en el *Barbero de Sevilla.*

Siguió así la ópera, más o menos boyante, hasta que en 1825 se ajustó la compañía de *Montresor*, desde cuya época no fue una afición la del público, sino un furor filarmónico. El mérito de los cantantes, la nueva pompa con que se adornó el espectáculo, lo escogido de las funciones que se presentaron, fueron cosas de trastornar todas las cabezas, y llegó a tal punto el entusiasmo, que no solamente se les imitaba en el canto,

sino en gestos y modales; se vestía *a la Montresor*, se peinaba *a la Cortessi*, y las mujeres varoniles *a la Fábrica* causaron furor todo aquel año. Tan poderoso es el prestigio de la novedad y tan dominantes los preceptos de la moda.

La exigencia del público, creciendo desproporcionadamente, no se contentaba ya con artistas medianos. Fue preciso presentarle los de primer orden, y las célebres Corri, Césari, Albini, Lorenzani, Tossi y Meric Lalande, y los señores Maggioroti, Piermarini, Galli, Inchindi, Passini y Trezzini, con tantos otros como siempre ascendiendo hemos visto después, han necesitado toda la extensión de sus talentos, y la perfecta ejecución de las obras más clásicas de Rossini, Pacini, Meyerbeer, Mercadante, Morlachi, Carnicer, Donizzeti y Bellini para sostener la afición del público y excitar su entusiasmo, hasta el punto que, al concluirse el año cómico de 1831 con la despedida de la señora Adelaida Tossi, faltó poco para que los partidos encontrados de tossistas y lalandistas consiguiesen sembrar una eterna discordia en nuestra sociedad madrileña.

Tan imposible era ya hacer subir de punto aquella exageración, que necesariamente tenía que empezar a declinar, y así es que en el año último puede decirse que ha entrado la ópera en el período de su decadencia, de que sólo han podido retraerla algunos instantes los extraordinarios recursos artísticos de la señora Meric Lalande. En vano los entusiastas o intolerantes exclaman que los artistas no son nuevos, y las óperas no bien escogidas; en vano buscan a su tibieza causas interiores; el mal está en su imaginación. Satisfecha ésta con el continuado alimento musical, y pasado también el influjo de la moda, ha llegado a mirar con indiferencia lo mismo que en otro tiempo la entusiasmaba; y, por otro lado, después de escuchar *Semiramide*, *Mosé*, *L'último giorno di Pompei*, *Il Crociatto*, *Il Pirata* y *La Straniera*, ¿qué otras composiciones podrían buscarse para excitar su admiración? Por esta sencilla razón sería de desear que la exigencia filarmónica hiciese un alto, para mecerse agradablemente, y sin un furor imposible de perpetuarse, en el ameno campo que la ofrece la rica fantasía de los compositores y la extraordinaria habilidad de los cantantes del día.

Esta dilatada educación musical, unida a la particular disposición de los órganos españoles para la ciencia de la armonía, han producido entre nosotros tan notables aficionados, que pueden hacerse oír con placer, aun después de los célebres profesores que hemos visto en el teatro. Reconocida generalmente la superioridad de la música italiana sobre la insulsa pesadez de los romances franceses que antes ocuparan nuestros salones de buen tono, vióse en ellos campear la verdadera escuela del canto, si bien modificada cada año a la manera del modelo que se ostentaba en las tablas; así que alternativamente hemos observado reproducidas con una admirable fidelidad la arrogante determinación de la Albini, la tranquila corrección de la Lorenzani, la expresión romántica de la Tossi, y hasta la voz ahogada de Montresor, las prolongadas *fioriture* de Vaccani, y la tal vez nasal entonación de Galli.

Ocasión era ésta (si yo pretendiera tener vinculada la risa de mis lectores) para trazar un cuadro, si bien fantástico, si bien exacto, de nuestros filarmónicos de salón, poniendo de manifiesto las intriguillas que parecen anejas al ejercicio del arte, los desentonos de la *armonía*, las disputas de los *acordes*, las encontradas vociferaciones de los *unísonos* y las intenciones menguadas de algunos *virtuosos*.

¡Qué festivos matices no podrían suministrar a mi bosquejo las ronqueras improvisadas, las pérdidas de voz y las recuperaciones repentinas; los descuidos con cuidado en más de un dúo, con el piadoso fin de perder al compañero; las expresivas miradas y suspiros en otro; las gratas palabras de *cara immaggine, mio dolce bene, ternero oggeto, bel' idol' mio, abbi pieta di mé,* tan dulcísimamente deslizadas de ciertos labios, como benévolamente acogidas por ciertos oídos; las imprecaciones a un padre tirano, prodigadas tal vez en su presencia con notable entusiasmo suyo, o bien la letra de *l'inutil precautione,* fuertemente aplaudida por un bondadoso marido, o emitida con inteligencia por una virgen de dieciséis.

En segundo término, y como formando el coro de mi festiva composición, osaría presentar a aquella cohorte parásita de aficionados *orechianti,* que sin haber saludado los principios del arte, elevan o rebajan a su antojo las reputaciones filarmónicas, formándose en *comisión de aplausos,* y para los cuales las únicas bases del saber suelen ser la pujanza de la voz o los atractivos de una hermosa figura. En este número colocaría a aquellos que se sientan entre los cantantes, y están siempre solícitos, ya a volver las hojas del papel, ya a despabilar las luces del piano; o repartiendo programas por la sala, o transmitiendo más o menos desfiguradas las expresiones del maestro; los notificadores del *hoy no está en voz, no es de su cuerda, está cortada,* y otras muletillas con que suele disimularse el haber cantado mal; los que tararean *sotto voce* la misma pieza que se canta; los que dan la señal de los *bravo, soberbio, admirable, encantadora* y otras expresiones a este tenor; los que arrojan a las caras de nuestras actrices coronas de papel o rompen en su obsequio los asientos del teatro; que conducen del piano a la silla a la amable cantatriz, envaneciéndose con los elogios que al paso recogen para ella; y tantos otros *indispensables* como forman el claro-oscuro de nuestras reuniones filarmónicas. Pero tales observaciones, dando un aire satírico a mi discurso, me harían aparecer dominado por el deseo de encontrar ridículos, y no es esta mi intención, tratándose de un arte que ha llegado entre nosotros a una altura regular.

El estado, en fin, de la música en esta capital es lisonjero, y sólo faltaba que así como se forman aficionados para el encanto de los salones, se formasen artistas que ocupando algún día los teatros, libren a nuestra nación del crecido tributo que pagamos a los extranjeros. Nuestra benéfica soberana ha provisto a este deseo, creando un Conservatorio de Música, en que reunidos los profesores más distinguidos, y bajo un excelente método de enseñanza, se ofrece la lisonjera perspectiva de llenar en breves años aquel vacío, y que la nación que produjo los Garcías, Colbran, Correa y tantos otros, vuelva a presentar a Europa fenómenos de habilidad que acrediten más y más su esclarecido renombre en la historia de las artes.

(Marzo de 1833.)

POLICIA URBANA

Uno de aquellos días felices en que el perfecto equilibrio de nuestros humores, ocasionado quizá por una buena digestión, suele inclinarnos a la satisfacción y al contento haciéndonos mirar todos los objetos por el lado favorable, salí yo de mi casa sin destino fijo, y con la sola intención de ponerme en movimiento, dando al mismo tiempo ocupación a mi tranquila mente con la variedad de cuadros animados que ofrecen las calles de Madrid. Y como aquel día por fortuna todo me parecía bien, no es fácil formarse una idea de las sensaciones agradables que a cada paso experimentaba.

El cielo sereno y despejado, el sol brillante, el ambiente apacible, me trasladaban en imaginación al clima delicioso de las orillas del Betis; el bullicio y animación de las calles divertía mi fantasía; todos los hombres me parecían contentos, alegres y corteses; todas las mujeres, bellas, amables y satisfechas; sobre todo, llamaban mi atención por su picante fisonomía los jóvenes desde veinte hasta veinticinco; y ajustando las fechas, hube de observar que todos ellos debían haber nacido des-

de 1808 al 13, lo cual me condujo a sacar la consecuencia de que la guerra de invasión en nada perjudicó a las fisonomías.

Llamó luego mi atención la multitud y belleza de las casas nuevas o reformadas, si no con la mejor voluntad de los caseros, por lo menos con notable complacencia de los inquilinos; consideraba después la garantía que a estas mismas casas presta la filantrópica sociedad de seguros, causa principal del embellecimiento de la población; miré con complacencia los edificios públicos destinados a establecimientos útiles y de nueva creación; recorrí los paseos que por todos lados adornan diariamente nuestra capital; vi sus plazas más públicas despejadas de la insalubre suciedad que ocasionaba la venta de comestibles; observé mejoras en la limpieza, buena arquitectura en las fuentes y puertas modernas, gusto y elegancia en la innumerable multitud de tiendas y cafés; admirable provisión de comestibles en los varios mercados; comodidad incalculable proporcionada por la multitud de mercaderes ambulantes que bajo distinto diapasón entonan sus géneros por las calles; belleza y baratura en los objetos artísticos expuestos en los almacenes; prueba incontestable de que hay literatura en la multitud de carteles con letras de a medio pie que adornan las esquinas; decencia y lujo en los vestidos, coches y habitaciones, y mil proyectos útiles, en fin, para lo sucesivo, tales como el del alumbrado, conducción de aguas, magnífico teatro, y otros semejantes, de los cuales espera esta capital su futuro engrandecimiento. Y animado por la contemplación de tantas bellezas, no pude menos de rendir en el interior de mi pecho el más sincero tributo de admiración y gratitud a las autoridades matritenses, que tanto se desvelan por la prosperidad de este pueblo.

El entusiasmo que aquel paseo había infundido en mí fue suficiente a hacerme tomar la pluma, y llamando en mi auxilio la musa de Chateaubriand tracé las siguientes líneas: «¡Levanta la cabeza, villa de los dos mundos, levanta la cabeza, y sal del abatimiento a que una mano extraña te redujo; desecha los tristes lutos hijos de una guerra desastrosa, para vestirte de nuevas galas y primores; tú eres la joya de la España, tú eres palma del desierto, la fuente del arenal y la estrella de la noche; como el fénix renace de sus cenizas, así tú más hermosa y brillante te presentas después de tus escenas lastimosas; viuda desconsolada que se adorna con preciosas galas para obsequiar al nuevo esposo, tu conquistada belleza y los nuevos encantos que ostentas, forman la dicha de tu enamorado ausente que vuelve a sus lares, y se admira de encontrarte más joven y más bella que a su partida; permite, ¡oh Mantua!, permite que mi débil voz entone tus loores; permite que enajenado con el suave ambiente de tu eterna primavera…»

Pero al llegar aquí el espantoso ruido de un aguacero y granizo improvisados súbitamente, no sin grave riesgo de mis cristales, vino a distraer mi atención, y aún a arrancarme de mi amable éxtasis. Viendo, pues, que por entonces no me era tan fácil volver a él, y conociendo, por otro lado, que mi estómago

pedía a toda prisa el calor que había subido al cerebro, me puse a cenar al ruido del chaparrón, que no hay cosa como cenar tranquilamente mientras silba por fuera la furia del Aquilón y el bramido del Noto.

Consecuencia inmediata de la cena fue el quedar rendido al sueño, del que no volví hasta bien entrada la mañana siguiente: el frío intenso que sentía me hizo mirar el termómetro, y vi que por una de aquellas bruscas transiciones tan frecuentes en nuestra atmósfera, habíamos pasado en pocas horas desde doce grados sobre cero a tres por bajo, con lo cual no extrañé la fuerte tos que me molestaba, y que sin duda fue presagio de las malas aventuras que me esperaban todo el día. Mas halagado con el recuerdo del anterior, y a pesar del aguacero que había durado toda la noche y amenazaba volver a empezar, púseme en la calle con la idea de continuar mi paseo a fin de concluir mi empezada jaculatoria.

Lo primero que desconcertó mi intención fue el inmundo lodazal de las calles, que no sabía cómo evitar, pues si buscaba las estrechas y remendadas losas, iba haciendo pasos vascos, impelido por la suavidad del lodo reposado sobre ellas; y si me salía al empedrado, siempre encontraba el medio de poner el pie en las frecuentes hondonadas y charcos. Leía los bandos fijos en las esquinas y alababa las disposiciones que previenen a los vecinos barrer los frentes de sus casas; pero al mismo tiempo observaba la indolencia general en este punto, y no podía menos de irritarme al considerar este descuido en cosa de interés común, cuya ejecución debía ser voluntaria; y estando en estas consideraciones vi desfilar delante de mí una multitud de mendigos, los cuales venían de recoger el segundo desayuno de un convento o de una fonda, sin que a ninguno le ocurriese ofrecer su servicio a los vecinos para dar cumplimiento al barrido de las calles.

El cielo en tanto se iba cubriendo de nuevo, y no tardó en romper en otro turbión que a todos nos hizo aligerar el paso; pero en vano; a la lluvia por igual y goteada sucedieron muy pronto los asombrosos surtidores de los canalones de los tejados, los cuales describiendo una curva perfecta cruzaban sus aguas en las calles estrechas, y en vano el mísero transeúnte intentaba evitar su golpe, pues al menor descuido veíase aplanado y oía resonar sobre su sombrero la cascada de Aranjuez. Muy luego, arroyos, más ríos que el Manzanares, se formaron en las calles, y si bien algunos puentes improvisados ofrecían su socorro, mediante una corta y aun voluntaria retribución, eran de suyo tan débiles y vacilantes, que había una probabilidad más que mediana de caer en el arroyo, lo cual no dejaba de divertir sobremanera a los grupos de mozos de cordel repartidos por las esquinas, que cargarían con media casa si alguno se lo mandase, y formaban escrúpulo de alargar su mano ni ofrecer el menor auxilio a los pasajeros.

Yo buscaba el número 4 de la calle de... para tomar puerto en casa de un amigo; y no bien le hube hallado, cuando, sin reparar apenas en lo inmundo del portal, infestado por los vapores que exhalaban los dos depósitos que hasta la presente parecen indispensables en la mayor parte de los portales de la corte, y sin mirar tampoco lo empinado, estrecho y oscuro de la escalera, subí a tientas y llamé en el cuarto que me figuré ser el del amigo, pero se me dijo que no era allí, y que tal) vez sería otro número 4 que había enfrente. Atravesé corriendo la calle, subí a la otra casa (cuyo número por cierto estaba cubierto con una enorme muestra que decía: *Halmacén de ace-yte-vinagre, belas de sevoy demas comestibles*), pero tampoco era allí, y sólo pude sacar en limpio que aún había otros dos números 4 en la calle. Mohino y enojado contra la numeración de las casas por manzanas, que tanta molestia me ocasionaba, continué la calle abajo y me entré por el primer portal que encontré con aquel número; seguí largo rato su estrecha lobreguez, y ni él se acababa ni yo encontraba la escalera; en esto siento pasos precipitados detrás de mí, redoblo yo los míos, con lo que vine en conocimiento de que

aquello era un pasadizo, formado, como la mayor parte de los de Madrid, por la unión de dos portales accesorios, aunque sin adornos de cristales y primorosas tiendas como los *passages* de París.

Desesperado con mis azares y con la lluvia que aún proseguía, no sé qué hubiera dado por hallar un coche que me volviese a mi casa; mas para encontrarle hubiera necesitado ir a la calle de Alcalá o a la de Toledo, y alquilarlo lo menos por medio día, mediante la cómoda retribución de cuarenta reales, lo cual era peor que aguardar a que pasase la lluvia. Tuve, en fin, que tomar esta última determinación; mas por fortuna no tardó en despejarse el día, y por una extravagancia del temporal muy conforme con las anteriores, ostentar el sol su brillo natural.

Volvió la animación de las calles; pero no volvió mi alegría, pues mis desdichas no desaparecieron con las nubes; distraído con las cavilaciones a que ellas me conducían, iba a torcer una esquina, cuando me miré rodeado de una docena de ligeros jumentillos que, recién aliviados de la carga de los costales de yeso, y animados por la flexible vara del mancebo que los presidía montado en el último término del más provecto, no me dio lugar a defenderme en regla, sino grotescamente con manos y pies, recordando de paso al mozo con palabras harto duras la benéfica orden que les previene conducir su ganado sujeto a fila; pero aún estaba yo dirigiendo mi filípica, cuando blandiendo la vara sobre los lomos de los pollinos, formó una densísima nube de yeso y desapareció con ellos, dejándome entregado al coraje y a una violenta tos, que muy pronto conjuró contra mí a todos los perros que han sobrevivido a la persecución judicial del verano pasado.

Salvéme lo mejor que pude de aquellos peligros; pero fue para tropezar en otro, enredándome en una cuerda atada a un palo que había delante de una obra, y por pronto que quise salir sufrí gran parte de la lluvia de cascote arrojada desde el tejado; apartéme de allí, y fui a dar cerca de una docena de picapedreros que estaban labrando las piedras para una obra, los cuales acertaron a asestarme un guijarro a un ojo, en términos que hube de permanecer tuerto por todo el día.

Tantos y tan graves contratiempos irritaron mi bilis en términos que todo me incomodaba: los gritos de los vendedores, agudos y disonantes; el descoco de las naranjeras; las ropas nada limpias puestas a secar en balcones y ventanas; los tocadores al sol en calles no muy retiradas; el humo de las hachas que acompañaron al Santísimo Viático, impreso a propósito en las paredes del portal; las rejas salientes que amenazan los hombros de los adultos y las cabezas de los chiquillos; las riñas de los aguadores en las fuentes por tomar vez para llenar; las carretadas de bueyes cargadas de carbón; las interminables filas de mulas conductoras de paja; los inevitables serones de los panaderos ecuestres; los muchachos que venden candela y suelen arrimarla al que no la solicita; los que salen en tropel de las aulas o convierten la calle en público anfiteatro imitando la corrida de toros; los fogosos caballos de la brillante carretela que se dirige al Prado; la eterna pesadez de los simones; la silenciosa embestida de los bombés *facultativos* y la vacilante dirección de los calesines. Todas estas y otras cosas que se me fueron ofreciendo a la vista en calles y paseos durante todo el día acabaron de completar mi disgusto.

Llegada la noche, tomé puerto en el teatro, en el cual no tuve otro contratiempo sino unas cuantas gotas de aceite que perpendicularmente me cayeron de la araña, y al volver a mi casa a la luz de los faroles —que sólo sirven para hacer visibles las tinieblas—, iba buscando las calles más acompañadas por hallarse ya cerradas todas las tiendas.

Mi desgracia iba como siempre delante de mí: cuándo me hacía tropezar con una muralla provisional de cascotes apilados, procedentes de una obra, y colocados a tres cuartas de la pared, entre la cual dejaban un estrecho callejón apenas suficiente para el paso de una persona; cuándo me lanzaba de pies en un montón de cal recién apagada; ora me enredaba en una fila de basuras colocadas en medio del arroyo con ocho horas de anticipación al acto de recogerlas; ora me ponía delante ciertos avechuchos nocturnos, cuyo mal aspecto y repugnante desvergüenza ofenden al pudor y la moral pública; por aquí me salía al paso una vacilante tertulia arrojada de una taberna; por allá oía aproximarse el ruidoso tren encargado de aquella parte más sucia de la limpieza; huyendo de su olorífica influencia en el acto solemne de sonar las once, me acogía a la otra acera, a tiempo cabalmente de recibir el rocío con que una amable deidad alimentaba los tiestos de su balcón; por último, un sereno que venía detrás entonó a este tiempo su agudísima y prolongada canción, en términos que por miedo de que volviese a repetirla, le invité a acompañarme a mi casa, y fue lo único que hice bien en todo el día, pues al aparecer su farolillo a la entrada de cierta callejuela que teníamos que atravesar, vimos echar a correr dos hombres que sin duda no eran amigos de las luces.

Libre ya, en fin, de los pasados sustos, y procurando hacerme superior a las encontradas impresiones, reflexioné las inmensas mejoras que el aspecto de nuestra capital ha tenido en pocos años: reconocí que ellas son la causa de la exigencia actual sobre los inconvenientes que aún observamos, y cuyo remedio en un pueblo grande no es obra de un instante, y me dormí contento con la lisonjera perspectiva que el celo de las autoridades nos presenta, trabajando en hacerlos desaparecer de día en día.

(Marzo de 1833.)

NOTA

Policía Urbana.—Esta sátira festiva del abandono y desaseo en que por un inconcebible, aunque arraigado descuido, yacía la capital del reino en la época a que se refiere, parece ahora demasiado blanda después de comparar aquel estado con el que ofrece actualmente, y que honra sobremanera a la cultura de la población y al celo y diligencia de las autoridades municipales. Seguramente que el más apasionado del antiguo régimen o de los ayuntamientos perpetuos, de los corregidores *golillas*, de los *protectores*, de las *tasas, abastos, gremios, ordenanzas y cédulas* del Consejo, no podrá negar que con todo ese aparato y balumba de leyes y autoridades, y con un presupuesto de ingresos muy superior en algunos millones al que hoy cuentan las arcas de la villa de Madrid, la municipalidad perpetua, sea por las causas que fuesen, hizo poco, muy poco de lo que reclamaban las necesidades de la población; y que sus calles y caserío, su pavimento, su alumbrado, sus paseos, sus mercados, cárceles, hospicios, teatros y cementerios, ofrecían el aspecto más repugnante, aspecto que no recuerdan hoy y que no concebirían ya posible los mismos que entonces lo toleraban y defendían. Algo, sin embargo, empezó a mejorar en los años últimos del reinado anterior, merced a las mayores exigencias de la época, a los esfuerzos de los particulares y al impulso que no podían menos de seguir el mismo Gobierno y autoridad. El señor don Domingo María de Barrafón, corregidor en aquella época, abrió y planteó nuevos paseos exteriores; atendió con celo a la mejora del arbolado, disponiendo la formación de un hermoso vivero orillas del Manzanares; hizo construir algunas fuentes y protegió el ensayo de alumbrado por el *gas*, que por entonces no pasó de ensayo. Pero la verdadera época de reforma saludable en todos los ramos de la administración municipal de esta villa data, indudablemente, desde 1834-35, en tiempo de los nuevos ayuntamientos y, sobre todo, del celoso corregidor don Joaquín Vizcaíno, *marqués viudo de Pontejos*.

Este distinguido funcionario —cuyo nombre no olvidará jamás la población de Madrid—, fue el que inició el movimiento de progreso verdadero de civilización y de comodidad, y sin ser hombre de grandes estudios ni superiores conocimientos, bastóle la energía de su carácter, la penetración de su buen instinto y la influencia y atracción que ejercían sus modales simpáticos y caballerescos, para emprender y plantear con buen éxito mejoras radicales, no solamente en lo material de la villa, sino en sus establecimientos más útiles y morales; mejoras que hubiera desenvuelto seguramente a no haber sido tan corto el período de su administración —dos años escasos—, pero que han servido, a no dudarlo, de base para todas las infinitas realizadas después a su ejemplo.

Entre las primeras o materiales, que

planteó el marqués, debemos consignar aquí la sustitución de buenos reverberos a los mezquinos farolillos del alumbrado; la nueva numeración por aceras y números pares e impares; la de las lápidas de los nombres de las calles, y la adopción de muchos más apropiados y dignos, en vez de los repetidos o ridículos de varias de ellas; la introducción de las nuevas aceras anchas y elevadas sobre el empedrado; la mejora del servicio de limpiezas y prohibición de basureros en los portales; la formación de nuevas plazas y paseos, y el impulso y protección dado a las construcciones particulares. En cuanto a reformas de otro género, aunque más elevado, el asilo de mendicidad de San Bernardino, la Caja de Ahorros y la reforma del Monte de Piedad, dan al nombre de Pontejos aquel título de respeto y simpatía con que le pronuncia la población de Madrid.

Tan benéfico movimiento inaugurado por su administración ha seguido desarrollándose visiblemente después, y gracias a él, y a pesar de los períodos de turbulencias y discordias políticas, hoy presenta Madrid un aspecto halagüeño que parecía irrealizable hace pocos años. El empedrado de la parte central de la villa puede competir con los mejores de Londres y París, siguiendo su reforma por toda ella; el alumbrado del gas, aplicado ya en sus calles principales, está contratado también para todas en general; el servicio de barrido y limpieza se verifica diariamente y por métodos más decentes y regulares; desaparecieron los escombros de las obras, los montones de basura, los traperos, las caballerías cargadas de paja y de reses muertas, los mendigos postulantes, casi todos los cajones de madera de las plazas y calles para la venta de comestibles y los aguadores de las fuentes principales; se han aumentado las vecinales, se han colocado cubetas urinarias en las esquinas, se rotuló los primeros faroles de cada calle (aunque esta mejora ha ido desapareciendo por descuido), se han construido mercados cubiertos, pasajes, cárcel, reformado la plaza Mayor, la de Oriente y la Cuesta de la Vega, abierto plazas y calles nuevas, ensanchado muchas antiguas y plantado otras de árboles, formado, en fin, paseos hermosísimos extramuros de la población. Todas estas y otras muchas mejoras planteadas ya o en proyecto de inmediata ejecución, han tenido lugar especialmente en los años del 44 al 50; y el autor de estas *Escenas* se complace en consignarlo aquí con tanta mayor satisfacción cuanto que en dicho período ha podido tomar alguna parte activa en aquel movimiento civilizador como individuo que ha sido de la corporación municipal.

EL DIA DE FIESTA

> «Sin que pase la tarde
> decir no puedes:
> ¡qué día tan hermoso!
> ¡Muchos como éste...»

—¡Muchacho!

—Señor.

—¿Son campanas?

—Sí, señor.

—Temprano la han tomado; ¡si apenas es de día!

—Es verdad; pero como hoy es una fiesta solemne, ya usted ve...

—Y qué, ¿es a fiesta ese tañido?

—Mire usted, de todo hay: esas que se sienten a lo lejos son las de San Ginés, donde se celebra el santo del día, y por eso tocan a vuelo, y las de más cerca son las de Santa Cruz, y tocan a muerto, sin duda por aquel droguero gordo de la calle de Postas, cuyo entierro se verifica hoy.

—Cierra, cierra bien los balcones, que voy a escribir.

—¿A escribir, señor? No verá usted.

—Tanto mejor, con eso no sabré lo que me escribo, y entraré en la moda del día.

Ahora, pues, leamos despacio mis notas, y escojamos materia conveniente... Pero han llamado.

—Muchacho.

—Señor.

—Mira quién llama.

—Es el vecino de arriba que va a caza, y viene por usted.

—¿A cazarme a mí?

—Quiero decir, a que usted le acompañe.

—Buenos días, señor Postas.

—Buenos días, vecino; ¿qué tal, he cumplido la palabra?

—Sí; pero, hombre, salir así, tan de mañana...

—Pues mire usted, por mucha prisa que nos demos, ya llevaremos por delante cien escopetas que habrán estado esperando a que abrieran las puertas.

—¿Con que es decir que habré de vestirme?

—De cualquier modo; míreme usted a mí, ¡qué sencillo! Zapato blanco, botines de estezado, pantalón gris, chaqueta corta, sombrero de calaña, mi morral, mi frasco, y... nada más; lo que importa es ir ligero para poder andar mucho.

—¡Ah! ¿Con que en eso consiste la diversión? Pero... ¡calle! ¿Otro convidado más?

—No, señor; es el vecino de la tienda. el señor Liga, que viene armado con su caña y demás arreos de pesca para ver si me cogía la delantera en llevarse a usted; pero, amigo, por esta vez chasco se lleva.

—Ya escucha usted, señor Liga, mi compromiso; el señor Postas es más madrugador que usted.

—No consiste en eso, señor vecino, sino en mi maldita caña, que he tenido que prepararla con todo cuidado por si acaso pica alguna pieza grande.

—Una ballena, tal vez, ¿no es verdad, señor Liga?

—Vaya, señor vecino, no hay que venirse con pullas, que a las veces donde menos se piensa salta la liebre.

—Eso de liebre —replicó vivamente el señor Postas— me toca a mí, y salte ella una vez, que así se me escape a mí como por los cerros de Ubeda.

—Pues, señores, ya estoy vestido, y a la orden de ustedes.

—Ahora falta que escoja entre los dos elementos.

—El caso es que yo creo que los cuatro son a cual mejor, y si pudieran reunirse no encuentro motivo para separarlos.

—Dice muy bien el vecino: hay más que marchar juntos, y allí donde atravesare el aire algún bulto lucir usted su habilidad, señor Postas, y donde topáremos agua, sacar yo partido de la mía.

—Vamos, señores, vamos, pues, a nuestra anfibia expedición.

Esto diciendo, nos dimos a luz por las pacíficas calles, donde sólo encontrábamos a tales horas cual o cual lechero o buñolera que preparaban con sus expeditos manjares el camino de la tienda de la esquina que acababa de abrirse, y cuyo amo enjuagaba ya las copas del aguardiente.

La campana de una iglesia inmediata nos recordó que la primera obligación era la de oír misa; entramos en el templo; su inmensidad y silencio inspiraban recogimiento y devoción; el sonido de la campanilla, los trémulos pasos de algún anciano, la tos de algún otro escondido en las capillas, los fuertes golpes de pecho de un mozo arrodillado o el silbado rezo de una anciana sentada en el suelo, eran los únicos objetos que alteraban tal vez aquella sublime tranquilidad; y penetrado por ella, no pude menos de comparar tal espectáculo con el que algunas horas después ofrecería el mismo templo henchido de gentes de todos sexos y condiciones, mezclados sin distinción, y más ocupados en ostentar sus gracias y sus adornos que en la contemplación del acto religioso.

Cuando salimos de la iglesia ya las plazuelas iban llenándose de géneros y de compradores, siendo los encargados de las fondas los primeros que acudieron a hacer enormes provisiones, prueba no pequeña de la solemnidad del día, y en tanto que mis acompañantes empleaban algunos maravedises en pan y en frutas, compré yo disimuladamente unas perdices y unos peces, dando encargo a un mozo que nos siguiera con ellos a lo lejos.

Saliendo después por la puerta de Toledo nos dirigimos al Canal, con el objeto de realizar nuestra alternativa diversión; el señor Liga, en cuanto vio el agua, tomó su posición académica, enarbolando su caña, y el señor Postas echó a correr por los vericuetos con la escopeta al hombro; yo tomé asiento al lado del primero con el objeto de ser testigo de sus triunfos; pero en los tres cuartos de hora que permanecí con él, sólo obtuvo por resultado una rana, un zapato y un pez, que me produjeron tres movimientos convulsivos de risa. Queriendo disimularla en lo posible, me alejé del vecino, fui a encontrar al lejano mozo, y le envié cerca del pescador, con encargo de pregonar sus peces, entre tanto que me dirigía a buscar a Postas, cuyos repetidos tiros me daban la esperanza de una abundante caza.

La victoria, sin embargo, no correspondía a aquella salva, pues todo se redujo a un gorrión que, tasado por peritos, podría valer hasta ocho maravedises, a trueque de cinco reales muy cumplidos de municiones que iban ya consumidos. El héroe, sin embargo, no se desanimó, y viéndome venir redobló sus esfuerzos, sosteniendo con guardas y pastores tantas disputas como descargas hacía; pero observando yo lo inútil de su eficacia, resolví acudir al consabido expediente de llamar al de las perdices para que diese una vuelta alrededor del cazador.

Situéme después en un puesto distante, y según la señal convenida llamé con la bocina a mis dos corsarios; no tardaron en llegar cantando victoria, ostentando con aire triunfal sus presas, y contándome el pormenor de su captura; yo les felicité como debía; pero al preparar el almuerzo con ellas, no pude resistir a la tentación de hacer presente al señor Postas que aquellas perdices habían sido cogidas con lazo, y aquellos peces eran de otra clase que los que se dan en el Canal; replicáronme fuertemente; aparenté convencerme; mas volviendo a sonar el cuerno, se presentó mi montero mayor con el resto de las provisiones. Dejo pensar el efecto grotesco que produciría su vista en ambos adalides, y sólo diré que, deseosos de recobrar su honor en el segundo ojeo corrieron de nuevo a las armas, y me dejaron en disposición de volverme pacíficamente a Madrid.

Las nueve poco más serían, cuando le atravesé de uno a otro extremo, y mientras lo hacía con todo despacio saboreando las diversas escenas que se presentaban a mi vista, sentíme llamar por un amigo que me seguía de cerca, el cual, tomando la palabra:

—¿Qué es eso, señor Curioso —me dijo—, va usted recogiendo materiales para sus *Escenas Matritenses*? Pues algunos podría yo darle a usted, que también yo hago mis observaciones, y aún me precio de inteligente en el arte de Lavater. Y si no, ¿quiere usted que le diga el estado y las circunstancias de todos los que van pasando a nuestra vista? Pues óigalo usted.

»¿Ve usted aquel caballero tan bien portado que corre diligente con un lío debajo del brazo cubierto con su pañuelo? Pues ese caballero es un sastre que va a llevar la ropa a los parroquianos; dieciséis de ellos están esperándole sin salir de sus casas, y él no lleva más que para cuatro, con que los otros doce irán a reconvenirle al taller; pero él ha provisto ya a este inconveniente, cerrándole y marchándose a pasar el día al soto de Migas Calientes.

»Ahora repare usted a ese otro lado, y observe esa pareja que cruza delante de nosotros : media hora hace que salió la joven (que en su guardapiés de primavera, delantal negro, pañuelo amarillo y mantilla de sarga, muestra ser diosa de cocina) de una casa en la calle de la Magdalena, y al despedirse del ama, que le encargó que volviera pronto, respondió muy satisfecha: «Descuide usted, señora, en cuanto oiga misa.» Pero al volver la esquina de la calle tropezó con aquel mancebo que la esperaba, y aunque en todo este tiempo que van juntos han pasado por diferentes iglesias, en ninguna han dado muestra de entrar; y no es lo peor eso, sino que por el rato que va transcurrido tendrá ya la muchacha que volver a su casa.

—¿Y a usted qué le importa —le repliqué yo a este punto— esa intriguilla escuderil? Eleve usted un poco su pensamiento y repare, si es que ya no lo hizo, en esa mamá noble que acaba de salir de su casa, llevando delantero un pimpollo de muchacha; observe aquel cuidadoso descuido de su traje matutino, y cómo no ha temido su belleza a la peligrosa experiencia de la papalina rizada y pegadita a la cara; vea usted cómo ese pañuelito corto y recogido al cuello nos deja contemplar su talle delicado, y la botita de color su pie de cinco puntos; mire usted con qué gracia nos hace conocer que va a misa, ostentando en las manos su devocionario lindamente encuadernado a la *Gauffré* por Alegría o Ginesta; pero, sobre todo, ¿a que no adivina usted por qué vuelve la cabeza tan repetidas veces hacia nosotros? Pues no se esponje y envanezca, que no repican por él, y si no torne usted su vista hacia ese joven militar con capote de barragán azul forrado de encarnado, que viene detrás de nosotros acortando sus pasos, y como midiéndolos a un compás conocido, rizándose los bigotes, y oblicuando sus miradas a la acera izquierda por donde va la niña.

—¿Y cómo ha sorprendido usted su pensamiento?

—Muy fácilmente : observando que él salió de un portal de enfrente al mismo tiempo que ella de su casa, espiando después sus miradas de inteligencia y... Pero ¿a qué cansar? Sígales usted si quiere, y por mí la cuenta si no les viere oír una misma misa; mas no, déjeles usted y repare en ese joven que se adelanta hacia nosotros con su traje deslumbrante, como que conserva aún todo el brillo de la fábrica; contemple usted su atusado sombrero, todavía caliente de la plancha, su elevado corbatín, su lazo tan enigmático, sus botones de piedras de color, los sellos de similor purísimo; pues es un honrado ropero de la calle de Toledo que va derechamente a hacer su visita matutina y *en gran tren* a su futura, la hija de madama Bobiné, modista de Orleáns; pero antes reflexiona que será bien comprar unos guantes amarillos para mayor autorización de su blanca mano, y con efecto, entra en aquella mal cerrada guantería; mas, ¡ay!, que ése que ha entrado detrás de él es un alguacil; mucho me temo que al guantero le ha de costar diez ducados de multa el vender guantes el día de fiesta: verdad es que el día de trabajo nadie se los compra.

—No pierda usted, por Dios —me dijo a este tiempo mi amigo—, el espectáculo de ese coche simón, nuevo caballo troyano, en cuyo seno han encontrado cabida hasta once cabezas entre chicas y grandes, formando un grupo piramidal en forma de caricatura, a cuyo pie podría escribirse: *Una boda del Barquillo*. La novia es una tabernera de la calle de San Antón, y el novio un alojero de la de San Marcos; el padrino, que es un tocinero rico de la Costanilla, ha tomado el coche para todo el día, con el objeto de pasear la boda por las calles y saludar a todo el mundo; pero como las mulas son algo flacas y la carga demasiado gruesa, y como por otro lado han tomado la precaución de emborrachar al cochero, de aquí viene esa marcha oblícua y desigual que usted observa, y que concluirá por dar con la boda en el suelo, no sin grave contento de curiosos y muchachos que acompañen con sus silbidos los lamentos de los contusos.

Con éstos y otros espectáculos eran las once cuando llegué a mi casa, y al pasar por delante de la tienda del señor Liga observé a un mancebo muy agraciado que estaba a la puerta haciendo sonreír a la esposa de aquél, con lo cual no pude menos de exclamar: «¡Cosas de mundo! ¡Su marido acaso no habrá sacado aún un pez, y a ella, sin buscarlos, se le vienen a la mano!»

Subí diciendo esto a mi cuarto, cuando sentí abrir la puerta de mi vecino, el señor don Magnífico Pabón, cuyo criado, cuadrándose en la escalera, preguntó:

—¿Es el peluquero de su señoría?

—No, amigo —le contesté—; pero según el tufo de esencias que me ha dado al pasar, juraré que le dejo a la puerta de la tienda componiendo una receta de mil flores.

Y así era la verdad, pues a este tiempo subía ya el mancebo, preparando los peines al son del romance francés de *Le Trouvadour*.

Encerrado por fin en mi cuarto, me proponía aprovechar el resto de la mañana en disponer mi artículo; mas no bien lo empezaba a hacer, cuando entró por la puerta el señor don Magnífico en persona, radiante como un reverbero que iba a la corte con su uniforme nuevo; propúsome acompañarle para hacer después juntos varias visitas; acepté el ofrecimiento, y henos aquí caminando a palacio por entre una multitud de carruajes de todas edades y condiciones, y de otra aún más numerosa de pedestres en canillas, cuya vista fija en los pies se hallaba ocupada en defender las nacaradas medias de la inmunda profanación del lodo.

Llegados a palacio, subió mi compañero y yo marché a esperarle en casa de un amigo, donde no tardó en llegar, con lo cual empezamos nuestras visitas de buen tono; pero tuvimos la suerte de despacharlas pronto, porque las señoras habían salido, cuál a la misa de la tropa, cuál a la de las dos en el Buen Suceso, cuál a la revista en el Prado, y cuál, en fin, a otras visitas, y esto me convenció de la ventaja de hacerlas en días de fiesta. A todo esto eran ya las tres, y por indicación de don Magnífico, y aunque no teníamos necesidad de ello, atravesamos a lo largo la calle de la Montera, en cuya acera izquierda se hallaba reunida a aquella hora, entre sol y sombra, la flor y la nata de la andante caballería, y al pasar por aquellos grupos no pudo prescindir mi vecino de bajar el cristal y sacar por el ventanillo la manga de su uniforme, con lo cual quedó satisfecho de haber fijado la conversación general por cinco minutos.

La tarde de un día de fiesta necesitaría por sí una prolija descripción en que podría lucir el pintor el efecto de los contrastes. Pintaría de un lado a una buena parte de la multitud, piadosa y recogida, poblando las iglesias para asistir al jubileo o al sermón, en tanto que otra gran parte del pueblo corre bulliciosa a los circos a presenciar las gracias de un novillo o las desgracias de un volatín; opondría la variedad y alegría de los retirados paseos, como la pradera del Canal, la Florida, la Virgen del Puerto, la Fuente Castellana y otros así, en que las meriendas improvisadas, las danzas provinciales y los juegos bulliciosos ofrecen una animación exagerada, y aun peligrosa algunas veces, a la prosopopeya uniforme de los paseos de buen tono, como el Prado y el Retiro; las ruidosas disputas de las tabernas y las acaloradas discusiones de los cafés; la complacencia extraordinaria de los espectadores de la escena muda de *El descuartizado*, ejecutada por *el primer fantasmagórico español*, o de los azares de don Simplicio Bobadilla, y la fría indiferencia de la sociedad altisonante escuchando pocas horas después el *Cid* de Corneille o el *Pirata* de Bellini. Esto me hizo repetir la observación que alguno ha hecho antes que yo, a saber: «que las fiestas son variedad en el aburrimiento del rico, consuelo y verdadero placer del pobre».

Tarareando aún el rondó final de la ópera, regresé a mi casa para descansar de una vez, pero me hallé con un nuevo suceso que vino a distraer mi atención, y fue que al entrar en mi cuarto me hallé tendido al señor Postas llorando su desventura.

—¿Qué hay, señor Postas, qué llanto es ése?

—Pobre de mí, señor vecino, pobre de mí, que he ido por lana y vuelvo trasquilado; quiero decir que salí de mi casa a cazar sin haberlo conseguido, mientras que otro ha cazado en mi casa todo lo que había en ella.

—¡Qué desgracia!

—Verdad es que no había nada, pero menos he hallado yo fuera, como no sea este fogonazo que me ha abrasado media cara.

—Vaya, consuélese usted; podrá ser que..., pero ¿qué voces son éstas que se siente arriba, «¡que me mata! ¡vecinos!»?, ¿qué es esto?

—Nada, señor vecino; no se asuste usted. Será el tío Curro Cariñena, el oficial de zapatero que vive en la buhardilla de la esquina, que vendrá con el refuerzo acostumbrado en tales días y tratará de disculparse con su mujer dándola de palos.

—¡Infeliz! Vamos a socorrerla.

Hicímoslo en efecto, no sin grave trabajo, y dejando al señor Postas en su habitación, torné yo a la mía para acostarme, como lo hice, procurando desechar penas y enojos; pero el ruido del baile que aquella noche daba don Magnífico, pared por medio de mi alcoba, no me dejaba sosegar un momento, haciéndome renegar de mi vecindad y del día de fiesta, cuando de repente siento una agitación universal en toda la casa, y entre carreras y gemidos llegan a mí las voces de «¡Fuego, fuego!». Salto precipitado de mi lecho, corro al peligro y encuentro que era el fogón del señor Liga, que habiéndole abandonado sin precaución por todo el día, el marido ausente en la pesca y la mujer en los novillos, salía ahora con la ocurrencia de que se estaba quemando desde las seis de la tarde. La consternación entonces se hizo general; toda la vecindad acudió a apagar el incendio, y aunque felizmente lo conseguimos muy pronto, tardamos aún el resto de la noche en recoger las reliquias de muchos efectos que algunos amigos oficiosos, para librarles de todo peligro, habían arrojado violentamente por el balcón.

(Abril de 1833.)

LA CASA A LA ANTIGUA

> «Ne gênez pas, je vous en donne avis
> tant vos enfants o vous, pères et mères,
> tant vos moitiés, vous épous et maris,
> c'est ou l'amour fait le mieux ses affaires».
>
> *La Fontaine.*

Muy distinto era el asunto que me proponía tratar en mi artículo de esta semana; pero al prepararme a ello hallé sobre mi bufete una carta que me hizo variar de idea. Firmábala don Perpetuo Antañón, sujeto para mí desconocido, aunque sus circunstancias me parecieron tan notables que, desde luego, me propuse ponerlas en conocimiento de mis lectores. Cavilando largo rato sobre el modo de hacerlo con mayor efecto, no hay que decir que corté varias plumas, tracé algunas líneas, las borré luego, cambié muchas veces de papel y me rasqué no pocas las orejas y la frente; pero todo en vano, pues nada de lo que escribía llenaba mis deseos; hasta que volviendo a leer la carta, me ocurrió la feliz idea de que en vano intentaría yo prestar a mi pintura aquel colorido fiel y sencillo que la da el pincel del propio interesado, y en su consecuencia, nada podrían agradecerme tanto mis lectores como recibir de mis manos el mismo bosquejo original. Lo cual diciendo, tuve por bien salir de mis apuros sin otro trabajo que el de trasladar literalmente dicha carta, y hela aquí, punto por coma:

«Señor Curioso: Usted es el mismísimo Diablo Cojuelo, y aún más, pues sin el ingenioso expediente de alzar los tejados de Madrid ni hacernos volar por los aires, como aquel al licenciado don Cleofás, nos pone usted de manifiesto aquellas escenas que pasan de puertas adentro de nuestras casas, y cuya observación se escapa a la mayor parte de los testigos. Esta pintura, desdeñada por el historiador y exagerada en pro u en contra por viajeros y poetas satíricos, es tanto más importante cuanto que nos ofrece un espejo fiel en que mirar nuestras inclinaciones, nuestros placeres y también nuestras virtudes, nuestros defectos y ridiculeces (pues desde luego convengo con usted en que los crímenes no entran en su benévola inspección), y puede ofrecernos más modelos que seguir y más escollos que evitar que la misma historia, por la sencilla razón de que hay más Juanes o Mengas que Titos y Dioclecianos, y que la mayor parte de los hechos y dichos de los varones célebres de Plutarco parecerían ridículos en un mercader de la calle de Postas.

»Pero supuesta la necesidad de esta

moral linterna mágica, y supuesta también la dificultad de iluminarla de modo que todos la veamos, no puede menos de asaltarme la idea de que usted tenga a sus órdenes algún espíritu foleto para comunicarle los sucesos con la verdad con que los describe, como si a un mismo tiempo fuera joven, viejo, elegante, pelucón, padre, amante, galán, cortejo u pretendiente. Esta consideración, que me ha ocupado tres noches de desvelo, me ha hecho temer que el dicho malandrín, al comunicarle la noticia de mi desmán, la tuerza y desfigure tal vez en menos pro de mi buena fama; y por si así sucediere, quiero yo mismo ser fiel cronista de ella y describírsela a usted, a fin de que después haga el uso que crea conveniente.

»Para mayor inteligencia de mi discurso empezaré por decir a usted que, aquí donde no me ve, soy un antiguo comerciante; que habiendo debido a la divina Providencia y a cuarenta años de trabajo un capital respetable, fruto, no de quiebras fraudulentas ni especulaciones ilícitas, sino de una honradez y buena fe nunca desmentidas, resolví hará cinco años retirarme de los negocios y vivir tranquilo en mi casa con aquella uniformidad y dulzura a que me inclinaba ya el conocimiento del mundo.

»No le negaré a usted que la causa principal de mi retiro fue sin duda la continuada reflexión sobre los vicios que la miseria parece haber puesto a la moda; observé la mala fe de los diestros estafadores; vi la hipocresía de los falsos amigos; adiviné el interés de los bajos aduladores; y conocí, en fin, la delicada posición de un hombre de bien en medio de las asechanzas que le rodean; y sea esta convicción, o mi natural deseo del descanso, ello fue que desde entonces me cerré herméticamente en mi casa, con la sola compañía de mi esposa, una hija niña y dos antiguos criados de conciencia experimentada.

»Confesaré a usted que el edificio que ocupo en un barrio lejano es de los más antiguos de Madrid, y que su aspecto sombrío, sus balcones de gran vuelo, la enorme ala del tejado y toda su exterioridad están anunciando a los transeúntes su fecha de tres siglos; convengo también en que el interior no es de más moderna invención; que no reina en él la economía presente; que las pinturas son antiguas, los techos envigados y de una altura desmesurada; las puertas, colosales, los vidrios pequeños y verdinegros; las baldosas, cortadas y desiguales; pero, en cambio, es casa propia, tengo en ella salones inmensos, corredores interminables, escaleras interiores, habitaciones independientes, buhardillas y sótanos para guardar un almacén. Por otro lado, la prodigiosa multitud de muebles que poseo, no solamente encuentran cabida en este inmenso caserón, sino que juegan muy bien por su fecha y por su forma con lo material del edificio; y si no, dígame usted, ¿en cuál de los del día podría yo colocar las costosas arañas de doce brazos que llenan ellas solas una sala, los cuadros de tres o cuatro varas, las mesas macizas de nogal, los sillones de baqueta de Moscovia, las camas imperiales, los bufetes de cuatro registros, las alacenas y las cómodas de doce cajones? ¿Ni qué bien irían en una casita de muñecas las floreadas cornucopias, las estampas del Hijo Pródigo, los ricos escaparates del Nacimiento, los sitiales encarnados, los bancos de respaldo, las colgaduras de damasco, los tapices de Ciro, los tiestos de tinaja, los relojes de flautas clavados en la pared, las rinconeras de dos pies, los mapas de media caña, los biombos chinescos, los velones de cuatro pabilos o de bomba de cristal, los armarios enrejados, las figuras de talla y tantos enseres a este tenor como forman el adorno de mi habitación? Y por último, ¿qué figura había de hacer yo mismo, vestido a la 1805, con mis zapatos en punta, hebilla de plata, media negra, calzón corto, chaleco cumplido, corbata blanca sin lazo, bastón de tres altos, empolvado tupé y sombrero en facha?

»Sin querer, señor Curioso, le he hecho a usted la descripción de mi habitación y de mi persona; ¿quiere usted saber mi método de vida? Pues óigale usted: Yo me levanto al salir el sol y mi primera diligencia es acudir a oír misa a la parroquia, donde todos los concurrentes nos conocemos ya de vista cotidiana; satisfecho este primer deber, me suelo dirigir a cualquiera de las plazuelas de San Ildefonso o de Santo Domingo; allí, al mismo tiempo que tengo un rato agradable con la animación y bullicio del mercado, ajusto de paso algunas provisiones y sé mejor que sus amos lo que cuestan las que llevan los criados de mi vecindad. De vuelta a mi casa, me entretengo agradablemente con mi jicarón de dos onzas de chocolate, eclipsado entre cuatro baluartes de tostadas y bollos, cuya sustancia restauradora me presta fuerzas para la lectura del *Diario* (único papel a que conservo afición, por ser, a mi entender, el que más ideas contiene), y como vea en él el anuncio de alguna almoneda o pública subasta, no dejo de anotarlas en mi registro para darme una vuelta por ellas, último resto que conservo de mi inclinación mercantil. Cuido después de mis tiestos y mis canarios, y salgo a las diez a visitar algún amigo de mi humor y de mi edad, con el cual me entretengo en ensalzar lo pasado a costa de lo presente; entro luego en una librería, donde suelo escuchar cosas que no están escritas en ningún libro; recorro después plazas y prenderías buscando preciosidades parecidas a las que yo conservo en mi casa, lo cual suele darme cierto aspecto de anticuario; examino después el estado de las obras públicas, calculando su duración, en cuyo cálculo suelo equivocarme en algunos años, y por último, vengo a parar en mi antiguo almacén, recordando en él los vaivenes de mi juventud, cual el viejo marinero sentado en la playa contempla como en sueños sus pasados sustos y alegrías.

Allí permanezco hasta que suena la una del reloj del Buen Suceso, a cuya hora vuelvo a mi casa, en la que percibo ya el olor de mis compras de la mañana; mas como no hay cosa que se envidie más que un sentido a otro, no tardo en confiar al gusto los placeres del olfato y, sentado entre mis dos femeninas compañeras, empiezo la comida, que entre trabajo y descanso suele prolongarse hasta las tres.

»Allí permanezco hasta que suena la de dormir una horita de siesta y después salgo a paseo con algún amigo (que por lo regular suele ser un religioso), dirigiéndonos despacito al c a m i n o de Chamberí o a las ventas de Alcorcón. Sentámonos donde nos parece, al sol o a la sombra; parámonos de vez en cuando a tomar un polvo y departiendo nuestros sentimientos en sabrosa e inocente plática, aguardamos a que el sol empiece a esconderse para volver a la capital y dirigirnos, ya juntos, ya separados, a restaurar nuestras fuerzas con la segunda toma de chocolate, precedida por un vaso de limón o de agraz. Reúno d e s p u é s la familia, rezamos nuestro rosario, y acabado éste, suelo retirarme a mi despacho a leer un par de horas, o bien acontece bajar el vecino don Segundo con su esposa, que forman con la mía y conmigo dos parejas homogéneas, para jugar una manita de mediator o malilla hasta las nueve, hora en que, indispensablemente, he de cenar, a fin de poder oír entre sábanas la campana de las diez.

»Alzados los manteles, me retiro a se interrumpe dos días en el año, cuales son el del santo de mi esposa y el mío; en ellos, además del convite a los vecinos a mesa y refresco, es de ordenanza el tomar un palco para ver la función del coliseo, sea cual fuere, y sin cuidarnos de si pertenece a la familia clásica o a la romántica, aunque siento mucho cuando toca en el género fastidioso.

»Pero es el caso, señor Curioso de mi alma —y aquí entra la parte más sensible de mi narración—, que así como no siempre llueve a gusto de todos, tampoco esta serenidad complacía a mi hija, desde que dio asomos de querer cumplir los quince, y desde aquel instante cesó la tranquilidad de mi existencia; hecho un Argos vigilante de sus pasos, con el fin de que no llegase a conocer las seducciones del mundo, me oponía a todo aquello que consideraba propio a despertar sus pasiones; evité cuidadosamente que ninguna persona humana más que mis vecinos visitase nuestra casa; cerré puertas y balcones; prohibí amiguitas y parientas; desterré lecturas, músicas y baile, y en los ratos que me ostentaba más amable, de vuelta a casa, después de un paseo con ella a la fuente del *Pajarito*, o a Nuestra Señora del Puerto, en vez de mi ordinaria canción contra las costumbres del día, la daba a leer algunos de los artículos de usted en las Cartas Españolas o la Revista, tales como *Las visitas de días*, *El Prado*, *Las tertulias*, *Las niñas del día*, etc., con lo cual creía haberla convencido sobre los inconvenientes del gran mundo paar la juventud; pero si estos y los demás medios de mi defensa surtieron el efecto que me propuse, va usted a juzgarlo por sí mismo.

»Ya he dicho a usted que mi casa era inaccesible a los pretendientes que la belleza y buena dote de mi hija podrían suscitar; sin embargo, el amor y el interés fueron bastante móvil para hacer que algunos —y por cierto no despreciables— me hicieran proposiciones por medio de mis amigos; pero mi contestación se reducía siempre a decir que mi hija era muy niña y no perdía tiempo —y la verdad que esto último era demasiado cierto—; con lo cual todos quedaban despedidos, y yo satisfecho de mi precaución. El cielo, sin embargo, me reservaba el castigo de mi confianza, y aún no sé si diga de mi manía.

»Yo tenía por mis pecados un pleito pendiente, de cuyo estado venía a darme parte alguna vez mi procurador *don Simón Papirolario*, el cual solía traer consigo para llevar los autos a su escribiente Frasquito, mozo despierto y hablador; éste, con toda intención, encontraba siempre el medio de empeñarme en disputas con su principal, mientras iba él a la cocina o a la pieza de labor a beber agua o a encender el cigarro, y... ¿lo creerá usted, señor observador? Pues tal ha sido el disfraz que tomó el amor para rendir el corazón de mi

hija: con éste trastornó su cabeza, inspirándola una pasión frenética; y éste, en fin, es el que a consecuencia de una larga serie de disgustos, de males y contiendas, tengo que consentir como yerno mío, después de haber despreciado tan ventajosos partidos. ¡Un escribiente de procurador!...

»Ahora dígame usted si debí esperar tan desgraciado suceso de mi sistema de vida, o si cree más bien que haya sido un resultado forzoso de él, en cuyo caso debo desengañar a los que le sigan, aconsejándoles que se engolfen en el gran mundo, y que escarmienten en cabeza del inconsolable.—*Perpetuo Antañón.*»

Hasta aquí la carta del afligido corresponsal, y no habrá un solo lector que no haya observado en este buen señor a uno de aquellos espíritus exagerados que tienen la desgracia de no ver más que los extremos de las cosas. Huyendo de las seducciones del gran mundo, vino a caer en el ridículo opuesto, convirtiendo su casa en un castillo; cerró las puertas al amor y se le entró por la ventana. ¡Lástima grande que no hubiera tenido un amigo sincero que a tiempo le hubiera aconsejado lo conveniente!

»Vigile usted en buena hora —le hubiera dicho— sobre la conservación de las buenas costumbres en su familia; pero no las revista de una austeridad insoportable; huya tal vez de las tertulias y sociedades en donde la seducción se halla sistematizada; mas no cierre su casa a un pequeño número de personas escogidas y dignas de frecuentarla; dirija, en vez de torcer, las inclinaciones de su hija, y no dude que éstas serán racionales cuando cese de mirar en el techo paterno una prisión, y en el primer miserable atrevido que se la presente su liberador y paladín.»

(Abril de 1833.)

LA CASA DE CERVANTES

> «Los sitios habitados en otro tiempo
> por los hombres ilustres, excitan gran-
> des y generosos recuerdos, y no sin ra-
> zón se ha comparado la fama que les
> sigue a aquellas preciosas esencias que
> llenan el espacio y se evaporan difícil-
> mente.»
>
> *Jouy.*

El antiguo Madrid no existe ya. Si por ventura lució con el nombre *Mantua* en tiempo de los griegos, ningún vestigio, ningún testimonio sólido nos queda para probar tan remota antigüedad. ¿Pretendemos buscar el *Maioritum* o la *Ursaria* de los romanos? ¿Dónde están, pues, los templos, los circos, los caminos, los acueductos con que aquéllos enriquecieran su recinto? Ni una sola piedra nos demuestra su existencia en aquella época. Los godos, que arrancaron a los romanos el imperio de España, gobernándola por siglos hasta la invasión de los sarracenos, ¿qué monumentos de su poder dejaron a esta villa? Ningunos: ni las historias de aquellos reinados la nombran aún.

¿Qué pruebas tenemos de la prosperidad del *Magerit* de los mahometanos? Un estrecho recinto contenido desde el sitio donde estuvo el Alcázar al de Puerta de Moros, y en él muchas calles revueltas y costaneras; uno o dos templos de mezquinas proporciones, y los nombres de algunos sitios; tales son los únicos restos de la villa avanzada de Toledo, de la conquista de Alfonso el VI.

El soberbio alcázar de Madrid, que resistió a las tropas del emperador de Marruecos, y posteriormente jugó un papel de importancia en las civiles guerras de don Pedro y don Enrique, doña Isabel y doña Juana; las poderosas murallas, las torres y puertas que aún se conservaban en el reinado del Emperador, todo fue desapareciendo con el tiempo; pudiéndose hoy apenas encontrar algún otro edificio cuya fecha sea anterior al establecimiento de la corte en Madrid por el señor don Felipe II. Empero, aquella real determinación, atrayendo a esta villa el poder y la riqueza de dos mundos, hizo nacer como por encanto una población cuya extensión y suntuosidad oscureció casi del todo las glorias de la antigua; y he aquí la razón por qué los recuerdos matritenses apenas penetran más allá de aquella época.

La imaginación se sorprende con el brillante espectáculo de la corte del poderoso Felipe II y de sus dos sucesores. Capital de la monarquía más extendida del orbe, llave de la política europea, teatro de los más importantes acontecimientos, centro de los hombres más distinguidos, Madrid se identifica entonces con los recuerdos más gloriosos y su historia es ya desde aquella época la historia de la monarquía. Eternos, por lo tanto, deberían ser los monumentos de la tal grandeza; mas por desgracia el transcurso de los tiempos, los desastres de las guerras y el capricho y comodidad de los moradores de esta villa han ido destruyendo continuamente aquellos históricos documentos en términos que sólo algún otro edificio público nos queda para idea de la corte de los siglos XVI y XVII.

Verdad es que la munificencia de los augustos soberanos de la casa de Borbón, dirigida por el buen gusto de la época presente, han hecho olvidar la falta de aquellas antigüedades con magníficas obras que prestan a la villa su actual suntuosidad. El palacio de Felipe IV pereció; pero en su lugar se eleva uno de los más elegantes de Europa. El sitio del Buen Retiro, obra del poderoso conde-duque, apenas conserva vestigios de su primera faz, si bien ostenta en el día nuevos primores. Los templos fundados durante los reinados de la Casa de Austria, destruídos por la mayor parte en la invasión francesa, aparecen hoy despojados de su carácter de antigüedad y revestidos del gusto moderno. Los paseos, teatro de las galantes aventuras de aquella época, presentan hoy un aspecto y una importancia diferentes; el ingenioso Calderón desconocería el florido *Parque de Palacio* en el inculto término que hoy conocemos con aquel nombre, al paso que sentiría admiración al contemplar el magnífico paseo que ha sustituído al desigual y escabroso *Prado de San Hierónimo*. Los palacios de los magnates, los edificios públicos, las magníficas puertas y el aspecto, en fin, de novedad y elegancia que adornan a la corte de Carlos III y Fernando VII, la harían desconocida a los mismos que en otro tiempo la pintaran; al inmortal Cervantes, al sublime Calderón, al fecundo Lope, al festivo Quevedo y a tantos otros como en aquellos siglos formaron las delicias de Madrid, cautivando la admiración de Europa.

Mas si nuestra exigencia y nuestro lujo pueden tal vez hallarse satisfechos con la moderna belleza de los objetos que nos rodean, no así lo quedarían nuestro entendimiento y nuestra memoria, si pretendieran saborear la magia de los recuerdos, despojados ora de los restos de la antigüedad; en vano intentaríamos respirar el aura de la gloria en los sitios habitados por los hombres ilustres; en vano pretendiéramos identificarnos con ellos, uniendo su memoria a los objetos materiales que les rodearon en vida; la simple vista de aquellos monumentos nos sacaría al instante de nuestro error, ofreciéndonos solamente la mano del moderno artista, donde buscábamos la sombra del antiguo genio.

No era un mero capricho el que había determinado en mí estas reflexiones, sino la escena que acababa de presenciar, y en la que yo había sido uno de los interlocutores. Parado una de estas últimas mañanas en la calle del León, viendo derribar la casa número 20 de la manzana 228, que hace esquina y vuelve a la de Francos, había largo rato que permanecía abismado en aquellas o semejantes consideraciones, cuando llamó mi atención, viniendo a sacarme de mi éxtasis, el caballero Roberto Welford, joven inglés de ilustre nacimiento y uno de los poquísimos extranjeros que visitan nuestra España con sólo el objeto de verla.

—¿Qué hace usted ahí —me dijo—, tan absorto y entretenido?

—Veo derribar una casa.

—Por cierto que es un filosófico espectáculo.

—Acaso más de lo que usted cree.

—Conforme; si la casa es de usted, desde luego le doy la razón.

—No, no es mía, ni un sentimiento material y mezquino es lo que me ocupa en este momento; más sublime es la idea que me hacen nacer esas ruinas, y usted, sin duda, participará de mi sensación cuando le diga que en esa casa que desaparece ante nuestra vista vivió y murió pobremente Miguel de Cervantes Saavedra (*).

(*) Léanse en prueba de esta aserción las noticias prolijas de los señores Ríos, Pellicer, Mayans, Navarrete y otros; solamente no fijan el cuarto que ocupó, aunque hay razones para creer que fuera el entresuelo,

—¡*La casa de Cervantes!*... (un golpe eléctrico no hubiera hecho impresión tan repentina en el semblante del inglés como la que le produjo el sólo nombre del autor inmortal). ¿Es posible? —exclamó con resolución—. ¿Y quién se atreve a profanar la morada del *escritor alegre, del regocijo de las musas?*

—El interés, míster; el interés será el que justamente incline a su dueño a sacar más partido de su propiedad, sin cuidarse de glorias que nada le producen.

—¿Y por qué no le producen? ¿Por qué los magnates, los cuerpos literarios, los particulares amantes de su país, no se apresuraron a adquirir a toda costa el único resto de tan célebre autor, para evitar cuidadosamente su aniquilamiento? (Y esto diciendo, sacó su álbum y empezó a dibujar la fachada de la casa, acción sencilla, pero expresiva, que hizo correr mis lágrimas).

—Los ilustrados historiadores y anotadores de Cervantes —decíale yo mientras continuaba su dibujo— han averiguado con efecto, a no poderlo dudar, que habitando esta casa arrebató la muerte al hombre célebre cuya sangre derramada en los combates, cuyo ánimo esforzado en las prisiones y el sublime mérito en fin de sus obras en la paz y en el retiro, no pudieron despertar la atención de sus contemporáneos, viviendo en medio de ellos pobre y necesitado y muriendo oscura y miserablemente el día 23 de abril de 1616.

—¡Cómo —exclamó vivamente el inglés—, en el mismo día que nuestro *Shakespeare!* Pero el poeta britano tiene el soberbio mausoleo de Westminster, al lado de nuestros monarcas, mientras que el español... ¡qué contraste!

—Su cuerpo fue depositado por disposición suya en el convento de las monjas trinitarias; pero el injusto desdén que le persiguió durante su vida privó a sus cenizas del homenaje merecido,

y acaso podrían añadir a ellas fundamento los siguientes versos con que concluye el viaje al Parnaso.

«Fuime con esto, y lleno de despecho
busqué *mi antigua y lóbrega posada*
y arrojéme molido sobre el lecho,
que cansa, cuando es larga, una jornada.»

llegándose a ignorar el lugar de su sepultura, culpa imperdonable en sus in-

»Los más eruditos españoles que vinieron d e s p u é s, ocupados cuidadosamente en recoger los más pequeños datos de la vida del autor del Quijote; los sabios de todas las naciones, formando una sola voz para encomiar aquella obra inmortal; las prensas y buriles, continuamente ocupados en reproducir sus bellezas con todo el lujo artístico, no eran aún completo desagravio a la ultrajada memoria de Cervantes; estaba, pues, reservada esta gloria a nuestro monarca actual, consagrando a aquél un monumento más noble y desconocido entre nosotros; sí, amigo mío, a la voz del soberano, y bajo la dirección de un ilustrado magnate, cuyo nombre se enlaza, naturalmente, con los estímulos dados a las letras y a las artes, ya el cincel del español Solá reproduce las facciones del *manco de Lepanto*, para que, colocada su estatua en una de las plazas públicas de esta capital, sirva de eterno tributo consagrado a la memoria del escritor que forma el orgullo de la nación y las delicias del género humano (*).

—Cuando el gobierno da el ejemplo —replicó el inglés—, el público no debía mostrarse indiferente, y una suscripción voluntaria debería no sólo haber libertado esta casa de su ruina, sino haberla consagrado exclusivamente a la mansión de un cuerpo literario u otro objeto adecuado a la memoria del ilustre escritor.

—¿Qué quiere usted? Esos testimonios prodigados al genio en otros países no excitan entre nosotros emulación ni entusiasmo. Vea usted desde aquí, sin ir más lejos, aquella casa baja, señalada con el número 11 en la calle de Francos; pues ésa fue propiedad del famoso Lope de Vega, el cual colocó sobre su puerta esta filosófica inscripción, que tampoco existe hoy: «*Parva propria magna, magna aliena parva*». En ella vivió y murió, y aunque por una excepción extraña entre nosotros reunió durante su vida a una decente medianía

(*) Esta estatua está ya colocada en la plaza de las Cortes.

la gloria que sus numerosas obras le produjeron (*) y mereció a su muerte el duelo general de todo un pueblo que acompañó sus restos hasta la bóveda de San Sebastián, muy luego fue olvidado en ella; y a pesar de los propósitos del duque de Sesa, su testamentario, de le-

vantarle un mausoleo correspondiente, es lo cierto que no llegó a verificarse y que sus cenizas fueron confundidas con las de la multitud.

»Vuelva usted la vista a esa calle que tenemos a la derecha (que es la llamada del Niño); en ella y su número 4 vivió el ingeniosísimo *Quevedo*, aunque de resultas de las graves persecuciones que sufrió, murió pobremente en la Torre de Juan Abad, siendo enterrado en Villanueva de los Infantes, a pesar de haber ordenado que su cuerpo se trajese a Santo Domingo, de Madrid.

»El más privilegiado en este punto de nuestros antiguos escritores es *Calderón*, quien, habiendo legado sus bienes a la piadosa congregación de Presbíteros naturales de esta corte, de que fue hermano mayor, mereció de ésta un sencillo cenotafio en el sitio de su sepultura a los pies de la iglesia de San Salvador, que aún existe con el retrato del poeta, pintado por su amigo don Juan de Alfaro (**).

»Este es el único monumento que recuerdo existente hoy en Madrid, elevado a las cenizas de un particular sabio, al paso que observará usted muchos prodigados a nombres sólo conocidos por sus títulos y riquezas: *Mariana, Solís, Saavedra, Moreto, Tirso, Juan de Herrera, Velázquez* y otros tantos, cuyos sublimes genios formaron otro tiempo el encanto de la corte y de la nación entera, yacen ignorados sin que nadie se duela de ellos; los modernos *Jovellanos, Isla, Meléndez, Moratín, Cienfuegos, Máiquez* y otros muchos, víctimas de su desgraciada suerte, fueron, por lo general, cubiertos con extraña tierra; y si bien la benevolencia del monarca ha levantado monumentos duraderos a la memoria de varios de ellos en la edición magnífica de sus obras, la indiferencia del público es la misma, y en prueba de ello me contentaré con citar a usted un hecho solo.

»Aún no hace tres años que la real Junta de damas de honor y mérito de

---

(*) Los que exageran las riquezas de Lope de Vega pueden leer los siguientes trozos de su testamento, que original he visto casualmente, y cuya copia conservo. Este testamento está otorgado en 26 de agosto de 1635, víspera de su muerte, ante don Francisco Morales, escribano de número de esta villa, y entre otras cosas dice lo siguiente:

—«Declaro que antes de ser sacerdote y religioso fui casado, según orden de la Santa Madre Iglesia, con doña Juana de Guardo, hija de Antonio de Guardo y doña María de Collantes, su mujer, difuntos, vecinos que fueron de esta villa, y la dicha mi mujer trajo por dote suyo a mi poder 22.382 rs. de plata doble, e yo la hice de arras 500 ducados, de que otorgué escritura ante Juan de Pina, *y de ellos soy deudor a doña Feliciana Félix del Carpio, mi hija única,* y de la dicha mi mujer, a quien mando se paguen y restituyan de lo mejor de mi hacienda con las ganancias que le tocaren.

—»Declaro que la dicha doña Feliciana, mi hija, está casada con Luis Usategui, vecino de esta villa, y al tiempo que se trató el dicho casamiento le ofrecí 5.000 ducados de dote, comprendiéndose en ellos lo que a dicha mi hija le toca de su abuelo materno..., *y respecto de haber estado yo alcanzado* no he pagado ni satisfecho por cuenta de la dicha dote maravedís ni otra cosa alguna, aunque he cobrado de la herencia del dicho suegro algunas cantidades..., mando se les paguen los dichos 5.000 ducados.

—»Declaro que el rey nuestro señor (Dios le guarde), usando de su benignidad y largueza, ha muchos años que en remuneración del mucho afecto y voluntad con que le he servido, me ofreció dar un oficio para la persona que casase con la dicha mi hija, conforme a la calidad de dicha persona; y porque de esta esperanza tuvo efecto el dicho matrimonio, y el dicho Luis Usategui, mi yerno, es hombre principal y noble, y está muy alcanzado, suplico a S. M. con toda humildad y al Excmo señor Conde-duque, en atención a lo referido, honre al dicho mi yerno haciéndole merced, como lo fío de su grandeza.»

Este testamento concluye nombrando por heredera universal a doña Feliciana, su hija única, y a la sagrada religión de San Juan, por lo que le perteneciere, según los estatutos, y por testamentarios nombró al excelentísimo señor Duque de Sesa, don Luis Fernández de Córdoba, y a su yerno Luis de Usategui.

(**) A consecuencia del derribo de la iglesia de San Salvador en 1841 fueron trasladados los restos de Calderón al cementerio de San Nicolás, fuera de la puerta de Atocha.

la piadosa casa Inclusa, de esta corte, determinó rifar la casa y huerta de Moratín en la villa de Pastrana, de que aquél había hecho generosa cesión a dicho establecimiento. Dejo a usted considerar el resultado de una rifa abierta en Londres a la casa de Shakespeare, o en París a la de Moliere; pues bien, en Madrid fueron tan pocos los billetes despachados a la de Moratín, que volvió a quedar por el mismo establecimiento; bien es verdad que ni en los anuncios ni billetes se expresó haber pertenecido al Terencio español; pero esto mismo prueba la persuasión en que se estuvo de que semejante título no añadiría mayor estímulo a los jugadores.

A este punto llegábamos de nuestra plática, cuando un gran trozo de pared viniendo al suelo y envolviéndonos en una nube de polvo nos obligó a retirarnos de aquel sitio, si bien lentamente y volviendo a cada paso los ojos a *la casa de Cervantes.*

NOTA

La Casa de Cervantes.—La lectura de este artículo, publicado por el *Curioso Parlante* en la Revista Española el día 23 de abril de 1833 (aniversario de la muerte de Cervantes), excitó de tal manera el celo patriótico del difunto comisario de Cruzada don Manuel Fernández Varela, que inmediatamente llamó al autor y empezó a dar activos pasos, que produjeron a los diez días la real orden que se copia a continuación. El autor de esta obrita se lisonjea en recordar aquí la parte que pudo caberle en tan patriótica resolución.

REAL ORDEN

«Ministerio del Fomento General del Reino. Cuando llegó a noticia del Rey nuestro señor que se estaba demoliendo, por hallarse ruinosa, la casa número 20 de la calle de Francos, de esta Corte, en que tuvo su modesta habitación el célebre Miguel de Cervantes Saavedra, que tanto honor y lustre ha dado a su patria, se sirvió Su Majestad prevenirme que por medio de V. S. se hiciesen proposiciones al dueño de ella para que adquiriéndola el Gobierno se reedificase y destinase a algún establecimiento literario. Pero habiendo manifestado V. S. que aquél tenía repugnancia a enajenarla, y queriendo S. M., por una parte, que sea respetada la propiedad particular, y por otra, que quede a lo menos en dicha casa y a la vista del público un recuerdo permanente de haber sido la morada de aquel grande hombre, ha tenido por conveniente resolver que en la fachada de la referida casa, y en el paraje que parezca más a propósito, se coloque el busto de Miguel de Cervantes, de que está encargado don Esteban de Agreda, director de la Real Academia de San Fernando, con una lápida de mármol y la correspondiente inscripción en letras de bronce. El comisario general de Cruzada, viceprotector de la misma Academia, don Manuel Fernández Varela, animado de su celo por el fomento de las artes y por las glorias de su patria, se ha apresurado a proponer a S. M. que de los fondos que se hallan bajo su dirección, y de la parte de ellos que está destinada a auxiliar a los artistas, se haga el gasto necesario para llevar a efecto este pensamiento, lo que S. M. se ha dignado aprobar. Y de su real orden lo comunico a V. S. para que tenga su debido cumplimiento, poniéndose V. S. de acuerdo con el expresado comisario general, viceprotector de la Academia, a quien lo traslado con esta fecha, y con el dueño de la casa, que ha dado para ello su consentimiento. Dios guarde a V. S. muchos años.—El Conde de Ofalia.—Madrid, 4 de mayo de 1833.—Señor corregidor de esta villa.»

En consecuencia de esta real orden y verificada la reedificación de la casa, se colocó sobre la puerta principal de ella, que da a la antigua calle de Francos, un medallón de mármol de Carrara que representa la imagen de Cervantes en alto relieve sobre un cuadrilongo de piedra berroqueña, adornado con trofeos poéticos, militares y de cautividad, y debajo una lápida de mármol de Granada con esta inscripción en letras de oro:

Aquí vivió y murió
Miguel de Cervantes Saavedra,
cuyo ingenio admira el mundo.
Falleció en MDCXVI.

La manifestación al público de este monumento tuvo lugar el día 13 de junio de 1834; y posteriormente, en las reformas de los nombres de muchas calles de Madrid, verificada por su celoso corregidor el marqués viudo de Pontejos, se dio a la ya dicha de Francos el nombre de *calle de Cervantes,* aunque para proceder con claridad este nombre le merecía la calle del León, porque en ella propiamente estaba la casa, aunque con accesorias a la de Francos; y con eso pudiera haberse llamado a esta última calle de *Lope de Vega,* pues consta la casa en que vivió y murió aquel gran poeta. Posteriormente se ha titulado la del Niño, traviesa de aquéllas, con el nombre de *Quevedo,* que tuvo en ella su casa.

LA VUELTA DE PARIS

I

No hace tantos años que un honrado vecino de Madrid, tranquilo y satisfecho bajo el puro cielo que vio al nacer, dejaba correr sus días sin tomarse gran pena por lo que pudiera existir más allá del puente de Toledo o de la venta del Espíritu Santo. Fingía ignorar pacíficamente que hubiese otras montañas que las del Guadarrama, y éstas creíalas a z u l e s, contemplándolas diariamente desde la plaza de Palacio o desde el campo del Moro. Alguna rara vez, es cierto, llegaba a hacer excepción a tan monótona existencia, concurriendo a la función patronal de Vallecas o a los novillos de Pinto; pero este suceso formaba época en su vida, y al volver a su casa en la desvencijada y bulliciosa calesa creíase otro nuevo Anacharsis, tendía su paño y comenzaba la relación pintoresca de su viaje; decía, entre otras cosas, que el cerro de los Angeles mirado de cerca tiene diez leguas de altura, o se extendía en pintar las costumbres sociales de Villaverde o de Getafe; semejante en esto a un viajero francés (ligero como todos los franceses y ponderativo como todos los viaje-

ros), que estampaba en su diario: «*Sábado 24, pasamos a cinco leguas N. de las Canarias, cuyos habitantes me han parecido en extremo amables y hospitalarios.*»

Si por un exceso raro de curiosidad, o porque su empleo le uniese a la corte, llegaba nuestro convecino a hacer alguna expedición a los sitios reales, ¿quién le podía sufrir entonces? Cristóbal Colón y el capitán Cook eran chiquillos de escuela en comparación de nuestro viajero. Por último, si el recobro de su salud, la posesión de alguna herencia u otro negocio de no menos importancia le obligaban a apartarse cuarenta o cincuenta leguas de la capital, era cosa de meditarlo tres años antes, arreglar su conciencia y negocios temporales y dejar bien condimentado su testamento.

Todo esto sucedía en la época de que vamos tratando; pero ahora es otra cosa. *Tempora mutantur et nos mutamur in illis.* Las revoluciones, las invasiones, las emigraciones, que hace veintisiete años forman el entretenido drama romántico de nuestra historia, han ocasionado un trasiego, un va y ven tan no interrumpido, que, bendito Dios, nada falta a nuestra generación actual para parecer sombras chinescas o rápidas ilusiones fantasmagóricas.

—Señores, atención..., mírenles ustedes bien...; ¿los ven ustedes...?; pues ya no los ven. Hoy en el Prado, mañana en el *Boulevard,* pasado en *Hyde-park;* amanecen en Madrid, comen en París y van a hacer noche en Londres.

Para los madrileños, en especial, la visita a París es tan necesaria como para los musulmanes la peregrinación a la Meca, o para los ingleses el *viaje grande.* No parece sino que sin ir allá no puede ningún hombre ser hombre de importancia; y al oír las apasionadas relaciones de los que vienen, es cosa de rechinar los dientes los que no llegan a ir. Este aliciente, el deseo de comprar el derecho de hacerse oír y envidiar por los demás, y la consideración que de ello resulta, es lo que impele aquel movimiento general, y para satisfacerle busca cada cual de por sí los medios que están a su alcance.

Hay quien destina a los espectáculos y fondas de París las rentas heredadas de sus abuelos, los señoríos gallegos y los cortijos de Andalucía; otros van a buscar la instrucción en los colegios franceses; cuáles dedican al comercio con aquella nación sus capitales; cuáles se atraen una persecución cualquiera para tener una ocasión de emigrar; unos buscan una comisión que les indemnice de los gastos del viaje; otros se dan por satisfechos con venir cargados de dramas venenosos, farsas, follas, entremeses y demás ensalada italiana que traía en sus alforjas el estudiantón gallego de Moratín; hay quien regresa con su maleta llena de proyectos capaces de hacer en veinticuatro horas la felicidad de la patria, y los hay que vuelven contentos con haber aprendido la última combinación del lazo de la corbata. Usos y costumbres, *maneras* y lenguaje, leyes y literatura, muebles y trajes, corbatines y almohadillas, todo nos viene de París. Sólo la moneda se nos va.

A vista, pues, de aquel general movimiento, de aquel impulso involuntario, ¿quién ha de permanecer quietista?; ¿quién ha de resistir al deseo de adquirir a costa de algún sacrificio el dere-

cho de fastidiar a los demás? No será, por lo menos, aquel que, como yo, a la calidad de *Curioso* reúne la circunstancia de *Parlante.* He aquí una razón bastante para determinarme; y ya que mi insignificancia política no me obligaba a ninguna emigración, y puesto que ni comisión ni objeto mercantil me llamasen tampoco a los países extranjeros, quise visitarlos solo por gusto o comodidad, a expensas propias y campando solo por mi respeto, bastándome por resultado la única satisfacción de poder atajar de vez en cuando las relaciones de más de cuatro exagerados con esta sencilla expresión: *«Lo he visto también».*

Ocasión era ésta para abusar tal vez de la paciencia de mis lectores haciendo una pomposa descripción de viaje, amenizada con episodios más o menos animados. Hablaría de las diferencias en leyes y costumbres; prohijaría las relaciones de viajeros poco escrupulosos, describiendo con igual ligereza que ellos el movimiento y la vida de Londres y París, su comercio e industria, espectáculos y diversiones, el puerto de Liverpool, las fábricas de Manchester y Birmingham; describiría los caminos de hierro y las máquinas de vapor; presentaría datos del comercio de Burdeos, de Lyon y de Marsella; enumeraría la escuadra francesa en Tolon y la inglesa en Portsmouth, y me daría, en fin, importancia suma, sin más trabajo que el de trasladar algunos de los innumerables itinerarios, guías y cartas de ruta que comprara al paso, prestándoles cierto saborete de originalidad con tal o cual anecdotilla personal, ya robada, ya autógrafa, que me hiciera aparecer cual otro *Sterne* sentimental a los ojos de mis lectores. De este modo, pues, fácil me hubiera sido llenar tres o cuatro tomos que pudieran alternar airosamente entre los innumerables de los viajeros extranjeros, y dar de sus países una idea tan extravagante, por lo menos, como la que hacen formar del nuestro en sus relaciones y curiosos romances.

Los españoles, sin embargo, pecamos en el extremo opuesto, y bien que nos lisonjee el hablar entre amigos de lo que hemos visto, casi nunca nos determinamos a escribirlo; y he aquí la razón por qué carecemos de descripciones originales, no digamos del imperio del Japón ni de las islas del Polo, sino aún de los países más conocidos de Europa y aún de nuestra misma España. El miedo de no hacerlo con perfección nos impide el hacerlo de ninguna manera.

De nada de esto se trata, pues convencido de mi insuficiencia, debo más que ningún otro seguir en este punto la moda del país; empero, entre relacionar minuciosamente el viaje o hablar sólo de la vuelta, entre desenvolver el argumento del drama o decir sólo su desenlace, hay por lo menos tanta distancia como de Humbolt o Lamartine a mi persona, como del Diccionario de Miñano a la Guía de Caminos, como de un *infolio* a un folletín de diario. Y es para sólo este objeto para el que reclamo hoy la benévola atención de mis lectores.

II

La diligencia francesa que viene de Perpiñan se cambia en Figueras por la catalana, que espera allí para conducir los viajeros a Barcelona. Es un momento de verdadera sensación el de este cambio, y no es difícil leer en los semblantes los distintos afectos que promueven en los circunstantes de ambas naciones la esperanza de la patria o el desconsuelo de perderla de vista. El cuadro no puede ser más animado y caprichoso. Los conductores franceses y zagales españoles en sus trajes respectivos forman un interesante contraste y renunciando a sus respectivas lenguas se entienden en catalán, que participa de ambas.

Pero ya los pesados caballos franceses y las engalanadas mulas españolas se hallan enganchados a los carruajes respectivos; los caminantes se apresuran en torno de ellos, los mayorales chasquean sus látigos y comienzan el confuso movimiento y las rápidas interpelaciones de costumbre:

«*Conducteur, prenez garde a ma malle.*» «*Muchacho, esa sombrerera.*» «*A Deu, noya, a la turnata.*» «*Mon portemanteau.*» «*¿Combien d'ici a la frontiere?*» «*Las onse horas.*» «*Bon voyage.*» «*Messieurs, en voiture.*» «*Señores, a la diligencia.*» «*Jiiiiii, a Perpiñan.*» «*A Barcelona: zagaaa-la.*»

Pocos días recuerdo tan gratos en mi vida como los que mediaron para llegar desde la frontera a Madrid; y el placer que me resultaba de volver a ver a España después de un año de ausencia voluntaria, grata y divertida, me hacía calcular el imponderable que debían experimentar aquellos que, tras largos años de proscripción, volvían a ver abiertas las puertas de su patria.

Uno de los sujetos compañeros de viaje se hallaba en este caso, y a cada sitio, a cada montaña, a cada pueblo que reconocía, asomaban las lágrimas a sus ojos, dándonos a conocer lo interesante de su situación. Venía acompañado de una linda joven hija suya, que, aunque nacida en España, había pasado la mayor parte de su vida en un colegio de París. El resto de la diligencia estaba tan armónicamente organizado, que un poeta clásico hubiera necesitado muy poco esfuerzo para formar una comedia de costumbres, a la que no hubiera faltado el interés y, sobre todo, el *movimiento*. Teníamos allí, además de los ya dichos interlocutores, un fabricante de Lyon, un elegante madrileño, un viajero inglés, una modista de París, un comerciante y un literato, españoles, y un peluquero francés. Calcúlese ahora si con tan buena compañía podían hacerse largas las horas del viaje.

Fuertes tentaciones se me pasan de estampar aquí punto por coma muchos de los diálogos filosóficos, políticos, económicos, mercantiles, literatos, amorosos y hasta ridículos que mediaron en tan larga travesía; pero fuerza será pasarlos en silencio, atendiendo los estrechos límites de este artículo, y el deseo de no abusar de la paciencia del auditorio. Baste decir que de todos ellos un observador filosófico podía deducir la exageración o la falsedad de las ideas que los vagos rumores, las extravagantes lecturas y la absoluta ignorancia de nuestras costumbres habían hecho concebir de nuestro país a los extranjeros y aún a los españoles que faltaban de él algunos años.

Acaloradas las imaginaciones por el espectáculo que acababan de ver en otras partes, y sin tomar en cuenta las diversas circunstancias de clima, leyes, usos y costumbres, bullían sus cabezas en multitud de planes más o menos importantes que pensaban realizar con notable asombro de nuestros compatriotas; y tal es la fuerza de aquella manía, de aquel epidémico entusiasmo, que yo mismo, que en los meses de mi ausencia había apenas podido saludar aquellas invenciones, c r e í a l a s todas oportunas, todas realizables, y me admiraba de que no estuviesen ya puestas en ejecución.

El tema, pues, favorito de nuestros discursos era el de clamar contra la inercia de los españoles, lamentarnos del abandono de sus campos, la soledad de sus caminos, la escasez de sus fábricas y talleres; el respetable anciano que regresaba a su patria atribuíalo todo a la empleo-manía, esta funesta plaga de nuestra sociedad que, alejando de las ciencias y la industria las cabezas y brazos útiles, aumenta con ruina de los pueblos las clases improductivas y convierte en mecánicas ruedas a los que pudieran ser agentes de la gran máquina social.

—Vea usted aquí —exclamaba el comerciante— unos c a m p o s estériles y yermos, sin duda por ignorar que a beneficio de los pozos artesianos, de las máquinas y otros adelantos agrícolas, pudieran beneficiarse en términos de doblar la producción en pocos años. ¡Oh!, si mis empresas llegan a tener ejecución, yo cambiaré la faz de este país.

—Sin embargo —replicábale yo—, no es la falta de producción la que causa nuestra ruina, y observe usted si no al mayoral que acaba de pagar ocho reales por una fanega de cebada, seis por un cántaro de vino, y así lo demás.

—Todo eso consiste —replicaba el inglés— en la escasez de comunicaciones y el mal estado de los caminos, que impiden la rápida circulación; nosotros hemos vivificado nuestras islas con la multiplicación de canales y caminos de hierro, y si este modelo, que pienso p r e s e n t a r en Madrid, llega a tener efecto...

A este tiempo el mayoral abrió la portezuela del coche para rogarnos que nos apeásemos, a fin de pasar una de las elevadas cordilleras que dividen la Cataluña del Aragón.

—Vea usted —le dije yo al inglés— algo que podría oponerse en nuestra España a la realización de muchos proyectos.

—Los adelantos de la industria —decía magistralmente el fabricante lionés— son muy escasos en vuestro país, y sólo el estímulo de los extranjeros podrá hacerlos progresar. Convencido de ello, traigo a él no sólo géneros desconocidos y apreciables, sino también la idea de establecer una manufactura a la manera de las nuestras, que llegue a libraros en parte del crecido tributo que pagáis a la industria extranjera.

—Desengáñense ustedes, señores, no es la absoluta ignorancia de esos grandes medios que acabamos de ver en otros países la que nos hace emplearlos tan lentamente en el nuestro; es la reunión de circunstancias que nos rodea; es la influencia del clima, que hace impracticables en muchas de nuestras provincias esos descubrimientos; es la configuración de nuestro suelo, que opone mayores obstáculos a la realización de ellos; es el poder de las leyes y la influencia de las costumbres; es, en fin, la falta de numerario y la escasez de población, atendido el vasto territorio que habitamos. Por fortuna, estas verdades son ya triviales de puro conocidas, y los españoles sensatos (que los hay), sin detenerse de ellas, procuran marchar conformes con los adelantos materiales del siglo, de lo cual todos ustedes tendrán ocasión de convencerse. haciendo justicia a la constancia y al tesón con que saben vencer muchas dificultades.

—¡Ah!, el buen español —exclamaban los extranjeros—, cómo sale a la defensa de la patria.

Otras veces, sin remontar tanto el discurso y dejando la iniciativa en él al literato, tratábamos del animado movimiento de la imprenta en los demás países; nos entusiasmábamos con él al recordar el sin número de publicaciones útiles que diariamente ven la luz en ellos; recordábamos con placer los teatros de París y de Londres, y luego comparábamos con aquel brillante cuadro el mezquino que las letras y las bellas artes presentan hoy en nuestro suelo y excitábamos a nuestro contrincante a emprender publicaciones útiles y agradables, que, al paso que asegurasen su fama y su fortuna, sirviesen al país de instrucción y de recreo.

Por último, cuando cansados de estas discusiones llegábamos a ocuparnos de la acción del momento y de las pequeñas intriguillas del viaje, no nos faltaba materia con el elegante rigorista de la calle de la Montera y la linda colegialita de París, con el peluquero *Alcibiades* y madama *Tul Bobiné*.

Es cosa sabida que el amor en viaje hace siempre su camino en posta, y tal debió pensar el Narciso madrileño para entablar su conquista en esta ocasión. Por supuesto, no perdía el tiempo, como nosotros, en discusiones áridas y encrespadas, y cuando más terciaba en ellas siempre que se rozaban tanto cuanto con algún punto de modas o de espectáculos. Se hablaba de industria, nos enseñaba la tela de su chaleco o las cadenas de su reloj; se trataba de literatura, nos recitaba un trozo del *Petit Courrier* o del *Almanak des dames;* pero todo con un aire de satisfacción y de suficiencia, que no siempre causaba el mejor efecto en los circunstantes. Mas él, poco cuidadoso del resto de ellos, prestaba toda su atención y dirigía casi siempre su discurso a la agraciada niña, a quien por estos medios pretendía cautivar. Sin embargo, sea que ella, poseyendo el talento y la instrucción necesarios para reconocer aquella fatuidad, la apreciase en su justo valor, o sea por otro cualquier motivo, no parecía tan interesada como el galán quisiera, y, sobre todo, tuve ocasión de observar repetidas veces que cuando éste, por una transición, por desgracia harto frecuente, se permitía con ella alguna intención o libertad en las palabras, la niña tomaba el aspecto más severo y le dirigía unas contestaciones solemnes y sentidas.

En cuanto al peluquero y la modista, su posición era más armónica. Exactos conocedores de los usos y las costumbres respectivos, hablando un mismo lenguaje y colocados en igual categoría, no era difícil que muy pronto llegaran a entenderse, y lo llegaron tanto, que hubo momentos en que ya no les entendíamos los demás.

Con tan bellas disposiciones arribamos al fin a la capital. Separámonos en el patio de la diligencia tan cordialmente como nos habíamos reunido y cada cual trató de buscar su acomodo. Los extranjeros pedían un *fiacre* que los condujese. No los había allí a mano. Los españoles se contentaban con un criado; tampoco se presentaba ninguno. Aquéllos preguntaban por un hotel. «Aquí no hay hoteles». Estos demandaban un *cicerone* que les enseñase las calles. Tampoco. «Las cosas de España», decía el comerciante. «Esta gente no quiere moneda», replicaba el inglés. *«Ah le vilain pais»,* concluían en coro el peluquero y la modista.

Ocupado en saborear después de un agitado viaje la tranquilidad y la dulzura de la vida doméstica, y en visitar mis amigos y relaciones, tardé algunos meses en volver a comunicar con los compañeros de diligencia, a quienes suponía legítimamente ocupados en desenvolver sus grandes planes y aclimatar sus utopías. Hasta un día en que la casualidad me hizo acercarme a cierta antesala de un ministerio y donde menos pudiera pensar acerté a encontrar al viejecito declamador contra los empleos. Confieso mi malicia, pero por más que pretendió ocultárseme no lo pudo conseguir y hasta tuve la indiscreción de recordarle sus palabras del coche.

—Qué quiere usted, amigo; a mi edad ya no se puede aprender otro oficio: ¡si volviera a nacer!

—Probablemente haría usted lo mismo; créame usted —le repliqué—, si nuestro compañero el inglés conociese bien nuestro país, no hablaría de caminos de hierro o los aplicaría sólo al camino de la tesorería, que es el único frecuentado en España.

No le hubiera yo citado tan pronto

como acertó a entrar casualmente en la antesala, tan largo como un ciprés, trayendo bajo el brazo un rollo de papel aún más largo que él mismo. Venía acompañado del fabricante lionés y ambos tenían que hablar a S. E.; aquél para recoger la primera parte de su proyecto que hacía seis meses que había entregado y dejar la segunda, pues, cansado de esperar, hacía ánimo de recogerla al regreso de un viaje a América; el fabricante venía a solicitar el despacho de cierta causa de contrabando por géneros que yo mismo había visto pagar derechos, y, según me dijo, de todos sus planes se daba por contento con que le dejasen libre para volverse a su país.

Ellos también me enteraron del resultado de los otros compañeros de viaje. El comerciante empresista, después de tentar mil proyectos mercantiles e industriales, después de haber querido establecer *teatros*, *ómnibus*, *casas de baños*, *divanes*, *hoteles* y demás, se había convencido de la innecesidad en nuestra España de muchas cosas necesarias en todas partes, acabando por poner un almacén de arroz de Valencia y garbanzos del Barco de Avila. También me dijeron que el literato, habiendo verificado varias de las publicaciones que nos anunció, sólo había p o d i d o obtener veinte suscripciones, entre las que nos contábamos los compañeros de viaje. Sólo el peluquero y la modista habían progresado considerablemente; el uno con su relumbrante salón, y la otra con su fantástico taller; aquél descargando las cabezas, y ésta adornándolas a la moda.

Por lo que hace al elegante, tuve ocasión de verle varias veces en teatros y diversiones; al principio me aseguraba que no podía sufrir la vida de Madrid, pero insensiblemente le vi amoldarse a ella; en términos que el lunes pasado le hallé en los toros vestido de chulo y hasta observé que desde su palco le saludaba con mucho gracejo y agitado movimiento de abanico la severa ex colegialita parisien, ya de mantilla blanca y con su rosa a la izquierda, mientras por la derecha escuchaba con ama-bilidad los tiernos arrullos de un oficial de la Guardia.

Réstame sólo dar cuenta de mi persona, pues, según creo haberlo indicado, yo también traía en la cabeza mucho ruido de proyectos mercantiles y literarios. Había, además, formado mi plan de vida diametralmente opuesto al que seguía antes de mi viaje; creía haber llegado a aprender en él lo que valen el tiempo y el trabajo, y me proponía aprovecharme de uno y otro; pero ¡qué sé yo por qué...!, así que me vi en Madrid, empecé a levantarme a las siete, luego a las ocho, después a las nueve; empecé a salir a las doce; a sentarme en las librerías a la una y en las tiendas de la calle de la Montera a las dos; a comer la inevitable olla a las tres; a echar la siesta a las cuatro y levantarme a las seis; a ir al Prado a las siete y al café o al teatro a las ocho; a tertulia a las once; a cenar a las doce y acostarme a la una, y así un día tras otro se me ha ido el tiempo sin realizar mis proyectos.

Verdad es que los mercantiles no me ofrecían grandes ventajas y renuncié a ellos con todo conocimiento, limitándome (siempre por espíritu imitativo de lo que había visto en otros países) a emplear en fondos del Estado parte de mi capital, con lo qu aseguraba una renta del 5 por 100 al año; por cierto, que en el valor *efectivo* de aquél he perdido en el mismo tiempo un 17; pero el *nominal* es el mismo, y esto no deja de ser algún consuelo.

En cuanto a proyectos literarios, me costó más trabajo el haber de renunciar a ellos; pero me hice cargo de que si en las circunstancias en que nos hallamos escribía de historia, o de viajes, o de literatura, perdería mi latín y mi dinero, y es cosa fuerte esto de escribir para el impresor y los ratones. Los periódicos políticos eran un recurso socorrido; pero, en primer lugar yo soy muy impolítico, quiero decir, que no tengo grandes conocimientos en esta materia; ignoro la nomenclatura corriente, y sin poder hablar de *escisión* y *colisiones*, y *garantías* y *fusión*, y *oposición legal* y *resistencia*, y comentar decretos, hacer alocuciones, y proponer medidas y sistemas, ¿quién me hubiera entendido? Pero es el caso que yo quería escribir y... ¿qué remedio?..., me decidí a escribir folletines para el Diario. Con esto, por lo menos, lograré ser leído antes de que un despiadado tendero me c o n v i e r t a en envoltorio de manteca de Flandes o de queso de Rochefort, y si de este modo paso a la posteridad, no será, por lo menos, sin algo de sustancia.

(Abril de 1835.)

N O T A

La vuelta de París.—Desde el artículo anterior de *La casa de Cervantes,* publicado en abril de 1833, hasta el de *La vuelta de París,* que lo fue en igual mes de 1835, mediaron dos años cabales que el autor empleó en un viaje de recreo hecho a Francia e Inglaterra. En este largo período y dilatado paseo no sólo tuvo ocasiones de ejercitar su espíritu de observación y aumentar algún tanto la esfera de su imaginación, sino que coincidiendo con aquel período los graves acontecimientos acaecidos en nuestro país, la muerte del monarca, la variación del sistema político, la reunión de las Cortes y promulgación del Estatuto Real, la guerra civil, la invasión del cólera morbo y la supresión de las comunidades religiosas, varió completamente el aspecto, carácter y costumbres del pueblo español; así como la mayor libertad en la expresión del pensamiento abría ya ancho campo a la pluma del escritor. En una sociedad constituida ya de tan diversa manera, agitada por tan encontradas pasiones y movida por tan nuevos resortes, para quien la lucha de las opiniones políticas era el principal alimento, la guerra y el debate los medios, la victoria y el triunfo su fin, déjase conocer cuán descoloridos e insignificantes debían parecer los cuadros sencillos e inofensivos de una sociedad apacible y normal que ya no existía, trazados por el modesto pincel del *Curioso Parlante.* Así lo reconoció él mismo, y convencido de su insuficiencia para brillar en otro terreno más propio del día, renunció por largo período a su agradable y filosófica tarea, dejando a la marcha del tiempo y de los acontecimientos públicos el cuidado de marcarle la oportunidad de continuarla.

Pero la comezón del escritor es una tiranía que domina absolutamente su voluntad; y si bien supo contenerla por espacio de dos años, no pudo menos de transigir con ella algún tiempo antes del que se había propuesto; si bien encerrándose siempre dentro de los estrechos límites que se impuso desde el principio y limitándose a *terminar* con algunos cuadros más la revista festiva de la sociedad que desaparecía, sin darse por entendido del nuevo giro que tomaba la moderna. Los artículos de *La vuelta de París, El Diario de Madrid, La procesión del Corpus, Paseo por las calles, El patio de Correos, Las casas de Baños, El sombrerito y la mantilla* y *A prima noche,* son los que completaron por entonces aquella serie, hasta octubre de 1835; y para hacerlos más independientes de las circunstancias presentes, para separarlos absolutamente de toda tendencia política, renunció el autor a insertarlos en ninguno de los numerosos periódicos que por entonces se disputaban el favor del público y escogió para transmitirlos el modesto folletín del *Diario de Madrid.*

EL DIARIO DE MADRID

I

Por real privilegio firmado en el Sitio del Buen Retiro por el rey don Fernando VI, en 17 de enero de 1758, se concedió permiso a don Manuel Ruiz de Urive y Compañía para publicar en esta corte un *Diario curioso, erudito, comercial y económico*. Dicho Urive dio principio a su publicación el 1 de febrero del mismo año, dándole la forma de medio pliego español, y componiéndole de discursos eruditos, y una segunda parte dedicada a las noticias comerciales de ventas, alquileres, etc., y he aquí el principio del Diario de Madrid, de cuyas primeras y mezquinas bases se ha ido apartando tan lentamente, a pesar del transcurso del tiempo y de los adelantos de la perfección social.

Desde luego llamó mucho la atención del público por la importancia y utilidad de su objeto, y el Gobierno, por su parte, no dejó de sacar partido de su publicación, haciendo insertar en él aquellas noticias y advertencias que juzgaba oportunas. Entre otras, y como muestra de la época, citaremos únicamente la disposición del juez de im-

prentas, que al mes de la publicación, y con fecha de 9 de marzo del mismo año de 1758, dispuso que la primera página del «Diario» la ocupase la vida del santo del día, y así se empezó a verificar desde el siguiente 10 de marzo, con notable entretenimiento sin duda y edificación de los lectores. Sin embargo, no debieron ser éstos tan completos, cuando vemos que esta piadosa costumbre no se observó sino el resto de aquel año, dejando de poner dicho capítulo en 1 de enero del siguiente de 1759.

Desde entonces empezó a insertar en su primera parte discursos eruditos y científicos sobre historia, viajes, geografía, astronomía y otras ciencias que, si bien no decían nada nuevo, ni eran otra cosa que copias miserables de obras conocidas, no dejaban de tener un objeto laudable. Por este tiempo fue cuando apoderándose el editor de la «Historia general de los viajes» tuvo la entretenida ocurrencia de ir copiando en un Diario de medio pliego algunos tomos de ella, lo cual no deja de ser una prueba más de la candidez de aquella época bienaventurada. Sin embargo, sea que el público no correspondiese con su gratitud a aquel torrente de ilustración, sea por cualquiera otra causa, es lo cierto que el «Diario» por entonces no llevó una marcha tan firme que no hubiera de sufrir sus intercadencias, y así le vemos eclipsarse de vez en cuando y dejar de salir, por ejemplo, todo el año de 1775, volviendo a aparecer en 1 de enero de 1776, tornando a suspenderse en 1 de julio de dicho año y durante todo el de 1777, y cesando, en fin, de todo punto en 31 de diciembre de 1781.

Apagóse por fin aquella luminosa antorcha matritense, y puesto que seamos historiadores de ella, no nos atreveremos a asegurar si el público de la capital la olvidó pronto, o si bien una vez conocida su utilidad se condolió de su desaparición; pero hablando con la buena fe que nos caracteriza, como que nos inclinamos a creer esto último, y sin duda hubo de pensar así el extranjero don Santiago Thewin, que considerando el partido que podía sacarse de esta publicación, solicitó y obtuvo el permiso para continuarla, y en su consecuencia, empezó a salir a luz el *Diario curioso, erudito y comercial*, en 1 de julio de 1786. De esta época, pues, data la verdadera existencia del «Diario de Madrid» y, desde luego, por su redacción y por su forma empezó a tener más analogía con el verdadero objeto de su publicación.

Un observador que cotejase el primer «Diario» de Urive con el de Thewin por las materias contenidas en la primera parte, no dejaría de reconocer el progreso que los acontecimientos y el gusto iban adquiriendo, así como también el mayor movimiento mercantil e industrial de la capital, por el número de anuncios que ya contenía. Bajo todos conceptos, pues, no se puede negar a don Santiago Thewin la gloria de verdadero fundador de esta empresa, y no queremos desaprovechar la ocasión de hacer observar al público una coincidencia singular que un poeta romántico no hubiera dudado atribuir a la *fuerza del sino*. Consiste, pues, en que habiéndose hecho la verdadera fundación de este «Diario» por dicho Thewin, puso su imprenta y redacción en 1786 en la Puerta del Sol, número 7, frente al Buen Suceso, y vemos que después del medio siglo, por una combinación casual de circunstancias, ha vuelto a situarse en la misma Puerta del Sol, número 7, si bien no en la misma casa, y sí tres o cuatro puertas más arriba; pero la nueva numeración de Madrid ha venido a suplir esta circunstancia, dando el número 7 al actual espacio de este periódico.

Desde dicha época siguió tranquilo el «Diario de Madrid» en la posesión de entretener al público con anécdotas más o menos curiosas, secretos raros de artes y oficios, documentos históricos y observaciones sobre todas las cosas observables. El famoso don Santiago Salanova, que le dirigió por algún tiempo, amenizaba los más de los números con acrósticos y ovillejos que debían ser un pasmo en aquella época; Guerrero y Cacea, dos famosos ingenios de entonces, cuyos nombres ha denunciado a la posteridad el gran Moratín (*), terciaban en tan agradable tarea, ya ofreciendo al público tiernas endechas y lastimeras elegías («A la muerte del perro de Filis»), ya retozando en burlescas letrillas de estrambote y pie quebrado, sobre las faltas de las mujeres o las sobras de los maridos, y, finalmente, el inagotable don Lucas Alemán, el Néstor de los poetas españoles, cerraba la función con sus relaciones y curiosos romances, que han sabido excitar la sonrisa de tres generaciones (13). ¡Felices tiempos en que tan fácil era entretener a un público tranquilo, y de cuyas más fuertes sensaciones eran dueños Romero y Costillares, la Rita y García Parra! Entonces faltaban a los periodistas los asuntos de que ocuparse y debía ser tal esta carencia, que vemos en un «Diario» de 1790 el ofrecimiento que hacía la redacción de la cantidad de diez reales a todo el que le comunicase un artículo o discurso sobre asuntos eruditos

---

(*)   El diablo dicta sus coplas,
      Maldecidas de Minerva,
      A don Alvaro Guerrero
      Y don Antonio Cacea.
                  Moratín.—Romance.

o curiosos, lo cual no deja de deponer en favor de la fecundidad de los redactores ya citados.

Mas, en fin, con un grado de interés mayor o menor, arribó tranquilamente nuestro «Diario» al famoso siglo XIX, y aun consiguió alcanzar sin interrupción hasta el 10 de mayo de 1808, en que a consecuencia de los notorios sucesos del 2 del mismo mes fue envuelto en el trastono general y se empezó a publicar con carácter oficial por el Gobierno francés en un pliego común, y conteniendo noticias políticas. En estos términos siguió hasta 17 de junio del mismo año, en que se suprimió por aquel Gobierno, sustituyéndole por la «Gaceta diaria». En 8 de de agosto del mismo año, libre ya la capital de franceses, volvió a publicarse el «Diario» en la antigua forma de medio pliego, si bien conteniendo las noticias políticas que por entonces absorbían la atención, y habiendo perdido su carácter primitivo; mas aunque después volvieron los franceses a ocupar la capital, no recibió el «Diario» nueva alteración, antes bien, siguió tranquilamente durante la época de su dominación, y pudo en 1814 recibir en sus páginas las apasionadas coplas del elegíaco don Diego Rabadán, las de la *musa sombrerera* de Abrial y otras de varios ingenios de esta corte, de cuyos nombres no queremos acordarnos. Pasó aquella época, vino la de la Constitución, y nuestro «Diario» siguió tranquilo en medio de los vaivenes políticos, que le respetaron constantemente.

Sea por prudencia, sea por falta de dirección, fueron escaseando los razonamientos y aun las coplas, y limitándose más bien a la inserción de avisos oficiales y particulares, que daban ya suficiente alimento para llenar el medio pliego, hasta que en la «Gaceta» de 29 de marzo de 1825 apareció el prospecto del *Diario de Avisos de Madrid,* y se notició al público que S. M. había concedido el privilegio de su publicación por diez años a don Pedro Jiménez de Haro, mediante una retribución anual para los establecimientos de beneficencia. En dicho prospecto se anunciaba

al público que el «Diario» en adelante no contendría ninguna especie de artículos razonados, sino simplemente los avisos del Gobierno y los anuncios de los particulares, y ha sido tan fiel a este propósito, que desafiamos al más lince a que en dicha serie de los diez años nos encuentre, no digamos un solo artículo *razonado*, pero ni una línea, una palabra sola en razón, por el notorio abandono de los anuncios particulares.

De aquí nacían aquellos chistosos despropósitos que hacían reír diariamente al público maligno de esta capital; en unas ocasiones se vendían «*sombreros para niños de paja*», en otras «*medias para clérigos de lana*»; «*hábitos y cajas para difuntos completos y de medio herraje*»; «*zapatos para hombres rusos hechos en Madrid*», «*cama de matrimonio con su cópula correspondiente*» y otras a este tenor, de que cada uno de los lectores tiene en su memoria suficiente acopio sin necesidad de más citas de nuestra parte.

Cumplióse en fin aquella década, y en 1 de abril del presente año de gracia de 1835, a virtud del nuevo permiso concedido a don Tomás Jordán, salió a relucir el «Diario», doblando de un golpe sus dimensiones, y habrásenos de permitir el que después de trazar la historia de esta publicación entretengamos otro día la paciencia de nuestros lectores sobre el objeto y utilidad de ella, y las mejoras de que a nuestro corto entender ha recibido.

II

Hemos hecho en nuestro anterior artículo una historia del origen y progresos de este periódico; réstanos, pues, en el presente discurrir sobre su estado actual, y las utilidades que promete al vecindario de esta capital. Ellas son tales que le hacen indispensable a toda persona regular residente en Madrid, y si bien limitado al recinto de sus muros, viene a ser dentro de ellos la «orden del día» para el movimiento económico de la población.

¿Quién es, con efecto, el que no acude a este depósito central a adquirir las noticias respectivas que su curiosidad o su interés le hacen desear? La vieja devota, el hombre timorato, buscan el santo del día o las funciones religiosas; los que desean saber a punto fijo el grado de calor o de frío que han sentido el día anterior, no quedan persuadidos de él hasta que lo ven confirmado en el «Diario»; el militar busca la orden de la plaza y el paisano la de las autoridades civiles; el tendero o la viuda rica examinan los anuncios de casas, ya en «pública subasta», ya «a voluntad de sus dueños»; todo con el objeto de encontrar una en que poder colocar su arrinconado monetario, que el corto movimiento de nuestra industria les impide emplear más útilmente; los acreedores se consuelan con ver el señalamiento para las juntas de concurso en que tendrán la facultad de poder nombrar un síndico que parta con el escribano el resto del caudal del deudor; los aficionados a la lotería tienen la satisfacción de saber que tal o cual premio ha caído en Madrid, y aun el nombre de una patriota conexionada con las víctimas del Dos de Mayo; los que tuvieron alhajas que empeñar saben que hay Monte de Piedad; el público todo conoce a cómo pagan el trigo los tahoneros, y los que fiaron en el crédito del Estado para comprar una renta que les produjese un 5 por 100 al año, tienen la satisfacción de saber que en el mismo espacio de tiempo han perdido un 15 en el capital.

Esto en cuanto a la primera parte de «anuncios oficiales», que si de ahí nos deslizamos en la segunda, que comprende los «particulares» de comercio e industria, ¿quién es el ser tan completamente independiente que no tenga que ver con algunas de estas líneas?

Si consideramos al hombre en general, debemos suponer que este hombre ha sido niño y ha necesitado vacunación, a menos que haya transigido con las viruelas; ha necesitado nodriza (siempre que su madre no haya pertenecido a la plebe); ha sido mancebo, y se ha visto obligado a tener bigotes o patillas, o bien le ha sido preciso qui-

tarse uno u otro, según la aplicación que se haya dado al género romántico o al clásico, y en cualquiera de los dos casos ha tenido que acudir a los cosméticos para hacerlas crecer, o a las navajas para rasurarlas; ha sido dama y ha necesitado ser hermosa, y si la naturaleza ingrata le ha negado una fina tez o un agradable color, se ha visto obligada a adoptar «el agua de *madama Ma*», o la «balsámica de la Meca que usan las damas de Borneo»; ha sido libertino y siente los dolores osteócopos o sifilíticos; en este caso nadie mejor que los empíricos pueden sacarle del apuro con bálsamos y redomitas; ha sido gastrónomo, y es probable que le hayan gustado los jamones de Caldeas o las truchas del Barco de Avila; ha sido viejo y ha tenido pelo, ha tenido dientes y ahora tiene callos, tiene gota, tiene... los ungüentos, los calefactores, los bragueros vienen a su socorro; por último, se ha muerto; no tiene que pasar cuidado, que no ha de faltarle caja y mortaja a precios cómodos y a gusto del consumidor.

Todas estas y otras más ventajas ofrece la lectura del «Diario» al hombre considerado en su estado natural; mas si le concretamos al social en que vivimos, este hombre por fuerza se ha visto precisado a vestirse según su clase y ha debido acudir a los almacenes cuyos curiosos inventarios publica diariamente este periódico; si ha obtenido un empleo puede encontrar a poca costa el uniforme tal vez de su antecesor, y con él comprar la ciencia infusa que los bordados llevan consigo; si ha de tomar casa o poner tienda se le presentan alquileres y traspasos de enseres y reputación; si es aficionado a la literatura, verá por los copiosos anuncios el estado floreciente de la nuestra; si necesita criados que le sirvan, podrá escogerlos en la dilatada escala que media desde los sujetos decentes que se ofrecen a administrarle las fincas o llevarle sus libros, hasta el mozo de mulas que se compromete a cuidárselas, si las tiene; si necesita dinero, encontrará quien se lo preste, siempre que medie el correspondiente interés y una hipoteca bastante a juicio del usurero; mas si por el contrario le sobrase y no supiera en qué emplearlo, podrá escoger cualquiera de las ocasiones que se presentan todos los días de casas que se reedifican, hipotecándose el piso principal para la construcción del segundo.

Sobre la tercera parte del *Diario*, de cuya oportunidad le felicitamos, se ha hablado bastante, y hasta el nombre de *Agenda* que la designa dio lugar a los chistes de algún periódico. Unos se irritaron porque estaba en *latín* —para otros estuvo en *griego*, y hubo quien sostenía que era una palabra demasiado *francesa*—. Nosotros confesamos nuestro pecado; pero tratándose de indicar movimiento o *cosas que han de hacerse*, encontramos algo pobre en este punto nuestro Diccionario, sin duda porque acaso sea la moda del país el no hacer nada, y he aquí la razón por que creimos prudente el haber acudido a nuestra madre la lengua de los romanos, entre quienes no debía ser esta palabra vacía de sentido. Esto en cuanto a la cuestión del nombre; por lo que hace a la esencia de aquel artículo diario, nos hace agradecerle el convencimiento de que en nuestra España todo el mundo es pretendiente o litigante, pues el que quiera moverse en cualquier sentido, ha de acudir a solicitar permiso para ello; el propietario que paga sus contribuciones constantemente tiene que dar sendos pasos para obtener las cartas de pago; el que presta su dinero, ha de sostener un pleito para cobrarle, y el que adquiere cualquier derecho, le ha de costar *derechos* el conocerle. Esto prescindiendo de las demás noticias curiosas que ofrece dicha *Agenda* sobre correos y diligencias, museos y espectáculos. Este artículo faltaba, sin duda, a nuestro *Diario* para hacerle general a toda la población, y puede asegurarse que en las primeras

capitales de Europa no existe ni puede existir esta comodidad de un depósito central de noticias locales, lo cual es natural, atendida la inmensa población de aquellas ciudades que da suficiente alimento de anuncios a considerable número de periódicos; pero esto, sin embargo, no es tan cómodo para el público como poder encontrarlos reunidos en uno solo.

Concluiremos, en fin, la reseña del actual *Diario de Madrid* advirtiendo que, sobre todas sus ventajas, ofrece la mayor en la baratura del precio. En efecto, todas aquellas se pueden obtener con poco más de dos cuartos diarios. ¿Y quién es, repetimos, el que no saca de la lectura del *Diario* mayor utilidad? ¿Quién el que no pone a usura aquella módica suma? El conocimiento de un bando que liberta de una multa, el de un género más barato, el ahorro de un paseo inútil para acudir a una audiencia, y demás circunstancias que dejamos enumeradas, ¿no valen dos cuartos al día? Y si se calculan numéricamente t o d o s estos conocimientos, ¿no habrán de tasarse más que en ocho reales al mes?

Después de todo lo dicho, sólo nos permitiremos una o b s e r v a c i ó n que prueba el adelanto de los tiempos, a saber, que este periódico, que tan limitado principio tuvo y aun en sus mezquinas bases no podía sostenerse, no sólo se basta en el día a sí mismo, aun después de sus notables mejoras, sino que puede rendir y rinde efectivamente al Estado y con aplicación a los establecimientos de beneficencia la crecida suma anual de *ciento veinte mil reales* (*).

(Mayo de 1835.)

(*) En la subasta posterior verificada en 1.º de octubre de 1842 a favor de don Ignacio Boix, quedó rematado el Diario en la cantidad de 21.600 reales mensuales, o sea, 259.200 al año.

NOTA

El Diario de Madrid, D. Lucas Alemán, D. Diego Rabadán. Trazando el autor en el presente artículo la historia del *Diario de Madrid*, que en su humilde origen, vicisitudes y progreso, marcaba bastante, a su entender, la marcha económica y las necesidades de la población, y hasta el gusto literario de las épocas anteriores, hubo de tropezar con estos dos célebres escritores, a quienes sus numerosas composiciones métricas, insertas en aquel periódico, dieron el carácter y popularidad propias de lo que por entonces se llamaba *un poeta:* el primero, en el período anterior a la guerra de Independencia —que después continuó con el carácter de política que daba a sus patrióticas composiciones—, y el segundo, en los años transcurridos desde que se concluyó aquélla hasta 1820; y sin que sea visto ofender la memoria de aquellos dos honrados patriotas y laboriosos autores, preciso es convenir en que difícilmente se buscarían dos tipos más característicos de la insustancialidad y del mal gusto del público de entonces.

En la primera de ellas, o sea, en la que figuraban en el *Diario de Madrid*, en el *Correo de los Ciegos*, y otros periódicos, las triviales composiciones del festivo *don Lucas Alemán*, al lado de las de *Guerrero, Cacea, Salanova* y otros semejantes que merecieron la satírica recordación del gran *Moratín*, había, sin embargo, fuera de esta falange de pintores de brocha gorda una escogida porción de verdaderos poetas por inspiración y por estudio, que con sus elegantes composiciones, ricas de elevación, ternura y armonía, consiguieron ir cultivando el buen gusto público, el brillo y lozanía de nuestra abandonada literatura; y basta nombrar a Meléndez y Cienfuegos, Jovellanos, Quintana, Forner, Iriarte, Cadalso, Iglesias, González y Moratín, para mirar en la época que florecieron una de las más gloriosas del Parnaso español. Pero a vuelta de esta porción de clásicos ingenios y de escritores de valía, pululaban entre el vulgo y atraían hacia sí la fama poético-callejera, otra multitud de hombres de cierto temple que creían de buena fe ser intérpretes de las musas con disparar a troche moche sus inocentes epigramas, acrósticos, décimas y ovillejos, escritos en lenguaje trivial y chabacano; y otros, que más arrogantes en sus pretensiones y más insoportables en su ridícula entonación, pretendían hablar el lenguaje de los dioses en sus largas elegías y enrevesados sonetos escritos en un estilo sombrío, encrespado y campanudo. De ambos hizo justicia el filósofo Moratín en su chistosísima sátira titulada *La Derrota de los Pedantes*, y más especialmente de los últimos, retratándoles con tan vivos colores, que no parece sino que había adivinado la existencia futura de algunos originales.

Llevaba por entonces la bandera del primero de estos dos bandos, o sea, la de los escritores triviales y copleros de buena fe, el modesto y sencillo capellán de las Recogidas *don Francisco Gregorio de Salas*, en quien, sin embargo, y a vueltas de su pobre imaginación y apocada vena, se descubre la más sana intención, algún estudio y chiste, y cierta espontaneidad y oportuna expresión que le hacían ser el ídolo del común vulgo alegre y desocupado. Y con él compartía estos fáciles laureles el doctor en Medicina *don Manuel Casal*, que, bajo el anagrama de *don Lucas Alemán*, ha tenido la fortuna de vincular en él la sonrisa de tres generaciones hasta su muerte, ocurrida en abril de 1837. Este amable escritor y reputado facultativo, nacido en Madrid en 20 de mayo de 1751, además de algunas obras serias sobre su profesión, empezó a darse a conocer bajo el seudónimo indicado en el *Correo de los Ciegos* y en el *Correo de Madrid*, que se publicaban en 1786, y luego en el *Diario de Madrid*, con multitud de composiciones festivas, de trivial concepto, pero de expresión graciosa y popular. Y más tarde, cuando después de la guerra de la Independencia pudo darlas el preciado matiz del patriotismo, se hizo dueño de las voluntades con la chistosa serie de fabulillas, cuentos y folletos que publicó bajo los títulos de *La Pajarera, El Mochuelo Literario* y otros; en cuyas gratas tareas, unidas a las no tan agradables de su profesión y al estudio y lectura de su variada y copiosa biblioteca, prolongó su existencia y su amable popularidad hasta los ochenta y un años de su edad, en los últimos de los cuales tuvimos aún el placer de tratarle.

Don Diego Rabadán, que *floreció* más adelante y en la época que dejamos ya indicada de 1814 al 20, es otro tipo de índole diversa y representa admirablemente la segunda serie de seudo poetas en que dividimos antes a su muchedumbre, o sea, la de los hombres de mucho y mal digerido estudio, ofuscada imaginación y depravado gusto, que buscan en las hipérboles y conceptos más oscuros e intrincados la sublimidad del estilo y la entonación digna de las musas. Henchida su imaginación de esta idea, amenguada su razón con el estudio y la meditación de todas las monstruosas obras del ingenio gongorino, era, en fin, por la clase de sus estudios, por sus modales y hasta por su figura escuálida y extravagante, el traslado material del ingenioso hidalgo-caballero, con aplicación a la poesía, la encarnación viva del vate tuerto que arenga a Apolo en la ya citada sátira de Moratín.

La época desdichada en que tocaba a Rabadán pulsar las cuerdas de su lira, o más bien desentonado rabel, era, a decir verdad, la más propia para lucir sus primores, pues ahuyentados absolutamente de la escena literaria los buenos escritores, ausentes y perseguidos, limitando el campo literario a las mezquinas columnas del *Diario de Madrid,* y cuando más, y arrostrando los inconvenientes de una rigurosa censura, a las de la *Crónica Científica* (que leía escasamente una corta porción de aficionados), aleccionado el pueblo con las coplas y retruécanos de don Domingo Abrial, don Francisco Garnier y don Isaac Díaz de Goveo, pudo creer que la poesía que faltaba a aquéllos en sus triviales composiciones, se encerraba en los altisonantes conceptos en que para hablarles, por ejemplo, de la muerte del infante don Antonio, prorrumpía Rabadán en este estrambótico soneto:

«Ya vencidos de Acuario los rigores
que aprisionan alíquidos cristales,
y del Aries y Tauro criminales
resultas de los eólicos furores;
    cuando Febo aproxima sus ardores
desatando a Neptuno los raudales,
y Amalthea sus galas y caudales
manifiesta con célicos primores,
    quiso el cierzo terrible y dominante
de su cruel aridez dar testimonio
arruinando a la España su almirante.
    ¡Neptuno, Tetis, Céfiro y Favonio,
eterno mostrarán llanto abundante,
pues falleció el infante don Antonio!»

Por este estilo y aún mucho más extra-

vagantes fueron las infinitas composiciones de todos géneros y calibres del buen Rabadán en aquella época; innumerables y celebérrimas sus églogas, raptos, sueños, glosas, laberintos y acrósticos, en que no conseguía agotar su insensata fecundidad. Su prodigiosa memoria, su inmensa y extravagante lectura y su carácter comunicable y decidor, le hacían, además, ser buscado y escuchado con bien distinta intención de los jóvenes aficionados, de los festivos críticos y de las gentes de buen humor. Todavía recordamos haberle visto vendiendo libros en un puesto en la plazuela de las Descalzas, y siendo con su conversación amable y su enrevesada doctrina poética el embeleso de los otros muchachos que con nosotros salían del aula; todavía conservamos graciosas sátiras, ingeniosos epigramas lanzados contra el pobre Rabadán por los festivos y discretos concurrentes a cierta librería de la calle de la Montera; y entre la exagerada admiración de las turbas y la no menos cáustica sátira de los zumbones, acabaron por rematar la razón de aquel buen hombre, en términos que llegó a imaginarse el primer ingenio de su siglo, a quien se disputaban los pueblos, a quien colmaban los monarcas de decoraciones, a quien los libreros reimprimían sus obras, a quien los follones y malandrines usurpaban otras y a quien la posteridad preparaba un alto asiento en el templo de la fama. En estos términos de excitación febril, y consumido por la lectura y la desdicha, falleció en 1819, llevándose consigo los últimos recuerdos del *don Hermógenes,* que pintó Moratín en la *Comedia nueva,* y el tipo más fehaciente de la depravación literaria de aquel miserable período.

LA PROCESION DEL CORPUS

I

1623

Era el día 15 de junio del año de 1623, y celebraba en él la Iglesia Católica su fiesta principal al Santísimo Sacramento. Esta festividad había sido instituída en la ciudad de Lieja, en Flandes, por los años de 1240, a consecuencia de la revelación de unas virtuosas mujeres que la confesaron a Roberto, su obispo, y siendo arcediano de aquella iglesia Jacobo Pantaleón, después Urbano IV, que expidió bula en 1272 para su celebración. Desde entonces se verificó ésta solemnemente en toda la cristiandad, y en particular distinguíase siempre en ella por su ostentación la corte de los Reyes Católicos, que empleaban sus tesoros en tributar al Señor un culto magnífico, haciendo alarde de su religiosidad y grandeza.

Quisiéramos presentar a nuestros lectores un ligero diseño de cómo pasaban estas fiestas en lo antiguo; y puesto que nuestras fuerzas sean suficientes para trasladarles en imaginación a aquella época, no queremos renunciar al placer de colocar aquí algunas noticias que, revolviendo archivos, hojeando cronicones y apuntando especies sueltas, hemos podido reunir sobre este y otros usos de pasadas épocas.

F i j a m o s particularmente para ello nuestra atención en el dicho día 15 de junio de 1623, en que la corte de Felipe IV, ostentosa y poética, dispuso con mayor lujo que de ordinario la solemne función del Señor. Concurría para ello una circunstancia muy notable. Carlos Stuard, príncipe de Gales, hijo primogénito y heredero del rey de la Gran Bretaña (después Carlos I, que pereció desgraciadamente en un cadalso en 1649), había llegado a Madrid el 7 de marzo de aquel año con el intento de entablar un casamiento, que al fin no llegó a tener efecto, con la infanta doña María de España. El Rey, los príncipes, el poderoso valido conde-duque de Olivares y toda la corte, en fin, se esmeraban a porfía en obsequiar y halagar a tan distinguido huésped con ceremonias y festejos que le pudieran dar idea de la grandeza del católico monarca.

Hay un ceremonial antiguo y manuscrito en el archivo de esta heroica villa que dispone el modo y forma de arreglarse la procesión en la primitiva y parroquial iglesia de Santa María la Real de la Almudena. Dicho ceremonial previene que, señalada la hora por S. M., si asiste a la procesión, o por el presidente del Consejo en caso contrario, se reúnan todos en dicha iglesia, y los Consejos divididos cada uno en una capilla, y no habiendo, como no las hay, para todos, se forman con canceles. Así, hacia la pila del bautismo estaba el Consejo de Cruzada; a los pies de la iglesia, Madrid; en la capilla del Santo Cristo del Buen Camino, el de Indias; en la capilla antigua, frente a la puerta de las gradas, el Consejo Real de Castilla; en la del Santo Cristo de la Salud, el de la Inquisición; en la de Santa Ana, el de Hacienda; en el cuerpo de la iglesia a mano derecha, los capellanes de honor y predicadores de Su Majestad, y a la izquierda, los grandes. El sitial del Rey y Príncipe, junto a la baranda del altar mayor, al lado del Evangelio. Al ofertorio de la misa (que se celebra siempre de pontifical) se le sirve al Rey y al Príncipe las velas por los caballeros regidores comisionados en esta forma: llevan dos porteros de Madrid, vestidos con ropa carmesí, en dos fuentes de plata grandes e iguales, una hacheta pintada y una vela en la misma forma, una blanca de a libra y otra de a media, y en llegando al medio de la iglesia, toman las bandejas de manos de los porteros y haciendo tres reverencias las entregan al capellán de honor que está de asistencia, y éste al sumiller de cortina, primero para el Rey y después al Príncipe. Después que se empieza la misa se da principio a ordenar la procesión por el mayordomo de semana y el aparejador de las obras de palacio. Madrid lleva el palio, repartiéndose las cuatro varas y ocho bordones de él por antigüedad.

Aquel año se verificó así, y el príncipe de Gales, desde uno de los balcones del cuarto en que se hospedó, que fue en el entresuelo de la torre primera del alcázar, la vio pasar, permaneciendo en pie durante toda ella, así como el marqués de Bukingham y demás caballeros de su corte que le acompa-

ñaban, y al llegar el Santísimo se arrodillaron todos.

El orden que llevaba la procesión era el siguiente: abrían la marcha los atabales y clarines, seguían los niños Desamparados y los de la Doctrina, luego los pendones y las cruces de las parroquias, los hermanos del Hospital General, los de Antón Martín y las comunidades religiosas por este orden: mercenarios descalzos, capuchinos, trinitarios descalzos, agustinos descalzos, carmelitas descalzos, clérigos menores, padres de la Compañía de Jesús, mínimos de la Vitoria, jerónimos, mercenarios calzados, trinitarios, carmelitas, agustinos, franciscos, dominicos, basilios, premostratenses, bernardos y benitos. La cruz de Santa María de la Almudena, la del Hospital General de corte, la clerecía en medio de las órdenes militares —Alcántara, Calatrava y Santiago—, con mantos capitulares. Al lado derecho el Consejo de Indias, el de Aragón, el de Portugal, el Supremo de Castilla. Al izquierdo el de Hacienda, el de las Ordenes, el de la Inquisición, el de Italia, el cabildo de la clerecía, veinticuatro sacerdotes revestidos, con incensarios, la capilla real con su guión, tres caperos (el de en medio llevaba el báculo), el arzobispo de Santiago de pontifical, los pajes del rey con hachas, las andas del Santísimo, la villa con el palio, el Rey, el Príncipe al lado izquierdo, un poco detrás el cardenal Zapata al derecho, el cardenal Espínola al otro lado, el nuncio en medio de los dos, el obispo de Pamplona detrás. El inquisidor general, el embajador de Polonia, el patriarca de las Indias, el embajador de Francia, el de Venecia, el de Inglaterra, el de Alemania, el conde-duque de Olivares, los grandes cerca de la persona del Rey, los títulos y señores a tropas en medio de la procesión, las dos guardias españolas y tudesca a los lados de la procesión y detrás toda la de archeros.

Era costumbre en aquellos tiempos, y se observó constantemente hasta 1705, que por la tarde de este día empezase la representación pública de los *autos sacramentales*, que seguía durante toda la octava del Corpus. Levantábanse para ello en las plazas de palacio y de la villa sendos tablados, adonde se encaminaban ocho carros triunfales, cuatro para cada una de los dos compañías de comediantes; principiaba con notable aparato el primer auto en la plaza de palacio, delante del Rey, el mismo día del Corpus a las cuatro de la tarde, y acabado aquél, empezaba el segundo y pasaban los carros del primero a la plaza de la villa a representarle al Consejo de Castilla, y después, la misma noche, al de Aragón; seguía el segundo auto en la forma referida, y al viernes siguiente por la mañana se representaban los dos al Consejo de Inquisición, y por la tarde a Madrid, desde donde, por el orden que queda expresado del día antecedente, se seguían representando a los Consejos de Italia, Flandes, Ordenes; y el sábado a los de Cruzada, Indias y Hacienda; y acabadas las representaciones públicas por Consejos, continuaban en las casas de los señores presidentes, en que se gastaban todos los días de la octava, dando principio luego en los corrales el viernes siguiente a ella. Así pasó hasta el año de 1676, en que por excusarse algunos Consejos de este gasto se hicieron variaciones, de que resultaron algunas dudas e inconvenientes, y habiéndose consultado a Su Majestad, resolvió que no se hiciese novedad. Después, por lo molesto que era para los Reyes la representación de los dos autos en una tarde, se resolvió el año 94 que se hiciesen uno el jueves y el otro el viernes, y este día se hiciesen los dos al Consejo, dando principio la compañía que el día antecedente representó en Palacio, y el mismo día al Consejo de Aragón, y que si el Consejo de Inquisición quisiese autos se le representasen por la mañana, y por la tarde a la villa; lo que se ejecutó algunos años, hasta que por excusar gastos se hacían estos festejos a SS. MM., al Consejo y Madrid, en los días jueves, viernes y sábado. Por último, en 1705 S. M. don Felipe V se sirvió aplicar a las urgencias de la guerra el gasto que se causaba en estas representaciones, y desde entonces no volvieron a verificarse más que en los corrales.

Es bien sabido que en la composición de estos autos se emplearon los primeros ingenios de esta corte, y que muchos de ellos tienen cualidades que los hacen interesantes. Don Pedro Calderón de la Barca sólo, escribió setenta y dos, cuyos originales legó en su testamento a la villa de Madrid, que se los había pagado a fin de que se conservasen en su archivo; pero fueros extraídos y sustituidos por copias, y en 1716 se imprimieron por don Pedro Prado y Mier, pagando a la villa dieciséis mil quinientos reales por su propiedad.

II

1835

Después del transcurso de los tiempos, se conserva en el día como la más solemne entre nosotros la festividad del Corpus, y la procesión con que la villa de Madrid la celebra sigue el mismo orden de majestad y decoro que en el siglo XVII en que la hemos descrito, si bien con menos acompañamiento de comunidades y personajes. habiéndola purgado también de los ridículos emblemas que bajo los nombres de *la tarasca*, *los gigantones* y otros se conservan aún en algunos pueblos de España, y hasta antes de la guerra de los franceses se usaban en Madrid (*).

(*) *La tarasca* era una figura de sierpe que iba delante de la procesión, y representando místicamente el vencimiento glorioso de Nuestro Señor Jesucristo sobre el demonio. Es voz tomada del griego *theracca*, que significa amedrentar, porque espantaba y amedrentaba a los muchachos. En *Tarascon*, villa de Francia,, en la Provenza, sobre la orilla izquierda del Ródano, existe una tradición que dice: que habiendo llegado Santa Marta a aquellas riberas, logró vencer y encadenar a un monstruo carnívoro llamado *la tarasca*, que afligía y desolaba aquel país. La villa agradecida eligió a la santa por su patrona, y conservó la memoria de aqul beneficio en un cuadro que hemos tenido ocasión de ver en su iglesia. Además, en la procesión que se hace anualmente con gran solemnidad, se pasea una imagen colosal del monstruo vencido y arrastrado por una muchacha. Finalmente, en el archivo de Madrid leemos en un anti-

Queda ya dicho que el orden de la procesión es en el día el mismo, y si bien puede haber perdido en cantidad de personajes asistentes, no en la calidad de ellos, que es siempre la más elevada, empezando por el mismo monarca cuando se halla en la corte, los grandes, los supremos consejos y tribunales, el clero secular y regular, el ayuntamiento, etc., que en todo forma un tan dilatado como vistoso y rico acompañamiento.

Pero en lo que sin duda alguna debe exceder el Madrid actual al antiguo en semejante día, es en el suntuoso y variado aspecto de sus calles, especialmente en las que constituyen la carrera de la procesión; el bullicio y animación del numeroso pueblo, la elegancia de las vestimentas, y la agradable armonía, en fin, de un conjunto tan vario y caprichoso.

Difícilmente una persona que no haya estado en esta corte podrá formarse una idea ni aproximada de todo ello. Si es extranjero y no conoce la pureza de nuestro cielo, la viva lumbre del sol que nos ilumina, la diafanidad de nuestra atmósfera, ¿cómo podrá imaginarse la alegría de aquel hermoso cuadro?

Una luz templada por los toldos azules y blancos que cubren toda la carrera; un piso blando de arena que hace desaparecer la desigualdad del empedrado; dobles filas de tropas vistosamente enjaezadas e interrumpidas de trecho en trecho por armoniosas músicas; un pueblo inmenso, bullicioso, expresivo, cubriendo absolutamente el espacio que la tropa permite; calles anchas y tiradas a cordel, que dejan contemplar una larga serie de casas, adornadas exquisita o caprichosamente con vistosas colgaduras, y tan henchidos de gente los balcones que parecen imprimir movimiento a los edificios; tal es el bellísimo conjunto que desde las primeras horas de la mañana presentan las hermosas calles Mayor, de Carretas y de Atocha, plaza Mayor y Puerta del Sol.

Los detalles son aún más interesantes.

_____
guo libro de cuentas una partida que dice: *«Por gastos en la tarasca para la procesión del Corpus, 1.400 reales.»*

No bien apunta la aurora, que a la verdad es bien pronto en un hermoso día de junio, empiezan a circular las bombas que riegan la carrera; apodéranse en seguida de ellas los vendedores de flores, que la llenan de un agradable perfume; los v e c i n o s, madrugadores aquel día disponen y cuelgan las fachadas de sus casas, y desde aquel momento empieza la concurrencia, que, como debe suponerse, se compone al principio de las sirvientas y mancebos, que si ceden a la posterior concurrencia en elegancia y aderezo, pueden disputarla en alegría y gracia natural.

Siguiendo por una progresión ascendente, y mientras la tropa va formándose, llegan ostentando sus respectivos atavíos y personas, la desenvuelta manola del Barquillo con su peineta elevada, cesto de trenzas, mantilla sobre los hombros, recortado guardapiés, guarnecido delantal, rica media calada y zapato de cinco puntos. Síguela en pos el honrado artesano vestido de nuevo, reluciente sombrero de seda, frac improvisado en los portales de la calle Mayor, y guantes amarillos. El mancebo de comercio, con su corbatín de a cuarta, sus cadenas de similor y su camisa plegada. La alegre modista, con una expresiva rosa en la cabeza, su zapatito primorosamente atacado y sus mangas huecas de pergamino. El mercader de la calle de Postas, envuelto en su casacón de Tarrasa, su corbata blanca, ancho sombrero y zapato de oreja. El antiguo abogado, el veterano procurador, conduciendo del brazo a la respetable mitad, y llevando por delante tal cual pimpollo femenil de quince a dieciséis (cosecha de 1835), que sale por primera vez al gran mundo, y se admira ella misma de la sorpresa y encanto que su ignorada belleza produce en los circunstantes. Más allá vienen los almibarados y flexibles mozalbetes, con sus ajustadas levitas, sombrerito a los ojos, perilla romántica. Ni dejan de cruzarse con las pareadas filas de desdeñosas elegantes que ostentan sus gracias entre las blondas y rasos prendidos y recortados por las más hábiles manos de la calle de la Montera, o muestran su mal disimulado enojo porque *madama* Tal dejó de llevarlas a tiempo el traje punzó o el sombrerito hortensia.

Guarda descuidadamente aquel género volátil la formidable marquesa, que cree hacer olvidar su fe de bautismo entre el fino encaje, las hiperbólicas guarniciones, los ingeniosos artificios de cintas y gasas, y alza la cabeza, habla con tono solemne y satisfecho, al verse servida por dos alumnos de Marte, cuyos hombros decoran por primera vez aquel día relucientes charreteras; uno de ellos se apresura a darla el brazo, otro a ponerla la sombrilla; cuál a hacerla observar lo más notable de la carrera, cuál, en fin, a apartar la gente para dejarla paso; pero una dulce mirada de alguna de las niñas que van delante recompensa de tanto afán a aquellos mártires, hasta que llegando al balcón deseado puedan dejar descansar al siglo XVIII y trasladar su atención al de la juventud y de la hermosura.

En este armonioso y confuso laberinto, la concurrencia se agita, vuelve y revuelve una y mil veces, y ni la vista puede seguir tan variable escena, ni la pluma pintarla con fidelidad. Suena, en fin, el redoble del tambor; óyense las voces de atención y de mando; la procesión se acerca; es preciso acomodarse entre filas y dejar el centro despejado. ¡Qué momento de confusión y de agradable desorden! ¡Qué combinaciones tan inesperadas y extravagantes! La joven inocente que gira asustada sobre su derecha, se encuentra sin saberlo colocada entre un grupo de oficiales que se apresuran a hacer sitio, en tanto que los papás, torciendo aturdidamente sobre la izquierda, la echan de menos, la buscan, la ven enfrente, quieren reunirse a ella, pero en vano; los batidores de la procesión se interponen e impiden el paso, y el indignado padre tiene que contentarse con hacer a la niña gestos expresivos y jurar no volver a sacarla al público hasta el Corpus del año siguiente.

Aquí es una mujer que chilla porque la dejen colocar su chico delante de las filas; allá es un soldado que repugna y codea a una espantable vieja que se ha sabido colocar en correcta formación. ¡Qué movimientos en los balcones! ¡Qué estrechar las distancias! ¡Qué hacerse lugar entre dos sillas! ¡Qué abrir de quitasoles! ¡Qué mover de abanicos! ¡Qué enarbolar de anteojos!

La caballería llega, en fin, despejando la carrera, y entre el son de las campanillas y de los cánticos, empieza la larga fila de niños expósitos, ancianos mendigos, comunidades, pendones y cruces, consejos, alguaciles y personajes de la corte hasta que llega el Santísimo; las músicas militares y religiosas se mezclan a este punto en sonora armonía; la atmósfera aparece cubierta del humo del incienso que queman los sacerdotes; la tropa rinde las armas e hinca la rodilla en tierra a la presencia del Omnipotente; los espectadores todos siguen el ejemplo, y las campanas llenan los aires con sus redoblados sonidos. Este momento es verdaderamente sublime. El bullicio y la confusión han desaparecido y un pueblo entero, silencioso y postrado, rinde a la Divinidad el homenaje de su adoración.

No bien ha pasado la guardia de la procesión, los balcones quedan despoblados; la gente del pueblo abandona la fiesta para retirarse a sus casas; pero la concurrencia elegante prolonga aún el paseo durante una hora, en que con más desahogo puede lucir la gracia de su persona o la riqueza de su vestido. Los funcionarios que asistieron a la procesión en gran uniforme, recobran sus esposas y las pasean con cortés condescendencia; los jóvenes, agrupados en la Puerta del Sol y calle de Carretas, ven desfilar las bellezas y suelen ir desfilando en pos de ellas, y de este modo va disminuyendo la concurrencia hasta las tres de la tarde, en que cesa del todo. Una hora después los toldos han venido al suelo, las colgaduras han desaparecido, y cuando más tarde atraviesa la misma concurrencia aquellas calles para dirigirse al Prado. ya no encuentra en ellas la más mínima señal de la festividad de la mañana.

(Junio de 1833.)

PASEO POR LA CALLES

I

Nada hay más natural en un forastero que la curiosidad de conocer el aspecto general del pueblo que por primera vez visita, y nada también suele ser tan frecuente como el decidir por esta primera impresión de la belleza o mezquindez de tal pueblo.

Aventurado, por cierto, sería aquel juicio aplicable a nuestro Madrid, pues que variaría absolutamente según el lado de donde viniese el forastero, por donde pudiera observar su primera vista. El gallego y castellano, por ejemplo, mirando la población por su parte más antigua y escabrosa, atravesando su escaso río sobre el magnífico puente a que Juan de Herrera imprimió la severidad de su escuela, y entrando por una mezquina puerta, solitaria y empinada calle, cuyos tejados forman una dilatada escalera, apenas encontraría diferencia notable con sus tétricas ciudades, si la presencia del palacio real a su izquierda no le hubiera dado de antemano a conocer la capital del reino.

Muy diferente idea formará el andaluz que viene de la parte del Mediodía, abrazando con su vista toda la población por su parte más vital y variada. Los suntuosos edificios del Seminario, cuartel de guardias y Palacio, a la izquierda; la Fábrica de Tabacos, el Hospital General y el Observatorio, a su derecha; el puente, paseo y nueva puerta de Toledo al frente; intermediado todo por variados edificios, caprichosas torres, numerosos grupos de casas de distintas formas, y revelando, por decirlo así, la existencia de un pueblo grande y vivificado con la presencia del Gobierno, prestan por este lado a Madrid su vista más completa e interesante. Los catalanes, aragoneses y valencianos, arribando a la capital por la soberbia puerta de Alcalá o la de Atocha, formarán una idea aún más risueña y magnífica, por los elegantes paseos de las Delicias y el Prado, los pintorescos jardines del Retiro y Botánico y las suntuosas calles de Atocha y Alcalá, y finalmente, los procedentes de las provincias del Norte juzgarán a nuestra villa árida y solitaria al entrar por las puertas de San Fernando o de Santo Domingo.

Si deseando modificar estas primeras impresiones y conocer a un golpe de vista el conjunto del pueblo que los recibe, solicitasen subir a una altura céntrica y de la elevación correspondiente para medir y conocer a vista de pájaro todo el plano de la capital, sería aún más difícil el indicársela, careciendo, como carecemos, de un gran templo central, que suele ser en otros pueblos el sitio adonde los forasteros acuden para satisfacer este deseo. La torre de la parroquia de Santa Cruz es la única que puede suplir en Madrid aquella falta, aunque ni su elevación ni su situación son suficientes para abrazar distintamente todo el plano y conocer a un golpe de vista las varias fisonomías de los cuarteles de esta villa. Sin embargo, colocados en aquella altura puede observarse el corte de la población, uno de los más cómodos y ventajosos que conocemos, pues que partiendo sus calles principales de un centro común, que es la Puerta del Sol, se prolongan en forma de estrella hasta los últimos confines de la villa. Así que, conocidas una vez la dirección al E. de las calles de Alcalá y San Jerónimo; de la Montera, Hortaleza y Fuencarral al N.; de la Mayor al O., y de las Carretas, Concepción Jerónima y Toledo al S., llega a ser fácil evitar la confusión que un pueblo nuevo infunde. La frecuentación de sus calles hará conocer al forastero que todas ellas le llevan como por la mano a estos puntos capitales, que en la mayor extensión del radio se modifican y cruzan por otros más subalternos y parciales, como las calles de Atocha, Ancha de San Bernardo, Jacometrezo y otras. Por lo demás, en cuanto a la belleza del aspecto general, menguada idea podrá formar desde aquel punto, no divisando desde él sino la desigualdad, tristeza y mezquina forma de los tejados de nuestras casas.

Esta desfavorable impresión será, sin embargo, modificada c u a n d o descendiendo a las calles hiera la vista del observador la espaciosidad y desahogo de éstas, la regularidad bastante general de su alineación, la variada y caprichosa pintura de las fachadas de las casas y sus distintas formas y dimensiones, que si bien puede condenarlas un ojo artístico por su falta de orden y simetría,

llevan la ventaja de entretener agradablemente la vista, alterando a cada paso la insoportable monotonía de las ciudades edificadas bajo seguro plan y severas condiciones.

Las calles de Londres y de París, por lo general planas y sin notables desniveles, sujetas sus casas a una perfecta alineación, y presentando en su forma exterior un aspecto casi uniforme, son aún más fatigantes, más tristes y enfadosas que las de Madrid, con sus cuestas y la irregularidad de sus casas. Añádase a esto las inmensas ventajas que nuestro clima nos proporciona de la sequedad constante del piso, la perfecta conservación de los colores en las fachadas y la animación que produce la costumbre de los balcones; compárese todo ello a la densidad de una atmósfera nebulosa, la casi perpetua humedad del piso, el ennegrecido moho de las fachadas, la severidad de aspecto de la línea de ventanas y la metódica uniformidad, en fin, de los edificios en aquellas capitales, y habrá muy pocos que dejen de preferir un paseo por nuestra villa (haciendo para ello abstracción del mayor movimiento y vida de aquellas poblaciones) al cansancio y fatiga del cuerpo y del espíritu que puedan proporcionarle otras ciudades más importantes.

No es esto decir que nuestro Madrid actual no pueda y deba recibir graves modificaciones para imprimirle mayor regularidad y agrado, y las numerosas y continuas que hace veinte años experimenta revelan, por decirlo así, el grado de belleza a que aún puede llegar. Cuando se haya reformado del todo el empedrado de las calles; cuando en la forma y revoque de las casas se haga general el gusto que se observa en las nuevamente edificadas, imitando a las de Cádiz; cuando se modifique la forma de los tejados y buhardillas y desaparezcan del todo los canalones; cuando, en fin, se vean generalizadas aquellas variaciones que observamos ya parcialmente, entonces será cuando Madrid llegará al punto de belleza que su situación local y el hermoso sol meridional le proporcionan, y merecerá con más justicia los dictados que aun los mismos extranjeros la prodigan de la *villa blanca*, la *villa joven del Mediodía*.

Mas si prescindiendo ya del aspecto material de sus calles y casas, intentáramos dibujar, aunque ligeramente, su vitalidad y movimiento; si dejáramos las piedras por los hombres, los órdenes arquitectónicos por el orden de la sociedad, el Madrid físico, en fin, por el Madrid moral, ¡qué escena tan varia!, ¡qué espectáculo tan animado no podríamos presentar a nuestros lectores!

Tosco y desaliñado es nuestro pincel para tamaño intento; pero no podemos resistir a la tentación de emprenderlo. No nos propondremos seguir metódicamente para ello las distintas fases de tan variado teatro, según las diversas horas del día, las estaciones y demás circunstancias que alteran y modifican los usos populares. Escogeremos cualquier día del año; por ejemplo, el día en que nos hallamos: procederemos libremente, y como al acaso dejaremos vagar a nuestro discurso, y pues que el moderno romanticismo nos autoriza, renunciaremos a todas las unidades conocidas, y tanto más románticos seremos cuanto menos pensemos en lo que vamos a escribir.

II

Ningún momento del día nos parece más oportuno para sorprender a los madrileños en el espectáculo de su vida exterior que aquellas apacibles horas que, aproximando el día a la noche, libertan del trabajo para acercarnos al descanso y al placer; aquellas horas que en la estación ardorosa en que nos hallamos vienen a mitigar los rigores de nuestro sol meridional, y en que la población, ansiosa de disfrutar la apetecida brisa de la noche, abandona el interior de la casas y se muestra generalmente en las calles y plazas, en las puertas y balcones. No haya miedo el cojuelo Asmodeo, ni su licenciado don Clecfás, que para tal momento solicitemos sus auxilios con el objeto de levantar los tejados de las casas y reconocer lo que pasa en el interior; por la ocasión presente dejémosles a los ladrones y enamorados, que t a m b i é n suelen aprovecharse a tales horas de aquel abandono, y pues que todo el pueblo se halla en la calle, bueno será mezclarnos y confundirnos con todo el pueblo.

El reloj de Nuestra Señora del Buen Suceso ha dado las seis; la animación y el movimiento, interrumpidos durante la siesta, han vuelto a renacer en las calles; los vecinos de las tiendas, descorriendo las cortinas que las cubren, hacen regar el frente de sus puertas, asoman al cancel de ellas y llaman al ligero valenciano, que con sus enagüetas blancas, su pañuelo a la cabeza y su garrota a la espalda, cruza pregonando: «*Gua e sebá fría...*». Otros escogen en el cesto de aquella desenfadada manola tres o cuatro naranjas para remojar la palabra, dirigiéndola de paso algunas medianamente disparadas, si bien mejor recibidas; y otros, en fin, se contentan con un vaso de agua pura que les ofrece en eco lastimero el asturiano por cuatro maravedís. En tanto los muchachos, que a la primer campanada de las seis ha lanzado una escuela, improvisan en medio de la calle una corrida de toros o atan disimuladamente a la rueda de un calesín alguna canasta de fruta, que al echar a andar el carruaje rueda por el suelo, con notable provecho de la alegre comparsa; o bien tratan de engañar a un barquillero distrayéndole para que no mire al juego; o ya disparan sendas carretillas de pólvora a los perros y a los que no lo son.

A semejantes horas todavía no se sienten circular más carruajes que los del riego o los bombés *facultativos*, y, sin embargo, en todas las cocheras se disponen y preparan ya los que de allí a un rato han de conducir al Prado a la flor y nata de la aristocracia. Los cafés, oscuros aún y abiertos de par en par, no reciben todavía más que uno u otro provinciano que saborea el primero un gran cuartillo de leche helada, algún militar que fuma un cigarro mientras ojea la *Gaceta*, o un quidam que entra mirando al reloj espera a un amigo que

viene de allí a un rato, y juntos parten
a paseo.

—De la lotería-aaaao-cha-vo-A-ocha-
vito los fijos.

—¿Una calesa, mi amo?

—De la fuente la traigo, ¿quién la
bebe?

—Señores, a un lao, chas.

—El papel, que acaba de salir ahora
nuevo.

—Cartas de pega.

—Horchatero.

Crece la animación por instantes: el
rápido movimiento se comunica de calle en calle; las puertas vomitan gentes; los balcones se coronan de lindas
muchachas; cruzan las elegantes carretelas, los ligeros tilburís, las damas y
galanes a caballo; grupos interesantes,
numerosos, variados, se dirigen a los paseos ostentando sus adornos y atractivos; otros medio hombres y medio esquinas ocupan las encrucijadas de las
calles y presencian a pie firme el paso
de la concurrencia.

Punto central de esta agitación es la
Puerta del Sol y principales calles que
la avecinan, observándose el reflujo de
la población en dirección al Prado. Las
calles apartadas del centro no ofrecen
tanto interés, si bien tienen el suficiente para ser consideradas. Cuando las de
Alcalá, la Montera y Carretas ostentan
rápidamente lo más elegante y bullicioso de nuestra población; cuando sus
balcones, por lo regular abandonados,
demuestran que sus vecinos se hallan
en paseo; cuando el ruido y el polvo
de los carruajes ofuscan los sentidos y
tienden un denso velo que nos impide
ver a cuatro pasos, salvémonos de este
laberinto y trasladémonos, por ejemplo,
a la calle ancha de San Bernardo o a la
de Hortaleza, a la de San Mateo o a la
de Leganitos.

Todo es tranquilidad en el dilatado
recinto que media desde el monasterio
de las Salesas hasta el Seminario de Nobles El silencio y la soledad de las calles apenas es interrumpido por el paso
de los pocos transeúntes. Tal cual matrimonio del pasado siglo, precedido de
algunos retoños, representantes de la futura España, y dirigiéndose pausadamente a las puertas de Santa Bárbara o
San Bernardino con el objeto de llegar
al obelisco o a la cuesta de Areneros;
tal cual corro de dilettantis a la puerta
de una taberna, saboreando el compás
de la tirolesa de Guillermo Tell, tocada
por el organillo del ciego; tal cual grupo de mozos de esquina ensayando sus
ociosas fuerzas colosales; tal cual cuerpo de guardia o batallón pasando la lista al son de sinfonías y cabaletas; he
aquí los únicos episodios que alteran de
vez en cuando la unidad de acción de
aquel clásico espectáculo.

Los conocedores, sin embargo, encuentran en este cuadro multitud de bellezas, y el más indiferente suele verse
sorprendido al pasar por bajo de algún
balcón, donde no sospechaba tales tesoros. Aquella cortinilla, que parece casualmente recogida en los hierros de
aquel balcón, está mejor dirigida que lo
que aparenta; jamás ningún marinero
manejó con tal destreza la vela de su
bajel, como la personita escondida bajo
de ella hace servir a su gusto a la ofi-
ciosa cortina.

Pero vedla que la descorre de pronto,
que deja el asiento, tira la labor y ostenta en pleno balcón toda la esbeltez
y primor de su figura. ¡Y habrá todavía quien hable contra nuestros balcones...!

Lindo pie encerrado sin violencia en
un gracioso zapatito; limpio y elegante
vestido de m u s e l i n a primorosamente
sencillo, que deja admirar una contor-
neada cintura por bajo la graciosa esclavina que cubre los hombros y el pecho; elegante nudo recogido a la garganta, gracioso rodete a la parte baja
de la cabeza, a semejanza de la Venus
de Médicis; dos primorosos bucles tras
de la oreja, otro par de rizos pegados
en la sonrosada mejilla, y diestramente
combinados con unos lazos azules que
hubieran puesto envidia al mismo sol;
tal es el espectáculo delicioso que ha
asomado en aquel balcón. ¿Mas por qué
no lo hizo antes? ¿Por qué tan precipitadamente ahora? El porqué, señores
míos, yo me lo sé, pero no sé cómo contárselo a ustedes.

—Mariquita.

—Matilde.

—¿Has visto?

—¡Qué quieres; paciencia!

—Yo no sé qué tendrán.

—Lo que es N... estaba de guardia cerca de aquí, pero el otro...

—El otro..., apostaré que está en el Prado haciendo el galán con la de...

—No lo creas..., puede que hayan pasado..., pero mira, ¿no reparas aquellos dos que han vuelto la esquina?

—¡Qué! Pero sí... no, no son..., ¿a ver?, saca el pañuelo.

—Sí, mira, mira cómo han sacado el suyo, mira cómo se ríen.

—Sí, ellos son... ¡Ay qué vergüenza, Matilde! Cerremos los balcones.

—¿Pues qué...?

—¡Que no son ellos...!

—¡Bravo, señoritas, lindamente! —gritaban en esto dos caballeros de gentil aspecto que llegaban precisamente en aquel momento por la parte opuesta de ambos balcones.

—¡Qué te parece, Carlos! ¡Hemos quedado lucidos!

—¿Qué haremos?

—Yo sería de opinión de desafiar a aquellos dos.

—Yo de matarlas a ellas.

—Hombre, no; en tal caso, matarnos nosotros es más noble.

—Mira, lo mejor será que todos vivamos y nos venguemos marchándonos al Prado.

—No dices mal.

Bien diferente colorido presenta por cierto a los ojos del observador el otro trozo de pueblo comprendido desde el Palacio a la puerta de Atocha: las calles de Toledo y Embajadores, de Mesón de Paredes y Lavapiés no ceden a tales horas en movimiento a las más animadas de Londres. Las enormes galeras de los ordinarios valencianos y andaluces que salen para hacer noche en la venta de Villaverde; los calesines que esperan flete para los Carabancheles; el barbero que rasguea su vihuela a la puerta de su tienda; el corro de andaluces que sentados en el banco de aquel herrador entonan la *Caña*; los alegres muchachos que, subidos en los mostradores y sobre las sillas de las tiendas,

ríen de las habilidades de Juan de las Viñas o del perro que salta al monótono son de la dulzaína de aquel ciego; la terrible cohorte de cigarreras de la fábrica, que al anochecer dejan el trabajo y se mezclan y confunden con los no pequeños grupos de mozallones que esperan su salida. ¡Qué confusión, qué bullicio por todas partes!

También el amor embellece este animado cuadro.

Sigamos, por ejemplo, a alguna de esas parejas, verémosla dar fondo en cualquiera de las innumerables tabernas que ostentan al paso sus variadas provisiones de bacalao y sardinas, ensaladas y huevos duros. Mirad a aquel galán, que dejó su tienda, armado de punta en blanco y demostrando que va de servicio, de teatro o de patrulla. ¿Mas por qué no siguió la calle de Embajadores a la de Toledo, y ha dado esa vuelta para venir a la plaza? ¡Cosa clara! ¿No habéis reparado en aquella tienda de cordonero de la calle de las Maldonadas? ¿No le habéis visto pararse delante de ella, dudar un rato mirando por las vidrieras, dejar el fusil apoyado en ellas mientras encendía un cigarro en la tienda de enfrente? ¿No habéis reparado una blanca mano que disimuladamente ha echado algo por el cañón del arma? ¿Qué fue ello? Nada; reparad al mancebo que la vuelve a echar al hombro con ligereza; apostaría a que la niña ha burlado las precauciones de un padre tirano; el fusil encierra el misterio del amor. Jamás parte de una victoria fue conducido con más alegría.

Pero ya la campana de San Millán o San Cayetano llama a los fieles al rosario; la trompeta y el tambor desde el vecino cuartel dan el toque de oración; las tiendas y cajones de comestibles van encendiendo sus farolillos; los profundos coches del siglo XVII y los desvencijados calesines abandonan el puesto, y las tinieblas de la noche van, en fin, oscureciendo aquel animado teatro. Este espectáculo nocturno merece otro cuadro aparte, y tal vez algún día le emprenderé; el que intentaba dibujar por hoy, concluye aquí.   (Julio de 1835.)

EL PATIO DE CORREOS

Madrid es la patria común, el lugar de cita para todos los españoles; las varias necesidades de la vida, el comercio, la industria, el lujo, la miseria, el afán de figurar, el deseo de descanso; tantos motivos, en fin, diversificados según las circunstancias de cada individuo, le conducen, tarde o temprano, a la capital del reino, y se tendría por muy infeliz el que una vez por lo menos en su vida no llegase a visitar este emporio de la hispana monarquía. Los habitantes de él pueden, pues, vivir seguros de ver pasar ante su vista como en una linterna mágica todas las notabilidades provinciales.

Si Madrid es el centro de España, y la Puerta del Sol lo es de Madrid, un escolástico sacará la consecuencia de que la Puerta del Sol es el punto central del reino. Eslo, indudablemente, no tanto por su situación topográfica como por su vitalidad y movimiento. La memoria de este sitio es el primer pensamiento del forastero al dirigirse a Madrid, y no sería ridículo el que dos españoles que se encontrasen en las elevadas cordilleras de los Andes, o en las heladas márgenes del Neva, se despidiesen citándose «para la Puerta del Sol».

Pero aún hay dentro de ella misma otro punto central, que por esta razón, y siguiendo el argumento que arriba dejamos sentado, puede tomarse por el disco de sus rayos. Tal es el patio de Correos, y para hablar de él tomamos por hoy la venia de nuestros lectores.

Todas las cosas de este mundo son grandes o pequeñas, sublimes o ridículas, según el punto de vista de donde se las mire, y tal espectáculo habrá que parezca mezquino a los ojos de un ser indiferente o desdeñoso, al paso que logre excitar la meditación del curioso y del observador.

Cierto que el que lea el epígrafe de este artículo no encontrará el asunto sobradamente interesante. ¡El patio de Correos! ¿Y qué hay en el patio de Correos? Un cuerpo de guardia, una prisión nocturna, que más bien puede llamarse albergue de borrachos y descarriados; una escalera póstuma; tres o cuatro ventanillos cerrados, y esparcidos por los postes que circundan el recinto, sendos cartelones y cartelitos desde las colosales y laboreadas letras de Sancha o Jordán, hasta los más imperfectos garrapatos de los escribientes memorialistas. De todo esto poco o nada se puede decir, y por muy *Parlante* que sea el señor *Curioso* que hoy nos enseña su linterna, harto será que no consiga excitar los bostezos del auditorio.

—Poco a poco, señor indiferente; poco a poco, y antes de juzgar de las cosas por su superficie, procure usted enterarse un tantico de su fondo. No, sino dé cuatro paseos y aguarde un rato en esta galería, y si luego de bien enterado de su contenido pretendiese dejarla bruscamente, para mi santiguada que es un necio o yo soy un bolo. Aguarde, repito, media hora, y pues que el reloj patronal de este recinto acaba de dar las doce y media, entreténgase un rato mirando esas columnas de piedra que ostentan una variedad literaria, por lo menos tan interesante como las de nuestros periódicos matritenses.

No se tome por chanza: Víctor Hugo es quien lo dice, que «¡los pueblos escriben en piedra sus invenciones y sus progresos!». Vea usted, si no, los nuestros en literatura. «*Dirección de cartas*». No haga usted caso; por ahora no rige, pues por muy bien que usted las dirija, es lo regular que no logre darlas dirección segura; deje usted que en acabando la guerra civil, y luego que tengamos buenos caminos y mejores postas, y empleados celosos, y... otra cosa será. No se acerque usted a leer ese cartelito «*Curación de la vista*», no se pierda la suya con la letrilla menuda y temblejona en que está impreso; deje a un lado el «*Manual de Madrid*», que es libro caro, y puede pedirlo prestado al autor. No haga caso del «*Segur*», porque, según van menudeando tomos a 24 reales, es de temer que empleando uno para cada año de los que comprende su *Historia Universal*, venga a ser una verdadera *segur* para nuestros bolsillos; y en cuanto a aquella otra publicación «*Mariana y Sabau*», por Dios no vaya a tomarla por una novela o drama romántico, o bien por el nombre de una tierna pareja conyugal; no repita el caso de aquella dama que leía el poema de Florián y preguntándola cómo concluía, respondió sinceramente: «¿En qué había de concluir? En que *Numa* se casó con *Pompilio* y todo quedó arreglado».

Pero veamos los anuncios manuscritos, no menos preciosos que los impresos.

«*El sugueto que forma la pressente tiene buena conduta y horto grafia. Tiene ademas buena letra castellana dela lengua. Suplica no le rasquen ni le boren.*»

«*Un sugeto de buena forma, de letra solicita entrar en casa de un Señor comerciante, o Abogado o Qurial, para tenedor de libros o administrador. Sabe todo lo necesario como afeitar y cortar el pelo, cuidar los caballos y demas menesteres. Suplica no le engañen.*»

«*Un joven decente natural de Segovia desea encontrar una Señora para arreglarla sus asuntos. Pide lo de costumbre y la manutención.*»

«*Con permiso del casero se le traspasa a quien le convenga: una tienda sita en las cuatro calles esquina a una de ellas que puede servir de aceite jabon velas de sebo y demas comestibles y géneros ultramarinos.*»

¡Que da la una! ¡Las listas! ¡Que ponen las listas! La concurrencia ha ido creciendo asombrosamente. Mezcla confusa de hombres y mujeres, ciudadanos y lugareños, paisanos y militares, trajes y modales; acentos y aún idiomas tan variados como nuestras variadas provincias: vascuence y catalán, andaluz y valenciano, mezclan con sus paisanos los saludos provinciales, y por un momento el patio del Correo se ha convertido en una verdadera torre de Babel. Todos se agrupan, se acosan en torno de las listas y buscan con ansia la inicial de su nombre, y algunos (los más), no encontrándole en ella, le buscan por todas las letras del alfabeto.

¡Qué variedad de escenas para un pintor de caprichos! ¡Qué ir y venir de la lista a la ventana y de la ventana a la lista! Quién toma rápidamente el número de su carta en la memoria, la pide en el despacho, pero encuentra que se ha equivocado en una centena; otro ha pedido ligeramente una al sobre «N. Marqués», sin reparar que él no es Marqués, sino Márquez; cuál no lleva bastantes cuartos para pagar su abultado paquete y tiene que dejarlo no sin gran remordimiento; cuál, faltándole el tiempo para saber el contenido, abre la carta a la misma reja y ocupa indebidamente un sitio que tantos desean.

Pero sigamos nuestro paseo por la galería. No hagamos caso de aquel grupo de militares en traje de paisanos, y de paisanos con bigotes, que se estrechan en torno de aquel altiseco que, recostado en una columna, lee en alta voz una carta. Son noticieros, y si nos entretenemos con ellos no nos dejarán tiempo para observar lo demás; dejémosles, pues, *estereotipar* en sus cabezas la tal carta para irla a recitar como propia en la calle de la Montera y en el Prado, en el café Nuevo y en el del Príncipe.

—Dígole a usted que yo no he sido.

—Yo sostengo que ha sido usted. ¡Infamia, sacarle a uno las cartas del correo!

—Usted es capaz de ello, y por eso lo piensa.

—Sí, que no sé yo de lo que es capaz un escribano; ¿no hizo usted lo mismo con los folios 86 al 97, inclusive, de los autos?

—Usted me insulta.

—Yo no digo más que la verdad.

—Si no mirara...

—¿Qué...? (Aquí todos los concurrentes terciamos como pudimos para impedir una intentona.)

El caso era muy sencillo: dos litigantes de un mismo pueblo esperaban de sus respectivos corresponsales la noticia de cierta sentencia. Llegó el primero, sacó su carta y, sin duda, vio el nombre de su contrario en la lista; antojósele saber lo que le decían y la sacó también (¡malicia humana!); llegó el segundo y le contestaron que ya su carta estaba fuera (¡cosa clara!); empieza a maliciar, duda, recela, cuando mira al salir del patio a su antagonista, y ¡aquí fue Troya!, empezó el diálogo arriba dicho, que tuvimos dificultad en interrumpir. La cara del escribano daba, en efecto, señales nada equívocas de la verdad del hecho.

No de carácter tan serio, aunque del mismo género, era otro incidente que pasaba en el extremo opuesto. Un marido había visto en las listas de militares el nombre de su mujer. ¡Una carta del Ejército a mi mujer! ¡Si será éste el conducto por donde se envían los partes! La curiosidad no es vicio peculiar solamente de las mujeres; los hombres no les vamos en zaga; acércase al ventanillo, pide la carta, pero se le responde que un chicuelo acababa de sacarla. ¡Oh ligereza femenil...! Lo demás de la escena pasaría en *familia*: no lo sabemos; sólo sí que aquella misma tarde vimos al esposo en la calle de la Montera leyendo una carta de las provincias con graves noticias; mas los circunstantes (¡narices políticas, que no oléis!) repararon que el sobre no tenía sello y, por consecuencia, la carta estaba escrita en Madrid. En vano el hombre se esforzaba en asegurar que era de un amigo íntimo que había puesto el sobre a su mujer por precaución, etc. Nadie lo creyó, y le tomaron por un escritor apócrifo; yo solamente, que estaba en autos, conocí su inocencia y la destreza de su Penélope para tejer este inocente enredo.

¡Cuántas y cuántas escenas semejantes! ¡qué expresiones tan raras y variadas en la fisonomía! ¡cómo descubren el secreto del alma! Aquel aguador que sentado en su cuba deletrea los torcidos renglones de su correspondencia, ¿por qué va compungiendo su semblante y asoman a sus ojos gruesos lagrimones? ¡Desdichado!; su familia le comunica que ha caído quinto y que tiene que trocar la cuba por la mochila, la montera por el schakó.

¿Qué busca aquel pisaverde con su eterno lente en todas las listas atrasadas? ¿Si no tiene carta, para qué cansarse? ¿Qué busca? Busca los ojos de aquella linda paisanilla, que para hallar su nombre tiene que leer toda la lista hasta que ya se cansa: mira alrededor como demandando auxilio, ve al del lente, éste se adelanta a ofrecer sus servicios; no hallan la carta, pero ya ellos han entablado otra correspondencia que lleva tanta ventaja a la del ausente, cuanto va de la palabra a la escritura, de la falta de memoria a la sobra de la voluntad. ¡Es tan natural a una forastera buscar un conductor para no perderse en las calles de Madrid!

Sería nunca acabar el intentar describir uno por uno tan variados episodios. El que busca en el interior de una carta una letra de cambio, y halla en cambio muchas letras y palabras; el que se para sorprendido al ver la suya cerrada con negra oblea; el que sabe la noticia de un empleo, de una herencia, de un premio a la lotería; el que en finísimo oficio con sendo membrete grabado recibe la delicada nueva de su cesantía; el que en materia de pleitos encuentra la cuenta de su procurador, y en la de mujeres un cartel de desafío; el que...

¿Pero adónde vamos a parar con estas observaciones? Sin embargo, todas pueden hacerse en este sitio... ¿Con que no es tan indiferente? ¿Con que merece alguna atención...? Mas... las dos han dado y empieza a quedar desierto y sin movimiento. Pasó el instante de su apogeo; la ventanilla de las esperanzas se ha cerrado, los consultores de aquel oráculo abandonaron ya el templo.

(Julio de 1835.)

LAS CASAS DE BAÑOS

La costumbre del baño es tan natural, como que debe suponerse que nació con el hombre. La limpieza, que Aristóteles no duda en calificar casi de virtud, el placer y el deseo de buscar alivio en las dolencias, debieron indicarle aquel grato recurso como el único reparador de sus fuerzas fatigadas, ya por el rigor de la estación, ya por la irritación de las enfermedades. Más tarde, el lujo, convirtiendo en objeto de moda lo que pudo tener en su principio el carácter medicinal, propagó insensiblemente esta costumbre, y los pueblos antiguos nos han dejado testimonios de la ostentación y grandeza con que en ellos se sostenía.

Los orientales fueron los primeros que construyeron edificios para servir de baños públicos, y los griegos no tardaron en imitarlos. Homero, en su divina *Ulissea*, nos habla ya de estos baños, dando a entender que se hallaban cerca de los gimnasios o palestras para entrar en ellos al salir de los ejercicios. También Vitrubio nos ha dejado una descripción circunstanciada de ellos, diciendo que se componían de siete piezas diferentes intermediadas de otras varias destinadas a los ejercicios.

Los romanos, habitadores de un clima meridional y grandes en todas sus cosas, adoptaron con magnificencia las costumbres de los griegos, y desde tiempo de Pompeyo, según Plinio, empezaron a construirse baños públicos por toda la ciudad, siguiendo este movimiento en una progresión asombrosa. Agripa sólo en el año de su edilidad hizo construir ciento sesenta. A su ejemplo, Nerón, Vespasiano, Tito, Domiciano y casi todos los emperadores, mandaron edificar baños magníficos de preciosos mármoles y elegante arquitectura, complaciéndose en concurrir a ellos con el pueblo, viniendo a tal extremo su profusión, que se asegura haber llegado a existir ochocientas de estas casas repartidas por toda la ciudad.

Las dilatadas conquistas de aquel pueblo magnífico y guerrero introdujeron, como era natural, sus costumbres en todos los países que dominaron, y en particular la del baño fue tan extendida por ellos, que se ha dicho que luego que conquistaban un país lo primero que hacían era edificar *termas*, así como más tarde los españoles construían una iglesia, los ingleses y holandeses una factoría, y los franceses un teatro. Los restos de nuestras ciudades antiguas prueban, evidentemente, que no fue España la menos favorecida en aquel punto.

Desalojados de nuestra Península por los godos, y éstos por los árabes, debió crecer, naturalmente, aquella costumbre bajo la dominación de los últimos, por la influencia que, además del clima, les daba su religión. En efecto, así sucedió y aún pueden reconocerse pruebas positivas de ello en las ciudades del mediodía: Granada, Córdoba y otras tantas. En *Magerit* mismo (Madrid) había baños públicos en la calle de Segovia, por bajo de la parroquia de San Pedro, y hay también quien los supone en la plazuela de los Caños del Peral, fundándose en el nombre de la puerta de *Balnadú*, que estaba allí cerca, y que se hace derivar de las dos palabras latinas *Balnea duo*, si bien otros, con mayor fundamento, suponen a dicha palabra contracción de las árabes *Bal-al-nadur*, que significa *Puerta de las Atalayas*.

Pero los árabes y los turcos, que son, entre los pueblos modernos, los que han conservado un uso más habitual del baño, se verifican de un modo diferente que nosotros. Al salir de él entran, por lo regular, en un *sudatorium* o estufa caliente por medio de conductos abiertos en el suelo, y desde allí vuelven a trasladarse al baño caliente, haciéndose antes frotar violentamente las articulaciones y todo el cuerpo con cepillos suaves y guantes de franela y perfumarse con aceites y esencias exquisitas.

Parécenos que en la moderna Europa no fue tan general la costumbre del baño, y, desde luego, puede asegurarse que perdió el carácter de magnificencia que tuvo en lo antiguo. Sin embargo, a mediados del siglo pasado un Mr. Alvert restableció en París, cerca del muelle de Orsay, una casa de baños, que, aunque no más que mediana, obtuvo, por la novedad, una boga singular y fue considerada como un fenómeno de industria. Su ejemplo no tardó en tener otros imitadores; multitud de establecimientos en que el lujo y el buen gusto compiten a porfía poblaron el río,

las calles y plazas de aquella capital, de tal manera que no sin razón se ha dicho que en París hay en el día tantos medios de lavarse como de volverse a ensuciar. Hoy se cuentan en aquella capital 80 casas de baños con 2.274 pilas fijas y 1.059 baños portátiles. Hay, además, cinco edificios vistosísimos en forma de barcos sobre el río que tienen 335 baños fijos y otros 72 en el hospital de San Luis. Se calculan en 5.000 personas, 3.000 hombres y 2.000 mujeres, las que se emplean en el servicio de estos baños, y su producto al año en 16 millones de francos (cerca de 63 millones de reales).

La costumbre del baño, generalizada de nuevo en toda Europa, ha tomado en aquella ciudad, por las combinaciones de la ciencia y del buen gusto, un carácter tal de voluptuosidad y de encanto que constituye un placer verdadero, no limitado, como entre nosotros, a la estación de verano y a una corta temporada, sino frecuentado durante todo el año, con lo cual pueden sostenerse y perfeccionarse cada día más tan numerosos e importantes establecimientos. En todo sucede lo mismo; la civilización y la cultura hacen nacer necesidades nuevas que, poniendo en circulación los capitales, alimentan la industria, dan aplicación a las ciencias y a las artes y modifican y embellecen las costumbres públicas.

Deliciosa es, sobremanera, una visita a los baños de aquella encantadora capital. Los llamados *turcos* en forma de *kiosks* cerrados con vidrios de colores y coronados de medias lunas; los *griegos* alrededor de un gran circo oblongo iluminado por lo alto; los *chinos* con sus torrecillas armónicas; los numerosos establecimientos de *Vigier* y las escuelas de natación sobre el río Sena; los de *Tívoli*, elegantes y variados; las *Neothermas*, complemento de toda magnificencia en este género, dan una alta idea de la civilización de un pueblo que disfruta tan agradables recreaciones. Ni es sólo bajo este aspecto con el que deben considerarse; las ciencias físicas y químicas, haciendo aplicación de sus admirables investigaciones, han logrado reunir en ellos las diferentes aguas minerales, sulfurosas, aromáticas, ardientes, heladas de todos los países y de todas las especies. B a r e g e, Baigneres, Plombieres, Aix, Spa, Bath, N e r i s, Saint-Amand, Baden, todos los manantiales, en fin, más famosos de Europa han sido copiados por los mágicos procedimientos analíticos y sintéticos de la química en los estanques del Tívoli francés. En las *Neothermas* se hallan también los baños *egipcios*, en donde los bañadores, perfumados y frotados de pies a cabeza por manos ágiles, como en el gran Cairo, adquieren una gran esbeltez y soltura en sus movimientos. *«Las venerables dueñas* —dice una descripción un poco alegre de este establecimiento— *salen de él con el rosado de la aurora, los especuladores y usureros más comprimidos vuelven con una facilidad en sus movimientos, una movilidad en la espina dorsal capaz de dar envidia a los Hércules de teatro y aún a los pretendientes del día».*

Añádase a todas estas circunstancias elegantes cafés y fondas donde se sirven variados y exquisitos manjares y bebidas; jardines pintorescos, gabinetes de lectura y una sociedad numerosa y amable; todos los agrados, en fin, que puede desear el ánimo más exigente, y se formará una idea aproximada del encanto de estos establecimientos en la capital del vecino reino. La costumbre de él, difundida generalmente por la moda en todas las provincias, ha dado lugar a la creación de baños igualmente magníficos, y entre muchos que pudieran citarse, baste decir que los construidos últimamente en Burdeos han tenido de coste más de cinco millones de reales.

A este punto llegaba yo de mi discurso, cuando harto ya de revolver mamotretos, tomar apuntes, refrescar memorias y asentar especies sueltas, tiré la pluma, tomé el sombrero y me planté en la calle, deseoso de vivificar con el frescor de la mañana mi acalorada imaginación. Pero como ella sea tal que una vez ocupada de un objeto, tarde o nunca llega a desasirse de él, enderezóme la voluntad al mismo punto y caso en que de antemano se revolvía y me hizo

sospechar que si de pensar en los baños nacía mi agitación, nada como ellos podría conseguir calmarla. Y no hubo más, sino que el alma así predispuesta, y el cuerpo en ayunas, una vez resuelto a buscar en el agua el perfecto equilibrio de mis humores, me dirigí a la primer casa de baños que a la mano tenía.

II

La calle de los Jardines estaba allí cerca; con que a la calle de los Jardines fue mi dirección. No era sola, a decir verdad, aquella razón de proximidad la que me inclinó a darla la preferencia; otro motivo aún más poderoso tuvo no poca parte en mi determinación.

Recordando con cierto placer el establecimiento de baños, acaso primitivo de Madrid, que hace algunos años frecuentaba yo en semejante temporada, deseaba saber si aún conservaba aquella disposición sencilla y *sin disfraz* que tanto satisfacía a nuestros padres; pensaba con interés (¿se creerá?) en los estrechos y sucios aposentos, las mezquinas pilas hundidas en el suelo, la desnudez absoluta de adornos y atavíos, y procurando desechar de mi imaginación el recuerdo de los magníficos baños extranjeros, como que intentaba rejuvenecerme en aquellas aguas, esperando hallar en ellas, ¡qué delirio!, el placer y la alegría de mi niñez. Mas, ¡oh instabilidad de las cosas h u m a n a s...! Aquella casa matriz, aquel establecimiento inmemorial y primitivo que un día hubo de bastar a las necesidades de la corte de dos mundos, ya no existe, y de toda su forma material sólo me pudo ofrecer sobre la puerta de entrada el nombre que en lo antiguo le distinguía: «Casa de baños del Cura». *Hic Troya fuit.*

Por fortuna, hallábame en calle donde me era fácil aún escoger entre dos establecimientos semejantes, el de la *Cruz* y el de *Mena*, que podrían muy bien suplir al que buscaba. Dirigíme al primero, que me pareció semejarse más a la sencillez *patriarcal* que la extravagancia de mi imaginación me hacía desear en aquel momento, y, con efecto, no quedó engañada mi expectativa, pues en toda su disposición, orden y mecanismo me pareció tan idéntico al anterior, que no fui dueño a contener la persuasión de que el alma del cura, fundador de aquél, podría muy bien haber transmigrado a la acera de enfrente.

Sin embargo, la influencia del séptimo mes del año, haciendo frisar el Reaumur con los treinta grados, la hora cómoda de la mañana y la centralidad de la calle, habían llamado tanta concurrencia, que no cabíamos en los varios callejones de que consta aquel edificio, ni en el estrecho y menguado patinillo; de suerte que siendo insoportable el esperar un largo rato en aquel *sudatorium*, renuncié generosamente a bañarme en esta casa y verifiqué mi traslación corporal a la inmediata del rincón, que me pareció algún tanto más en el progreso del siglo; pero muy luego hube de reconocer los mismos inconvenientes que en la anterior.

Sencillez y naturalidad en el aparato, eso sí; como podrían ser los baños en tiempo de Adán: media docena de sillas y un arcón supletorio para sentarse; una tinaja de agua, emblema del edificio; una sala interior bien caldeadita, por supuesto, con los efluvios de los baños que la rodean, y hasta una docena de aposentos estrechos, conteniendo cada uno la menguada pila en que, con dificultad, una anguila podría revolverse.

Pero también grande concurrencia, mucha boga, mucho favor del público. Todo estaba lleno, con que había que tomar billete y esperar turno, y contar dos horas sin otra distracción que el Diario o el espectáculo del interior del edificio, como si dijéramos el esqueleto de aquella máquina, reducido a la maniobra de dos hombres sacando agua cubo a cubo de un pozo de noventa pies de hondo para bañar al numeroso público espectador y expectante...

Yo no pude resignarme a aguardar en esta monotonía, y por otro lado, como ya había pasado mi hora y estaba en ayunas, y *sine Cerere et Baco friget Venus*, y en aquel sitio no se sirve más que el agua *en seco*, recordé que no lejos de allí estaba la calle del Caballero de Gracia, en donde tiene su establecimiento el famoso *Monier*, el *Vigier* de Madrid, a quien debe este pueblo los utilísimos baños portátiles, la fonda y gabinete de lectura a la parisién, y que últimamente, en el presente año, acaba de establecer en el Manzanares una escuela de natación y sitio de recreo bajo el nombre de *Pórtici*.

Dirigíme, pues, a los baños del Caballero de Gracia, que ya conocía; entré en el patio: la concurrencia era numerosa y elegante; pero, resuelto a no salir de allí sin satisfacer mi deseo, tomé mi número 72 y me dispuse a aguardar el turno desde el 49, que era el último sumergido. Y considerando por una regla proporcional que esto no podía menos de dilatarse un par de horas, traté de invertir este tiempo lo más útilmente posible. El estómago obtuvo por entonces la preferencia sobre la cabeza; mas por fortuna pude complacerle con una taza de caldo y una copa de jerez (circunstancia, entre paréntesis, que en vano hubiera deseado en otro de los establecimientos de esta clase en nuestra capital), con lo cual, restablecidas las fuerzas físicas, pudieron las mentales recobrar su equilibrio y ocuparme en hojear algunos periódicos nacionales y extranjeros. Pero era tan vario y animado el espectáculo que el patio me presentaba, que renuncié a la política (en lo cual no tengo que hacerme gran violencia) para entregarme al *impolítico* papel de observador.

Yo no sé si será o no fundado mi capricho; pero nunca me parece más interesante una mujer hermosa que al salir del baño. Aquel sonrosado de las mejillas; aquel aspecto de pudor, de pulcritud y de molicie; aquel andar voluptuoso y descansado; aquella satisfacción del semblante que parece gloriarse en sus perfecciones; aquella ligereza y descuido del vestido; aquella sencillez del peinado, y, sobre todo, si un largo velo encubre a medias tantas gracias, y si brillan por entre los dibujos de su bordado dos hermosos ojos españoles,

¿quién no convendrá conmigo en la exactitud de la observación? Muchos, los más de los concurrentes, debían ser de este modo de pensar, pues no bien sentían ruido en cualquiera de los picaportes de los baños, se agrupaban en medio, y si veían aparecer una de aquellas deidades, dejábanla paso con una mezcla de admiración, de respeto y de amor; es verdad que, por desgracia, no siempre sucedía aquello, y tal solía ser la aparición, que por miedo de verla otra vez cerraban los ojos y tornaban la espalda con más rapidez que si fuesen deslumbrados por improviso relámpago.

Como en semejantes sitios se hallan conservadas las tres unidades dramáticas de acción, tiempo y lugar, los circunstantes, identificados por la simpatía de situación, se agrupan naturalmente, forman diálogos interesantes y concurren a la acción principal sin perjudicarla por los numerosos episodios que de vez en cuando saltan a embellecerla. Esta escena, repetida todos los días, hace nacer una intimidad, una franqueza, en que sólo le aventaja un viaje en diligencia, y personas que, según el curso natural de los sucesos, tardarían en la sociedad algunos años para hablarse con satisfacción, suelen contraerla en cuatro días frecuentando unos mismos baños. ¡Ya se ve! ¡Son tantas las ocasiones para entablar correspondencia!

La cesión de una silla, el caer de un abanico, el reír de una figura extraña, los diálogos de los mozos, el ruido del agua, el calor, el toldo, el... hasta el folletín del Diario, cualquiera de estos asuntos sirven de *pie* para entrar en relaciones con una linda mano; además, entre el círculo de concurrentes en Madrid a todas partes, es tan regular conocerse todos, o de vista, o de oído, o de... de cualquier modo, que las más de las veces una simple ojeada de inteligencia dice discursos enteros; luego se recuerda una *galop* bailada juntos en Santa Catalina o en Abrantes; se habla de la ópera y del tenor nuevo; se ríe del *Maniquí* (*); se cuenta con la co-

rrespondiente guarnición alguna anecdotilla del día; se pone en berlina a la persona que acaba de salir; o se dicen dos palabras al oído acerca de la que acaba de entrar; todos estos *nadas*, oportunamente colocados, sirven de liga a voluntades inflamables, de imán a corazones sensibles; y luego, al salir, una mano ofrecida para subir al coche, una sombrilla abierta, una cortesía hecha con gracia... ¿Qué más para acabarse de abrasar?

Muy ocupado estaba yo en estas consideraciones, mientras me figuraba leer la *Gaceta* como si fuese cosa de interés, cuando un fuerte bastonazo sobre el papel vino a llamarme la atención. Siguiendo rápidamente con la vista la dirección del bastón, encontré que pendía de una mano pegada a un brazo de cierto amigo mío, de estos amigotes que uno tiene, que no sabe cómo se llaman, pero que acostumbra a pasear y reunirse con ellos en fondas, cafés, teatros, funciones públicas, toros y casas de baños; marqués sin título, militar de paisano, elegante talla, figura expresiva, traje noble, maneras distinguidas.

Este tal me saludó con la dicha franqueza, y sin hablarme más palabra fue a conferenciar con el mozo; es cierto que no pude entender lo que decían, pero sí reparé en el recién llegado un aire de distracción e impaciencia, intermediados por algunas miradas dirigidas a cierto baño cerrado que tenía yo a mi izquierda. Revolvíame en conjeturas para adivinar la causa de aquella distinción, cuando, abriéndose de repente el baño, acertó a salir de él una elegante figura de dama semejante al bosquejo que arriba queda trazado; híyonos una profunda inclinación, y aún estaba yo correspondiendo a ella, cuando el mozo llamó en alta voz al número 72. «Aquí está», contesté precipitado, echando mano al bolsillo; pero aún no había acabado de articularlo y ya el amigo del bigote me tenía agarradas entrambas manos y me conjuraba por *nuestra amistad* que le cediese el número, pues le iba *la existencia* en entrar en aquel baño. Yo no dejo de ser complaciente, pero esto de irse sin bañar después de

(*) Famoso drama silbado recientemente.

dos horas de espera era algo fuerte; sin embargo, tales fueron las instancias, tales las protestas del camarada, que me vi obligado a hacer con él un convenio, cual fue el dejarle el billete, cediéndome él su coche para trasladarme a otros baños, y sin volver atrás la cabeza salí renegando de la casa y de la fatalidad de ser amigo de todo el mundo.

«¡Qué necedad! —iba diciendo entre mí—. ¡Extraño modo de alimentar una pasión! ¡Bañarse en el mismo baño que la persona amada! ¡Este es el *non plus ultra*, el necio ideal del amor! Pero entre tanto, ¿será posible que esté yo condenado por todo el día al suplicio de Tántalo, viendo el agua sin poder disfrutarla? ¿Será posible...?»

—¿Adónde, señor?

—A la mejor casa de baños de Madrid —y cerró la ventanilla y me dejó en paz.

Estaba yo ya cansado de establecimientos mezquinos y de baños de sol, de sudor y de vapores, y necesitaba respirar libremente y predisponer mi piel a la impresión del agua; ignoraba adónde el cochero me llevaría; pero, siéndome conocida la elegancia de su amo, supuse que estaría versado en éste como en otros puntos, y con efecto no me engañé, viéndole dar cabo a nuestro viaje delante de una casa de moderno y elegante aspecto por detrás de la parroquia de Santiago.

—Estos —me dijo al apearme— son los baños de la Estrella.

Un poco tarde, es verdad, amanecía para mí; pero me di por satisfecho de los pasados disgustos cuando, abriendo la persiana, descendí por uno de los ramales de la doble escalera al salón de descanso. Al observar la bella disposición del edificio, su bien entendido compartimiento, el sencillo y elegante adorno del salón, la frescura del patio, los modales de los encargados del servicio, me felicité de encontrar este progreso en nuestra capital, y deseoso de comunicar con alguien mis sensaciones, me dirigí a un sujeto muy formal que acababa de dejar un periódico; entablamos, pues, un diálogo apologético de la casa, del cual vino a subseguirse el

contarle yo mis cuitas de aquella mañana.

—No lo extraño —me decía el descansado caballero—; yo soy un bañador veterano que heredé esta costumbre de mi padre, que era de Valencia, y así que conozco por menor todos los establecimientos de Madrid y podría escribir la historia de su fundación. Figurarían en ella, en primera línea, los que usted visitó esta mañana, que se abrieron durante mi juventud con grande asombro de nuestra población, acostumbrada hasta allí a bajar por sendos nueve días a sumergirse en el frío y seco Manzanares, bajo las casillas de estera que hoy han quedado únicamente como patrimonio de las modistas y artesanos; diríale también algo del famoso *Berete*, de su célebre casa en la plazuela de Lavapiés, y de la concurrencia que supo atraer a su puerta, nunca desocupada en aquel tiempo, de calesines y simones peseteros, y hoy reducida al privilegio de refrescar por la módica suma de cinco reales las exterioridades de las abonadas de la calle de la Comadre o del rollizo tabernero del contorno. Todos los baños públicos de Madrid pasarían mi *revista de inspección*: los de la calle de la Flora, limpios, aunque mezquinos; los cesantes de la Vitoria, en la Puerta del Sol; los antiguos de Santa Bárbara, que pretenden curar todas las enfermedades y otras muchas más; los vecinos de Oriente, más abajo de éstos, que fueron los primeros que dieron a conocer en Madrid el verdadero gusto y comodidad de estas casas; las suntuosas pilas romanas de la puerta del Conde-Duque, para el servicio, sin duda, de los vecinos de Hortaleza o Fuencarral; estos, en fin, en que estamos, que, según mi corto saber y entender, son los mejores y que han tenido la prerrogativa de fijar mi *termófila* persona.

—Todo está muy bien —replicaba yo—; sin duda, que revela un adelanto en la civilización de nuestro pueblo; pero, ¿qué es ello todavía? Una docena de establecimientos entre buenos y malos, y en todos ellos como unas ciento cincuenta pilas para servicio de un pueblo de doscientas mil almas. ¿Qué comparación tiene con lo que se ve en otros países? —Y sin hablar más le di a leer la parte primera de este artículo.

A este tiempo llaman a mi número y al entregar mi billete ábrese la persiana y baja precipitado la escalera mi amigo, el marqués, el de los baños de allá abajo, el del trueque, el...

—¿Cómo, qué es esto; viene usted a disputarme la vez aquí también...?

—No, amigo mío; vengo a abrazar a usted, vengo a darle las gracias porque me ha proporcionado la mayor felicidad...; lea usted..., lea usted..., y me dio a leer un pedacito de papel en que había mal escritas con lápiz estas palabras misteriosas:

«Esta noche..., a las nueve..., dos golpecitos a la puerta: fidelidad, amor y secreto.»

—¿Y qué tiene que ver con...?

—Detrás del espejo del baño; ¿qué

quiere usted? ¡El amor...! Este es un medio como otro cualquiera.

—Ya no me extraño de que usted tuviera tal interés...

—Sí, amigo mío, todo lo debo a su bondad. Pero vaya usted, vaya usted al baño; yo le aguardaré para conducirle en mi coche y, de paso, podré contar a usted toda la historia. Advierta usted que se le recomienda el secreto.

—¡Ah!, pero entre amigos íntimos...

—Tiene usted razón, señor de... ¿Cómo es su gracia de usted?

Entré en la pieza del baño, encontré en ella sillas para sentarme y colocar mi ropa, una mesa para poner el dinero y el reloj, espejo, cepillos, peines, sacabotas, una pila hermosa de alabastro; ¡yo estaba absorto...!, creía no encontrarme en Madrid...; por fin, me metí en el agua y... callé.

(Agosto de 1835.)

EL SOMBRERITO Y LA MANTILLA

Los autores extranjeros que han hablado tanto y tan desatinadamente acerca de nuestras costumbres, al describir el aspecto de nuestros paseos y concurrencias, han repetido que la capa oscura en los hombres y el vestido negro y la mantilla en las mujeres, presta en España a las reuniones públicas un aspecto sombrío y monótono, insoportable a su vista, acostumbrada a mayor variedad y colorido.

Hasta cierto punto preciso será darles la razón, y acaso ésta es una de las pocas observaciones exactas que acerca de nosotros han hecho. Y decimos hasta cierto punto, porque el más preocupado con esta idea no dejaría de sorprenderse al ver la notable revolución que de pocos años a esta parte ha verificado la moda en el atavío de damas y galanes españoles. El Prado de hoy no es ya, ni por asomo, el Prado de 1808, ni aún el de 1832; ¡tales y tan variados son los matices que han venido a modificar su fisonomía! Con efecto, no es ya la uniformidad el carácter distintivo de aquel paseo; las leyes de la moda, encerradas antiguamente en ciertos límites, dejan ya más vuelo, más movimiento a la fantasía; en esto, como en otras

cosas, se observa el espíritu innovador del siglo; y ante su influencia terrible, que hace ceder las leyes y los usos más graves apoyados en una respetable antigüedad, ¿cómo podría oponer resistencia la débil moda, variable de suyo y resbaladiza? Es, sin duda, por esta razón por la que, convencida de su impotencia, ha abdicado su imperio, resignándolo en otra deidad menos rígida; es, a saber: *el capricho*.

Desde que este último ensanchó los límites del imperio de la moda, nada hay estable, nada positivo, en ella; huyeron los preceptos dictados a la fantasía: cada cual pudo crearlos a su antojo, y el buen gusto y la economía ganaron notablemente en ello. De aquí nace esa variedad verdaderamente halagüeña en trajes y adornos: el vestido dejó de ser ya un hábito de ordenanza, una obligación social; en el día es más bien una idea animada, una expresión del buen gusto y hasta del carácter de la persona que le lleva. No es esto pretender erigir en principio la sabia aplicación de los colores a las pasiones; hartos estamos ya de celos azulados y de verdes esperanzas; pero en la combinación de todos ellos, en el dibujo, en el corte del vestido, ¿quién no reconoce aquella expresión del alma, aquella parte animada que podremos llamar *la poesía del traje*? Y siendo éste libre, como lo es en el día, ¿por qué hemos de dudar que tenga cierta analogía con las inclinaciones de la persona? Así los anchos pliegues, las mangas perdidas, los ajustados ceñidores, serán adoptados con preferencia por las damas altisonantes y heroicas; la sencillez de la inocencia escogerá el color blanco, las gasas y las flores; la coquetería, las plumas; el orgullo, los diamantes, y la frivolidad y tontería..., ¿pero qué escogerá la tontería que luego no se dé a conocer?

Semejante observación no podía tener en lo antiguo exactitud, pues, como queda dicho, la voz de la moda avasallaba todas las inclinaciones, hacía callar todas las voluntades. Arrastrados a su terrible carro, veíanse correr hombres y mujeres, jóvenes y viejos, grandes y pequeños: la figura raquítica y la colosal se doblegaban bajo las mismas formas; la morena tez se ataviaba con los mismos colores que la blanca; la esbeltez del cuerpo sufría los pliegues que plugo darle a la obesidad; el hermoso cuello gemía bajo el yugo que disimulaba el feo, y la rubia cabellera usaba los mismos lazos que tan bien decían a la del color de ébano...

¿Qué significaba entonces el vestido relativamente a la persona que le llevaba? ¿Qué quería decir una joven fría y sin gracia vestida de andaluza? ¿Qué una desenfadada malagueña cubriendo los zapatos con la guarnición de su vestido? Nada, absolutamente nada, sólo que *era moda*; que la modista o el sastre lo querían; el traje no era más que la expresión; el sastre la idea.

¡Qué diferencia ahora! El albedrío es libre en la elección; el refinamiento de la industria ofrece tan portentosa variedad en las telas y en las formas, que sería ridículo hasta el pretender reducirlas a precepto. Sin negar las debidas aplicaciones, el color negro no tiene ya, respecto al gusto, preferencia alguna sobre los demás; la seda sobre el hilo; el bordado sobre el dibujo. Recórranse,

si no, esos surtidos almacenes, obsérvese ese Prado y díctense después reglas fijas e invariables: telas de todos los colores y dibujos, trajes de todos los tiempos y naciones, han sustituido a la inveterada capa masculina, a la antigua basquiña femenil, y en variedad hemos ganado cuanto perdido en nacionalidad o españolismo.

Una de las innovaciones más graves de estos últimos tiempos es, sin duda, la sustitución del *sombrerillo* extranjero en vez de la *mantilla*, que en todos tiempos ha dado celebridad a nuestras damas. En varias ocasiones se ha procurado introducir esta costumbre; pero el crédito de nuestras mantillas ha ofrecido siempre una insuperable barrera. El sombrero era un adorno puramente de corte; como los uniformes y las grandes cruces *imprimía carácter*; no hace muchos meses que una señora *de gorro* era equivalente a una señora *de coche*, y si tal vez se atrevía a pasear indiscretamente el uno sin el otro por las calles de M a d r i d, corría peligro de verse acompañada por la turba muchachil y chilladora. Únicamente saliendo al campo por temporada, la esposa del rico comerciante o la hija del propietario, osaban aspirar al adorno de la aristocracia, al sombrero; y eso para lucirlo en las eras de Carabanchel o en los baños de Sacedón. Hoy es otra cosa; la mantilla ha cedido el terreno, y el sombrerillo, progresando de día en día, ha llevado las cosas al extremo que es ya miserable la modista que no logra envanecerse con él.

¿Hemos ganado o hemos perdido en el cambio? Hay quien dice que presta gracia al semblante y quien supone que oculta lo mejor de él; quien sostiene que las bonitas están más bonitas, y quien asegura que las feas están más feas; quien cree que es moda de niñas y otros que la acomodan a las viejas; los maridos la encuentran cara; las mujeres sostienen que es económica; unos piensan que es moda de invierno; las madrileñas la han adoptado en verano; cuáles están por las flores, cuáles por la paja; éstas por el terciopelo; aquéllas por el raso. ¡Terrible alternativa! Profunda y dificilísima cuestión.

Todas estas reflexiones y otras muchas más se habían agolpado a mi imaginación a consecuencia de un suceso que acababa de presenciar, y como el corto espacio no me permite explayarme, limitaréme a indicar lo más sustancial de él.

Días pasados tuve que ir a visitar la familia de mi amigo D... (pero el nombre no es del caso, pues que por ahora no ha de salir a la escena). La antigüedad de mis relaciones de amistad con aquella familia y la franqueza de mi carácter, me hacen ser un consultor nato de la casa, reducida al matrimonio respetable y a una hija única que frisa en los diecinueve abriles, y a quien, por legítimo derecho, vienen a parar los 4.000 pesos de renta que posee el papá, lo cual presta a sus lindas facciones nueva perfección y rosicler.

La ocasión era solemne, y como consejero áulico fui llamado para conferenciar *en familia*. Un cierto joven caballero, primo de la niña y, por consiguiente, sobrino de su tío, acababa de llegar aquella mañana de vuelta de sus largos viajes, emprendidos después que dejó el colegio de *Blois* y la *Escuela Politécnica* de París. Este primo, pues, regresaba a su patria a los veintiséis años, habiendo pasado fuera de ella los quince últimos; era elegante e instruido, bella figura, considerable caudal; con que no hay que decir si el partido era ventajoso para una prima que podía ofrecerle, cuando menos, iguales cualidades. Así lo debió, sin duda, pensar el papá, y al efecto nada perdonó hasta conseguir traerle a Madrid y a su misma casa. ¡Amor de padre!

Pocas horas hacía que el extranjerísimo viajero había llegado cuando yo entré en la casa; aquél se había retirado a descansar, y las damas, madre e hija, se hallaban regañando a la sazón con una modista sobre el corte de ciertos vestidos y sombreros que traía a prueba; apenas hicieron alto en mí; de manera que mientras duraba aquella *polémica* tuve tiempo de ponerme al corriente de la sostenida por nuestros periódicos; por ahí puede calcularse lo que duraría la tal sesión; pero de toda ella sólo pude venir en conocimiento de la importancia que daban al atavío con que pretendían deslumbrar al elegante viajero.

No entraré en detalles sobre los demás diálogos y escenas que mediaron con éste luego que nos sentamos a la mesa, ni sobre su cortesía y atención con las damas, atención que respecto a *Serafina* (que así se llama la criatura) tenía todo el carácter de la más fina galantería.

—¡Es encantadora! —me decía por lo bajo—; pero lo que más me sorprende es que me parece una de nuestras bellezas parisienses: la misma expresión, los mismos modales, el mismo metal de voz... ¡Y temía yo tanto no encontrar una española que me gustase!

—Sin embargo, le contestaba yo, no hay que desanimarse, amiguito; acaso no será la última.

Era ya la hora del paseo, y nuestras damas nos hicieron avisar de que estaban dispuestas a salir. Dejáronse, pues, ver en todo el lleno de su atavío, y es preciso confesar que no habían tenido razón para reñir a la modista; el mayor gusto y elegancia habían dirigido su hábil tijera; rasos, lisos y floreados; blondas exquisitas, bordados y pedrerías, nada se había economizado en aquel momento; pero, sobre todo, me llamó la atención el gracioso sombrerillo de la niña, que oponía la elegante sencillez de sus flores y espiguillas al complicado laberinto de plumas y cintas del de la mamá.

El amigo estaba satisfecho, las señoras también, yo igualmente; con que todos lo estábamos. En esta conformidad nos íbamos a dirigir al Prado, cuando acertaron a llamar a la puerta. Abrese ésta y aparece *Paquita*, la prima de Serafina, que, con su papá y hermanos, venía a saludar al recién venido (también su pariente) y a convidarle a la función de toros de aquella tarde... ¡Ah...!, se me había olvidado que era lunes y que había función de toros.

Rico y elegante zapatito de raso, encerrando sin dificultad el breve pie;

delgadísima media delicadamente calada; redondo y bien cortado vestido, guarnecido por todo su vuelo de brillante y móvil fleco y cordonadura; un ajustado corpiñito abrazando una cintura esbelta y delicada y adornado de la misma guarnición en los hombros y bocamangas; un pañolito al cuello recogido con sendas sortijas sobre cada hombrillo y correspondiendo por su color con la rosa de la cabeza, y una mantilla, en fin, de blonda blanca, cruzada con garboso brío sobre el pecho, dejaban contemplar desembarazadamente un cuerpo digno de las orillas del Betis, un semblante de diecisiete a dieciocho, unas facciones picantemente combinadas, una tez de un moreno suave y un par de ojos árabes, en fin, que no hubieran figurado mal en el paraíso de Mahoma.

Tal era la nueva interlocutora que se presentaba en aquel momento en nuestro cuadro; y si era temible y digna de figurar en primer término, dígalo el enmudecimiento general que ocasionó y más que todo el asombro y distracción que se leían en el semblante del recién venido.

Cambió la escena: la cortés galantería de aquél se trocó en indecisión y aturdimiento; la satisfacción de Serafina y su madre, en temor y aire receloso, y solamente yo ganaba en el cambio, porque, amagado como lo estaba, de haber de dar conversación toda la tarde a a mamá, sospeché, desde luego, que tendría que hacer los mismos oficios con la hija. Y, por cierto, no me equivoqué; ni durante el camino, ni mientras la función, ni al tiempo del regreso, fue posible tornar en sí al preocupado caballero, ni hacerle recuperar, respecto de las damas de casa, el lugar que ocupaba por la mañana; de suerte que era preciso ser muy poco conocedor para no anticipar el resultado de aquel negocio.

Mi curiosidad natural me llevó a la mañanita siguiente a explorar la disposición de los ánimos, y aunque no dejé de observar alguna nubecilla, resto de la pasada escena, encontré algún tanto restablecida la armonía y al caballero en disposición de acompañar a las damas a su paseo matutino por las calles de la capital. No lo extrañé a la verdad, porque el aspecto de Serafina en tal momento era capaz de fijar a más de un inconstante. Su ligero y blanquísimo vestido de muselina, sin más adorno que la sencilla esclavinita sobre los hombros, un gracioso nudo a la garganta y un sombrerillo de paja de Italia en la cabeza, la hacían parecer tal a mi vista, que si fuera Chateaubriand no dudaría en compararla *a la virgen de los primeros amores.*

Mas... ¡oh *fuerza del sino*, o más bien sea dicho, de las femeniles combinaciones! La segunda prima, que, sin duda, se creía más adecuada para el carácter de prima que para el de segunda, vuelve a aparecer de repente.

Su traje era un sencillo hábito negro, más fino, por cierto, que el que podrían usar las vírgenes del Carmelo, pero con el escudo distintivo en una de las mangas; un ajustado ceñidor de charol desprendiéndose hasta el pie; una mantilla de rico tafetán, cuya elegante guarnición servía de dosel a la cintura; el pelo recogido tras de la oreja, y una cara..., la propia cara, en fin, expresiva y revolucionaria de la tarde anterior.

Queda dicho: las mismas causas producen siempre los mismos efectos; el caballero volvió a aturdirse; las damas a nublarse; yo a cuidar de la amable Serafina, y cuando a la vuelta del paseo pude tener mi explicación con el galán, llegué a conocer que el mal no tenía remedio; que la más profunda e irresistible impresión era a favor de Paquita; y argumentándole como buen amigo en favor de las gracias de su prima, concluyó con decirme que las reconocía; que hubiera podido resistir a los encantos naturales de su rival; pero que le era imposible, absolutamente imposible, triunfar *de su mantilla.*

(Septiembre de 1835.)

A PRIMA NOCHE

Fama es general, y aún pudiera decirse fundada, la que atribuye a los españoles la generosidad como una de las bases distintivas de su carácter. Generosos somos, en efecto, en el sentido más lato de esta palabra, generosos y aún pródigos en los gastos necesarios y superfluos; dígalo nuestra deuda nacional, nuestras oficinas, nuestros palacios, iglesias y monumentos. Pródigos también somos en las hipérboles y demás figuras retóricas, y de ello podrían dar testimonio los entusiastas historiadores, los encomiásticos poetas y tantas alocuciones, exposiciones y manifestaciones como vemos diariamente, y que pudieran, recogidas con cuidado, servir de formulario general y completo de proclamas para todos los países del globo.

Pero en medio de nuestra prodigalidad, de nada somos tan pródigos como del tiempo, y nada, en efecto, sabemos desperdiciar con más garbo y bizarría.

Las naciones industriosas han considerado el tiempo como el más precioso de los capitales. Nosotros, generalmente hablando, le consumimos como réditos de nuestra existencia. La frase española de *hacer tiempo* equivale a perderle en cualquiera lengua, y un ligero paseo por nuestra capital (adonde la cortedad de nuestra vista nos limita) probaría mucho más que todos los discursos aquí estampados.

¿Qué hace, v. gr., esa turba parásita de plantones fijos en la Puerta del Sol, interrumpiendo el paso de los transeúntes, aprendiendo de memoria los carteles, mirando al reloj u oyendo cantar a un ciego? Está *haciendo tiempo* para pasar a otro lado a ocuparse en trabajos semejantes.

¿Qué espera aquel almibarado petimetre, dije habitual de una elegante tienda de la calle de la Montera, parte integrante de su aparador, emblema de su muestra y fiel controlador de sus operaciones mercantiles? ¿Muévele algún interés en éstas o el deseo de hacer observaciones económicas o morales? Nada menos que eso: está *haciendo tiempo* para que un marido vaya a la oficina y correr a consolar a la esposa, que le espera *haciendo tiempo* al balcón o ensayando al espejo la nueva combinación del prendido.

El esposo entre tanto, sentado en su silla burocrática, ejercitando su pulso en bravos rasgos y geroglíficos, recortando en picos el pelo de las plumas, paseando la badila alrededor del brasero para darle la forma piramidal, formando cigarrillos que ofrece a sus compañeros y disertando a la ventana mientras los fuma, sobre la orden de la plaza o sobre la corrida de toros, *hace tiempo* de que venga el jefe a echar reprimendas al portero, atar y desatar legajos, tirar de la campanilla y *hacer tiempo* de que den las dos para tomar el sombrero.

¿Qué espera aquel magistrado hundido en su sillón carmesí, la cabeza sobre el respaldo y los ojos elevados al cielo? ¿Medita sobre la defensa en que el abogado con frases anfibológicas ha hecho una hora de tiempo para martirizar su pensamiento? Pues no señor: *está haciendo tiempo* de que el portero que jugaba a los naipes con los lacayos de S. S. abra con estrépito la mampara, diciendo: «*Señor, la hora*».

¿Qué busca el obrero paseando sus miradas desde el caballete de un tejado con la piqueta alzada y la otra mano extendida en ademán de comunicar sus órdenes a la cuadrilla? ¿Inventa acaso un corte más ventajoso, una operación más fácil que le economice tiempo y trabajo? Nada menos que eso: su vista penetrante, salvando los tejados y chimeneas, se fija en la torre de la Trinidad, tarareando alegremente el antiguo romance:

«Mediodía era por filo,
las doce daba el reloj,
comiendo está con sus grandes
el rey Alfonso en León.»

Siente la primera campanada, arroja simultáneamente la piqueta y desciende por el andamio como aliviado del peso del trabajo, corriendo a reunirse con su cara consorte, que, sentada al sol a la puerta de su casa de la calle de la Paloma, *hace tiempo* de que se salga el puchero o que caiga en la lumbre el chicuelo revoltoso o el gato dormilón.

En ningunos momentos es más perceptible este vacío universal, este *dolce far niente* (que dijo el Toscano), como en los que constituyen las primeras horas de la noche; no basta a nuestra apática indiferencia el interrumpir indiscretamente el trabajo del día con la solemne operación de la comida a las tres; no es suficiente a nuestro reposo la segunda noche, improvisada en la siesta, ni el paseo de ordenanza, hasta que la luz del día llega a extinguirse; es preciso aún perder otro par de horas en un café, o sentados en derredor de una mesa de billar, o corriendo las calles sin dirección, o a la puerta de una tienda de confianza.

Si al cabo estas horas importantísimas, ya que no las ocupáramos en asistir a las academias y liceos, ya que prescindiéramos de todo trabajo mercantil o artístico, fueran empleadas en intimar nuestra sociedad, no aquella sociedad pública y ficticia, disputadora y pedantesca que se encuentra alrededor de un bol de ponche o con el taco en la mano, sino aquella grata franqueza que sólo se halla en el interior de las familias que nos son conocidas; aquella sociedad en que podemos aparecer tal cual somos sin riesgo de comprometernos ni de ofender a los demás; aquella compañía, en fin, amable y sin pretensiones que forma la verdadera amistad, el amor y los lazos más dulces y duraderos, aún pudiera darse por bien empleado tal solaz.

Burlámonos de nuestros antepasados porque tocando ligeramente en las botillerías o cafés para sólo el acto de refrescar, se retiraban a sus casas después de anochecer para recibir en ellas a sus amigos verdaderos y pasar algunas horas en sabrosas pláticas o en juegos permitidos. Es la verdad que en la antigua botillería de *Canosa* o en la de *San Antonio de los Portugueses* no encontraban mesas de mármol, ni columnas, ni relieves, ni arañas de cristal, ni espejos, ni aparadores como en nuestros cafés del día; es la verdad que una estrecha mesa y un banco más estrecho aún, un candilón de cuatro pabilos, un vaso de campana y un cestillo de bizcochos, eran todo el aliciente que ofrecían aquellas lóbregas salas; pero a la vuelta de esto las bebidas eran excelentes, la concurrencia general y los escasos momentos de permanencia en ellas hacían llevaderas aquellas faltas. No hallaban allí, es cierto, periódicos que leer, políticos con quien disputar, literatos a quien engreír, militares que temer, ni crónica escandalosa que comentar; pero, en cambio, no ensordecían con el ruido infernal de las disputas; no adquirían los modales de mal tono; no se acostumbraban a repetir frases indecorosas; no se impregnaban en el pestífero olor del tabaco, y, sobre todo, no perdían lastimosamente el tiempo.

—Buenas noches, señor *Curioso Parlante*.

—Buenas noches, don Pascual.

—¿Qué hace usted?

—Escribir.

—¿Y a quién?

—Al público.

—Excelente corresponsal, aunque algo sordo; ¿y se puede saber sobre qué?

—Véalo usted. —Y le alargué el papel mientras *hacía tiempo* de que lo leyese, saboreando un purísimo habano. ¡Ah...!, también me sirvió este tiempo para informar a mis lectores de que este interlocutor es aquel mismísimo don *Pascual Bailón Corredera*, de que ya tienen conocimiento si han leído mis anteriores artículos de los *Cómicos en Cuaresma* y *La capa vieja*.

—Todo esto está muy bueno —me replicó don Pascual, alargándome el papel después de haberlo leído—; pero ¿quién le mete a usted a censor moralista? ¿Pues hay cosa mejor que estas costumbres de prima noche? Míreme usted aquí: son las nueve, ¿no es verdad?; pues si yo le contara a usted lo que ha pasado mientras estaba *haciendo tiempo* para venir a quitarle a usted el suyo, había de reformar su opinión.

Por de pronto, luego que empezó a anochecer y que los árboles del Prado atraían a su atmósfera una humedad perniciosa, reflexioné que en ninguna cosa podría emplear los momentos como en refrescar mis fauces, resecadas con el polvo y la agitación del paseo. El inmediato salón de *Solís* me ofrecía su socorro; pero era tal la concurrencia de los que calcularon como yo, que no me fue posible proporcionar una silla, y a la verdad no lo sentí, pues esto me

ofreció la ocasión de ir a saborear cerca del famoso repostero *Amato* un exquisito *sentillé* a la rosa. ¡Figúrese usted lo dulce que es un *sentillé* a la rosa tomado en una linda sala; viendo sucederse alternativamente la elegante concurrencia de damas y caballeros que, descendiendo de brillantes carretelas, llegan a rendir el tributo de su admiración a aquel amable anfitrión! Por desgracia, esta operación no puede prolongarse más que un cuarto de hora. ¡*Sic transit gloria mundi*!, y al cabo de él, ¿qué remedio?, abandonar aquel elegante recinto y buscar en otro sitio nuevas sensaciones.

¡La política, qué campo tan inmenso para el observador!; por fortuna, el café *Nuevo* sale al paso. ¡Estrépito! ¡Confusión! ¡Qué noticias supe allí! ¡Qué discursotes escuché! ¡Qué planes para concluir la guerra! ¡Cómo diserté y argüí!, y... parecía un Bernadotte; pero me dolía la cabeza y no tuve otro remedio que ganar las escalas de Levante; quiero decir, que subí la escalera del café de aquel nombre. Transición, contraste romántico, 1835 y 1805.

Para descargar la cabeza no hay como sentarse a jugar una partida de ajedrez con un escribano; pero la bóveda de mirones que se formaba sobre nuestras figuras, encerrándonos herméticamente, no nos dejaba respirar. El humo del cigarro, el del café (que, por cierto, es excelente), el monótono ruido de los peones y damas, de las bolas y tacos, de los dados y fichas..., quédese para otro día la partida; pasemos a la sala del billar; ¡aquella sí que es tranquilidad! Círculo inamovible alrededor de la mesa, senado mudo, expresivas fisonomías, escena original iluminada por lo alto, digna del pincel de Teniers. ¿Y todo, para qué?, para observar los movimientos de dos bolas redondas impelidas por discursos más redondos aún. ¡*Oh raras hominum mentes*!

Los próximos salones de Lorencini y la Fontana me ofrecían un espectáculo demasiado *clásico*, compuesto de antiguos abonados que disertaban sobre el cólera del año pasado o la contribución de paja y utensilios del actual; pero

¡una formalidad...!, denme la broma y el ruido y... vamos, no hay otro café del *Príncipe* en el mundo: allí sí que hay que ver, que escuchar... ¿Quiere usted política?; todos los correos se apean en este *Lloyd* madrileño. ¿Estima usted el derecho político? Escuche usted a un centenar de abogados. ¿Diplomacia? Antigua y moderna, a escoger. ¿Moral? Allí sí que se saben aventuras. ¿Poesía? El *Parnasillo* moderno está allí. ¿Periodistas? Las gradas de San Felipe hablando. ¿Romanticismo? ¡Es una Venecia! ¿Goces materiales, bebidas? Medio sorbete, sorbete poético por dos reales. ¿Tono rigorista? Al café de enfrente o al billar del Morenillo.

Todo cansa, sin embargo, y yo lo estaba ya a más no poder de aquella batahola; pero el reloj *no marchaba*, y todavía no eran más que las ocho, según me anunciaba estrepitosamente el ruido de la retreta, partida en distintas direcciones de la Puerta del Sol, con gran séquito de desgreñadas Andrómacas que marchaban al compás de las cajas de guerra.

Huyendo, como es natural, de toda aquella bulla que por la calle de Alcalá se dirigía al cuartel, me detuve involuntariamente en la calle de Peligros, y allí donde en historiado retablo se ostenta a la pública veneración el abogado de las cosas perdidas, hice alto un momento para reflexionar mi dirección. ¡Ay, señor Curioso, y cómo quisiera tener aquí su pincel para bosquejarle las sombrías escenas que presencié! Créame usted: pocas figuras de contradanza o de mazurca salen tan bien ensayadas como las que formaban a mi vista las compaseadas manolas con su figura ondulante y campanil, y los listos aficionados al ojeo, apareciendo y desapareciendo alternativamente por las bocacalles de Hita y de Gitanos, de Peligros y San Jerónimo, del Príncipe y de la Cruz; mas como «la oscuridad de la noche y la escabrosidad del terreno permitían ocultarme sus movimientos», y, como, por otro lado, recuerdo que ya usted nos ha descrito estas evoluciones en su romance *El paseo de Juana*, nada más añadiré, ni me empeñaré en seguir paso a paso las sensibles parejas que tomaban puerto franco en una tienda de vinos, harto escasa en verdad de picaportes y cerrojos, gracias a la previsora susceptibilidad del dueño; ni tampoco a las filarmónicas ambulantes, que, paradas delante de un ciego cantante, tendían su tela como las arañas en una esquina, no sin gran concurso de moscones embozados; ni, en fin, a las que al entrar con la terciada mantilla en la bulliciosa tertulia tabernaria reanimaban aquella báquica reunión. Esta escena por sí sola, que contemplé parado delante de una de la calle de Toledo, merece un artículo aparte y prometo contárselo a usted.

—Recojo la palabra.

¿Y después de lo dicho, llamará usted perderle esta manera de *hacer tiempo*? No, sino véngamos ahora a encarecer los círculos y sociedades, las academias y liceos extranjeros: ¿quería usted, por ejemplo, que los literatos y aficionados tuviesen aquí tertulias privadas donde reunirse a tales horas para charlar sobre sus obras? ¿Propondría que el pueblo encontrase espectáculos baratos a que acudir para ver las habilidades de un físico o las patochadas de un arlequín? ¿Desearía que las bibliotecas estuviesen abiertas a semejante hora y que fuera lícito a entrambos sexos el concurrir a ellas? ¿Encomiaría, en fin, las tertulias de confianza con sus juegos de prendas y sus amores platónicos? ¡Fuego en las tales! ¿Mas dónde existen ya?

Acérquese usted, si no, a casa de su amigo *don Melquiades Revesino*. La puerta cerrada..., si serán dos golpes, si serán tres..., vayan dos.

—¿Quién es? —pregunta una destemplada vieja desde el piso tercero.

—Un hombre.

—¿A qué cuarto va usted?

—Al segundo.

Y cierra el balcón y se queda usted en la calle.

Demos que le abre de *caridad*; demos que tira usted la campanilla del segundo, y que no están las señoras, y que sólo le responde el falderillo que ladra, y que, en fin, no hay nadie en casa... ¡Por cierto, que es rato divertido el encontrarse en una escalera a oscuras y con el portal cerrado!

Pero anímese usted a descolgarse *por vía de recurso de apelación o como más haya lugar* a casa del abogado don Pánfilo. Mire usted a toda la familia asustada con su visita extemporánea y preguntarle: «¿Qué es esto, don Fulano? ¿Usted por aquí? ¿Qué novedad es ésta? ¿Hay algo de nuevo? ¿Ha sucedido alguna cosa?».

—Nada, señores; el deseo de ver a ustedes.

—Vaya, no es posible; muchacha, Margarita, tira esa labor, acércate; y tú, Toribio, avisa al amo, que está en el despacho.

—No le incomode usted.

—Quita tú ese velón y trae unas velas.

—Señores, de cualquier modo.

En fin, que observa usted (y es fácil de conocerlo) que ha venido a incomodar, y por cubrir el expediente, como si dijéramos; por *hacer tiempo*, tiene que improvisar una semi-declaración a la niña.

Pero qué, ¿está usted escribiendo geroglíficos mientras yo hablo? ¿Está usted *haciendo tiempo también*?

—Nada de eso; estoy haciendo mi artículo, o por mejor decir, usted le está haciendo por mí, pues que sólo escribo en taquigrafía lo que usted va hablando.

—¿De veras? ¿Y qué ha salido de ello?

—Ha salido lo que yo deseaba: un rasguño de Madrid *a prima noche* que habrá de suplir a otro mejor.

—¿Cómo?

—Sí, amigo; yo había bosquejado el paisaje; usted le ha dado la animación.

(Octubre de 1835.)

INDICE